S0-AFA-449

ДАНИЛ КОРЕЦКИЙ

Читайте романы
классика отечественного детектива

ДАНИЛА
КОРЕЦКОГО:

ДАНИЛ
КОРЕЦКИЙ

КЛАССИК ОТЕЧЕСТВЕННОГО ДЕТЕКТИВА

АТОМНЫЙ
ПОЕЗД

МОСКВА

ЭКСМО

2004

УДК 82-3
ББК 84(2Рос-Рус)6-4
К 66

Оформление художника *А. Саукова*

К 66   **Корецкий Д.А.**
           Атомный поезд: Роман. — М.: Изд-во Эксмо, 2004. —
       480 с.

       ISBN 5-699-09043-6

По российским просторам мчится обычный с виду пассажирский
поезд, но на самом деле это замаскированный ракетный комплекс стратегического назначения. Играющий большую роль в паритете ведущих
ядерных держав земного шара, комплекс превращается в козырную карту
мировой политики, после чего становится объектом шпионажа и мише-
нью диверсионно-террористической деятельности. Выпускник ракетного
училища лейтенант Кудасов получает распределение на этот сверхважный
объект и оказывается в центре запутанных и опасных событий, а также
любовных похождений. Уникальные математические способности, устойчивая нервная система и человеческая порядочность помогают ему выйти
победителем из сложных жизненных коллизий, сохранить свою жизнь и
спасти мир от ядерной войны.

                                                    УДК 82-3
                                                    ББК 84(2Рос-Рус)6-4

                                        © Корецкий Д.А., 2004
ISBN 5-699-09043-6   © ООО «Издательство «Эксмо», 2004

This book belongs to
Phoenix Medical Center
4147 Labyrinth Rd
Baltimore, MD 21215

Пролог

Черный, как вороненая сталь, поезд со свистом рассекал непроглядную сибирскую ночь. Бешено крутящиеся колеса упруго закусывали край отполированного до никелевого блеска бесконечного рельса, как две сходящиеся половинки гигантских ножниц, готовых разрезать надвое все, что попадет между смыкающимися острыми поверхностями. Сейчас попадалась только корка льда и смерзшаяся снежная крошка, которые размалывались чудовищным давлением и превращались в мелкие капельки воды. Завихрения воздуха под вагонами мгновенно высушивали эту воду, вздымали покрывающие шпалы сугробы и выдавливали снежную пыль в стороны, будто старинный угольный паровоз стравливал накопившиеся в котле опасные излишки пара. Лязг стали о сталь, гул двадцатитысячесильных дизелей, — весь грохот несущегося на предельной скорости состава разносился над безмолвной снежной пустыней и постепенно таял в вязком от мороза воздухе.

Яркий голубоватый луч мощного прожектора разрезал молочную тьму на несколько сот метров вперед, в ослепительном световом туннеле клубились мириады снежинок, которые вдребезги разбивались о бронированную грудь локомотива, как мошкара о лобовое стекло несущегося по трассе «Мерседеса». Казалось, что неукротимый состав вот-вот протаранит низко висящие звезды и те разлетятся искристо светящимися брызгами, с шипением прожигающими густую пелену предрассветного тумана.

За локомотивом раскачивались на рельсах, стучали колесами, лязгали сцепками семь пассажирских вагонов, при свете луны можно было различить на бортах белые трафаретки с надписью «Тиходонск — Новосибирск». Если бы на заснеженной насыпи оказался изнывающий от безделья зевака, пытающийся рассмотреть пассажиров скоростного экспресса, то у него бы ничего не вышло: все окна были плотно зашторены, даже лучик света не вырывался наружу, и что бы ни делали обитатели вагонов — пили ли чай, придерживая торчащие из стакана ложечки, читали ли при свете ночников карманноформатные детективы в пестрых обложках, или занимались любовью на толстых мягких диванах, — все это оставалось тайной за семью печатями. Впрочем, в несущемся экспрессе ничего подобного не происходило и происходить не могло. К тому же на пустынных сибирских просторах не встречалось любопытных, желающих разгадывать тайны проносящихся мимо поездов.

Поезд продолжал разгоняться. Ни одного огонька, ни одной транзисторной ноты, ни одной выброшенной бутылки, какой-то «летучий голландец», призрак... Казалось, что вот-вот он взлетит, втянется в световой туннель прожектора и бесследно исчезнет. Но чудес не бывает. Олицетворяющая мощь и стремительность цивилизации стальная лента пересекала безлюдный исконно природный пейзаж, не нарушая законов бытия.

Пологим радиусом рельсы ушли влево, и сначала локомотив, а вслед за ним и вагоны скрылись за заснеженными деревьями. Какое-то время еще доносился отдаленный стук колес, но когда смолкли и его отголоски, в окрестностях вновь установилась звенящая первобытная тишина.

Стремительный поезд исчез, будто рассеявшийся мираж, но его мощь буквально наэлектризовала воздух, оставив ауру тревоги и разрушительной силы. Энергетика постепенно слабела, остывали рельсы, всполошенный снег успокоенно оседал по краям железнодорожной колеи. Снежинки продолжали медленно планировать на округлые сугробы, туман, разорванный черным локомотивом, стянулся, принимая прежнюю бесформенную густоту. Все стало как прежде. Одинокий поезд-призрак появился из ниоткуда и ушел в никуда.

This book belongs to
⸻ enix Medical Center
147 Labyrinth Rd
Baltimore, MD 21215

Часть I

КТО ВЛАДЕЕТ ИНФОРМАЦИЕЙ, ТОТ ВЛАДЕЕТ СИТУАЦИЕЙ

Глава 1

ПРОМЕТЕЙ ВЫХОДИТ НА СВЯЗЬ

Яркое весеннее солнце отражалось в угрюмых небоскребах Нового Арбата, прогревало промерзшую за зиму землю, ласкало девушек, расстегнувших шубы, дубленки и простенькие пальтишки на ватине или синтепоне. Здесь было как всегда многолюдно, причем большинство составляли приезжие, они, толкая друг друга, заполняли тротуары, толпились возле киосков с пиццей или шаурмой, заглядывали в магазины, хотя уже не так деловито и напористо, как несколько лет назад.

Тучный мужчина в дорогой дубленке «CHRIST», вышедший из подземного перехода, явно был москвичом, но почему-то стремился в эту толчею. Ему было сорок пять лет, но выглядел он на все шестьдесят, у него было широкое мясистое лицо, красное то ли от пристрастия к алкоголю, то ли от повышенного давления. Собственно, то, что образует лицо, — маленькие, близко посаженные глаза, курносый нос, напоминающий некондиционную картофелину, пухлые губы цвета сырого мяса, — располагалось в круге диаметром десять-двенадцать сантиметров, все остальное пространство пустовало. Если бы удалось обрезать лишнее — висящие щеки, двойной округлый подбородок, толстую складку на шее, — мужчина помолодел бы лет на двадцать. Но он явно не нуждался в косметической операции: уверенные манеры, властность во взгляде и осанке, значительность каждого движения выдавали, что он вполне доволен собой.

Хотя, возможно, не сейчас: уже полтора часа человек катался в метро, пересаживаясь с одной ветки на другую, терся в толчее подземных переходов, от этих непривычных занятий он взопрел и пришел в крайнюю степень раздражения. В очередной раз он огляделся по сторонам, подошел к краю тротуара и поднял руку. Любому, кто видел этот жест, бросилось бы в глаза, что он не привык останавливать случайные машины, зато поднаторел командовать персональным водителем. Впрочем, обычные прохожие в Москве не обращают внимания на чужие привычки.

Почти сразу возле коренастой, круглобокой, но на удивление прямой фигуры притормозила черная «Волга», человек в коричневой дубленке сел на заднее сиденье, положил на колени кожаный дипломат и, стараясь не щелкнуть замками, приоткрыл его. В простеганном шелковом нутре лежал прибор, похожий на популярный когда-то в СССР радиоприемник «Спидола». Человек выдвинул антенну и нажал кнопку проверки готовности. На панели зажглась зеленая лампочка — все в порядке. Он посмотрел налево.

«Волга» проезжала мимо казино «Метелица», как раз в его сторону торчала направленная антенна. Если сейчас нажать вторую кнопку, то сжатый во времени импульс перебросит в «Метелицу» спрессованное сообщение, которое практически невозможно запеленговать. Но казино его не ждет, там некому принять и раскодировать шифровку. Да она там никого и не интересует.

«Волга» свернула на Садовое кольцо. В машине было жарко, и коренастый человек с широким лицом расстегнул дубленку. Слева шел троллейбус, и это его беспокоило.

— Перестройтесь в левый ряд, — отрывисто скомандовал он и, опомнившись, добавил: — Пожалуйста.

— Вам же надо к Дому писателей? — недоуменно спросил водитель.

— Нет... Я передумал... Высадите меня возле зоопарка...

Водитель пожал плечами, притормозил и выкрутил руль. Теперь слева не было никаких препятствий. Человек вытер пот с лица и глубоко вздохнул, чтобы успокоиться. Ничего не получалось: сердце отчаянно колотилось, виски будто обручем сдавило, стало трудно дышать.

Водитель, не спрашивая разрешения, закурил — протестная реакция на капризы пассажира. От дыма человеку в дубленке стало совсем плохо, но отвлекаться не было времени: машина приближалась к американскому посольству. Именно там круглосуточно ждут шифровку Прометея и сумеют ее прочесть.

Звездно-полосатый флаг приближался: сто метров, семьдесят, пятьдесят... Из-под шапки катились струйки пота, но он не мог шевельнуться, пальцы окостенели, пульс перевалил за сотню. Так и получают инфаркт или инсульт... Скорей бы все закончилось...

«Волга» поравнялась с флагом. Онемевший палец нажал кнопку, в голубом окошке побежал зигзаг отправления, в ту же секунду зеленая лампочка замигала желто-красным цветом. Значит, какие-то энергетические поля перебивают сигнал, временами заглушая его совсем... Следовало продублировать передачу, но человек впал в панику: вместо того, чтобы передвинуть клавишу и повторно нажать кнопку, он вдвинул обратно антенну и, даже не выключив передатчик, закрыл дипломат.

Казалось, что ничего не изменилось. Ровно гудел мотор «Волги», мерно двигался за окнами транспортный поток, менялись огни светофора, безразлично выпускал табачный дым водитель. Но это обманчивое впечатление. Произошло нечто ужасное, словно небо обрушилось на землю.

Его засекли!

Как удалось это сделать — неизвестно, но факт налицо!

Ни при одной из предыдущих передач не возникало никаких помех. Никаких!

Значит, его запеленговали?!

Бицджеральд уверял, что это невозможно, но его слова ничего не значат!

У американца дипломатический паспорт и ему не пустят пулю в затылок в темном сыром подвале!

Что же делать?

Что делать?!

Что делать?!!

— Мы приехали, — раздался откуда-то из другого мира голос шофера. — Вот зоопарк.

— А? Что? Да, да...

Голос был таким, что водитель обернулся.

— Вам плохо? Еще чего не хватало... У меня совершенно нет времени!

Сейчас у тебя появится время. Распахнется дверь, ловкие жесткие руки выбросят пойманного шпиона на дорогу, наденут наручники. А водитель превратится в важного свидетеля, он будет испуганно оправдываться и проклинать ту минуту, когда посадил в машину замаскированного врага!

Мысли шевелились вяло, как засыпающие рыбы. Осознание краха всей жизни парализовало ожиревшее тело. Зачем он связался с ними? Чего ему не хватало? Он достиг вершин, получил солидную должность, генеральские погоны... Теперь придется падать с высоты: позор, мучения, смерть...

— Правда, я не могу вести вас в больницу. Хотите, я посажу вас на скамейку? На воздухе вам станет лучше...

Никто не распахивал двери, не крутил ему руки, не звенели наручники. Оцепеневшее сознание сделало вывод: значит, его не запеленговали! Надежда подействовала как укол стимулятора.

— Да, да, я выхожу. Мне уже лучше. Вот, возьмите, — он сунул сотенную купюру в мгновенно подставленную ладонь.

Дверца захлопнулась, «Волга» резко взяла с места и исчезла в плотном транспортном потоке.

Нетвердыми шагами он отошел от края тротуара, тяжело оперся на книжный лоток.

— Что случилось? — розовощекий парень по другую сторону прилавка наклонился вперед, принюхиваясь — не пьяный ли...

— Ничего, ничего...

Он выпрямился. Разгоряченное лицо обдуло ветром, сознание прояснилось. Под внимательным взглядом продавца человек в дубленке сунул в рот таблетку нитроглицерина и перевел дух.

— И-и-и, богатые тоже болеют, — откуда-то сбоку выдвинулось лицо старушки. — Когда деньги есть, и лечиться легче. Но и деньги не всегда помогают...

Дав ей пятьдесят рублей, генерал направился к метро и затерялся в бурлящей толпе.

* * *

Шпаковская — небольшая станция под Ставрополем. Но значение для железнодорожных перевозок она имеет немалое, потому что именно здесь расходятся пути составов, идущих на Кавминводы и на столицу Калмыкии. Здесь переформировываются пассажирские поезда и товарняки, перетаскиваются от одного состава к другому купейные и плацкартные вагоны, цистерны и грузовые платформы. Например, вагон «Краснодар — Элиста» отцепляется от поезда «Адлер — Кисловодск» и, простояв на свободном пути два часа, прицепляется к скорому «Москва — Элиста».

Пассажиры в ожидании курят у обездвиженного вагона, прогуливаются взад-вперед по выщербленной платформе, а наиболее отчаянные отправляются обследовать станцию, покупать пиво в буфете или фрукты для симпатичных попутчиц. Делают это, как правило, молодые бесшабашные люди, которые не боятся отстать от поезда. Пассажиры постарше и поопытней предпочитают не отходить от вагона, потому что научены жизнью и знают: расписание расписанием, но всегда надежней не отдаляться от своих вещей и гарантированной плацкарты, ибо пути господа и железнодорожных, как, впрочем, и любых других властей, неисповедимы. А неожиданности если и случаются в жизни, то всегда неприятные. Здесь они на сто процентов правы.

В тихий майский вечер из громкоговорителей станции Шпаковская металлически громыхнул напряженный голос диспетчера: «Внимание, пассажиров вагона «Краснодар — Элиста» просим срочно занять места в вагоне в связи с маневровыми работами!»

Объявление повторили, через минуту раздалось следующее: «Граждане пассажиры, в связи с производством маневровых работ на первом и втором пути просьба отойти от края платформы и соблюдать осторожность при передвижении по станции!»

От идиллической тишины и спокойствия провинциальной станции вмиг ничего не осталось: оживленно заговорили служебные рации, с короткими гудками суетливо засновали по путям два маленьких маневровых тепловоза, высыпали на рельсы бригады путевых рабочих в оранжевых жилетах, с красными и желтыми флажками, тяжелыми железнодорожными фонарями и короткими аварийными ломиками.

Прицепной вагон стали перегонять в отстойник, за ним от здания вокзала испуганно бежали искатели приключений с пивом и горячими пирожками. Они прыгали через рельсы, скакали через шпалы, ныряли под колеса маневрового тепловозика, нацеливающегося увести со второго пути грузовой состав. Отстав от молодых попутчиков и проклиная себя за глупость и неосмотрительность, тяжело шкандыбал вдоль платформы пожилой дядечка с растрепанной седой шевелюрой, в пижаме, шлепанцах и с двумя бутылками «Балтики № 3», бережно прижимаемыми к груди. Ему в основном и доставались возмущенные гудки тепловозика, матюки рабочих и свистки дежурного по перрону. Он вжимал голову в плечи, прятал глаза и еще сильнее прижимал к груди пиво.

Наконец сумятица улеглась, первый и второй пути освободили, путевые бригады простукали звонко отзывающиеся рельсы, проверили стрелки, диспетчер уже спокойно произнес в многоваттный динамик стандартную фразу: «Граждане пассажиры, будьте внимательны и осторожны, по первому пути проследует состав поезда!»

Вдоль перрона, сбавив скорость, но ходко проследовал пассажирский состав. Он был не совсем обычным. Не стояли на площадках новеньких синих вагонов ладные проводницы с флажками в руках, не глазели на очередную станцию заспанные отпускники и утомленные дорогой командировочники, не шипел сжатый воздух и не скрипели прижимаемые им к колесам тормозные колодки. Поезд с наглухо закрытыми занавесками окнами и запертыми дверями не остановился и, лишь только миновав центр станции, принялся набирать скорость. «Москва — Элиста» — читали железнодорожники и пассажиры на белых эмалированных трафаретках, которые на самом деле были двойными и на оборотной стороне имели надпись «Москва — Кисловодск». Трое путевых рабочих проводили хвост поезда задумчивыми взглядами.

— Дядя Федор, а чего это московский на час раньше идет? — спросил замызганный парнишка в порванном оранжевом жилете у своего седоусого наставника. — И прицепной вагон не взял...

Дядя Федор промолчал, вместо него ответил Сашка Яковлев.

— Это не тот московский, это литерный, он вне расписания идет. Где ты видел такие короткие составы? Салага ты, Генка. Головой думать надо. Беги лучше чайник включай, там небось совсем все остыло...

Через несколько минут в маленькой обшарпанной комнате дорожного резерва разговор продолжился.

Чайник закипел по новой, надкусанные бутерброды заветрились, но путевые рабочие не придают значения подобным мелочам, поэтому как ни в чем не бывало продолжили трапезу.

Федор Бичаев на правах старшего неспешно снял с электроплитки вскипевший чайник, налил бурлящей воды в три граненых стакана, сыпанул «Краснодарского байхового» — себе и напарнику Сашке Яковлеву побольше, ученику Генке поскупее, крякнув, сел на неустойчивую колченогую табуретку.

— А кого он возит, этот литерный? — спросил Генка, шмыгая носом.

Бичаев, который много повидал в жизни и в молодые годы имел прозвище Бич, в очередной раз промолчал. С легкой усмешкой выудил из кармана спецовки измятую пачку «Беломора», дважды сжал шершавыми пальцами мундштук папиросы, не торопясь закурил.

— Кого, кого, — отозвался Яковлев. Он считался человеком несерьезным, оттого и звали его на шестом десятке Сашкой, как мальчишку. — Кого надо, того и возит. Лет двадцать назад литерных много было, потом пропали. Теперь вот опять объявились.

— Так кто в них ездит-то? — не унимался Гена Аликаев, недавний десятиклассник, привыкший к ясности и однозначности школьных уроков.

— Того нам знать не положено, — отхлебнул горячего чаю Яковлев.

— Это же спецпоезд. Может, из правительства кто... Или иностранцы. Шут его знает, одним словом. Люди разное болтают...

— А чего болтают-то? — не на шутку заинтересовался Генка. Он даже забыл про бутерброд.

— Один мужик клялся, что занавесочка отодвинулась, а там — Сам! Улыбнулся ему и даже рукой помахал.

Бич снова крякнул, на этот раз неодобрительно.

— Семена Маркелова весь город знал, брехун, каких мало, — сказал он, выпуская в сторону сизый ядовитый дым.

— А кто не брехун? — возразил Сашка. — Не приврешь, красиво не расскажешь! Только обычно как — раз приврал, два, ну три, — потом брехня и забылась. А Маркелов эту историю сто раз повторял. Зачем столько врать-то?

— Сто раз! — недовольно повторил Бичаев. — И доповторялся! Пришли к нему ночью агелы в фуражках, весь дом вверх дном перевернули, а потом засунули в «воронок» и увезли. Восемь лет отмотал за свои повторы!

— Да ты что, Бич! — возмутился Сашка. — Он за кражи пошел! Тогда целую группу сцапали — сцепщики, маневровщики... Им диспетчер наводки давал, а они вагоны с ценным грузом потрошили!

— За кражи, — по-прежнему недовольно пробурчал Бичаев. — Много ты знаешь. Он там особенно и замешан не был. Я думаю, за болтовню ему срок вкатили! «Самого видел, мне Сам рукой помахал!» Вот и доболтался!

— Подождите, так кого он видел? — перебил старших Генка. — Какого Самого?

— Кого, кого... Товарища Сталина, вот кого! Он когда ехал, вдоль полотна с каждой стороны стояли — кто в форме, кто в штатском. Через каждые сто метров!

— Подожди, Бич, у тебя совсем крыша съехала? Сталин умер давно! — Сашка Яковлев обличающе наставил на Бича указательный палец. — А это когда было? Лет двадцать, наверное.

— Больше, — Бич загасил папиросу. — Ну не Сталина, так Хрущева или Брежнева. Какая разница? Главного, короче, видел, Хозяина. И тот ему рукой помахал. Вот за эту брехню свой восьмерик и получил.

— Слышь, дядя Федя, а почему у этого поезда вагоны такие? С заклепочками вдоль крыши? — снова влез в разговор Генка.

— Вагоны как вагоны, не придумывай. И вообще, сказал я вам, нечего про литерный поезд болтать. До добра это не доведет!

Яковлев построжал лицом и уткнулся ртом в стакан, а Генка засмеялся.

— Да бросьте, дядя Федя! Сейчас за это не сажают. Вон Петька Васильев из нашего класса двоих прохожих ножом порезал, и то ему условно дали! — И уже серьезно спросил: — Он где-нибудь останавливается, этот литерный?

Но старшие оставили вопрос без ответа.

* * *

Преддипломная стажировка в войсках завершилась в июне, и Александр Кудасов набрал по ней высшие баллы. Практическая баллистика — «отлично», материальная часть — «отлично», расчет траектории — «отлично».

— Сейчас стобалльную систему хотят ввести, я бы тебе по сто за каждый предмет поставил! — сказал руководитель стажировки майор Попов. — Такого курсанта я еще не встречал! Хочешь **ту самую** кнопку потрогать?

Часть, в которой служили стажеры, обслуживала три межконтинентальные баллистические ракеты шахтного базирования, упрятанные глубоко под землю и прикрытые трехметровыми бетонными крышками, на которых росли стройные серебристые ели. Их не было видно ни с земли, ни с воздуха, ни даже из космоса, хотя все, кому надо, были осведомлены об их существовании. И те, кому не надо, — тоже. Для штабов вероятного противника месторасположение МБР-12, МБР-13 и МБР-14 тайны не составляло.

— На то и разведка: они про нас все знают, мы — про них, — буднично рассказывал майор Попов. Он занимал должность начальника боевой смены и разбирался в профессии ракетчика гораздо лучше, чем многие преподаватели училища. — Главное, у кого техника четко сработает, кто точней выстрелит. Ну и, конечно, кто первым ударит.

— А если противник первым начнет? — этот вопрос интересовал всех без исключения стажеров, которые подсознательно надеялись получить успокаивающий ответ. Но майор Попов был реалистом.

— Тогда продолжительность нашей жизни определится временем подлета. При запуске из Аризоны — тридцать минут, с подводного крейсера — пятнадцать. Но мы должны успеть выпустить своих «голубей». Кровь с носу — должны! Потому и отрабатываем все время нормативы, сокращаем время готовности... Если успели, значит, задачу выполнили. Наши «карандаши» разминутся в стратосфере с ихними и пойдут на цели. А мы можем отдыхать.

— Ничего себе отдых! — покрутил головой Андрей Коротков. — Когда на тебя идут ядерные ракеты, тут не расслабишься!

— Я не говорю «расслабляться», я говорю «отдыхать», — возразил руководитель стажировки. — Вся Третья мировая война продлится час, максимум — два. Выполнил свой долг и используй оставшееся время для отдыха. Другой возможности не будет. Для того ведь живем, если выбрали эту профессию.

— Если успеем ответить, то не жалко погибнуть, — сказал Кудасов. — А если они выведут на орбиту спутники с ракетами? Тогда прямой выстрел, время подлета пять-десять минут, мы точно не успеваем...

Майор вздохнул.

— Есть у них такой план. Кодовое название: «Зевс-громовержец». Он противоречит международным договорам, но договор, не подкрепленный силой, — никчемная бумажка. По некоторым данным, они уже запустили экспериментальный спутник, вроде действующей модели. А если развернут боевую сеть, тогда дело — труба!

— Надо сделать подвижную ракету, — вдруг придумал Александр. — Чтобы она все время перемещалась. Тогда в нее и попасть труднее... Если таких ракет много, ответный удар предотвратить не сможет никакой «Громовержец»...

Попов кивнул.

— Дело дорогостоящее. Американцы в Аризоне делали такую штуку с ракетой МХ. Хотели прорыть овальный туннель длиной километров тридцать и возить по нему кругами свой «карандаш». А потом то ли передумали, то ли решили деньги сэкономить, но туннель рыть не стали. По поверхности стали возить, по пустыне. Тягач ходит огромными кругами, а за ним «изделие» на платформе. И у нас есть установки мобильного базирования, тоже на тягачах, они по тайге, по тундре катаются. Только толку мало: со спутников их видно, координаты известны, если термоядом накрыть, то весь квадрат испарится!

— Так что будет, если они с орбиты пульнут? — выпятил губу Коротков. — Завернуться в простыню и медленно идти на кладбище?

— Повезет дежурной смене, — то ли в шутку, то ли всерьез сказал майор. — У них шансов больше.

Дежурная смена сидела в центральном пункте управления на глубине сорока метров, но при прямом попадании ядерной боеголовки шансов спастись у нее тоже было немного. Очень немного. Примерно две целых семь десятых процента.

Курсанты спускались в этот бункер, некоторые даже дежурили в качестве третьего номера боевой смены. Кудасов специально попросился и отсидел под землей неделю безвылазно — двенадцать часов смена и столько же отдыха. Переодевшись в свободного покроя черный комбинезон из натурального хлопка и обязательно без металлических частей, сидишь пристегнутым к вбетонированному в пол креслу и выполняешь команды первого номера.

— Контроль функционирования!
— Есть контроль функционирования!
— Проверить давление в гидравлике!
— Есть давление в гидравлике!

Щелкаешь тумблерами, снимаешь информацию, каждую цифру записываешь в журнал. А первый и второй номер по очереди сидят за монитором, на который поступают вводные очередной ядерной атаки противника и делают ответные ходы: определяют координаты цели, прокладывают баллистическую кривую, производят условный запуск. На мониторе постоянно идет Третья мировая война. Пока условная. Но в любой момент ситуация может измениться и за теми же цифрами будут стоять уже совершенно реальные последствия. А вместо клавиши «Enter» первый номер нажмет на **ту самую** кнопку.

Третьего номера к боевому пульту близко не подпускали, но теперь Белов сам спустился с курсантом в бункер и подвел к святая святых — панели запуска. Ничего особенного. Две прорези для ключей: первый и второй номера должны вставить их одновременно. Обычная эбонитовая кнопка, похожая на те, которые ставят на электрических выключателях трехфазного тока. А может быть, точно такая: одну поставили на станок, а другую — сюда.

Александр осторожно дотронулся пальцем до гладкой, чуть вдавленной поверхности. Хотелось спросить: «А что будет, если нажму?» — но он сдержался. Идиотский вопрос, хотя так и вертится на языке. Ясно, что ничего не будет. Но все равно, какие-то биоволны непостижимым образом соединили палец курсанта через сложные и многократно дублированные электрические цепи с узлом зажигания межконтинентальной баллистической ракеты стратегического назначения «СС-27», называемой на Западе «Дьявол».

Александр ощутил тысячетонную тяжесть ракеты, могучую, рвущуюся наружу силу термоядерного заряда и свою способность выбросить «карандаш» из-под земли в стратосферу.

Легкое нажатие, кнопка опустится на два-три миллиметра, соприкоснутся два контакта, загремят двигатели, и через полчаса испарится какой-то город на противоположной стороне земного шара, треснет континент, содрогнется и поднимется тектоническими пластами земная твердь, вода океана хлынет в разлом, заливая бушующую магму, и начнется уже природный катаклизм, превышающий по своим масштабам вызвавший его термоядерный взрыв...

Курсант Кудасов почувствовал небывалое могущество, атомы его собственного тела забурлили, дозированно выделяя колоссальную энергию, он стремительно рос, раздвигая головой железобетонные перекрытия, через секунду он прорвался на поверхность, разворотив широченными плечами бетон стартового комплекса, скосив глаза, увидел, как стремительно уходит вниз бескрайняя заснеженная тайга, пробил густые облака, нашпигованные прохладно холодящими щеки снежинками, а еще через секунду смотрел на беззащитный земной шар из космической дали, как бы выбирая нужную точку, и только палец его оставался далеко внизу, лаская гладкую, чуть вогнутую и заметно потеплевшую эбонитовую поверхность. Он отдернул руку, и все стало как прежде.

Майор Попов и незнакомый капитан — первый номер боевой смены — с любопытством разглядывали курсанта. У капитана, как и у любого первого номера, на поясе висела кобура с пистолетом. Практикантам было понятно, зачем нужен первому ключ запуска, но какой надобности отвечало личное оружие, оставалось загадкой. А задавать вопросы здесь считалось дурным тоном. Сейчас Кудасов осмелел и решил спросить, но не успел.

— А ведь он почувствовал! — сказал капитан и улыбнулся. — Этот нажмет!

— Да, вижу, наш человек, — кивнул Попов. — Я не ошибся.

Старлей — второй номер вел нескончаемую войну на мониторе и не отвлекался, а третий номер визуально обследовал «Дьявола». На телевизионном экране медленно проплывала гладкая бронированная обшивка: вопреки расхожим представлениям она никакая не серебристая, а тускло-зеленая, с рыжими и черными потеками на термостойкой краске, чуть заметными очертаниями регламентных и контрольных лючков, дренажными отверстиями, выпускающими легкие струйки допустимых испарений, каплями конденсата, напоминавшими выступивший в напряженный момент пот... Ракета не просто стояла на боевом дежурстве: она жила своей жизнью: дышала, потела, старела... То и дело в электрических цепях появлялись легкие наводки, возникали и угасали индукционные токи, постепенно слабели многочисленные пружинки, подсаживались резиновые уплотнители, а главное — происходили неведомые эксплуатационникам процессы в самом термоядерном заряде.

Ядерный боеприпас — это не просто главная и необходимейшая часть межконтинентальной баллистической ракеты. Это центр Красноярского полка МБР[1], его основа и главная составляющая, к которой пристроено все остальное: компьютеры системы наведения, радионавигационная аппаратура, бортовая электроника, топливные баки и двигатели, сверхпрочный корпус, огромная шахта из высокопрочного бетона, подземный бункер со многими вспомогательными помещениями и операторской с боевым пультом, весь городок отдельного старта: его наземные здания и сооружения, штаб, казармы, клуб, баня, личный состав — солдаты, прапорщики, офицеры, высококвалифицированные инженеры... Все, созданное в глухом лесу, есть лишь пристройка к ядерному заряду «Дьявола», а все люди, живущие здесь, — его слуги.

Боеприпас состоит из 10 килограммов плутония-238, который тоже живет своей, отдельной и страшноватой жизнью: в нем, вопреки воле политиков, желанию инженеров и приказам командиров, происходят процессы ядерного распада. Постоянно выделяемая микроволновая энергия и жесткое излучение не проходят бесследно. Металл и композитные материалы, окружающие святая святых, начинают менять свои физико-химические свойства: постепенно теряет твердость бетон шахты, излучение воздействует на системы активации заряда, снижает чуткость точнейшей электроники, угнетает иммунную систему человеческого организма и снижает его репродуктивную функцию. Все это никого не волнует, но боеприпас стареет, и, когда выслуживает свой гарантийный срок, его снимают, отправляют на завод, разбирают и утилизируют. В новейшее время такое случается все реже. Чаще конструкторы и изготовители сами прибывают в полк, с умным видом смотрят на монитор, чешут затылки и... продлевают гарантию. Среди личного состава бытует мнение, что на замену зарядов просто нет денег.

Все это не способствует спокойствию персонала. Процессы ядерного распада теоретически хорошо изучены корифеями ядерной физики, но недостаточно подтверждены практикой: ведь шестьдесят лет атомной эры — ничтожный исторический срок. Глухие слухи о возможности самопроизвольного ядерного взрыва ничем не подтверждены, однако они упрямо ходят

---

[1] МБР — межконтинентальная баллистическая ракета.

среди ракетчиков, как страшилки про черного человека среди многих поколений мальчишек.

В курилках отдаленных гарнизонов и столичной Академии рассказывают шепотом и другие байки: о том, что не только дежурные смены рассматривают ракету и изучают ее состояние, но и ракета рассматривает и изучает дежурных, иногда подбрасывая им непонятные явления — то ли тесты, то ли подначки... Эти разговоры документальных подтверждений не имели: после снятия с боевого дежурства «изделия» разбирали по винтикам, проверяли и обновляли, не находя никаких признаков зародившегося интеллекта.

Сейчас Кудасов воспринимал все это совсем не так, как раньше. Да, главное в полку — ракеты. Ради них в глухом сибирском лесу огорожено колючей проволокой несколько гектаров территории, ради них висят на проволоке объявления: «Стой! Запретная зона! Огонь открывается без предупреждения!» Ради них из привозных материалов, привозной техникой и инструментами каторжным трудом построены шахты, бункеры, выкопаны и снова посажены для маскировки деревья, возведены гарнизонные городки, ради них везут за тысячи километров желторотых новобранцев, умудренных опытом прапорщиков и офицеров с женами и детьми, ради них существует данная воинская часть и ради них проживают большую часть своей жизни обслуживающие «Дьяволов» люди.

Но теперь Александр воспринимал ракету не как важный и главный в этой отшельнической лесной жизни неодушевленный предмет, сложный механизм, высокоточное и сверхмощное оружие. Сейчас он ощутил ракету, или, как говорят профессионалы, «изделие», «карандаш», — частью своего существа, элементом своей души, основой умиротворяющего и возвышающего ощущения собственного нечеловеческого могущества. И это ощущение пьянило, наполняло гордостью и уверенностью в себе. Поднимался по узким и крутым лестницам совсем не тот Кудасов, который спускался в бункер пару часов назад.

Когда долгий подъем закончился и вместо каблуков Попова (без набоек, чтобы не вызвать искру или разряд статического электричества) Кудасов увидел его лицо, похожее на лицо артиста Жженова, он удивился выражению искренней расположенности, не характерной для чужого, в общем-то, человека.

— Ну что, почувствовал себя властелином мира? — без улыбки спросил майор. И сам же ответил: — Почувствовал! Это признак настоящего ракетчика. Ты сможешь нажать кнопку в боевой обстановке, сможешь!

— А что, разве не все это могут? — удивился молодой человек.

— В том-то и дело! — Попов почему-то оглянулся. — Есть такая штука — стартовый ступор... Руки окостеневают, мышцы сводит судорога — и ничего сделать не можешь. Только говорить об этом нельзя. Я и так разболтался...

Офицер оглянулся еще раз.

На поверхности ясно чувствовалось приближение весны: ни ветерка, температура около нуля, ласково пригревает солнце, темнеют и проседают сугробы, весело постукивает первая капель. Местных солдат строем ведут в столовую, курсанты-стажеры тусуются возле штаба и смотрят на них снисходительно: они-то уже без пяти минут офицеры. Чистый прохладный воздух, много света, высокий купол неба. А внизу — замкнутое пространство, вечное дрожание ртутных ламп, круглосуточный шум системы вентиляции. Дежурные проводят в таких условиях по нескольку лет...

— А зачем первому номеру пистолет? — неожиданно выпалил Кудасов.

— Чтобы в чрезвычайных обстоятельствах принудить смену к повиновению, — буднично объяснил майор. — Кстати, давай-ка сделаем еще один тест...

Они прошли в помещение офицерских учебных классов, и Попов усадил курсанта за точно такой же монитор, как стоящий внизу, в бункере, рядом с пультом запуска. Это была аппаратура расчета траектории. Дело в том, что каждая стратегическая ракета снабжалась полетным заданием и после запуска электронный мозг мог привести ее точно к цели. Но... Только в идеальных условиях, которые можно воспроизвести в лабораторных условиях, но нельзя в реальности. Потому что воздух имеет разную плотность в зависимости от высоты, а следовательно, температуры, атмосфера никогда не бывает совершенно спокойной, а грозовой фронт вполне способен вообще сбить «карандаш» с маршрута. Не говоря о противодействии противника, которое не может учитывать ни одна типовая программа. Все эти нюансы обязан учесть оператор-расчетчик и внести поправочные коэффициенты, которые, в конечном итоге, и обеспечат успех пуска.

— Подожди, сейчас введу одну программу...

Курсанты практически не работали на таких компьютерах. Во время многочисленных практик им показывали эти машины, даже проводили занятия, но за два-три часа усвоить все премудрости электронного наведения невозможно. С учетом этого обстоятельства оценки выставлялись достаточно либе-

рально. Кудасов, правда, всегда получал «отлично». Как и по
всем точным предметам. Высшая математика, тригонометрия,
теория баллистики — он щелкал их, как орехи, хотя даже зуб-
рила Глушак не вытягивал выше «четверок», а генеральский
сын Коротков умудрялся и «пары» схлопотать, которые, впрочем, быстро исправлял. Зато по философии, научному атеизму
и другим идеологическим дисциплинам у Кудасова были
сплошные «тройки». Но для практической работы в войсках
это не имело значения. Он был прирожденным расчетчиком,
причем высокого класса. Похоже, сейчас майор Попов хотел
лишний раз в этом убедиться.

— Давай работай! — скомандовал майор Попов, и на экране
пошли вводные: цифры, формулы, геометрические фигуры.
Если переводить на смысловой язык, то следовало рассчитать
траекторию с учетом противодействия полка противоракетной
обороны противника и воздушной охраны цели.

Курсант привычно защелкал клавишами, но очень быстро
понял, что что-то тут не так, и тут же догадался, в чем дело: нехватка данных! Обычного набора исходной информации в данном случае явно недостаточно...

Он запросил сведения о температуре и плотности воздуха,
скорости и направлении ветра в районах запуска и попадания,
потом добавил запрос о солнечной активности. Запрашиваемые
цифры тут же появлялись на экране, подтверждая, что их отсутствие есть изощренные каверзы программы. Когда он ввел все
поправки, добавил коэффициент на вращение Земли, выбрал
режим полета и рассчитал неуязвимую траекторию, компьютер
мигнул экраном и выдал заветное: «Цель поражена».

Стоявший за спиной Попов хлопнул его по плечу.

— Ты раньше работал с этой программой?

Курсант пожал плечами.

— Где бы я с ней работал?

— Тогда ты гений! — майор хлопнул его по плечу еще раз. —
Эту программу придумали в Академии, она считается неразре-
шимой на 90 процентов. Секрет в том, чтобы забраться повыше
и упасть по крутой траектории, до этого многие еще додумыва-
ются. Но почти никто не берет в расчет «солнечный ветер», а
ведь при большой боковой поверхности на такой высоте «карандаш» просто сдует! У нас в полку за всю историю только два
офицера прошли этот тест! А тут пацан, курсант... Ну, ты даешь!

Попов задумался.

— Куда распределяться думаешь?

— Не знаю, — вздохнул Кудасов. — На комиссию ведь по
очереди заходят: у кого больше всех баллов — первым, у кого

меньше — вторым, у кого еще меньше — третьим... А у меня по общественным дисциплинам «тройки», пока зайду, все хорошие места уже разберут. Да и потом, знаете, как сейчас: кому надо дать хорошие должности, тем и дадут. А за меня хлопотать некому... И то, что я нормально считаю, никакой роли не играет.

— А к нам не хочешь попроситься? Мы ходатайство пошлем!

Кудасов сдержал улыбку. Даже зайдя на распределение последним, можно получить назначение в полк МБР. Потому что жить в глухом лесу и проводить годы под землей охотников мало. Хотя он бы заложил душу боевому пульту...

— Я бы не против. Только у меня невеста... В общем, она не захочет сюда ехать.

Майор вздохнул и потер ставшую уже заметной щетину.

— Да, тут проблема. Красивая?

Курсант кивнул.

— Очень.

— Это плохо.

— Почему? — удивился Кудасов.

— С красивой хорошо в большом городе жить, да при больших деньгах. Чтобы она по парикмахерским ходила, по шейпингам всяким. Да домработницу надо с поваром, гувернантку для детей... А если молодой летеха потащит красивую жену по гарнизонам, толку не будет.

— Да ну! У меня Оксана не такая.

Попов снова вздохнул.

— Помянешь мое слово.

Он выключил компьютер, все еще сообщающий, что цель поражена.

— Ну ладно. Характеристику я тебе подробную напишу и аттестацию наилучшую составлю. Как говорится, чем могу — помогу. — Майор помолчал и добавил: — Если это тебе поможет.

Они попрощались.

— Спасибо вам, — сказал Кудасов.

— За что? — удивился Попов.

Курсант замешкался.

— За все. За отношение, за науку. Хотя насчет Оксаны вы не правы.

— Дай бог, — кивнул майор. — Счастливо. Надумаешь — приезжай.

На следующий день стажеры прошли собеседование с особистом — подполковником Сафроновым — полным, средних лет мужиком с добродушным лицом и колючими глазами. Каждый дал подписку о неразглашении и получил предостережение от происков шпионов и диверсантов, которые рыщут везде и всюду, стремясь поймать в свои сети молодых и неискушенных людей, допущенных к государственным секретам.

Курсанты кивали и принимали озабоченный вид, но, выходя из кабинета, подтрунивали над бдительностью контрразведчика.

— Какие сейчас шпионы! — смеялся Андрей Коротков. — Спутники каждый день летают и спичечную коробку сфотографировать могут. Эта часть уже давно на картах НАТО нарисована! Просто особистам делать нечего, вот они и стараются от безделья!

— А я бы хотел быть особистом, — сказал Коля Смык. — Командиру части не подчиняются, все их боятся, работенка непыльная!

— Это точно, — поддержал товарищей Боря Глушак. — Он ведь под землей не сидит. Взял ружье и пошел охотиться, сам видел.

Потом Короткова, Смыка и Кудасова пригласил к себе в каптерку рыжий прапорщик Еремеев, плеснул на донышки стаканов спирта, предназначенного для протирки оптики и электронных схем.

— Давайте, парни, чтоб у вас никогда не было ручных запусков! — поднял стакан рыжий. Прапорщику было лет двадцать семь, но молодым ребятам он казался опытным и умудренным жизнью человеком.

Курсанты никогда не пили спирт, но приподнятое настроение требовало радостей, и они опрокинули стаканы, поспешно запив водой и заев сухим печеньем.

— Что за ручной запуск? — морщась, спросил Кудасов. Среди курсантов это был шуточный термин, которым обозначали мастурбацию. Но сейчас речь шла явно не об этом.

Еремеев многозначительно прищурился.

— То и значит — ручной. Когда автоматика отказала, что делать? Запускать-то надо — боевой приказ, боевая обстановка... Деваться некуда. Вот тогда третий номер надевает ОЗК[1], выходит в шахту на втором уровне, приставляет монтажную лестницу, открывает специальный лючок в боку «карандаша» и замыкает систему зажигания напрямую...

Он опять плеснул по стаканам злую прозрачную жидкость.

---

[1]ОЗК — общевойсковой защитный комплект — прорезиненный герметичный костюм.

— И что потом? — нетерпеливо поинтересовался Смык.

— А то... Потом остается у него на все про все три минуты, только за это время ему никогда не выбраться. Включаются двигатели, и такой огонь заклубится, похлеще, чем в мартеновской печи... Вся шахта в огне, даже наверх выбивает, видели учебные фильмы? Как извержение вулкана! Так это наверху, через двадцать метров! А что внизу делается... Люк-то между бункером и шахтой открыт, значит, пламя, выхлопы, пары топлива, окислителя — все вылетает в операторскую! Так и получается — «карандаш» пошел, а всей смене — кранты! Ну, может, наградят потом, не без этого...

Коротков потянулся за стаканом.

— А чего ж люк не закрывают-то?

— Как его закроешь? Этим ты третьему номеру покажешь, что он на смерть пошел. А он не захочет умирать, возьмет и не замкнет рубильник, сорвет запуск! Ему ж надежду дают: и люк открытый, и химзащиту... На фиг она нужна-то, на самом деле!

Александр не поверил.

— Так что, выходит, всю смену подставляют?! Не может быть!

— А чего ты удивляешься? — усмехнулся Еремеев. — «Карандаш» на цели миллион человек сожжет, может, больше! На этих весах если мерить, то что такое еще шестеро? Давайте, будущие командиры!

Коротков с прапорщиком выпили, Смык и Кудасов больше не захотели.

— А если успеет третий выскочить, тогда все в порядке? — спросил Смык.

— Как он успеет... Пока с лестницы слезет, пока до выхода добежит... Бронелюк электроприводом почти минуту закрывается... Нет, не выскочит!

Еремеев глотал спирт, как воду, даже не запивал, только загрыз печеньем.

— Значит, надо электропривод включать в момент контакта зажигания, — сказал Коротков, переведя дух. Лицо его покраснело, на глазах выступили слезы.

— Умный ты, — зло сказал Смык. — А если ты будешь третьим номером?

Тот усмехнулся.

— Спокойно, корешки, я в шахту не полезу! И в бункере дежурить не собираюсь!

— А правда, что у тебя батя генерал? — жадно вглядываясь в осоловелое лицо курсанта, спросил Еремеев.

Андрей важно кивнул.

— Генерал-майор, в Москве служит.

— Это хорошо, — прапорщик перелил спирт из стаканов Смыка и Кудасова в свой и Андрея. — Тогда тебя на «точку» не загонят. Найдут местечко где-нибудь в штабе, пересидишь пару лет, потом на учебу в Академию. А потом прямая дорога в большие начальники! Давай за это и выпьем!

— Обождать надо, в горле все горит! — хрипло отозвался Коротков.

— И правильно, спешить в таких делах не резон. Я вот уже в тайге который год маюсь... Жена волком воет, два короеда подрастают, а куда деваться? На Большой земле нас никто не ждет, здесь хоть жилье есть... Если бы младшего лейтенанта получить, тогда, конечно, другой разговор... Сколько раз рапорт подавал на офицерские курсы и все мимо пролетаю...

— Да, в этой дыре от тоски можно сдохнуть, — тяжело ворочая языком, проговорил Андрей.

— Вот то-то и оно! Ты бы пособил мне по-дружески, а? Сделай добро, тебе ведь ничего не стоит!

— Какое добро? — Коротков икнул. Похоже, его сильно развезло.

— Да такое... Будешь отцу рассказывать про практику, скажи, мол, есть такой прапорщик Еремеев, мужик хороший, старательный, уважительный... Надо, мол, его на офицерские курсы послать и вообще выдвинуть...

— А-а-а... Это мне запросто! Это, понимаешь, вообще ничего не стоит! Батя для меня все делает. Хотя сейчас и в другой семье живет, а что я прошу, в два счета! Без вопросов!

Еремеев расплылся в улыбке.

— Я так и знал. Генерал, он и есть генерал! Давай по последней...

После обеда стажеров посадили в автобус и долго вывозили из напичканного скрытыми постами леса. А ночью они уже грузились в поезд «Красноярск — Москва». В вагоне долго разговаривали, тайком от сопровождающего — подполковника Волкова пили купленную на станции водку. Вконец опьяневший Коротков пугал всех отцом — московским генералом, потом они со Смыком пытались петь под гитару, наконец, под натиском возмущенных пассажиров угомонились и заснули. Вагон раскачивался, мерно стучали колеса, тусклый свет ночников размывал силуэты спящих молодых людей, которым предстояло своими руками держать тяжелый ядерный щит страны, о котором много говорят и пишут в газетах. А также ядерный меч возмездия, о котором почему-то никогда не упоминают.

На рассвете Кудасов неожиданно проснулся. Состав стоял в заснеженном поле, вдали, сквозь предутренний туман темнела кромка леса. В вагоне было холодно, он плотней закутался в одеяло. Сон прошел. Александр смотрел в окно и думал о том, как сложится дальнейшая жизнь.

Можно, конечно, посидеть несколько лет под землей, зарабатывая выслугу и льготы, только как приживется в глухом лесу Оксана? И что она будет делать, пока он неделями несет боевое дежурство? Интересно, правду говорил Еремеев или врал про ручной запуск? С одной стороны, зачем ему врать, с другой — пешек в большой игре не считают... А все россказни про разумность «изделия» — имеют ли они под собой какую-нибудь почву? Или это плод воспаленного воображения, стрессовых нагрузок и недостатка кислорода? Хотя сейчас все самые невероятные истории казались достаточно правдоподобными...

Вдали раздался пронзительный гудок приближающегося тепловоза. Значит, они пропускали встречный. Наверное, в этих бескрайних просторах поезда не часто встречаются друг с другом.

Послышался стук колес, и по соседней колее на большой скорости прошел пассажирский состав. Он был коротким. Аккуратные новенькие вагоны с наглухо закрытыми окнами быстрой чередой промелькнули мимо. Ни одного огонька, даже тусклый свет ночников не пробивается наружу. Зато лежащий на верхней полке Кудасов многократно отразился в пролетающих черных стеклах. Что-то ворохнулось в его душе, легкая тень тревоги пробежала по нервам. Кто едет в этом поезде, куда, зачем? Почему никто не мучается бессонницей, не размышляет о жизни и не выглядывает наружу? Почему ради нескольких вагонов задерживают длинный красноярский состав, а не наоборот? Нет ответов. Быстро промелькнул поезд-призрак и растворился в рассветной мгле.

* * *

В просторной, богато обставленной квартире Вениамина Сергеевича Фалькова переливчато прозвенел один из трех телефонов. Это был его личный номер, жена и дети пользовались двумя другими. Поэтому трубку брал только хозяин, а в его отсутствие не отвечал никто. Но воскресным утром даже столь занятой человек находится, как правило, дома, в кругу семьи. В момент звонка семья завтракала: дородная Наталья Степановна в розовом простеганном халате, семнадцатилетняя дочь Галина и пятилетний Сергей.

Предусмотрительный Вениамин Сергеевич, чтобы не отвлекаться от еды, всегда клал трубку рядом с собой. Промокнув губы салфеткой, он дожевал очередную порцию яичницы с ветчиной и нажал кнопку соединения.

— Я вас слушаю, — барственный баритон звучал так же величественно, как и на службе.

— Ой, извините, пожалуйста, — раздался испуганный женский голос. — Это не кассы? Я уже третий раз неправильно соединяюсь. Наверное, что-то с линией. Еще раз извините!

Звонили не генералу Фалькову. Звонили Прометею.

Гладкие учтивые обороты явно не соответствовали простецким интонациям звонившей. Наверняка читает по бумажке, которую передали через третьи руки: «Эй, тетя, хочешь за чепуху полтишок заработать?»

Послышались гудки отбоя.

Вениамин Сергеевич машинально посмотрел на часы: девять часов тридцать минут ровно. Это очень важно. Потому что числительное «третий» прибавлялось к текущему времени и означало время контакта — двенадцать тридцать. Вторым важным моментом являлось слово «кассы» — оно обозначало место встречи.

— Что с тобой, Веня? — тревожно спросила жена. — На тебе лица нет!

— Неприятности на работе, — ответил Вениамин Сергеевич, вставая. Есть больше не хотелось, напротив, к горлу подступала тошнота.

— Так мы не повезем Сережу в зоопарк?

— Что?! При чем здесь зоопарк!

— Да нет, ни при чем, извини... Просто ты обещал мальчику еще неделю назад отвести его в зоопарк и показать бегемота... Галина хотела поехать на целый день к подружкам...

— Нет, сегодня не получится. Я вызову машину, и ты съезди с ним сама. Можешь взять Галину.

— Еще чего, — недовольно протянула дочка. — Буду я с малявкой по зоопаркам ходить!

Слово «зоопарк» резало слух и раздражало, Вениамин Сергеевич прошел к себе в кабинет, закрыл дверь и, подойдя к огромному окну, прижался горящим лбом к холодному стеклу. С шестнадцатого этажа открывался прекрасный вид на старые кварталы Москвы, недавно отреставрированную церквушку, сталинскую высотку МИДа. Говорят, что при оценке квартир только за этот пейзаж сразу набавляют десять тысяч долларов. Мысль пришлась не к месту, доллары сейчас тоже вызывали только отвращение.

Но, несмотря на настроение и самочувствие, надо было делать дело. Прометей запер дверь на щеколду, надел тонкие резиновые перчатки, достал из ящика стола обычную на вид ручку, а из тумбы — пачку обычной на вид бумаги. Печатными буквами, старательно меняя манеру письма, выполнил нужный текст, который занял три четверти листа. Лишнюю часть он отрезал, а оставшуюся положил на подоконник.

Бумага действительно была обычной, а ручка — нет: через несколько минут текст бесследно исчез. Прометей, несколько раз перегнув вдоль и поперек, сложил чистый листок до размеров почтовой марки, упаковал в целлофан и засунул в коробочку из-под фотопленки. Потом, позвонив в службу точного времени, проверил дорогой швейцарский хронограф, купленный как раз для подобных случаев. Пора было выходить, хотя делать этого ему никак не хотелось. С каким удовольствием он пошел бы с сыном в зоопарк!

Полтора часа Прометей, проклиная судьбу, кружил по городу. Это был другой город, совсем не тот, в котором жил Фальков. Потому что Москва начальников и ответственных чиновников отличается от Москвы обычных людей так же, как сама Москва отличается от села Шпаковское Ставропольского края. Разве что Кремлевский комплекс и мавзолей есть в любой Москве, а в Шпаковском и иных городах и весях их нет и никогда не будет.

Привыкнув к персональному автомобилю, к простору вокруг своей персоны, к уважительным услугам персонала — будь это услужливо распахнутая дверца «Волги», заботливо поданный чай, пунктуальное напоминание о запланированных делах, генерал терся в потной толпе, где его толкали, как какого-нибудь работягу с «Пролетарского молота», нещадно топтали ноги, без всякого почтения сжимали со всех сторон, бросали угрюмые взгляды и вполне могли обматерить.

Он катался в переполненном метро, переходя с одной станции на другую, заходил последним в вагон, а потом выходил первым и опять последним заходил, — словом, выполнял весь набор шпионских предосторожностей столь же простых, сколь и бесполезных, если к ним прибегает непрофессионал. Сердце вновь колотилось как овечий хвост, опасаясь инфаркта, он проглотил две таблетки седуксена. Транквилизаторы в подобных случаях не рекомендовались, они затормаживают реакцию и туманят сознание, но лучше быть заторможенным, чем мертвым.

В двенадцать двадцать он оказался у Белорусского вокзала, потея и едва волоча ноги, подошел к зданию, где во времена всеобщего дефицита избранным продавали билеты в вагоны «СВ». Теперь здесь был продовольственный магазин. Седуксен не помог. Полумертвый от страха, он купил нарезку салями, еще раз осмотрелся, включил таймер-секундомер на своем хронографе и в двенадцать часов двадцать девять минут тридцать секунд вошел в проходной подъезд соседнего дома. Здесь было темно, сыро и воняло мочой. Он вдруг тоже почувствовал острую потребность помочиться, но времени уже не было. С противоположной стороны хлопнула дверь и послышались неспешные уверенные шаги. Как загипнотизированный удавом кролик, он пошел навстречу и начал спускаться по лестнице, а поднимался по ней высокий человек в пальто с поднятым воротником и в низко нахлобученной шапке. Когда они сблизились, Бицжеральд поднял голову, показывая лицо, улыбнулся и подмигнул. Дрожащая потная рука Прометея соприкоснулась с прохладной и твердой ладонью американца, коробочка из-под фотопленки перекочевала от одного к другому. Мгновение — и они разошлись. «Моменталка» — вот как называется эта встреча на профессиональном жаргоне. В отличие от контейнерной передачи ее очень трудно задокументировать: ведь заранее неизвестно, где ставить технику. И взять контактеров с поличным нелегко, если только их не выследили — двоих сразу или каждого по отдельности...

Хлопнула тугой пружиной выходная дверь и Прометей оказался во дворе, панически оглядываясь по сторонам. Ничего настораживающего он не обнаружил. Обычный московский двор с поломанной скамейкой, голые деревья, немноголюдно. Рядом с подъездом стояли две женщины в возрасте, чуть поодаль старушка кормила кошек, катался на велосипеде мальчик лет десяти. Прометей жадно глотнул свежий воздух и тут же бросился к стоящим в углу гаражам, на ходу расстегивая ширинку. Он еле-еле успел. Тугая струя окатывала исписанный ругательствами борт безответной «ракушки» и будто вымывала владевший им испуг и напряжение. Кажется, и на этот раз пронесло... Он понемногу приходил в себя.

— Как вам не стыдно, гражданин! — послышался женский крик за спиной. — Сейчас я милицию вызову! Гляди ханыга какой, а с виду приличный!

Фальков не сразу понял, что крик обращен к нему — ответственному сотруднику Генерального штаба, генерал-майору.

— Сейчас, сейчас, извините, — не оборачиваясь, ответил он. Вряд ли женщины запомнили лицо случайного прохожего до того момента, когда он дал им повод...

Выход из двора располагался справа, Фальков пошел влево и вскоре оказался у крутого откоса. Рядом по мосту неторопливо ехал троллейбус. Внизу, в лощине, блестели рельсы, на которых одиноко стоял пустой товарный вагон. В нескольких сотнях метров готовилась отойти от платформы пригородная электричка.

Он начал спускаться — не прямо вниз, а наискосок, чтобы уменьшить крутизну. Ноги скользили, грязь налипла на ботинки, несколько раз он чуть не упал, выпачкав правую ладонь. Но интуиция подсказывала, что он выбрал правильную дорогу отхода. Едва он перешел три ветки пути, как по одной со свистом пошел товарный состав, а по другой в противоположном направлении побежала электричка. Это хорошо. Они отрезали его от возможных преследователей. Впрочем, его никто не преследовал.

Перед тем как нырнуть под мост, Фальков оглянулся и похолодел: на откосе, там, откуда он только что ушел, стоял высокий, атлетического сложения светловолосый парень в куртке и джинсах. Парень внимательно смотрел в его сторону.

Нервы у Фалькова не выдержали, генерал отвернулся, прикрыл лицо рукой и побежал изо всех сил. Через десять минут он нырнул в спасительную толчею метро и впервые радовался тесноте и обилию пассажиров. Правда, пассажиры ему не радовались, напротив — с недовольными гримасами отстранялись от перепачканного грязью толстяка. Это тоже привлекало к нему внимание, недопустимое в шпионской работе. Генерал чувствовал себя провалившим экзамен школяром. Он точно не мог сказать, какие именно ошибки допустил, но не сомневался, что если бы Бицжеральд выставлял ему оценку за сегодняшнюю операцию, то она бы оказалась неудовлетворительной.

В рюмочной возле дома он выпил сто граммов водки, заел бутербродом с ветчиной, потом дважды повторил и почувствовал себя гораздо лучше. Во-первых, совершенно неизвестно, что это за парень. Может, просто сын возмущенной женщины, вышедший проучить зассыкающего двор чужака. Если бы парень был из **этих**, то схватил бы его при выходе из подъезда. Или даже прямо на лестнице, в момент контакта. Взять с поличным — вот как это называется. С уликовыми доказательствами. А теперь где они, эти улики? Передатчик он тогда сразу же выбросил в Москву-реку. Дома осталась только ручка со спецчернилами. Ее тоже выбросит к чертовой матери! И что тогда? Да ничего! Хотя нет... Хронограф! Ах ты, сука шпионская!

Расстегнув браслет, он с маху швырнул часы на керамическую плитку пола. В рюмочной наступила тишина. Фальков встал и, набычившись, посмотрел вокруг. Посетители отводили глаза, настороженная тишина сменилась обычным приглушенным гулом.

— То-то!

Он поднял хронограф. Тот был цел и невредим.

— Сволочь!

Нетвердой походкой Фальков направился в туалет. Всклокоченный мужик с осоловелыми глазами, бессмысленно глядя в зеркало, застегивал ширинку. Фальков протянул ему часы.

— Держи, дружище, дарю!

«Дружище» сноровисто принял подарок, осмотрел его и немедленно исчез.

— Хоть бы спасибо сказал! — укоризненно сказал Фальков ему вслед.

Вернувшись в зал, он взял еще сто грамм и бутерброды с сырокопченой колбасой и сыром.

— За успех, дядя Веня! — он в два приема выпил водку, быстро проглотил бутерброды. Появился аппетит, и он заказал грилевого цыпленка и еще двести грамм.

Ничего они не сделают! Сейчас не те времена. Вон, по телевизору показывают: взяли одного профессора с поличным — кадровому американскому разведчику секрет нашей торпеды продавал! На магнитофон все записали, на видео... Раньше шлепнули бы профессора в два счета без всяких разговоров да заклеймили позором на вечные времена... А теперь не так: и адвокаты стеной на защиту встали, и общественность хай подняла... Дескать, и разведчик-то бывший, и торпеда не секретная, и видеозапись нечеткая... Американца помиловали и отпустили, а с профессором судили-рядили да дали условно в конце концов...

Фальков и не заметил, как обглодал все кости и допил водку.

Ну, выгонят, в крайнем случае, всего-то и делов! Денег у него уже достаточно и лежат в надежном банке, какой ни в жизни не лопнет. Можно здесь хорошее место найти, например в оружейном бизнесе, а можно за океан перебраться... Живет же там Калугин припеваючи, и Резун живет, и Гордиевский, да еще целая куча настоящих предателей. А он-то фактически и не предавал ничего... Так, сообщил то, что и без него известно...

Домой Фальков пришел пьяным, но в хорошем настроении. Чтобы умилостивить Наталью Степановну, ему пришлось выполнить свой супружеский долг. Эту тяжкую обязанность, как и шпионские дела, нельзя было переложить на многочисленных подчиненных, адъютантов и ординарцев.

* * *

Да, было время... Шахтеры считались самыми высокооплачиваемыми рабочими в СССР. Салага, спустившийся под землю учеником крепежника, зарабатывал триста рублей, опытный проходчик — четыреста пятьдесят, а машинист угольного комбайна — и все шестьсот. А мясо тогда стоило на рынке три рубля за кило, простые туфли — семь, костюм — шестьдесят. Да за квартиру платили в пределах двух рублей в месяц! Цены, конечно, были другими, даже копейки имели покупательную способность: спички — одна копейка, сигареты — четырнадцать, кружка пива — двадцать четыре, даже бутылка кислого сухого вина, которое уважающий себя шахтер никогда не пил, стоила всего семьдесят шесть копеек. И главное, зарплату выдавали вовремя — день в день!

Теперь времена другие: шахты в Тиходонском крае или умерли, или агонизируют, — дохозяйновались, мать их... Да и на тех, которые пока исправно работают, зарплату все равно не платят. Удивительное дело: шахтеры идут под землю, вдыхают угольную пыль, выдают антрацит на-гора, а им взамен — болт с маслом! Вот же вывозят продукцию, почему же денег нет? И откуда долги взялись? Ты, Петро, в долг давал или брал? Нет? И я нет. И Степан долгов не делал, и Сашок, и Виктор Степанович... Откуда тогда долги, в которые наш уголь уходит, как в прорву?

Гудит шахтерский народ, шумит, кончилось терпение, вышли на рельсы! Оттеснили редкую цепочку милиционеров, сели толпой на пути, перекрыли движение. Сидячая забастовка называется. Да не простая, а с блокированием железнодорожной магистрали! Несколько женщин раскатали плакат: на длинном — метров в семь линялом полотнище кривоватые буквы: «Отдайте заработанное».

Виктор Степанович оглядел одобрительно надпись, высмотрел в кишащей вокруг толчее сына Василия, скомандовал:

— Давай, Васька, залезай на опору, привяжи один край с той стороны, второй — с этой, пусть издали видят! Только осторожно, чтоб током не шарахнуло...

По узкой лесенке паренек полез на решетчатую ферму. Плакат тянулся за ним, ветер трепал его из стороны в сторону, того и гляди, перекинет через контактный провод — тогда беды не оберешься... Непорядок это, конечно, когда тряпка возле высоковольтного провода болтается да захлестнуть его грозит...

Виктор Степанович крякнул и отвернулся.

И люди на рельсах — тоже непорядок... Только когда зарплату столько времени не платят, это ведь всем непорядкам непорядок! Но насчет зарплаты начальство так не считает, а вот насчет рельсов и провода — еще как посчитает! То-то сейчас кутерьма поднимется!

Первым подошел путевой обходчик, вон его сторожка неподалеку... Посмотрел, посмотрел, а что он сделает? Махнул рукой и пошел себе обратно. Народ-то прав по-своему...

— Если денег нет, откуда у начальства зарплаты? — запальчиво кричит Сашок. Молодой парень, шустрый, в армии отслужил, куда идти? Пошел туда, куда все, куда дед, куда отец, куда дядьки, — на шахту: больше-то и идти некуда! Работать выучился, хлебнул шахтерского лиха, раз даже в завал попал, а зарплату год как не платят! Есть-пить надо? Одеться надо? Жениться опять же, вон Ленка сколько ждет, еще из армии...

— Директор дом строит, главный инженер сыну третью машину купил, а наши дети чем хуже? — уперев руки в бока, надсаживается тетя Варя, как раз мать Ленки, что не может замуж выйти. И сама Ленка здесь же, стоит с подружками, для молодежи это вроде как развлечение.

— Теперь зашевелятся, забегают! — злорадно усмехается Степан, который уже и пенсию заслужил, и силикоз заработал. — Когда дорога встанет, им по башке настучат, быстро деньги найдут! Дело проверенное...

Действительно, народ не первый раз на рельсы выходит. В конце девяностых по всей стране так было. Перекроют магистраль, поезда остановятся, пассажиры, правда, кричат, ругаются: «Мы-то при чем?!» Но... Тут каждый за себя. Безвинных пассажиров помаринуют, срочные грузы застопорят, все графики поломают, зато глядишь — нашлись денежки-то, начали погашать задолженность!

Васька на опору залез, стал плакат привязывать. Сидят шахтеры на рельсах, ждут первого поезда. Вокруг милиционеры бродят: и местные, поселковые, и из транспортного отделения. Их никто не боится: если начнут стаскивать кого-то с рельсов, в него все вокруг вцепятся и не отпустят, могут даже оттолкнуть аккуратненько стража порядка. Милиционеры ведь тоже разные бывают... Эти мирные, не опасные. Кто сутулый, кто с животиком, кто уже в возрасте, вон капитан вспотевшую лысину вытирает. Они ничего сотне шахтеров не сделают. А вот если привезут других — поджарых, мускулистых, в касках, да еще со щитами и дубинками — тогда дело плохо! Вмиг всех разгонят, зачинщиков поскручивают да в свои автобусы запихнут! За десять минут освободят пути, деблокируют, значит, на их языке, да уедут восвояси. А шахтерам потом — кому штрафы платить, кому в кутузке сидеть, кому синяки и шишки лечить. Это хорошо, если без вывихов и переломов обойдется.

Начальник транспортного отделения майор Казаков в очередной раз связался с Управлением в Тиходонске, доложил обстановку. А в ответ услышал:

— Только что у нас проследовал литерный. Обеспечьте его беспрепятственное прохождение через заблокированный участок.

— Да вы что?! — заорал майор. — Как я обеспечу?! У вас что, уши позакладывало?!

— Чего скандалишь, Петрович, — миролюбиво сказал дежурный. — Я тебе только передаю распоряжение руководства.

— Да пусть сами едут и посмотрят, что здесь происходит! У меня ни сил, ни средств нет, чтобы такую толпу разогнать!

— Луховицын уже выехал, сам Тарасов тоже собирается. А ты пока обеспечивай. Такой приказ!

Багровый от злости, майор Казаков уже в который раз подошел к толпе.

— Ну сколько вам можно объяснять — освободите пути! Из Тиходонска важный поезд вышел, его задерживать нельзя! Ну что мне, ОМОН вызывать?

— На кого ОМОН? — заголосила тетя Варя. — На меня ОМОН? Вы лучше на цыганей ОМОН натравите, что наркотой торгуют! А я трех детей вырастила, никто в тюрьму не попал!

Шахтеры возбужденно загудели. Хотя само слово ОМОН произвело неприятное впечатление, но словам в России особого значения не придают. Не то что палке.

— Ну ладно, ладно, послушайте... Вы сейчас с рельс сойдите, постойте в сторонке, пусть этот важный поезд пройдет, тогда обратно залезете, — предложил компромисс Казаков. — Какая вам разница? Другой остановите. Они сейчас один за другим пойдут...

— Нет уж, как раз важный нам и нужен! — закричал Степан. — За важный они сразу по башке получат! А ну, сюда идите, все сюда поднимайтесь!

Он замахал рукой, и те, кто стояли вдоль насыпи, тоже полезли на рельсы. И Ленка с молодежью, хоть и развлекаться пришли, полезли со всеми.

— Ежели там начальство едет, мы прямо ему все и обскажем! — закричал Сашок, подмигивая невесте. Та в ответ улыбнулась.

— Верно, — солидно проронил Виктор Степанович. Он был за главного и слов на ветер не бросал. — Давайте так: кто постарше садятся рядком, под локти берутся цепочкой, остальные за ними становятся таким же манером. Рядами, да чтобы каждый ряд был им виден.

Казаков плюнул и отошел в сторону.

Только Васька на рельсы не сел, он с одной стороны пути плакат «Отдайте заработанное» привязал, перешел на другую сторону, передохнул немного, потом подошел к противоположной опоре и понял, что второй конец так просто наверх не затянешь: полотнище-то хоть и длинное, а досюда не достанет... Пока он чесал затылок, папаша оценил ситуацию и крикнул:

— Веревку возьми подлиннее, вначале привяжи к плакату, а потом лезь! А там потянешь за конец, он и поднимется!

— Ой, дядя Витя, что вы такое говорите! — засмеялась громко Ленка, и подруги вокруг прыснули, а потом и до остальных дошло, загоготали в десятки глоток!

И сам Виктор Степанович понял двусмысленность своего совета, махнул беззлобно рукой:

— Охальники! У вас одно на уме!

Шахтеры устраивались на рельсах, будто собирались фотографироваться: четыре ряда возвышались друг над другом, все крепко сцепились руками — не растащишь!

Вдали раздался короткий рев тепловозной сирены, которую машинист включает перед тем, как войти в поворот.

— О-О-О! НЫЙ-НЫЙ-НЫЙ! ТЕСЬ-ТЕСЬ-ТЕСЬ! — от своей сторожки бежал, размахивая руками, путевой обходчик, он что-то отчаянно кричал, но порывы степного ветра рвали его крик на куски, и до шахтеров доносились только обрывки.

Вдали, там, где сходились блестящие на солнце рельсы, показалась черная точка, которая стремительно приближалась, увеличиваясь в размерах. Машинист должен был тоже заметить людей на рельсах. Несколько раз тревожно взревнула сирена.

— Это литерный, разбегайтесь! — обходчик подбежал ближе, и теперь стало слышно, что именно он кричит сорванным голосом. — Это литерный, понимаете, литерный!!!

Поезд не тормозил, и это было очень странно и страшно. Все понимали, что давить живых людей ни один машинист не будет, но происходящее опровергало эту уверенность. Тем более что шахтеры, уже имевшие опыт участия в таких акциях, знали: увидев живой заслон, состав сразу включает экстренное торможение. Все знали и то, что даже при экстренном торможении поезд движется триста, а то и пятьсот метров.

Обходчик окончательно осип, обессилел и повалился в жесткую траву на откосе насыпи. От разогретой земли шел легкий парок, сильно пахло мазутом, яркими пятнышками порхали над рельсами бабочки. Черный тепловоз быстро приближался. Он не только не включал торможение, но даже не сбавлял скорости.

— Ой, задавит! — раздался всполошенный женский вскрик.

— Что он, гад, делает! — охнул Виктор Степанович.

— Пугает, проверяет, кто круче, — бодрился Степан.

— Да нет, не пугает! — испуганно выдохнул Сашок. — Ленка, давай с насыпи!

Васька на верхотуре испуганно тянул веревку: плакат, как капризный, не желающий взлетать змей, крутился и изгибался под легкими порывами ветра. А ведь если не успеет подняться, то поездом его потянет, может и самого Ваську на рельсы сорвать! Потому и старается парень изо всех сил, дергает обжигающую ладони тугую веревку: успеть, успеть, ну еще немножко! А еще оттого ему страшно, что сверху особенно наглядная получается картина: рассевшиеся на рельсах люди и несущийся прямо на них состав! Ужас берет, мурашки по спине бегают...

В это время взревел гудок и вспыхнул тепловозный прожектор. Это был сигнал, который поняли все. Поезд не собирался останавливаться!

Гудок ревел непрерывно, прожектор слепил глаза даже при дневном свете, вибрировали, прогибаясь, рельсы, дрожали шпалы. Литерный поезд шел в психическую атаку. Через несколько минут от перегородивших магистраль людей полетят кровавые ошметки. Шахтеры оцепенели, превратились в соляные статуи милиционеры, приподнявшийся на коленях обходчик переводил остекленевший взгляд с несущегося состава на обреченных людей.

— Разбегайтесь, вашу мать! Убьет! — ужасным голосом рявкнул майор Казаков. На этот раз его крик возымел действие, он вывел из оцепенения забастовщиков, и те вмиг поняли, что сейчас произойдет.

— Бегом!

— А-а-а!

— Спасайся!

Шахтеры сыпанули в разные стороны, сталкиваясь, падая, кувыркаясь по насыпи, отползая, — лишь бы оказаться как можно дальше от страшных рельсов, по которым с бешеной скоростью катились не знающие жалости колеса. Виктора Степановича выдернули из-под крутящегося лезвия в последнюю секунду, он даже ощутил волну разрезаемого стальной кромкой воздуха.

Ревущий состав пролетел над поверженными людьми, под поднятым, наконец, плакатом «Отдайте заработанное» и вскоре скрылся из глаз. Сирена смолкла, перестали дрожать рельсы, наступила тишина, в которой отчетливо слышались вздохи, стоны, тихие ругательства да женский плач.

Постепенно распластанные на насыпи люди начали приходить в себя, подниматься, осматриваться, ощупываться. Многие выпачкались мазутом от шпал, кто-то порвал одежду, кто-то исцарапался.

— Да что они, сказились? — неизвестно у кого спросила тетя Варя. — Ленка, Сашок, вы целы?

— Целы, целы, — Сашок нервно отряхивался окровавленными руками.

— Чего это с тобой?

— Да о щебенку ободрался...

— Послухайте, так они бы нас переехали! — ужаснулся Степан, вспомнив вдруг родную мову. — Переехали б, сто процентов! Вот тогда б остановились!

— Нет, — просипел путевой обходчик, сильно качая головой. — Недавно один алкаш из Садовой Балки под него бросился. В клочья, конечно... А поезд дальше пошел. Как ни в чем не бывало... Я же вам кричал — это литерный... Кричал. А вы не понимаете, куда лезете... Сейчас бы все здесь лежали...

Майор Казаков нагнулся и поднял фуражку, но на голову почему-то не надел. Руки у него дрожали.

— Ну что, вашу мать, понравилось? Давайте, опять лезьте! Сейчас скорый на Москву пойдет! Лезьте, лезьте!

Но психически травмированные забастовщики медленно разбредались в разные стороны.

— Видно, им команду дали не останавливаться, — тяжело выговорил прихрамывающий Виктор Степанович. — А чего: на рельсах-то сидеть нельзя, а если вылезли, то сами и виноваты! Нет, лучше голодовку объявим... Или заводоуправление пикетируем...

Охотников перекрывать магистраль больше не было.

Отца догнал возбужденный Василий.

— Слушай, батя, я такого страха натерпелся! Думал, вас всех по путям размажет!

Виктор Степанович угрюмо молчал. Он чувствовал вину перед сыном. Послал, старый дурак, на опоры... А случись что?

— Батя, а батя, а зачем у него на крыше рельсы?

— Где рельсы?!

— На крыше у этого поезда, что вас чуть не покрошил. Там рельсы, такие же, как под колесами.

— Не может быть, сынок, это тебе с перепугу помстилось.

— Да нет, я видел, они ведь блестят на солнце... Может, на случай аварии? Если перевернется, так и поедет?

— Не болтай ерунды. Как он рельсами по рельсам поедет? Тогда там колеса должны быть! Примерещилось тебе, сынок...

Милиционеры тоже медленно расходились. Немного успокоившись, Казаков вызвал линейное Управление внутренних дел.

— Майор Казаков. Докладываю: беспрепятственное прохождение литерного поезда мною обеспечено. Магистраль деблокирована собственными силами.

И, не слушая восторженной скороговорки дежурного, отключился. Потом надел фуражку, машинально проверил ребром ладони местонахождение кокарды и твердо решил сказаться больным, пойти домой, выпить водки для расслабления нервной системы и залечь спать. Но тут он увидел висящий над рельсами плакат: «Отдайте заработанное».

— Чтоб вы все посдыхали! — в сердцах выпалил майор.

Ибо в безбрежном океане накрывшего страну непорядка это был тот непорядок, за который отвечал конкретный и всем известный человек: начальник линейного пункта милиции майор Казаков. Ни с кого не спросят за невыданные зарплаты, никого не оштрафуют за выход на рельсы, безнаказанным останется вывесивший серую линялую тряпку мальчишка. Скорей всего, что никого не поощрят за проход литерного, ибо так и должно быть: любой поезд — от скорого до распоследнего раздолбанного товарняка — обязан беспрепятственно следовать точно по графику, это вполне естественно. А вот за вызывающий плакат, вывешенный над контактной сетью и угрожающий безопасности движения и жизни граждан, майора Казакова отдерут по полной программе!

Но тут ему на глаза попался путевой обходчик, который устало скручивал самокрутку, присев на склон насыпи.

— Чего расселся? — рявкнул майор. — Живо сними ту тряпку! Кто отвечает за этот участок?

— Так я только за путя отвечаю, — растерянно отозвался тот.

— Разговорчики! Ветром сорвет, провод обмотает, загорится, огонь на поезд перекинется! В тюрьму захотел? Живо снимай!

Обходчик встал, с досадой швырнул на землю самокрутку и, глядя в спину удаляющегося Казакова, тихо сказал:

— Чтоб вы все посдыхали...

* * *

В московском Управлении ФСБ проходило внеплановое оперативное совещание.

— После дела Воротова мы прикрыли посольство устройством радиопомех «Барьер», — докладывал начальник отдела контрразведки полковник Смартов. — Протянули вдоль троллейбусных проводов еще один, индукционный. Он создает энергетическое поле, когда его пересекает направленный радиосигнал, тут же включается генератор «белого шума», одновременно начинает работать видеокамера, установленная в нашей рабочей квартире напротив посольства.

Начальник Управления генерал Мезенцев уже знал суть дела из суточных сводок и отчетов, но внимательно слушал, потому что разрозненные факты — это одно, а целостная картина — совсем другое. Сейчас в просторном, отделанном деревом кабинете собрались все участники происходящих событий, и каждый мог дать подробную справку, с которой не сравнится ни один самый подробный рапорт.

— Три дня назад «Барьер» среагировал на сжатый направленный радиосигнал длительностью пять секунд. Через секунду включилась система подавления, поэтому адресат получил не больше одной пятой части переданной информации. А вот запись видеокамеры...

Он сделал знак, и на выдвинутом из черной трубки белом экране появилось Садовое кольцо в час пик. В обе стороны двигались плотные транспортные потоки. Кадр остановился, и экран пересекла тонкая красная линия: направление импульса. Она протянулась от точки съемки к центральной части посольства США, при этом пересекла багажник «Мерседеса» с тонированными стеклами, салоны черной «Волги» и «Москвича»-фургона. Затронутыми оказались также двигавшиеся в противоположном направлении белая «Газель», серебристая «Ауди» и красный «Фольксваген».

— Передатчик мог находиться в одной из этих шести машин, с большей или меньшей степенью вероятности, — продолжил Смартов. — Запись продолжалась, и через восемь минут один из вероятных объектов проследовал в обратном направлении.

Кадр перескочил, теперь черная «Волга» ехала в обратную сторону.

— Вы уверены, что это тот же самый объект? — спросил генерал.

— Конечно. Проведена компьютерная идентификация: по антенне, зеркалам, колесам. Здесь желтые противотуманные фары, таких не ставят уже много лет. Это тот же самый автомобиль. Значит...

Если в час пик кто-то выезжает на заполненную транспортом улицу для того, чтобы через восемь минут возвращаться по ней обратно, то, значит, за это время и именно в этом месте он сделал какое-то важное и необходимое дело.

— Номер зафиксирован?

— Нет. Но, судя по временному промежутку, объект мог развернуться в ближайшей подходящей для этого точке, вот здесь, на светофоре. Причем поехал обратно не сразу, а через две-три минуты, то есть после остановки. Значит, кого-то высадил, возможно, того, кто передавал сигнал. Наши люди прочесали возможные места остановки и в районе зоопарка нашли двух свидетелей, которые видели черную «Волгу» и вышедшего из нее человека...

— Кто они? — перебил Мезенцев. Этого в отчетах указано не было.

— Старушка, торгующая семечками, и продавец журналов с уличного лотка.

— Продолжайте.

— Они дали приметы этого человека. Оба свидетеля утверждают, что он плохо выглядел и пил лекарства, как будто у него был сердечный приступ.

Начальник Управления задумчиво барабанил пальцами по столу. Очень может быть. Выход на связь — серьезный стресс для шпиона. Потом ему необходимо расслабиться, обычно это достигается алкоголем. А бывает, что требуются лекарства...

— Словесный портрет составлен?

— Так точно. Я отдал приказ искать черную «Волгу» с желтыми противотуманными фарами, на всякий случай и остальные пять объектов. Соответствующие распоряжения отданы сотрудникам ГИБДД. Они будут проверять все машины подобных марок, в беседе с водителями задавать вопрос о нахождении в эту дату и время в интересующем нас районе.

— Хорошо, дальше!

Смартов владел обстановкой и явно набирал баллы: генерал любил толковых и компетентных сотрудников. И очень любил, чтобы все шло по плану, без сбоев, накладок, а тем более провалов.

— Поскольку большая часть информации не дошла до адресата, мы предположили, что в ближайшее время она будет дублироваться путем контейнерной операции или моментальной передачи. Поэтому было усилено наблюдение за сотрудниками посольской резидентуры, привлечены дополнительные силы, введено круглосуточное дежурство. И в воскресенье, то есть вчера, установленный разведчик Генри Ли Бицжеральд, работающий под прикрытием военного атташе посольства, около десяти утра выехал в город и принялся всеми способами уходить от машин наружного наблюдения.

— Надеюсь, не ушел? — спросил генерал.

Смартов чуть замешкался.

— Не ушел. Но в один момент оторвался и оставался вне зоны контроля десять минут.

Мезенцев с досадой пристукнул кулаком по столу. Он хотел что-то сказать, но докладчик его опередил.

— Благодаря имеющемуся резерву мы подтянули все силы к квадрату отрыва, это район Белорусского вокзала, всего было задействовано около семидесяти человек. Работали по плану «Сеть» — сплошная фиксация всех возможных контактеров в данном квадрате. Бицжеральд был обнаружен через десять минут: он вышел из проходного подъезда рядом с продовольственным магазином. Поскольку он обладает дипломатическим иммунитетом и не был уличен в противоправных действиях, мы не воспрепятствовали ему сесть в машину посольства. Но район возможного контакта продолжали прочесывать еще час. Капитаны Малков и Ломов, обследуя двор, куда выходит проходной подъезд, обнаружили там следы пребывания подозрительного человека...

Когда полковник Смартов произнес их фамилии, Малков и Ломов встали. Это были высокие и широкоплечие блондины, настоящие богатыри, похожие, как братья-близнецы.

— Какие следы вы обнаружили? — генерал переключился на них, он всегда предпочитал работать с первоисточниками.

— Ну... Гм... Видите ли, товарищ генерал, — мялся Малков. — Мы услышали крики женщин, когда подошли, то узнали, что какой-то мужчина, извините, мочился во дворе... А следы были в наличии — мокрая стенка гаража и большая лужа мочи... Извините.

— Образцы мочи взяли?

— Никак нет...

— Почему?

На помощь напарнику пришел Ломов.

— Я визуально обнаружил этого мужчину, он спустился по крутому откосу на железнодорожные пути и скрылся под мостом. Я показал его Владу, и тот сделал снимок длиннофокусной оптикой...

— Так точно! — подтвердил Малков. — Из-за гаража, незаметно.

— Где этот снимок?

— Можно я продолжу, товарищ генерал? — Смартов вновь взял инициативу в свои руки. — А снимок я сейчас покажу, но так, чтобы было наглядно...

— Продолжайте, — разрешил генерал и махнул рукой стоящим навытяжку «близнецам». — А вы садитесь, нечего потолок подпирать!

Богатыри присели. Вид у них был обескураженный.

— Участники плана «Сеть» сделали полторы тысячи снимков, которые были пропущены через сканер-опознаватель, сверяющий их с нашей базой данных. Автоматизированной системой опознаны три секретоносителя: ответработник МИДа Иванов, садящийся в такси возле своего дома, завлаб института имени Курчатова Родионов, идущий по улице в районе своего места жительства, и начальник отдела Генштаба Минобороны Фальков, входящий в магазин «Продукты» неподалеку от проходного подъезда и не имеющий связей с этим районом.

Генерал Мезенцев насторожился. Начиналось самое главное.

— Фальков опознан продавцом журналов как человек, вышедший из черной «Волги» и пивший лекарство. Старушка-семечница его не опознала. Человек на снимке Малкова тоже оказался Фальковым.

Смартов снова сделал знак рукой, сидящий у проектора сотрудник щелкнул тумблером, и на экране высветился снимок из личного дела генерал-майора Вениамина Сергеевича Фалькова: властное, с жестким выражением лицо, прямой тяжелый взгляд, упрямо выставленный вперед подбородок, тяжелые генеральские звезды на погонах. Щелчок — и рядом оказался еще один снимок: вроде тот же человек, но растерянный, всклокоченный, какой-то отрешенный от окружающего мира, с трудом открывающий дверь магазина. Третий щелчок и третий портрет, зернистый от сильного увеличения: это беглец, пытающийся отвернуться и закрыть лицо. То самое лицо, что и на первой фотографии, только без властности, уверенности, жесткости, как будто все эти свойства высосали из него неведомые вампиры или жизнь стерла их жесткой губкой.

— Товарищ генерал, полковник Смартов доклад закончил, — обозначив стойку «смирно», доложил начальник отдела контрразведки.

В кабинете наступила тишина. Здесь сидели девять человек, все в штатной одежде, но с военной выправкой и специфическими знаниями о предательстве. Все они не верили в случайности, совпадения, объяснимые двусмысленности. Просматривая любимые всеми чекистами «Семнадцать мгновений весны», они снисходительно улыбались, когда Штирлиц объяснял Мюллеру, как попали его отпечатки пальцев на чемодан русской радистки. Потому что объяснять тут нечего, все

и так ясно. И конечно, Мюллер даже не стал бы слушать хитро-
умные выдумки — просто приказал бы содрать с него кожу и
очень скоро узнал бы всю правду. Так что с генералом Фальковым все было предельно понятно.

— Попался, гадюка! — мрачно процедил генерал Мезенцев. — Давно у нас не было таких высокопоставленных выполз-
зышей... Молодцы, ребята, хорошо сработали. Только надо теперь все задокументировать, как положено. За то, что он вышел из «Волги», зашел в магазин и нассал во дворе, ему измену
Родине не предъявишь. Надо аккуратно все подработать...

— Я прошу санкции на установку за ним круглосуточного
наблюдения, прослушивание телефона и перлюстрацию кор-
респонденции, — сказал Смартов.

— Готовьте бумаги, я подпишу, — резко взмахнул рукой генерал. — Что же он им передал, гад?!

Это были мысли вслух или даже вопрос самому себе. Ответом послужило вежливое молчание. Никто из находящихся в
кабинете офицеров этого не знал. До поры до времени. Точнее,
до того момента, когда предатель окажется в застенках Лефор-
тово. Все оперативники были преисполнены желания максимально приблизить этот момент.

* * *

Курсант Кудасов в гражданской одежде чувствовал себя
непривычно. Кремовая шведка, серые брюки и босоножки казались невесомыми, иногда появлялось ощущение, что он голый бродит вокруг огромного шара из резного чугуна, воздвиг-
нутого посередине цветочной клумбы. То и дело он смотрел на
часы. Оксана задерживалась. У нее тоже горячие дни: она за-
канчивала педагогический и сдавала выпускные экзамены.

Александр тяжело вздохнул. Он каждый раз встречался с
Оксаной, как в самый первый. И каждый раз это было для него
праздником.

Вот и сегодня он пришел на свидание на полчаса раньше
условленного времени, а она опоздала на двадцать минут, и
почти час он мучился ревностью и смутными подозрениями.
Но когда увидел стройную фигурку, в нарядной розовой блузке
и коротенькой облегающей юбочке, то мгновенно успокоился,
сердце его размякло. Оксана шла короткими шагами, гордели-
во вскинув маленькую головку и делая вид, что не обращает
внимания на взгляды почти всех встречных мужчин.

Неужели это его невеста? Он всегда представлял ее так — и
в ее компаниях, и в своих. Она не возражала, но сама рекомен-
довала Александра как просто знакомого. И в разговорах обхо-

дила этот момент, если он то и дело говорил о будущей супружеской жизни, то она только загадочно улыбалась. Если смотреть правде в глаза, то четкого и прямого согласия выйти за него замуж Оксана не давала. Впрочем, нечеткого и завуалированного не давала тоже.

— Привет! — проворковала Оксана, и ее влажные от нежной розовой помады губки без труда отыскали обветренные в сибирском лесу губы Кудасова. — Давно ждешь?

— Давно, — улыбнулся курсант. — Всю жизнь.

Девушка звонко рассмеялась.

— Ты неисправимый романтик, Саша. Как практика?

Она привычно подхватила кавалера под руку, и молодые люди неспешно двинулись вдоль пешеходного бульвара. Над Тиходонском голубел высокий хрустальный купол небес, ни единого облачка, ни ветерка, ласковые солнечные лучи игриво ласкали верхушки высоких, засыпающих город надоедливым пухом тополей. При запуске в такую погоду поправочный коэффициент — ноль, если, конечно, в верхних слоях атмосферы тоже штиль.

Кудасов встряхнул головой. Что за глупые мысли лезут в голову!

— Практика прошла нормально. Было очень интересно. Там только недавно закончились морозы. Знаешь, какие там морозы? Доходит до минус тридцати.

— Какой ужас! А куда мы идем?

— Пойдем ко мне.

— А...

— Родители собираются в кино.

— Тогда пусть вначале уйдут. Я же должна производить на них хорошее впечатление. А иначе получается как-то некрасиво: будто я специально пришла остаться с тобой наедине.

— Да ну, ерунда...

— Совсем нет. Пойдем лучше пока посидим в каком-нибудь кафе. Ведь у тебя нет денег на ресторан?

— Да нет, почему... Я четыре месяца не тратил зарплаты...

Последняя фраза прозвучала неуверенно. Семья Кудасовых была небогатой. Потому он и оказался в ракетно-артиллерийском училище.

— На нормальный институт у нас денег нет, — прямо сказал отец, который этого факта ничуть не стеснялся. — Там надо сотни тысяч платить: на бюджетном — взяткой, на коммерческом — оплатой. Что в лоб, что по лбу. А у военных вечный недобор, там пока еще порядка больше, можно бесплатно профессию получить. — И, помолчав, добавил: — К тому же там бесплатное питание, обмундирование, жилье... И потом льготы будут.

Сейчас, через четыре года, все льготы закончились. Негустое денежное содержание Саша тратил на гражданскую одежду, обувь и редкие подарки для Оксаны. А генеральский сын Коротков водил девчонок в самый крутой ресторан Тиходонска — «Эйфелеву башню», где оставлял за вечер по десять-пятнадцать тысяч. И считал это в порядке вещей.

— Хотя в ресторан — это надолго, лучше действительно зайдем перекусим в кафешку, — Саша дал задний ход.

— Я сыта. Хочу кофе с пирожным и бокал мартини! В «Белом медведе» прекрасный кофе!

Саша вздохнул. О «Белом медведе» рассказывали легенды. Кофе с пирожным стоили там столько же, сколько хороший обед с пивом в «Сицилийской пицце».

— Ты знаешь, я бы съел пиццу... — осторожно произнес он, но Оксана сразу же согласилась.

— Пойдем. А я просто так посижу.

В небольшом, отделанном камнем зале пиццерии они заняли крохотный столик у окна. Саша заказал салат, пиццу «Корлеоне» и кружку «Эфеса». Оксана долго изучала меню, не обращая внимания на ожидающую официантку, наконец выбрала овощной салат, отварной язык с майонезом и спросила, подают ли в бокалах французское вино.

— Нет, дорогие вина отпускаются только бутылками, — сказала молоденькая девушка в не очень белом фартучке, постукивая карандашом по блокноту.

— Ну почему же, — с достоинством возразила Оксана. — Совсем рядом с вами, в «Маленьком Париже», любое вино подают на розлив.

— Не знаю, — официантка пожала плечами. — У нас такой порядок, у них другой.

Она была ровесницей Оксаны, и, наверное, ей не нравилось обслуживать чрезмерно требовательную девчонку, пришедшую с видным молодым человеком.

— Ладно, тогда принесите мне тоже пиво, — Оксана положила меню на краешек стола.

— Откуда ты все это знаешь? — спросил Саша, когда официантка отошла.

— Что знаю? — не поняла Оксана.

— Французские вина, порядки в разных ресторанах... И вообще, ты так уверенно держишься... Такое впечатление, что, пока меня не было, ты только и ходила по злачным местам...

Она рассмеялась.

— Ну, не только... Еще я училась, готовила курсовую работу, помогала маме по хозяйству. Но пару раз выходила в свет, как раз в «Белый медведь» и «Маленький Париж». Один раз с Леночкой Карташовой, другой с одногруппниками. На Восьмое марта мальчишки разорились на ресторан...

Странно. Курсант выпускного курса военного училища получает денежное содержание в несколько раз больше, чем стипендия студента гражданского вуза. Но не может даже зайти в вестибюль «Белого медведя».

— Чего ты нахохлился? Ты что, не рад меня видеть?

— Да нет, почему не рад... Наоборот, очень рад. Просто меня не было здесь четыре месяца, а ты за это время как-то изменилась...

Оксана сморщила смешную гримаску, вытаращила глаза:

— Ау, Сашенька, это я, и я точно такая же, как была! Хочешь — потрогай!

— Ладно, верю, — он улыбнулся. — Но научилась понты колотить, — это точно!

— Фи, товарищ курсант, — Оксана вздернула подбородок. — Что за слова вы употребляете в разговоре с приличной девушкой?

— Виноват, исправлюсь!

Вскоре принесли заказ. Саша жадно ел горячую пиццу, чтобы не обжечься, запивал холодным пивом. Его спутница так же энергично расправлялась с салатом и языком.

— Давай выпьем за нас! — с воодушевлением он поднял высокий, расширяющийся кверху стакан. — За наше будущее!

Оксана не возражала. Стекло глухо звякнуло о стекло.

— Когда мы поженимся? — в очередной раз, отхлебнув пива, спросил Саша.

Девушка со скучающим видом перевела взгляд на сицилийский пейзаж, нарисованный над барной стойкой.

— А зачем тебе на мне жениться? — спросила она. — Разве тебе так плохо? Ведь ты получаешь все, что положено мужу. А забот у тебя гораздо меньше. Тебе не приходится одевать меня, обувать, кормить, обеспечивать...

Саша со стуком поставил стакан на пустую тарелку.

— Ты как-то странно рассуждаешь... Зачем люди женятся? Чтобы жить вместе, заботиться друг о друге, родить и вырастить детей...

— Ну, разве что детей, — засмеялась Оксана и многозначительно облизнула губы.

Саша накрыл своей рукой узкую девичью ладонь.

— Знаешь что... Давай не будем пить кофе. Поедем сразу ко мне.

На этот раз Оксана возражать не стала.

* * *

— Это трудно передать словами... Она просто гипнотизирует, создается впечатление, что она читает твои мысли и все знает про тебя, — размягченный Александр Кудасов рассказывал то, чего не доверил никому из товарищей. — Рассказывают, что она даже разговаривает с некоторыми. Мысленно, конечно.

— Ой, Саша, ты такой фантазер! Ну как может железная ракета читать мысли и разговаривать? — засмеялась Оксана. — Это просто сказки. Или галлюцинация. Но разве могут быть галлюцинации у офицера-ракетчика?

— Я еще не офицер. Приказ подпишут после защиты диплома, перед распределением.

— И куда молодого лейтенанта распределят? — игриво спросила Оксана и пробежала быстрыми острыми коготками по груди юноши, поводила кругами, будто хотела намотать на кончики пальцев редкие волосы. Родители Саши могли вернуться в любую минуту, поэтому они не раздевались, избрав походный вариант. Розовая блузка была расстегнута, бюстгальтер сдвинулся вверх, обнажая маленькие нежные груди с розовыми сосками. Юбка тоже была бесстыдно задрана, открывая все, что можно было открыть.

— От этого ведь зависит ответ на твой вопрос, помнишь, в кафе? Зависит наше будущее, за которое мы недавно выпили. Я люблю цивилизацию, развлечения, общение. Я бы поехала с тобой в Москву. Или осталась в Тиходонске. Но скажу тебе сразу: ни в какую тайгу и другую глухомань я не поеду. Не обижайся. Так куда тебя распределят?

— Не знаю. Спорил по глупости с философом: что первично, что вторично... А надо было тарабанить по учебнику, и все было бы в порядке. Когда обозначаешь свою позицию, преподов это почему-то раздражает. Кивнул, согласился, прогнулся — тогда, может, и на красный диплом бы вышел. Больше баллов — на хорошее место больше шансов...

— Да брось, глупенький! Думаешь, в баллах дело? Дело совсем в другом: в умении «решать вопросы». Сейчас так и говорят: «Цена вопроса». Можно добиться всего, чего угодно, надо только заплатить нужную цену. Не обязательно деньгами, можно услугами, вниманием, чем угодно. Если ты расплатился, а другой нет, то у тебя все шансы, а ему «не хватит баллов».

— Ничего себе, — поморщился Александр. — Где ты научилась такой мудрости?

Девушка снова засмеялась и легким движением поправила прическу.

— Я же изучаю психологию, а там есть раздел о правилах ведения бизнеса.

— Я бизнесом не занимаюсь. А эта твоя психология — для «новых русских», а не для российских офицеров!

— А вот и нет! — торжествующе закричала Оксана и высунула язык. — Еще в шестидесятых годах Дейл Карнеги написал книгу: «Как заводить друзей и оказывать влияние на людей».

— И как?

— Очень просто. Надо заинтересовать нужного тебе человека, сказать приятные слова, сделать подарок, оказать внимание. Так вот, сейчас все в нашей стране пользуются его советами. И ты должен вести себя как все. Иначе ничего не добьешься.

Они лежали на нешироком, застеленном видавшим виды ковром диване. Александр гладил голый живот девушки, то и дело опуская ладонь на бритый лобок. Как шулер, специально стачивающий наждаком кожу, чтобы ощущать незаметные точки крапа, он воображением обострял чувствительность пальцев, чтобы почувствовать начинающие отрастать волоски. Время от времени он незаметно поглядывал на часы. Нервы были на взводе. Родители ушли уже давно и могли вернуться с минуты на минуту. Надо было собираться, но он оттягивал момент, когда все закончится. Если бы они поженились, то он мог бы все свободное время наслаждаться этим гладким роскошным телом... И совершенно легально.

Но сегодня дольше продлевать блаженство было нельзя. Он думал, как деликатней сказать, что надо приводить себя в порядок. Но Оксана его опередила. Аккуратно убрала обостренно-чувствительную руку партнера, одернула юбку и села, принимая вполне приличный вид девушки, приглашенной молодым человеком в родительский дом. Вставила изящные ступни в красивые босоножки со стразами и на высокой шпильке, из-за которой она и ходила мелкими шагами, не полностью распрямляя колени.

— У тебя обновка? — спросил Саша.

— Да, отец подарил. Нравятся?

Она вытянула гладкие блестящие ноги с перламутровым лаком на ноготках.

— Правда, они подчеркивают, что у меня красивые лодыжки?

— Лодыжки? Гм... Да, очень красиво...

Александр не мог определить: то ли босоножки украшают Оксанины ступни, то ли наоборот.

— Наверное, дорогие?

Оксана пожала плечами.

— Не мой вопрос, милый!

Кудасов почесал затылок. Раньше в ее лексиконе такого оборота не было.

— Давай поужинаем вместе с родителями, — предложил он. — Есть хороший лещ, молодой картошки отварим, зелень... Я за пивом сбегаю.

Девушка достала из сумочки щетку, расчесала густые волосы.

— Не сегодня. У меня в шесть консультация.

— Какая консультация?

— Обыкновенная. По психологии. Не забывай, я ведь тоже сдаю госэкзамены.

— Так поздно? Почему?

— Опять вопрос не ко мне. Не я ведь составляю расписание.

— А пропустить ее нельзя?

— Кого?

— Консультацию.

Девушка отрицательно помотала головой.

— Ты поссорился с преподавателями, потому что не следовал советам Карнеги. Наоборот, я приду, сяду в первом ряду, буду есть нашего профессора глазами, задам какой-нибудь вопрос, который поможет ему продемонстрировать свою мудрость. И тогда еще одна цель будет достигнута. Причем без всяких затрат.

Оксана встала и направилась к двери, но остановилась на полпути и рассмеялась.

— Ой, я совсем забыла! Отдай мои трусики!

— Ах да, — Кудасов вынул из кармана крохотный матерчатый треугольничек с двумя витыми золотистыми шнурками.

Зрелище одевающейся Оксаны стало последним замечательным аккордом сегодняшнего дня. Как только дверь захлопнулась и он остался один в полутемной квартире, сразу навалилась тоска.

Включив везде свет, Саша тремя шагами пересек тесное пространство старенькой квартирки хрущевского типа и зашел в свою комнатушку. Вдавил кнопку воспроизведения магнитофона, притулившегося на подоконнике, и атмосферу грусти приятно разбавил мелодичный голос Джо Дассена. Он плюхнулся на диван, блаженно вытянул ноги, а обе руки заложил под голову. В такой расслабленной позе он часто думал о жизни и своем месте в ней.

Без Оксаны он чувствовал себя опустошенным. То, что произошло несколько минут назад, размягчало его душу и поддерживало уверенность в себе, но этого было недостаточно. Он хотел видеть ее каждую минуту, наблюдать украдкой, как она приводит себя в порядок перед зеркалом, как листает конспекты, как готовит что-то на кухне... Интересно, а она умеет готовить? Впрочем, какая разница, не в пище дело!

Однако, вопреки этой мысли, он ощутил голод. Пицца уже переварилась — молодой организм требует много энергии, особенно при физических упражнениях.

Он прошел на кухню, помыл картошку и прямо в кожуре поставил варить. Достал из холодильника завернутого в газету леща, порезал крупными кусками, распорол каждый снизу, чтоб легче чистить.

За этим занятием его и застали родители, которые деликатно задержались на добрые полтора часа.

— Прекрасно погуляли, — Татьяна Федоровна с улыбкой поцеловала сына в щеку. — Отличная погода. И фильм хороший. Просто замечательно.

Мама всегда отличалась оптимизмом и всегда пребывала в хорошем настроении.

— О, ты хозяйничаешь? — приятно удивилась она и, заглянув в кастрюлю, укоризненно покачала головой: — Надо было почистить!

— Ничего, сойдет и так, — поддержал его отец. — На нашу долю положил?

— Конечно. Может, за пивом сбегать?

— Я не хочу. Да и тебе зачем? Сейчас всю страну спаивают пивом, в первую очередь молодежь, сам подумай, к чему это приведет?

Олег Иванович относился к редкой и стремительно вымирающей категории правильных людей. Если бы ему предложили совершенно безнаказанно украсть миллион, он бы никогда этого не сделал. Не только потому, что не верил в безнаказанность и многочисленные ее примеры считал нетипичными отступлениями от нормы, сколько потому, что любая кража ему была глубоко противна.

— А к чему приведет? — Саша чуть заметно улыбнулся.

— Привычка к выпивке, снижение самоконтроля, пивной алкоголизм, — вот к чему! Если целенаправленно приучать молодых людей к алкоголю, при этом не считая его алкоголем...

— Кстати, пиво — безалкогольный продукт...

— Да? — отец задиристо выставил перед собой указательный палец. — Что же выходит: выпил бутылку безалкогольного напитка и опьянел? За руль уже сесть нельзя! А после пяти бутылок и в вытрезвитель могут забрать! Как же это получилось с безалкогольного продукта? А? От кваса такое произойти может? А от пепси-колы? А от кефира? Нет! То-то и оно! И вообще, посмотри, во что город превратился! На каждом шагу пивнушки, везде музыка и веселье! Рестораны, казино, игровые автоматы, дискотеки... А работать когда? На что нацеливают подрастающее поколение: на работу или на отдых? На отдых! Но нужны деньги. А где их взять? Включай телевизор и тебя научат: надо кого-нибудь убить, ограбить, похитить или открыть притон с проститутками!

— Успокойся, Олег, а то опять сердце заболит, — вмешалась Татьяна Федоровна, и отец, махнув рукой, замолчал.

Вскоре на столе дымилась картошка, серебрились куски леща, розовеющие жирным мясом на срезе, аппетитно желтело масло, помидоры, редис и петрушка завершали натюрморт. Не хватало только одного...

— Мам, порежь лука! — попросил Саша.

Теперь картина была законченной. Татьяна Федоровна за стол не села, а мужчины привычно разрывали руками кусочки рыбы и выедали соленую мякоть прямо со шкуры, заедая типично донское лакомство картошкой и зеленью. Соль вяленого леща требовала уравновесить себя нейтральным вкусом, а рассыпчатая и вроде бы пресная плоть картофеля просила добавки из овощей. Летний тиходонский стол всегда приятно удивлял гостей города.

— А где Оксана? Она что, не заходила? — спросил отец.

Саша обкатал вопрос со всех сторон: слова, тон, интонация... Нет, никакого двойного смысла в нем не было.

— Заходила ненадолго. У нее дела в институте. Она же тоже заканчивает, скоро будет работать в школе.

Татьяна Федоровна, поставив чай, проявила интерес к разговору.

— Так что вы надумали? Уже пора нам со сватами знакомиться...

Саша помолчал.

— Сказала, что в тайгу не поедет.

— Прям так и сказала? — отец не донес до рта редиску.

— Прям так. Только в городе хочет. В Москве или Тиходонске. А меня, скорей всего, в лес и зашлют. Не знаю, что у нас получится...

— То-то я смотрю, ты вроде не в своей тарелке, — Татьяна Федоровна прислонилась к широкой спине сына теплым животом. — Не бери в голову. Если любит — поедет. А если не любит... Тогда и жалеть не о чем! Это мы с отцом скучать будем, если в лес... Нас же с тобой не пустят!

— Подожди, почему тебя должны в лес засылать? — возмутился отец. — У тебя по всем спецпредметам «пятерки»! Ты один из лучших учеников на курсе! Мне это подполковник Волков не раз говорил!

— Не Волков нас распределяет. К тому же при этом никого не интересует — кто какой специалист. Главное, у кого есть волосатая рука...

— Нет, подожди, — раскипятился Олег Иванович, который испытывал неловкость оттого, что не мог обеспечить сыну волосатую руку. — Вас же не в парикмахерские направляют! Специалист нужен в штабе, а штаб всегда...

— Наши штабы как раз и есть в лесу. По крайней мере, штабы низового звена, — Саша отодвинул тарелку. — У Андрюшки Короткова вопрос без всяких баллов решен. Сто процентов — попадет на теплое место!

— Не нравится он мне, — Татьяна Федоровна поджала губы. — Хоть и генеральский сын, и лощеный, а глаза неискренние...

— Он и с такими глазами станет генералом. А уж до полковника вмиг дослужится.

Отец тоже закончил ужин и вытер губы салфеткой.

— Ты, сынок, на других не смотри. Если будешь хорошим специалистом, если служить станешь добросовестно, то и сам, без всякой волосатой руки генералом станешь.

— Или, по крайней мере, полковником, — внес более реалистичную коррективу Олег Иванович.

— Ладно, посмотрим... Мам, налей мне чаю.

Семейный уют расслабил парня, грусть прошла. В конце концов, все как-нибудь устроится.

Весь вечер Саша сохранял на кончике указательного пальца ощущение теплого углубления девичьего пупка. Внезапно он сравнил его с ощущением вогнутой поверхности кнопки запуска межконтинентальной баллистической ракеты. И не смог понять: зачем он рассказал Оксане про ракету и связанные с ней чувства и мысли. Сейчас бы он этого не сделал.

Глава 2

ОХОТА НА ПРОМЕТЕЯ

Бар «Ночной прыжок» располагался на Тверской, наискосок от «Мариотт Гранд-отеля». Это было элитное заведение, известное тем, что в нем собирались самые красивые девушки Москвы. Встреча была назначена на восемнадцать тридцать, Вениамин Сергеевич намеренно опоздал на пять минут — в конце концов, это не «моменталка», к тому же пусть самовлюбленный идиот Слепницкий подождет, почувствует, с кем имеет дело.

Припарковаться вечером на Тверской практически невозможно, но как раз напротив входа имелось свободное место, и черный «Мерседес-500» Министерства обороны вошел в него, как ракетный тягач в родной бокс. И прапорщик-водитель и генерал-майор Фальков полагали, что чины, звания, крутой автомобиль, министерские номера и синий маячок сбоку на крыше позволяют им парковаться где угодно. Возможно, так и было, но «Ночной прыжок» являлся исключением из правил. Место напротив входа занимать не полагалось, на случай, если сюда пожалует хозяин заведения, хотя никто доподлинно не знал, кто является хозяином модного ночного бара.

Массивную деревянную дверь огораживал стальной барьер, протянувшийся вдоль стены метра на четыре. В результате образовался искусственный коридор, и подходить ко входу можно было по одному или, максимум, по двое, чтобы крупным, внушительного вида секьюрити было проще осуществлять фейс-контроль. По какому признаку допускались посетители, никто не знал, но то, что здесь не случалось скандалов, драк и других неприятностей, — это, как говорится, факт медицинский.

Фальков не был завсегдатаем подобных заведений и плохо знал нравы и правила поведения ночной Москвы, но не сомневался в своей очевидной респектабельности и благонадежности. Но широкоплечий парень с ничего не выражающими глазами неожиданно преградил ему дорогу.

— Извините, это частный клуб. Сюда вход только по абонементам и пропускам.

— Как так? — надменно удивился генерал. — Передо мной прошли четыре человека, и ни один не показывал пропуск!

— Просто мы знаем членов клуба в лицо, — объяснил охранник. — Извините.

— Подождите, у меня есть пропуск! — Фальков извлек из нагрудного кармана пиджака коричневую кожаную книжицу с вытесненным золотом двуглавым орлом, привычно раскрыл и поднес к лицу охранника.

Бумага была с водяными знаками, голограммами и еще двумя степенями защиты, справа по вертикали штрих-код для компьютерного считывания. Цветная фотография генерала в мундире со свирепым выражением лица. Четкий типографский шрифт: «Главный инспектор Генерального штаба Министерства обороны Российской Федерации генерал-майор Фальков Вениамин Сергеевич». Подписал удостоверение министр обороны Российской Федерации. Подпись была самого министра, а не заместителя или начальника кадрового аппарата, причем настоящая, «мокрая» — черными чернилами, не какой-то факсимильный оттиск. Но на охранника все это впечатления не произвело.

— Извините, это пропуск не к нам, — мельком глянув в документ, сказал тот.

— Это пропуск везде! — начал закипать Вениамин Сергеевич. — Даже в Кремль!

— Извините. Возможно, это и так, но у нас частный клуб и совсем другие пропуска.

Охранник был абсолютно спокоен, безупречно вежлив и непоколебим.

Чувствуя себя полным идиотом, Вениамин Сергеевич достал мобильник и набрал номер Курта.

— Послушай, я стою у входа в этот балаган и меня не пропускают! — рявкнул он. — Ты что, со мной шутки шутишь?!

— Не волнуйтесь, Вениамин Сергеевич, сейчас я вас проведу, — хладнокровно ответил Слепницкий и отключился. Очевидно, Курт тоже хотел, чтобы Фальков подождал его и почувствовал, с кем имеет дело. А скорей всего он об этом и не думал, просто разыгравшееся воображение генерала усугубляло действительное или мнимое унижение.

В клуб зашли двое мужчин средних лет, потом две красивые девушки. Охранник стоял с нейтральным лицом, ничего у них не спрашивал и не пытался остановить. Вот еще одна: высокая брюнетка, похожая на итальянку, гибкая, с длинными блестящими волосами, в белом, открывающем живот топике, короткой, как носовой платок, черной юбке, белых сетчатых чулках и черных остроносых «шпильках». В руках — довольно объемная черно-белая сумочка.

«Ну и ну!» — подумал Фальков, провожая взглядом загорелые ноги, стройность которых подчеркивалась белой сеточкой.

— Здравствуйте, дорогой Вениамин Сергеевич, — Курт наконец появился на улице, широко расставил руки, будто хотел обняться, но ограничился рукопожатием. — Не сердитесь, вопрос улажен, просто надо соблюдать определенные правила...

Слепницкий взял генерала под локоть и повел с собой. Хотя он ничего не сказал охраннику, тот уже не загораживал дорогу, только сказал:

— Уберите машину.

— Что?

— Машину уберите. Это место занимать нельзя. Никому.

Фальков нажал кнопку прямого соединения с водителем, и «Мерседес» освободил запретную территорию.

— Проходите, пожалуйста, — по-прежнему ровным тоном сказал охранник. И добавил: — Прошу иметь в виду, что у нас не балаган, а частный ночной клуб. И очень высокого уровня.

— Ничего не понимаю, — пробурчал Вениамин Сергеевич. — Я ему и объяснял, и удостоверение показывал, а он меня не пускал. А когда ты вышел — пустил. А ведь ты ему ничего не сказал!

— Никогда не спорь с «гориллами», — нравоучительно сказал Слепницкий. — Они ничего не решают. Ни-че-го! Там наверху камера, а внутри сидит за монитором менеджер и говорит, кого пускать, а кого нет. У «гориллы» в ухе микрофон, и он делает то, что ему велят. А я зашел к менеджеру и сказал, что мой друг человек солидный, я за него ручаюсь. Вот и все. К мнению постоянных клиентов прислушиваются.

— А менеджеру чем я не понравился?

— Не знаю. Может, хватило того, что поставил машину где не положено.

— Министерскую машину со спецсигналами?! — возмутился Вениамин Сергеевич. — Да-а-а... И куда мы катимся!

Вход оказался платным, в вестибюле Фальков отдал тысячу рублей, с неудовольствием отметив, что Курт и не подумал заплатить за гостя. Хотя он вроде и не гость... Да, осознал вдруг генерал, точно не гость! Работник, вызванный к представителю работодателя, вот кто такой генерал Фальков. Он скрипнул зубами.

Внутри было такое обилие красивых девушек и женщин, будто они попали на кастинг киноактрис. Блондинки, брюнетки, рыжие, стройные, полные, худые... Всех объединяла ухоженность и хорошая одежда.

— Как студентки, — вырвалось у Фалькова. — Никогда не скажешь, что это бляди.

— Есть действительно студентки, — спокойно сказал Слепницкий. — А бывших — вообще очень много!

Девушки с бокалами в руках прогуливались по длинному залу, стояли у стен, очень немногие сидели за низкими столиками.

«Им надо быть на виду, — понял Фальков. — Привлекать к себе внимание, демонстрировать фигуру, грудь, ноги...»

Когда Курт и Фальков появились в помещении, хаотическое движение женских тел приобрело определенную направленность и они выжидающе выстроились по обе стороны зала.

Мужчины шли сквозь строй красивых фигур, сквозь терпкие ароматы дорогих духов, сквозь внимательные и оценивающие взгляды умело накрашенных глаз.

Курт привел генерала на второй этаж, там тоже было много низеньких столиков возле удобных диванчиков, сидели за ними в основном солидные и не очень молодые мужчины, а девушки вились вокруг, бросали со всех сторон призывные взгляды или сидели на диванчиках, всем своим видом давая понять, что готовы мгновенно отозваться на заинтересованное внимание. Некоторые пили «Перье», некоторые фреш-соки, «отвертку», колу с виски, коньяк, разноцветные коктейли, наверное, из тех, что подешевле.

Когда Фальков заглянул в карту напитков, то обнаружил, что дешевых сортов здесь нет. Он заказал стаканчик виски с колой за пятьсот рублей, Курт взял себе анисовую водку со льдом.

Собеседник генерала был его ровесником, но выглядел лет на десять моложе. Светлый, невероятно дорогой костюм — Фальков знал моду этой публики носить костюмы по две, три, пять тысяч долларов. С жиру бесятся, сволочи!

Голубой, в цвет его глубоко посаженных глаз, галстук, золотой перстень с массивным камнем. Васька Слепницкий по прозвищу Курт откинулся на высокую спинку деревянного стула и скрестил руки на груди. Мертвенно-бледный цвет его лица, острый вытянутый подбородок и не в меру широкий лоб не внушали симпатий. Никакой растительности на лице Курт никогда не носил, предпочитая демонстрировать окружающим гладко выбритые щеки и подбородок. Тонкие губы стянуты в единую плотную линию, что еще больше делало его похожим на мертвеца.

Бездарный журналист, он в свое время прославился как ловкий фарцовщик, скупающий у редких тогда иностранцев шмотки, спиртное и валюту. Тогда же он познакомился с Бицжеральдом — начинающим агентом ЦРУ — и свел с ним Фалькова — соседа по улице и товарища по детским играм. Тогда Вениамин был зеленым курсантом и жадно лакал невиданное в СССР дармовое виски, получал «взаймы» крупные суммы, которые не требовалось отдавать... Словом, коготок увяз — всей птичке пропасть! Но мудрость этой поговорки Вениамин Сергеевич понял только сейчас, хотя и надеялся, что пропадать не придется. Так человек, продавший душу дьяволу, тщетно надеется перехитрить рогатого. А сам Курт пробился в своей специальности, он часто печатается в популярных скандальных газетах, одно время вел рубрику светской хроники на одном из телевизионных каналов, у него очень широкий круг знакомых, практически вся Москва. Правда, наряду с друзьями немало врагов — богатенькие буратины не любят, когда их выставляют на посмешище. Ходили слухи, что он даже нанял устрашающего вида телохранителя, способного открутить голову кому угодно.

Фальков пил приятный напиток, в котором почти не ощущался вкус спиртного, и мрачно наблюдал за своим визави из-под густых нависших бровей. Руки генерала слегка подрагивали, и это было единственное, что выдавало в нем внутреннее напряжение.

— Хорошие девушки, правда, Вячеслав Сергеевич? — нарушил молчание Курт.

— Хорошие.

Щелкнула зажигалка, и генерал прикурил сигарету. Отечное хмурое лицо тут же погрузилось в синеватые клубы дыма. Генерал разогнал их свободной рукой.

— Тут строгий отбор. Всякую рвань сюда не пускают. Девочки воспитанные, никогда сами не пристают, ждут, пока их выберут. Но и гонорары у них соответственные: триста-пятьсот долларов. Сейчас многие стали брать в евро. Что поделаешь — девальвация!

— Вы меня пригласили, чтобы читать лекцию про местных блядей? А вы не подумали, что генералу не следует посещать подобные притоны?

В Слепницком Вениамина Сергеевича раздражало буквально все. И самое главное — его мерзкий бархатистый акцент и барственная снисходительность, которая особенно явно проскальзывала в тоне, когда Курт величал Фалькова по имени-отчеству и на «вы». Мерзкий, скользкий, отвратительный тип. Самоуверенный, кичащийся превосходством над собеседником. Насколько же он, интересно, уверен в своей власти над Вениамином Сергеевичем? Наверное, на все сто процентов. Фальков опять скрипнул зубами.

Курт улыбнулся. Как показалось Прометею — змеиной улыбкой подлеца и иуды.

— Не волнуйтесь, Вениамин Сергеевич! Сейчас не одна тысяча девятьсот семьдесят четвертый год. Сейчас мы живем в свободной и, как стало модно говорить, толерантной стране. Терпимость распространилась настолько широко, что никто не видит ничего предосудительного в посещениях подобных мест. Здесь бывают депутаты, судьи, прокуроры, ответственные работники министерств, и генералы, уверяю вас, тоже бывают. И ничего плохого в этом нет. Кроме хорошего.

Совсем молодая девчонка с круглым простоватым лицом подошла откуда-то сбоку и вытаращила глупые бесстыжие глаза.

— May I come to you? — с ужасным акцентом произнесла она.

— No! — грубо ответил Курт и отмахнулся. Девчонка исчезла.

— Что она хотела?

— Дура! Приняла нас за иностранцев.

— Вы же говорили, что здесь они не пристают к мужчинам! Собеседник развел руками.

— Как правило, нет. Но бывают и исключения...

— Посмотрите, справа, через два столика! — перебил его Фальков. — Там сидит какой-то уголовник и все время бросает на нас косые взгляды!

— Не беспокойтесь, — усмехнулся Слепницкий, не поворачивая головы. — Никакой это не уголовник. Это Федя — хороший парень, спортсмен-рукопашник. Он нас прикрывает.

Фальков поежился. Ему еще больше стало не по себе. «Ну и рожа, — мелькнула неприятная мысль. — Такой убьет, и глазом не моргнет. Хорошо, что неподалеку в машине дежурит прапорщик Семенов, который всегда вооружен...»

— Давайте к делу, — резко сказал он. — Зачем вы меня пригласили?

За соседний столик присела похожая на итальянку брюнетка в черно-белом наряде. Она заложила ногу за ногу и обхватила двумя руками колено. Маникюр был тоже двухцветный — черный ноготь чередовался с белым. Такого авангарда Вениамин Сергеевич никогда не видел. Но вдруг почувствовал прилив возбуждения. Может, снять ее после разговора и закатиться на служебную дачу? Но пятьсот евро... Нет, это безумие! У него достаточно смазливых подчиненных, которые хотя и не столь экстравагантны, но совершенно бесплатно сделают то же самое, что эта сучка делает за генеральскую зарплату!

— Не пригласил, а вызвал по приказу известного нам обоим человека, — тонкие губы змеились в отвратительной усмешке. Хотелось заехать кулаком ему в физиономию, расплющить губы, окровавить рот... Может быть, когда-нибудь это и удастся сделать, но уж точно не сейчас.

— Его заинтересовало ваше последнее сообщение. Очень заинтересовало. Но оно недостаточно конкретное. Нет полных характеристик объекта, его маршрута, места базирования. Возможно, эти данные были утеряны при неудавшейся передаче? Но их не обнаружилось и в письменном сообщении!

Фальков выругался сквозь зубы.

— Я что знал, то и передал. Больше никакой информации у меня нет. Так ему и скажи!

— Хорошо, скажу, но... — неожиданно легко согласился Курт и осекся.

Несмотря на внешнюю расслабленность, он очень внимательно контролировал окружающую обстановку. И кое-что ему не понравилось. Насторожило немотивированное движение экстравагантной черно-белой девицы. Держа в одной руке узкий высокий фужер с каким-то кремовым коктейлем, другой она нырнула в раскрытую черно-белую сумочку, небрежно болтавшуюся на плече. Но ничего не достала. Просто скользнула тоненькими пальчиками с черно-белыми, длинными ногтями в кожаное чрево сумочки и тут же извлекла их обратно. Быстрый косой взор в их сторону. И все. Больше ничего. Однако Курту показалось все это подозрительным. Или от суетной и довольно опасной жизни у него начинает развиваться паранойя, или эта девчонка вовсе не та, за кого пытается себя выдавать.

— Что замолчал, Вася? — спросил Фальков. Он знал, что тот терпеть не может своего простецкого имени. Потому, наверное, и придумал Курта.

Действительно, Слепницкого передернуло.

— Я предпочитаю на деловых встречах деловой тон и деловой этикет. И не называю старого товарища Венькой. Надеюсь, вы это заметили.

— Хорошо, хорошо... Так что «НО...»?

— Вы сами можете ему все сказать. Вот по этому телефону. Аккуратно возьмите...

Курт незаметно сунул в руку Фалькова крохотный «Сименс».

— Там введен номер его аппарата. Оба куплены сегодня на подставных лиц. Пять-семь разговоров нейтральными словами. Не больше. Потом телефон надо выбросить.

— Хорошо, — генерал положил аппаратик в карман.

«Надо будет проверить, не вмонтировали ли они внутрь «клопа», — подумал он.

— Наш сегодняшний разговор я ему передам. Но он просил, чтобы вы собрали максимально возможную информацию об этом объекте...

Слепницкий незаметно контролировал черно-белую красавицу. Сейчас она разговаривала по телефону и держала его как-то... Короче, это тоже не понравилось Курту. Внешне он ничем не обнаруживал своих подозрений, старательно массируя взглядом отечное лицо Вениамина Сергеевича:

— Наш знакомый сказал, что, возможно, это самая важная часть вашей работы. И после ее завершения вы сможете уйти на заслуженный отдых и переехать туда, где вам будет хорошо...

Последняя фраза подействовала как укол стимулятора. Да, уехать, избавиться от постоянного страха, опасений, перестать ощущать висящий над головой дамоклов меч! Сейчас Фальков хотел этого, как никогда.

— Я обычно избегаю предположений, но с учетом ситуации могу сказать, что объект базируется где-то в Тиходонском крае. В расположении отреставрированной воинской части подобного же профиля, которая несколько лет простояла заброшенной. Я приложу все усилия, чтобы получить более полную информацию.

— В ближайшее время, дорогой Вениамин Сергеевич. Желательно на этой неделе.

Черно-белая девица не давала Курту покоя. Хотя ничего подозрительного он больше за ней не замечал, но необъясненное движение, как предупреждение об опасности, прочно засело в голове. И телефон... Почему она так поворачивала трубку? Сейчас почти в каждой модели есть фотокамера... Неужели?

— Я постараюсь, — Вениамин Сергеевич встал.

— Спасибо, генерал, — Слепницкий улыбнулся одними губами, хотя его голубые, как глубокие озера, глаза подернулись холодной дымкой. — Может, хотите развлечься?

— Нет, — сухо ответил Фальков. — Позвольте откланяться.

Не подав руки и ограничившись кивком головы, он развернулся и направился к лестнице. Внизу число женщин удвоилось, некоторые уже сходили, отработали и вернулись во вторую смену. Не глядя по сторонам, Фальков прошел сквозь строй красоты и порока и вышел на улицу. Верный Семенов предусмотрительно прогуливался у входа.

Тем временем Курт набрал на своем мобильнике номер. В шуме и гаме зала звонка слышно не было, но коротко стриженный большеголовый парень через два столика поднес к уху трубку.

— Федя, передо мной сидит бикса в черно-белом, срисовал? Проверь ее сумочку. Вдруг она из «конторы»...

Опытный Федя, не поворачивая головы, спрятал телефон. А Курт продолжал несколько минут имитировать разговор. Но в разгар веселья в ночном баре никому нет дела до того, кто кому звонит.

Черно-белая девушка допила свой коктейль и собралась уходить, когда рядом с ней присел коротко стриженный парень с большой бугристой головой, скошенным лбом и узкими недобрыми глазами.

— Как тебя зовут, детка? — спросил он, положив крупную руку на загорелое, в белой сетке колено.

— Марина, — улыбнулась в ответ она. Но в улыбке не было задора и заинтересованности.

— А меня Иван. Поехали ко мне, — продолжал, не тратя попусту времени, новый знакомый.

Поведение его было не вполне стандартным для этого заведения. В «Ночном прыжке» соблюдалась видимость приличий: знакомство, ухаживание, только потом секс. Другое дело, что между первым и третьим элементом могло пройти полчаса, но, по крайней мере, форма соблюдалась всегда. К тому же следовало оговорить цену... Если потенциальный клиент этого не делает, то скорей всего, что он не собирается платить.

— Сегодня не получится, — она покачала головой. — Только что позвонил мой парень, он ждет меня у входа. До свиданья.

Послав несостоявшемуся ухажеру одну из лучших своих улыбок, Марина встала с низенького диванчика и неспешно двинулась в сторону дамской уборной. При этом девушка не забывала плавно покачивать утянутыми в короткую юбку бедрами. Большеголовый парень смотрел вслед. Точеные ровные ножки, идеальная талия, высокий бюст, с трудом удерживающийся за шелком топика, между ним и юбкой широкая полоска загорелого тела. Он машинально сглотнул слюну, тоже поднялся и пошел следом.

Туалеты располагались за углом, в коротком коридоре, утыкающемся в глухую стену.

Девушка раскрыла полированную дверь с нарисованной дамской туфелькой, шагнула внутрь, не запираясь, пустила воду. Надо вызвать своих для подстраховки, машина должна быть неподалеку. Она не успела зайти в кабинку, как дверь резко распахнулась. Внутрь ворвался недавний кавалер, он щелкнул золоченым шпингалетом и, прыгнув к Марине, отвесил ей тяжелую оплеуху. Девушка отлетела в сторону, с трудом удержавшись на ногах, из носа брызнула кровь.

— Ты что?! — попыталась возмутиться она. — Если уж так не терпится, сразу бы и сказал!

— Молчать, сука! Сумку сюда!

— У меня нет денег!

Марине приходилось бывать в переделках, но сейчас интуиция подсказала, что в столь опасные ситуации она еще не попадала.

— Сумку давай!

Сильная рука вырвала сумку «домино», распахнула застежку и вывернула все содержимое на пол. Ключи, нетолстый кошелек, платок, крохотный флакон духов, пудреница, несколько пачек презервативов «Дюрекс», специальный компактный диктофон с остронаправленным сверхчувствительным микрофоном, сотовый телефон «Нокиа» с вмонтированным фотоаппаратом, в котором был переделан объектив.

— Что это?! — зловещим тоном спросил большеголовый.

— Это? Это мои вещи...

Договорить она не успела. Нападавший сильно ударил девушку в солнечное сплетение, а когда она согнулась, захватил ее голову под мышку, предплечьем перехватив горло, и резко встряхнул. Хрустнули позвонки. Убийца затащил безвольно обмякшее тело в кабинку, поднял диктофон и мобильник, остальные вещи ногой отбросил в угол и выскочил наружу.

Через несколько минут его в «Ночном прыжке» уже не было. А Слепницкий ушел еще раньше, перекинулся парой слов со знакомым менеджером, вежливо попрощался с охранником у входа, заполучив на всякий случай сразу двух свидетелей.

А в дамском туалете струйка воды, вырывавшаяся из горбоносого крана, все еще шумно вылизывала и без того гладкий фаянс.

* * *

Литерный поезд застрял на небольшой станции Волчки в Челябинской области по вполне объективной причине — ремонт пути. Этой уважительной причиной железнодорожники могут оправдать любое нарушение графика, не говоря уже о десятиминутной задержке, деле совершенно обыденном и вообще никаких оправданий не требующем. Тем более что литерный не простоял еще и пяти минут, когда в кабинете начальника отделения дороги Талубеева зазвонил телефон прямой связи с начальником дороги.

Тот энергично подхватил трубку, молодцевато гаркнул, чтобы продемонстрировать свою энергию и необходимость.

— Слушаю, Василий Петрович, Талубеев!

— Ты получал телеграмму по литерному?! — тоном, не сулившим ничего хорошего, произнес начальник дороги.

— Получал, спустил по линии, как всегда точно в срок!

— Ты, видно, себе что-то в штаны спустил! — загремел начальник дороги. — Литерный поезд стоит в Волчках, а ты мне какую-то херню плетешь!

Талубеев вспотел, покраснел и зачем-то встал.

— Так ведь там ремонт... Шпалы прогнили, перекладывают...

— Ты что, совсем баран?! Мне из Москвы звонят и грозят тюрьмой, а ты там шпалы перебираешь?! Ты инструкцию знаешь?!

Никогда Талубеев не слышал, чтобы начальник так орал. Надсаженный голос, бранные слова... До него стало доходить: случилось нечто ужасное. Но что?

— Так точно! Обеспечить беспрепятственное прохождение, освободить как минимум два железнодорожных пути, скорректировать движения всех прочих составов и в случае накладки временно загнать на запасные ветки. Конечно, знаю, Василий Петрович!

— А если знаешь, то почему не делаешь?! Или это саботаж?

За всю свою двадцатилетнюю карьеру Талубеев никогда не слышал этого страшного слова в применении к себе. У него задрожали колени.

— Там шпалы... Виноват, сейчас же устраню... Лично выеду на место и все обеспечу...

— Ты уже обеспечил все, что мог, — перешел на спокойный, но отнюдь не успокаивающий тон начальник дороги. — Ты уволен! Передавай дела заму, Ромашкину. Да скажи ему, что если через минуту литерный не пройдет, то вы оба с ним на нарах окажетесь! А я уже позже, после вас!

— Как уволен?.. — переспросил Талубеев и плюхнулся обратно в такое уютное кресло.

— Одна минута, баран! Иначе на мясокомбинат отправлю!!

Литерный миновал Волчки через пять минут. Все это время он простоял на единственном пути, глядя слепыми окнами на возникшую вокруг суматоху, впереди состава, справа и сзади слева разминали ноги выпрыгнувшие из первого и последнего вагона крепкие парни в камуфляжных комбинезонах.

Настроившаяся было ждать дрезину с краном, бригада ремонтников вмиг заменила злополучную шпалу вручную, кувалды, мелькая как носы дятлов, заколотили костыли, путевой обходчик Гаврилыч поднял зеленый флажок, стрелочник Мишаня приосанился и даже как будто принял стойку «смирно».

Литерный тронулся с места, парни в камуфляжках быстро вскочили на подножки и исчезли в вагонах, поезд резво набрал скорость.

Рабочий люд в оранжевых жилетах проводил его долгими тоскливыми взглядами. От чего им было тоскливо: от небывалого аврала, от монотонного и безысходного бытия, от давления атмосферного столба или оттого, что некоторых застряв-

ший поезд оторвал от традиционной для мужской компании
емкости с прозрачной жидкостью, способной вмиг развеять
тоску и улучшить настроение, — этот вопрос для психолога или
непосредственного железнодорожного начальника, сами они
не могли разобраться в запутанных лабиринтах собственных
душ. Да и, сказать по правде, не были приучены это делать.

— Ну че, пошли? — Мишаня незаметно подмигнул Игорю
Ходикову, и тот с готовностью отделился от родной бригады.

— Давайте, дверь не заперта, я сейчас, — сказал Гаврилыч.

Через несколько минут они зашли в сторожку путевого обходчика.

— Гля, чего это такое было? — спросил Ходиков.

— Ты ж слыхал: за этот поезд Талубеева сняли. Вместо него
Ромашкина поставили, говорят, он так в трубку орал, что у
Петровича чуть ухо не лопнуло! Ладно, давай начнем...

Худой, жилистый и прокаленный солнцем стрелочник
азартно подцепил видавшим виды складнем крепко насаженную пробку.

— Гля, и впрямь заводская!

— Не, западло, давай Гаврилыча подождем, — не согласился Игорь. — Обидится. Лучше сало пока порежь...

— Сало так сало. Только где он ходит...

Хозяин сторожки в ту же минуту вошел в дверь. В руке он
держал только что вырванные из земли цибули — крупные белые луковицы на жестких зеленых хвостах.

— Ну и дела! Как раньше, еще в те времена! Талубеева и Ромашкина сняли, грозятся в тюрьму посадить. С литерным, ока-
янным, шутки плохи! На-ко, обмой, — он протянул цибули
Игорю, и тот, привычно зачерпнув из ведра кружкой, на пороге смыл с них комочки земли и серую пыль.

Потом Мишаня привычно разлил водку в дешевые пласти-
ковые стаканы и сделал это мастерски — всем поровну и ни капли не уронив на замызганную клеенку.

— Ну, будем!

Стаканы бесшумно чокнулись. Игорь Ходиков, вечно небритый, лохматый парень лет двадцати восьми, поднял тару на
уровень побитого оспой лица, внимательно посмотрел, сгла-
тывая, и быстро выпил, тут же закусив луковицами и неловко
пристроенным на черствый черный хлеб грубо нарезанным салом. Руки у него были в татуировках: перстни, традиционное
восходящее солнце и надпись «Колыма».

Мишаня ничего не рассматривал: чокнулся и выпил, а закусил вначале салом, а уже потом заел луком.

Гаврилыч — крепкий, хотя и не первой молодости мужчина

с седыми зализанными назад волосами и огромным в пол-лица носом — пил долго, мелкими глотками, потом, полузакрыв глаза, посидел неподвижно, смакуя вкус и послевкусие, как опытный дегустатор.

— А ведь знаете, пацаны, не обманула баба — водка настоящая, из пшеницы, — удовлетворенно произнес он, внимательно осмотрел толстый ломтик сала, аккуратно и даже с некоторой нежностью водрузил его на ломоть черного хлеба и прежде, чем впиться давно не леченными зубами, с удовольствием обнюхал бутерброд.

— Настоящая редко попадается, — поддержал разговор Мишаня.

— А зачем ее делать, если и самогонку пьют, и стеклоочиститель глотают, — Ходиков разлил остатки. Вышло по полстаканчика, и все трое огорченно покрутили головами.

— Надо было, Гаврилыч, тебе у проводников купить, — сказал стрелочник.

— У каких проводников? Это же литерный! — усмехнулся Гаврилыч. — Видел, какие там проводники стояли? Они тебя сразу на голову укоротят.

— Посмотрим еще, кто кого укоротит, — по-блатному растягивая слова, процедил Игорек. Он сразу изменился: сузил глаза, искривил губы. — А ведь в таком чего-то ценное возят. Вот бы грабануть!

— Гра-а-а-ба-а-ну-уть! — растягивая слоги, передразнил Гаврилыч. — Ты уже пробовал арбузы из вагонов таскать! Мало показалось? А тут тебе сразу пулю засадят...

— Да херня это все, — скривился Ходиков. — Понты колотят. Пугают народ.

— Херня? — вскинулся Гаврилыч с таким видом, будто услышал личное оскорбление. — А знаешь, что на сто двадцатом километре было? Мужики-охотники из города сидели под насыпью, водочку попивали да разговор терли, вот прямо как мы сейчас. А тут мимо литерный несется, они всегда на полном ходу... А один там такой же борзой, как ты, ружье вскинул и как бабахнет в борт вагона!

Гаврилыч сделал театральную паузу.

— А там снайпер сидел наготове! Чпокс! И парню этому в голову... Прям промеж глаз засадил!

— Херня! — вновь лаконично повторил Игорек, закуривая и выпуская дым через ноздри. Лицо его вновь приняло обычное выражение. — Слышал я про эту историю. Пуля о корпус срикошетила — и все дела.

— О корпус! От обычного небось не отскочит... Значит, вагон бронированный! — не сдавался Гаврилыч. — Как же ты его грабить будешь?

— Как, как, — скривился Ходиков. — Я-то не собираюсь, мне уже хватило. А вообще-то, скажу я вам, все это очень запросто делается!

— Да не бреши лучше! Ты на Колыме был? Нет! А наколку сделал!

Когда собутыльники начинают сомневаться в лучших душевных свойствах друг друга, дело неминуемо идет к скандалу. Опытный Мишаня это хорошо знал.

— Ладно, хватит лаяться, пацаны, — вклинился он, хлопнув себя по колену мозолистой ладонью. — Давайте лучше выпьем за дружбу!

— И то правда, — кивнул Гаврилыч, и Игорек с ним согласился. Пластмассовые стаканы бесшумно соприкоснулись.

* * *

Они были похожи друг на друга, как близнецы. Их так и называли — и начальство и сослуживцы. Оба — высокие, статные, плечистые. Оба с короткими светлыми стрижками и голубыми глазами. Они даже одеты были одинаково. В светлые летние костюмы, которые оба считали пижонскими. Только у одного костюм был светло-серым, а у второго — бежевым. Существовало и еще одно отличие, позволяющее различать двух атлетических блондинов. У обладателя бежевого костюма имелся широкий косой шрам на шее с правой стороны, и ему не удавалось скрыть эту броскую примету с помощью специально подобранной рубашки с высокой стойкой.

Парни степенно выбрались из салона видавшей виды белой «Волги» без опознавательных знаков и, шагая почти в ногу, целеустремленно направились к центральному входу в «Ночной прыжок». Сейчас все здесь выглядело не так, как обычно. Вдоль тротуара вместо навороченных иномарок стояли два скромных «Опеля» с милицейской раскраской, микроавтобус «РАФ» и «УАЗ» с синими милицейскими номерами. На запретном месте косо приткнулся «БМВ» пятой серии с проблесковым маячком над дверью.

Вокруг крутились милиционеры в форме и штатском, всех посторонних старались удалить, лишь несколько изрядно подвыпивших и явно не удовлетворивших потребности посетителей околачивались в стороне, перебрасываясь словами со стайкой девушек, нелепо выглядевших на улице в своих суперсексуальных нарядах.

Близнецов никто остановить не пытался, и они беспрепятственно зашли внутрь заведения. Здесь стоял охранник, который заметно утратил уверенность, но продолжал выполнять свои обязанности.

— Вы к кому? — спросил он Близнецов, наметанным глазом определив, что их «пижонские» светлые костюмы стоят меньше, чем мятые маечки завсегдатаев «Ночного прыжка».

— Стой здесь и никуда не уходи, — не останавливаясь, бросил Влад Малков. — Ты еще понадобишься.

В холле к ним сразу же подошел один из наблюдателей, который и сообщил о происшествии. Невысокий, коренастый, с неприметным незапоминающимся лицом, он не должен был открыто контактировать с гласными сотрудниками, но сейчас чрезвычайность ситуации меняла дело.

— По времени все шло нормально: объект вышел, Марина должна была выйти следом, мы стояли в пределах прямой видимости... И тут вдруг закрутилось: милиция, шум, гам, всех выгнали из бара...

— Зачем? — спросил Ломов. — Это же свидетели!

— Не знаю, — пожал плечами он. — Она в женском туалете на втором этаже. Там работает группа осмотра. Ну, я пошел?

— Давай. Мы сами доложимся.

Осмотр был в разгаре. Малков предъявил старшему — пожилому следователю прокуратуры служебное удостоверение.

Если оно и произвело впечатление, то внешне это никак не проявилось.

— Ничего не трогайте и не мешайте, — сухо сказал следователь. — Тело было в кабинке, вещи из сумочки выброшены на пол. Все вопросы потом.

Девушка в черно-белой одежде лежала на черно-белом кафеле. У нее было меловое лицо и черный синяк поперек горла. Как будто талантливый, но патологически жестокий режиссер снимал сцену фильма, которым замахивался на приз Каннского кинофестиваля. И без того короткая юбка задралась кверху, обнажая узкие кружевные трусики, но на этот раз она не была виновата в таком бесстыдстве... Как и в неаккуратности — белые сетчатые чулки порвались в нескольких местах. Карие глаза широко распахнуты. Безжизненный взгляд устремлен в зеркальный потолок, в котором отражалась вся эта сюрреалистическая картина.

Судмедэксперт диктовал, криминалист фотографировал, следователь писал, положив бланк на твердую папку. Двое в штатском, очевидно, оперативники уголовного розыска, складывали в пакет вещи: ключи, пудреницу, презервативы.

— У нее был телефон, — сказал Ломов.

Сыщики пожали плечами.

— Все, что было, — вот здесь.

Диктофона тоже не оказалось.

— Нашли свидетелей?

— Нет. Тут собирается публика, которая не любит давать показания. К тому же всех выгнали до нашего прихода.

— Пальцы остались? — спросил Малков у криминалиста.

— Вряд ли. С тела не снимешь, а вещи он не трогал. Впрочем, в лаборатории проверим.

— Пошли, Влад, — сказал Ломов. — Ты раньше бывал в женском туалете? Я — впервые. Чего ты такой угрюмый?

— Маринку жалко.

В интонации Малкова его напарник уловил горестные нотки. Вроде незаметно для внешнего восприятия, но все-таки голос слегка дрогнул. Влад прищурился, закурил и глубоко затянулся. Выпустил дым под потолок.

— Ты ее лично знал?

Влад кивнул.

— Немного. Хорошая девушка, — и после короткой паузы добавил: — Была.

— И красивая, — поддержал его напарник. — Жаль. Честное слово. А все из-за этой гадюки!

— Я его раздавлю, — выругался Влад. — Пойдем с местными поговорим.

Охранник стоял на месте, рядом с ним ожидал худощавый подтянутый человек в очках, с отблескивающими иридиевым напылением стеклами.

— Я старший менеджер, — с акцентом представился человек. — Какие у вас вопросы к нашему служащему?

— Почему вы выпроводили всех посетителей? Они ведь нужны для следствия! — напористо спросил Влад.

— У нас частный клуб. Мы не уполномочены вести полицейские процедуры. Но мы обязаны ограждать покой наших гостей.

— Даже если среди них убийца?

Менеджер развел руками. Держался он очень спокойно, как человек, уверенный в своем будущем.

— Мне очень жаль. Повторяю, мы не ведем расследований.

— Вы иностранец? — спросил вдруг Толик.

— Да, я гражданин Федеративной Республики Германия, — с достоинством ответил тот.

— Ладно, это потом... Нам нужна пленка видеоконтроля посетителей. За целый день.

Дорогие очки отрицательно качнулись из стороны в сторону.

— Я объяснил: у нас частный клуб. Милиция не может вмешиваться в личную жизнь наших клиентов. Нужен судебный ордер!

Терпение оперативников лопнуло, сдержанная вежливость испарилась.

— Мы не милиция, мы — госбезопасность! — капитан Малков привычно поднес к синеватым стеклам раскрытое удостоверение. — У вас действительно частный бордель, но страна пока что не частная. Ее вы не приватизировали. Поэтому сейчас мы заберем пленку, а потом вы предъявите вид на жительство и поедете с нами.

Госбезопасность уважают до сих пор. Особенно иностранцы. Менеджер дрогнул.

— Пленку вы можете взять под расписку. И вид на жительство покажу, он у меня в порядке. Но если вы захотите меня арестовать, то вначале вызовем моего адвоката.

Через несколько минут пленка была у оперативников.

— Ладно, на сегодня хватит, — сказал Влад и похлопал менеджера по плечу. — Живи пока... Но помни, что я сказал! Страна не продается!

На лица оперативников вернулась прежняя вежливая невозмутимость и бесстрастность.

— Отзвонись шефу, Толик, он должен докладывать генералу. И поехали, посмотрим пленку.

Ломов достал мобильник и нажал кнопку прямого вызова.

* * *

Полковник Смартов осторожно спрятал трубку в карман и перевел усталый взгляд глубоко посаженных глаз на сидящего во главе стола генерала Мезенцева. Для своих сорока четырех лет и сидячей работы Смартов выглядел отлично: ни избыточного веса, ни синевы под глазами, ни облысения. Даже морщин на лице не было. Генерал, только перешагнувший пятидесятилетний рубеж, на вид годился ему в отцы: лысый, толстый, страдающий диабетом и стенокардией. Может быть, поэтому, может, в силу других причин, но сегодня он смотрел на подчиненного довольно раздраженно.

— Что там? — брюзгливо осведомился генерал и выпустил сигаретный дым в сторону фаната здорового образа жизни Смартова. Сегодня он был очень недоволен — то ли жизнью вообще, то ли конкретно подчиненным, докладывающим неприятные вещи.

— Она мертва, — не отворачиваясь, сказал полковник. — Улик никаких нет. Диктофон и мобильник с камерой пропали. Близнецы изъяли пленку видеоконтроля на входе. Попробуют что-нибудь раскопать.

— Значит, эта гадюка Фальков с кем-то встречался, — помолчав, изрек Мезенцев. — Иначе бы ее не убили.

— Логично, — кивнул Смартов.

— А ваши люди не отследили контакт, не зафиксировали его и допустили чрезвычайное происшествие — смерть нашего негласного сотрудника!

Полковник опустил голову. Любую ситуацию в наши дни можно оценить и как победу, и как поражение. Причем с одинаковой убедительностью. Все зависит от того, как **надо** ее оценить.

Сейчас направленность мышления генерала стала совершенно очевидной. Он готовит козла отпущения.

— Мы поправим дело, товарищ генерал! — как можно увереннее сказал он. Потому что другого выхода у него не было.

* * *

За преддипломную практику в войсках Кудасов получил отличную оценку, Коротков — такую же, Глушак и Смык — по «четверке». Это были предпоследние оценки в училище. Оставалась еще защита диплома, а потом оценивать молодых лейтенантов будет сама жизнь. Которая вроде бы должна быть объективной...

В конце дня курсантов отвезли в гарнизонное ателье на примерку парадной офицерской формы. Отражение в зеркале понравилось всем без исключения. Золотые звездочки на золотых погонах придавали мальчишкам совсем другой вид. Они становились взрослее, мужественнее и, конечно же, красивее.

— А не пойти ли нам, товарищи офицеры, испить пивка? — бодро спросил Коротков, когда лейтенанты опять превратились в курсантов.

Его широкоплечая массивная фигура, которая в сибирском лесу вроде бы сморщилась и усохла, вновь набрала силу. Город на него действовал положительно. Именно здесь он всегда улыбался и никогда не унывал. На практике он был весел только однажды: когда выпил спирта. Сейчас он вновь находился в отличной форме. Аккуратная стрижка, ровный пробор, старательно зализанные волосы в солнечных лучах поблескивали от бриолина. Блестели и зеленые, как у кота, глаза. И роль лидера и заводилы, утраченная было в жесткой обстановке ракетного полка, вернулась обратно. Во всяком случае, он очень хотел ее вернуть.

— Если денег нет, я угощаю!

— Пойдем! — из-за массивной спины Короткова проворно вынырнул Боря Глушак. Последний был, в противовес Андрею, маленького роста, щуплой комплекции, с заискивающим выражением в карих зрачках.

— Если Саша пойдет, то и я пойду, — сказал командир учебного взвода старший сержант Коля Смык. Он был чуть выше Короткова, но, в отличие от грузного, склонного к полноте генеральского сына, обладал атлетической спортивной фигурой.

— Пойдем, — хмыкнул Александр. — Я и сам за себя заплачу.

— А куда? — озабоченно спросил Глушак.

— Пошли в «Гиннесс», — предложил Коротков. — Там хороший выбор пива, и раки, и рыбец, и шемайка...

«Гиннесс» тоже был дорогим местом, и идти туда Саша не хотел.

— В «Гиннесс» нельзя, — резонно сказал Смык. — Мы же в форме. Сразу патруль заметет!

— Да, точно, — согласился Андрей. — А через две недели и в форме сможем заходить в любой кабак!

— Прям-таки! — не согласился Глушак. — А на какие бабки?

Они шли по пешеходному бульвару. На спинках скамеек, поставив ноги на сиденья, сидели десятки молодых людей. Почти все пили пиво прямо из горлышек бутылок. Девушки не отставали от юношей. Пустую тару бросали здесь же, на газон.

— Давайте и мы точно так же, — кивнул на одну из скамеек Андрей.

— Только не здесь, давай зайдем в парк, — сказал Кудасов. — Спрячемся за кустами.

— Это перестраховка, — снисходительно усмехнулся Андрей. — Пиво сейчас в почете. От него и умными делаются, и красивыми, и работают хорошо. Не догадались еще придумать, что оно помогает хранить военную тайну и добиваться успехов в боевой подготовке. То-то был бы успех в армии!

«Да, от такой рекламы отец бы вообще с ума сошел!» — подумал Саша.

Через некоторое время четверо курсантов сидели на нижней аллее парка имени Пушкина и отхлебывали из поллитровых бутылок.

— Слышь, Андрей, а за что ты «пятерку» по практике получил? — неожиданно спросил Смык.

— Откуда я знаю! Что поставили, то и получил.

— Нет, вот с Сашком все понятно: он и рассчитывает траектории точно, и пахал за двоих, даже в бункере сидел. А ты делал все то, что и мы с Борькой. Да еще и считал хуже. Только мы получили «четверки», а ты «пятерку». Почему это?

— Да не знаю я! Чего ты ко мне пристал?

— А насчет Еремеева ты с отцом поговорил?

— Какого Еремеева?

— Прапорщика рыжего, который нас спиртом угощал.

— Еще чего! Стану я из-за такой ерунды папашке голову забивать!

— Ничего себе ерунда! У него от этого вся дальнейшая жизнь зависит. И потом — ты же пообещал, он ждет...

— Не будь дураком! Кто за полстакана спирта такие вопросы решает? Он все правила нарушил! А я пообещал, чтобы отвязаться. Кто это всерьез воспринял? Так что мы квиты.

Командир отвернулся.

— Квиты, говоришь... Только когда я служил срочную, у нас за такие вещи «темную» устраивали.

— Чего это вы сцепились? — вмешался Кудасов. — Лучше скажи, Андрюха, по секрету, куда поедешь служить? Небось уже все знаешь?

— А чего тут не знать, — ухмыльнулся Андрей. — Только не думайте, что сразу к отцу под крыло. Так только дураки делают. Надо сначала карьеру выстроить, фундамент личного дела заложить. Так что придется в полк пойти. Не в лесной, конечно, и не под землю. В средней полосе тоже есть где служить. Перетопчусь как-нибудь три года.

— И кем же ты хочешь служить?

— Вначале в штабе кем-нибудь. Хоть помощником оперативного дежурного. А потом старшим смены или расчетчиком. Эти должности дальнейший рост обеспечивают.

— Ни фига себе! — Кудасов отставил бутылку. — Ты же считать не умеешь!

— Ну и что... Кому они нужны, эти расчеты? Люди десятки лет считают, а что толку? Все в корзину идет. И я так же посчитаю!

— А если учебно-боевой пуск?!

Коротков спокойно допил свое пиво.

— Тогда в полк столько спецов нагонят, найдется кому расчеты сделать!

Кудасов покрутил головой.

— Ну, ты даешь! А если война? Если настоящий боевой запуск?

— Тогда за промах спрашивать некогда будет. И некому. Да и не с кого.

Андрей отбросил бутылку.

— Чего вы все на меня набросились? Про себя лучше расскажите!

Глушак шмыгнул носом.

— У меня диплом с отличием. Зайду первым, может, чего-то приличное и вытащу...

— А я возьму, что дадут, — сказал Смык. — У меня-то волосатой руки нет.

— А ты, Санек, что думаешь?

— А чего тут думать... Я и под землю могу залезть. Вот только...

— Что только? — живо отреагировал Андрей.

— Я же жениться надумал. А Оксанке это вряд ли понравится.

— Товарищи офицеры, — командным голосом начал Коротков. — А может, нам водочки тяпнуть?

— Грамотно, товарищ лейтенант, — с показной почтительностью кивнул Боря Глушак. — Если за ваш счет, то я готов!

— А я уже сыт всем этим по горло! — Смык встал.

— Я тоже — пас, — поддержал товарища Кудасов.

Они пошли по нижней аллее, Коротков долго смотрел им вслед.

— А ведь они завидуют мне! Нам с тобой завидуют, Боря! Вот ведь как жизнь оборачивается!

В голосе его была искренняя обида.

* * *

— Эй, милок! — скрипучий старушечий голос вкрадчиво проник в затуманенное сознание Ладынина. — Просыпайся, тут к тебе пришли!

Виктор открыл глаза. С трудом сфокусировал взор на изборожденном морщинами лице Бабы-яги с метлой в руках. Мгновением позже пришло осознание того, что он лежит на больничной койке, а бабушка в давно не стиранном белом халате держит не метлу, а швабру.

За ней стоял средних лет милиционер с папкой под мышкой. Он деловито приставил к кровати стул, уселся с привычной основательностью, достал какие-то бумаги и только потом взглянул на забинтованного парня.

— Здорово, герой! Я участковый, капитан Вершинин, веду дознание по твоему делу. Как себя чувствуешь?

— Внутри все гудит, — вымолвил Виктор. — Я как трансформаторная будка. И слабость. А боли не чувствую.

— Будка говоришь? Бывает. Ну, рассказывай, как все было.

Виктор поднял свободную руку, дотронулся до бинтов на голове. Вторая рука была закована в гипс.

— Мотоцикл цел? — озабоченно спросил он.

— Во дает! — капитан обернулся к санитарке, как бы приглашая ее в свидетели. — Чудом на этом свете зацепился, доктора говорят, в рубашке родился, мог без руки остаться, а то и вообще копыта отбросить от кровопотери! А он про мотоцикл спрашивает!

— Так что с мотоциклом? — как зацикленный повторил Ладынин.

— Вдребезги твой мотоцикл! — с легким удовлетворением сообщил участковый. — Только в металлолом годится. Так что больше не будешь пьяным гонять...

— Да я трезвый был! Гнал на приличной скорости, а тут шлагбаум опустился... Ночь, тишина, поезда не слышно — я и решил, что успею проскочить. И тут как из-под земли — состав! Я не успел затормозить, так в него и влетел...

— Во сколько это было? — капитан деловито писал протокол.

— В десять, наверное. То есть в двадцать два. Или чуть позже — в двадцать два тридцать!

— Так-так... Что дальше было?

— Дальше ничего не помню...

— Так я и знал! — удовлетворенно сказал капитан Вершинин. — То есть думаете, что вы самые умные? Устроили простенькую имитацию и всех обдурили, а виноватого выгородили?

— Кого обдурили? Кого выгородили? Какую имитацию?

— Выгородили того, кто тебя сбил. Обдурили следствие. А имитация очень примитивная: положили тебя возле рельсов, рядом мотоцикл разбитый — и думаете, что все в порядке!

— Погодите, погодите, я один был! И никого не выгораживаю! Как было, так и рассказываю...

Капитан отложил протокол.

— Ладно, Витя, давай по душам поговорим. Ты на идиота не похож, да и меня идиотом не считай. Вот смотри, что получается: если бы ты столкнулся с поездом, от тебя бы остались рожки да ножки, — это раз! С двадцати двух до двадцати трех через полустанок ни один поезд не проходил, — это два! Там как раз в то время молодежь гуляла, и никто тебя не видел, — это три! К нам позвонили около трех ночи и сказали, что на переезде лежит раненый, причем лежал ты не на шпалах, а на носилках, прооперированный, в гипсе, с выпиской из больничной карты, — это четыре! Ну, подумай сам, если даже возле тебя мотоцикл искореженный положить, — кто поверит в твою историю?

Ладынин приподнялся с подушки.

— Кто же это все, по-вашему, устроил? И самое главное — зачем?

— Объясняю для непонятливых. Номер на мотоцикле Тиходонского края, наверняка угнанный. Вы с дружками гоняли по окрестностям пьяными, кто-то тебя своей машиной и сбил. Запахло жареным. Тебя отвезли в больницу, а после операции выкрали, отвезли к рельсам, мотоцикл под товарняк бросили и потом рядом с тобой положили. Осталось в милицию позвонить — и все! Непонятно только, откуда выписку больничную взяли... Почерк явно женский — красивый, округлый... Ну да это мы выясним, сейчас как раз больницы проверяем. Может, ваша девчонка там медсестрой работает...

Перебинтованный парень бессильно вытянулся.

— Да мои слова легко проверить! Вечером я поехал в Чепраново, на дискотеку. С девушкой своей, Юлей зовут. Спросите, она подтвердит! Там мы с ней поссорились, потому что танцевала со всеми подряд, я обиделся и уехал, около десяти, совершенно трезвый! Расстроенный, правда, был, может, потому все и получилось... А где-то в десять тридцать влетел под поезд на разъезде в Каменоломнях...

— Подожди, браток, ты говори, да не заговаривайся!

Капитан Вершинин встал и нагнулся над пациентом, заглядывая ему в глаза.

— Какое Чепраново, какие Каменоломни? Где это?

— Как где? В Тиходонском крае, естественно! Я там живу и мотоцикл там зарегистрирован, потому и номер тиходонский! Чего-то вы меня все путаете...

Участковый щелкнул пальцами и прошелся по палате.

— И где ты сейчас, по-твоему, находишься?

— Откуда я знаю... Наверное, в Шахты отвезли...

Капитан прошелся по палате еще раз.

— Дело в том, что нашли тебя на Безымянном разъезде в Воронежской области. Это добрых триста километров от твоих краев. И ты сейчас в Митрофановской районной больнице. А я работаю в Митрофановском РОВД и Тиходонский край, естественно, не обслуживаю. Что ты на это скажешь?

Виктор Ладынин закрыл глаза. Внезапно перед ним возникло видение: круглая слепящая лампа, красивое женское лицо, мягкий успокаивающий голос...

— Что я могу сказать... Что знал, рассказал. Влетел в поезд на полном ходу. Показалось даже, что прошел насквозь металлическую обшивку и оказался внутри...

Капитан Вершинин озабоченно собрал документы.

— Ладно, братишка, похоже, что ты не врешь. Наверное, и вправду сильно головой треснулся. Но непонятного тут много. Будем разбираться...

Разбирательство ничего не дало. Через две недели Виктор Ладынин вернулся в родной поселок Глубокий, из которого так неудачно выехал на дискотеку. Впрочем, история закончилась для него благополучно: операция была проведена качественно, и рука срослась нормально, постепенно прошли головные боли.

Но до конца жизни Виктор Ладынин рассказывал, как после столкновения с поездом его, истекающего кровью, подобрала «летающая тарелка», инопланетяне спасли ему жизнь, вылечили и вернули на землю, но в другое место, как часто в таких случаях бывает. Энтузиасты всего необычного ему верили, тем более что Юля многие факты подтвердила. Скептики на то и скептики, чтобы во всем сомневаться. Но когда через несколько лет Ладынин выиграл в «Бинго» триста тысяч долларов, приписав свое везенье благотворному воздействию инопланетян, то и скептики задумались.

Часть II

«МОБИЛЬНЫЙ СКОРПИОН»

Глава 1

БЖРК

Окруженный слухами, байками, домыслами и пересудами, таинственный поезд носился по всей стране. Неделю назад его видели под Тиходонском, через неделю он ходко шел по Транссибу, еще через неделю литерный наделал переполох среди железнодорожников Нового Уренгоя. Он бороздил российские просторы с востока на запад и с юга на север, но избегал спускаться ниже пятидесятой параллели и никогда не заходил на Дальний Восток, можно было подумать, что ни Владивосток, ни Находка его не интересуют. В действительности дело обстояло проще: маршрут поезда определяли не эмоции, а рациональные задачи, выполнение которых несколько затрудняло отклонение в нижние широты. Поэтому литерный обычно доходил только до Хабаровска и разворачивался в обратном направлении. Зато он часто поднимался до Воркуты, Архангельска или Мурманска, откуда до Северного полюса было рукой подать, а поскольку траектории, как правило, прокладывались через вершину планеты, то время подлета резко сокращалось. Так он из конца в конец пересекал всю страну, будоража умы тех, кто заметил нечто необычное, что-то узнал или заподозрил. Но основная масса людей не обращала на него внимания. Поезд и поезд.

Как правильно отметил путевой рабочий со станции Шпаковское Сашка Яковлев, раньше литерных было много, попробуй разберись: где какой! Секретари ЦК КПСС, члены Политбюро и другие небожители политического олимпа путешествовали по стране именно таким образом: спецпоезд безопасней самолета, не в пример более комфортабелен и позволяет лучше обеспечить охрану, выставив вдоль полотна служивых людей, на расстоянии, определяемом рангом проезжающего. Когда в нечастые поездки отправлялся Вождь всех народов Иосиф Виссарионович Сталин, сотрудники НКВД, военные и местные милиционеры действительно выстраивались цепочкой в пределах прямой видимости. Демократичный Хрущев и вправду выглядывал в окно, махал рукой обалдевшим гражданам, выходил на станции во время многочисленных остановок. И Леонид Ильич Брежнев любил передвигаться поездом, особенно в последние годы жизни, например во время знаменитой поездки в Азербайджан с долгой, освещенной всеми газетами страны остановкой в Тиходонске...

Последующие правители от поездов отказались. Бедолаги Черненко и Андропов в силу болезни были нетранспортабельными, молодой энергичный Горбачев и впоследствии Ельцин окончательно пересели на самолеты, действующий Президент и вовсе летал на истребителях... Эпоха литерных поездов закончилась. Только консервативный друг России, солнцеподобный Ким Чен Ир, пересек всю страну на собственном бронированном поезде, с собственной охраной, собственными снайперами, запасом пищи, воды и молодой красивой любовницей.

Поэтому литерный нового времени обращал на себя внимание. Он руководствовался своими, особыми правилами. На станциях, полустанках, разъездах и переездах его, как правило, встречали зеленые светофоры, поэтому без крайней необходимости он не останавливался. И при крайней тоже. Даже если под колеса бросался самоубийца, а такое время от времени случалось, поезд продолжал свой бесконечный, стремительный бег. На узловых станциях в него не закачивалась вода, не загружались продукты, не сменялись бригады машинистов и не менялись тепловозы. Точнее, все замены происходили в дороге, все необходимое для долгого автономного функционирования имелось внутри. Потому что это не обычный поезд. Это БЖРК — боевой железнодорожный ракетный комплекс.

Главным его элементом является боевой вагон, в котором опирается на подъемник закрытый полусферической крышкой цилиндрический контейнер, выполненный из тугоплавкой пуленепробиваемой стали и способный выдержать температуру до тысячи градусов. В нем спит до поры стратегическая межконтинентальная баллистическая ракета с шестнадцатью ядерными боеголовками. При необходимости крыша вагона поднимается домкратами и сбрасывается, а изнутри гидравлическими системами поднимается и нацеливается в небо направляющий контейнер с ракетой. После этого — шутки в сторону, ибо занявшая стартовое положение ракета через 20 минут после сигнала тревоги может уйти к цели и уничтожить половину континента, на котором располагается страна Главного противника.

Локомотив атомного поезда имеет двигательную установку повышенной мощности, вагоны — бронированные, а на их крышах действительно лежат рельсы. Васька, сын шахтера

Виктора Степановича, тут не ошибся: в два ряда, на ширине стандартной колеи. Под ними мастерски изображены шпалы. С одной стороны, это средство против аэрофотосъемки — «принцип хамелеона», кожа которого принимает окрас той поверхности, на которой зверек находится. С другой — это резерв для ремонтных работ, если путь будет разрушен. В шестом, техническом вагоне имеется и запас настоящих шпал. Только на крыше пятого — боевого вагона рельсы не настоящие, а декоративные, дюралевые, чтобы не перегружать домкраты при сбросе крыши. И сама крыша имеет пояс жесткости, пробитый сотнями заклепок, которые заметил вчерашний десятиклассник Гена Аликаев со станции Шпаковское.

Вследствие высокой мобильности, хорошей маскировки и постоянного изменения местонахождения БЖРК практически неуязвим. В отличие от подводных лодок, его очень трудно обнаружить и нейтрализовать. Практически это оружие последнего удара. Гарантия возмездия в случае атомной атаки на нашу страну. Много лет назад по СССР носились пять таких поездов. Потом все они стали «на прикол». В связи с осложнением военно-политической обстановки в мире был собран и поставлен на боевое дежурство — выпущен в бесконечный путь — новый БЖРК с современной гиперзвуковой ракетой последнего поколения. Ее очень сложно обнаружить в полете и невозможно перехватить. Таким образом, эффективность БЖРК достигла небывало высокого уровня.

О нем ежедневно докладывается министру обороны, его путь тщательно отслеживается в Генеральном штабе. Каждые два часа специальный дежурный изменяет на карте местоположение атомных подводных лодок и БЖРК.

Скромный литерный поезд является одним из главных гарантов военной безопасности нашей страны. Именно поэтому о нем судачили не только путевые обходчики, дорожные рабочие и жители прилегающих к железнодорожному полотну деревень, о нем же говорили по другую сторону океана на совещании в штаб-квартире Центрального разведывательного управления США. Уровень совещания был очень высок: вопрос докладывался самому Директору.

— Так существует ли «Мобильный скорпион» на самом деле? Где он базируется? Каковы его маршруты? Можем ли мы его отследить?

Директор ЦРУ, как и любой профессиональный, знающий работу руководитель, умел задавать конкретные вопросы. Положив руки на прозрачное стекло большого, овальной формы стола, он обвел хмурым взглядом трех присутствующих в его кабинете сотрудников русского отдела.

Расположившийся в глубоком кожаном кресле у окна седовласый мужчина с раскосыми миндалевидными глазами, широким смуглым лицом и густыми черными усами тактично откашлялся. Спокойные, бесстрастные интонации в голосе Директора не могли обмануть его. За двадцать лет совместной работы Ричард Фоук успел научиться распознавать истинные чувства шефа. Тот был очень напряжен.

Фоук переглянулся с руководителем аналитического сектора Мэлом Паркинсоном. В конце концов — это его дело всесторонне оценивать поступающую информацию. Мэл со значением наклонил голову, подтверждая незыблемость своей позиции.

— Мы склонны полагать, что «Мобильный скорпион» существует, — как можно тверже и уверенней высказался начальник русского отдела. Он был малайцем, и это наглядно подтверждало, что в центральном аппарате ЦРУ расовая сегрегация напрочь отсутствовала.

— Из чего вы исходите? — мягко поинтересовался Директор.

— В первую очередь, из анализа информации. Бицжеральд характеризует Прометея как источник в высшей степени достоверный. Это же подтверждается его досье: вся предыдущая работа, а он сотрудничает с нами почти двадцать пять лет, не вызывала нареканий. Что касается второго и третьего вопроса, то фактической информацией, для того чтобы ответить на них, мы не располагаем.

Директор кивнул.

— Логично. Но логика не есть прерогатива нашего ведомства. В Администрации серьезно озабочены внешней политикой России. Точнее, изменениями их внешней политики. Президент России отказался поддержать нас в операции против Ирака, внезапно они прекратили одностороннее сокращение стратегических ядерных сил, мотивируя это нашими планами ракетного базирования в космосе. Их Министр иностранных дел на одном брифинге заявил, что ответом на программу «Зевс-громовержец» станет совершенно неожиданное асимметричное решение.

Директор многозначительно посмотрел на внимательно слушающих подчиненных.

— Наш Президент считает, что эта неожиданная твердость вчера еще сговорчивой России должна на что-то опираться. Аналитики Белого дома сделали вывод, что она опирается на некий новый военный фактор. Президент всерьез озабочен этим новым фактором, по существу, он резко изменил расстановку сил в мире. Я согласен с вами в том, что таким фактором может быть «Мобильный скорпион». И я доложил о нем Президенту, но только как о логическом выводе. Вот здесь-то он мне и указал, что прерогативой ЦРУ являются не логические выводы, а сбор конкретной информации и разработка планов противодействия вытекающим из нее угрозам. Я прошу вас доложить, почему именно в этом мы не преуспели! Ведь методика отслеживания подводных лодок противника отработана очень хорошо...

Ричард Фоук сделал знак третьему мужчине с узким лицом и высоким лбом интеллектуала. Это был начальник технического сектора Дэвид Барнс.

— Видите ли, господин Директор, подводные лодки находятся в чисто природной, необитаемой среде, без техногенного фона. Их видно в воде, им не подо что замаскироваться, их легко отличить от пассажирских и грузовых судов, которых тоже не очень-то много... Другое дело «Мобильный скорпион»...

Барнс вздохнул, переводя дух.

— Он затерян на фоне тысяч поездов, которые ничем от него не отличаются. Кроме того, его маскирует техногенный фон: десятки тысяч радиосигналов, сотни объектов повышенной радиации — промышленные и медицинские радиоизотопы, зона Чернобыльского заражения, свалки радиоактивных отходов... К тому же на наших спутниках нет аппаратуры для обнаружения небольших значений радиационной активности. А на «Мобильном скорпионе» наверняка свинцовая крыша...

— Хорошо, — Директор откинулся на спинку кресла. — Все это очень убедительно, но малоинформативно. Я прошу вас, господин Фоук, мобилизовать все возможности вашего отдела, для того чтобы снять покров невидимости с «Мобильного скорпиона»! Дайте карт-бланш Бицжеральду, пусть активизирует возможности Прометея. Если надо, направьте в Россию специального агента. Со «Скорпионом» работает много людей, кто-то немного пробалтывается жене, кто-то хвастается перед любовницей, кто-то по пьянке сказал лишнее в баре, есть недовольные, которые хотят навредить начальству или стране в целом... Этих людей надо искать. Надо плотной сетью собирать любую информацию и тщательно ее отрабатывать. И полностью задействуйте потенциал технической разведки, разумеется, с учетом реальных финансовых возможностей ведомства. Сейчас наша первоочередная задача — взять «Мобильный скорпион» под контроль! Желаю успеха, господа!

Совещание было окончено. Три сотрудника русского отдела вышли из кабинета Директора. Каждый держал в руках сотни тайных и явных нитей, которые тянулись на территорию России. Теперь предстояло умело дергать за них, для того чтобы получить результат.

* * *

Внеплановые остановки БЖРК — явление чрезвычайное. О каждой начальник поезда срочной шифротелеграммой сообщает в Москву, с обязательным указанием причин и продолжительности остановки. На этот раз причина была солидной и вполне оправданной — контрольное посещение командира части стационарного базирования атомного поезда.

Полковник Булатов прилетел рейсовым самолетом в Архангельск, прямо из аэропорта вертолетом вылетел на юго-запад, в точку, известную ему одному.

БЖРК остановился в Озерной, маленькой станции в ста километрах от Архангельска. Станцию окружал высокий густой лес, неподалеку синело чистое озеро, на берегу которого раскинулся небольшой поселок. Прозрачный пьянящий воздух, тишина, приятная прохлада, — курорт, да и только. Здесь проходило от двух до четырех поездов в сутки, но несколько местных жительниц, в основном старушек, все равно сидели на аккуратном чистеньком перроне с лукошками грибов, банками голубики и морошки, вяленой и копченой озерной рыбой, сигаретами.

Появление внепланового поезда вызвало радостное оживление, женщины кинулись к вагонам. Однако, к их немалому удивлению, никто не выглядывал сквозь толстые стекла, не опускал рамы, восхищаясь чистым свежим воздухом, — окна остались наглухо закрытыми и зашторенными. Двери тоже не открывались, пассажиры на перрон не выходили. Только из первого и последнего вагона, не пользуясь ступеньками, пружинисто выпрыгнули двое подтянутых мужчин, облаченных в столь же универсальные, сколь и анонимные камуфляжные комбинезоны. Один из них, тот, что повыше ростом, остался стоять на перроне, второй обошел вагон и стал с другой стороны состава.

— Ягоды, грибочки, сигареты, — привычно заголосили торговки. — А вот рыбка, рыбку берите...

Высокий мужчина, глядя на аппетитную золотистую рыбу, сглотнул слюну. Она бы внесла разнообразие в унылое меню БЖРК. Но инструкция запрещала есть, пить и курить что-либо из постороннего мира. В рейсе использовались только собственные запасы. Это ведь не прогулочная поездка, а стратегическое боевое дежурство!

— Нет, спасибо. Нам ничего не нужно.

— А в вагонах? — подала голос бабулька с синюшным лицом. — Может, им там чаво надо?

— У нас все есть, — повторил охранник.

— А чаво не выходит никто?

— Не знаю. Наверное, не проспались еще...

— Дык ведь белый день сейчас! Как не проспались? — не отставала синюшная.

— Так.

Мужчина явно был не расположен к беседам.

— А что это за поезд?

— Частный. Господина Кутубаева. Слыхали, поди?

— А кто он такой? — подключилась к разговору наиболее молодая из торговок, облаченная в цветастое длинное платье и накинутую поверх него сиреневую кофточку с обвисшими рукавами.

— Нефтяной король. Газеты читать надо.

— Да какие тут газеты...

Торговки отошли в сторону.

— Богачи проклятые, совсем обнаглели, вон поезда покупают...

— За наши трудовые деньги коньяки жрут с утра до ночи...

— И небось блядей с собой возят!

— Да, уж без этого не обойдется, — вздохнула женщина в цветастом платье и с тоской оглянулась на таинственный состав.

Охранник улыбался. Компрометация всевозможных «королей» была любимой самодеятельностью охраны. Ее никто не запрещал.

Вертолет опустился в полукилометре от поезда, на лужайке у озера. Полковник Булатов дождался, пока остановится винт, и открыл дверь. Его суровое лицо светилось ожиданием чего-то хорошего.

— Я остаюсь здесь, вы возвращаетесь, — сказал он оперативнику Архангельского УФСБ.

— Но как вы будете добираться обратно? — встревожился тот. — Здесь нет ни гостиницы, ни... В общем, ничего нет. И поезда практически не ходят...

Полковник улыбнулся чему-то своему. Он был в гражданской одежде и мало походил на военного. Только решительным голосом, резкими манерами да командным тоном.

— Я все знаю. Улетайте.

Пожав сопровождающему руку, он выпрыгнул наружу. Вертолет взлетел, набрал высоту и сделал круг над озером. Увидев стоящий на станции короткий поезд, оперативник догадался, с чем имеет дело.

— Возвращаемся! — скомандовал он пилоту.

Вертолет лег на обратный курс.

Полковник Булатов добрался до поезда через десять минут. При виде него охранники вытянулись в струнку.

— По машинам! — негромко произнес он и запрыгнул на площадку последнего вагона. Поезд тут же тронулся, и охранники прыгали в него уже на ходу. Начальник поезда немедленно отбил телеграмму, что БЖРК продолжает движение.

Через полчаса в отдельное купе военврача, расположенное во втором вагоне, заглянул помощник начальника БЖРК Волобуев.

— Наталья Игоревна, — тактично постучав и дождавшись ответа, мужчина в форме майора с петлицами железнодорожных войск почтительно замер на пороге. У него было узкое, с красными прожилками лицо и вечно озабоченные глаза. Когда он смотрел на военврача, эта озабоченность исчезала.

— Полковник Булатов ждет вас в штабе.

— Благодарю вас, майор, — Наташа легко поднялась на ноги и едва заметно улыбнулась.

Ей было прекрасно известно, как относятся к ней мужчины. Особенно те, которые заперты в бронированной коробке несущегося в неизвестность спецпоезда. И дело не только в половом голоде. Наташа была очень красивой женщиной. Вернее, сказать, что она была красивой, означало не сказать о ней ничего. В свои тридцать шесть лет она была способна дать фору любой двадцатилетней. Кристально чистые голубые глаза, прямой римский носик, подбородок с едва заметной ямочкой и пепельно-русые волосы средней длины, всегда аккуратно расчесанные и блестящими волнами ложащиеся на плечи, тонкий аромат духов... И фигура была под стать, и осанка: уверенная посадка головы, высоко вскинутый подбородок, расправленные плечи, ровная спина, идеально ухоженные руки с длинными, как у пианистки, пальцами, правда, без маникюра, в силу специфики работы, зато красивые ноги с педикюром...

Если бы судьба сложилась по-другому, она могла бы с успехом сниматься в кино. А если бы жила в столице и выходила на многолюдные улицы, то и избалованные москвичи скручивали бы головы ей вслед. Но она была единственной женщиной в БЖРК. И неудивительно, что в нее были влюблены почти все мужчины экипажа.

Обойдя Волобуева, Наташа пошла вперед. Военная форма ее только украшала. Ее походка была легкой и непринужденной. Казалось, она шла, не касаясь подошвами трехсантиметровой стали, парила над грохочущим и лязгающим полом. Краснолицый майор шел в нескольких шагах сзади и старался не поедать глазами ноги военврача.

В занимавшем половину вагона просторном помещении, которое чаще выполняло функции столовой, но в случае необходимости за несколько минут превращалось в операционную, принимал пищу сменившийся взвод охраны. Наташа приветливо поздоровалась. Все бойцы были в форме, все — прапорщики, все с хорошей физической и боевой подготовкой. Пахло борщом и чем-то кислым.

Пройдя свой вагон насквозь, Наташа открыла герметичную дверь тамбура, потом еще одну, тоже с резиновым уплотнителем, и привычно нырнула в переход. В отличие от обычных поездов, межвагонное пространство тоже было герметичным, с гофрированными резиновыми стенками и дополнительно защищалось броневыми листами. Здесь ее не мог никто увидеть, и приветливую полуулыбку на чувственных губах будто стерло мокрой тряпкой. Ей было невесело. Мрачный металл, постоянный лязг и грохот, вся поездная жизнь в последнее время угнетали военврача все больше и больше. Она уже поставила себе диагноз: повышенная тревожность, первые признаки депрессии. Если случится шоковая ситуация или просто нервная встряска, возможен психический срыв. Любой член экипажа, у которого она выявила бы эти симптомы, подлежал направлению на психологическую реабилитацию. А может, и полному списанию.

Следующий вагон был штабом поезда и узлом связи. Пройдя через просторный зал, в котором сидели за приборами прапорщики и офицеры, она зашла в командный отсек. Постучав, Наташа вошла в кабинет начальника поезда подполковника Ефимова. Сейчас хозяин кабинета отсутствовал, зато за его столом читал какую-то бумагу начальник гарнизона постоянного базирования БЖРК Андрей Андреевич Булатов. Законный супруг военврача БЖРК майора Булатовой. Но сейчас у него было суровое лицо и никаких родственных чувств он не проявлял.

— Доложите о чрезвычайном происшествии, товарищ майор, — сурово сказал полковник, глядя в сторону. — Почему вы взяли на борт особорежимного объекта постороннего человека?

Андрей Андреевич был старше Наташи лет на двенадцать, но, как она считала, возраст мужа его нисколько не портил. Напротив, залегшие в уголках зеленых глаз морщинки и ставшая уже заметной седина на висках только добавляли ему солидности и благородства. Квадратная челюсть, широкие массивные скулы и сросшиеся у переносицы густые брови свидетельствовали о твердости характера, мужестве Булатова и его жизненной закалке.

— Товарищ полковник, мотоциклист попал в защитную сетку, но получил серьезные травмы. Он мог погибнуть. Мой врачебный долг заключался в том, чтобы его спасти. Никакой угрозы для режимного объекта пациент не представлял, он пробыл на борту четыре с половиной часа и все время находился в бессознательном состоянии.

Булатов вздохнул. Сквозь суровую маску проступило его неофициальное лицо.

— Ну что ты как девчонка, честное слово! Если этот факт станет известным руководству, а он станет известным... — полковник выразительно поднял документ, который держал в руках.

Несмотря на мягкий тон мужа, Наташа неожиданно вспылила.

— Прошу тебя. Не нужно читать мне нотаций. Я прекрасно знаю и наше положение, и все выдержки из устава, к которому ты так часто любишь апеллировать. Но ты должен меня понять, я ведь не робот и не «черный автоматчик»... Существует еще и чисто человеческая мораль, и врачебная этика! Мотоцикл растерзало колесами, а парня забросило к нам, он был ранен и остро нуждался в срочной помощи, от этого зависела его жизнь. Что надо было делать? Выбросить его обратно? Отнять тот шанс, что дала ему судьба? Но за что, он же ни в чем не виноват! И какой вред это принесло нашему объекту? Никакого!

Булатов сокрушенно покачал головой, и Наташа замолчала. Она знала на сто процентов, что супруг согласен с ее доводами и испытывает приблизительно такие же чувства, как и она сама, но долг перевешивает эмоции. С точки зрения интересов службы все, что она говорила, просто детский лепет.

— Короче, товарищ полковник, я готова взять всю ответственность на себя, вплоть до добровольного рапорта об отставке!

Булатов вздохнул еще раз.

— В этом нет необходимости. В конце концов, инструкция говорит только про самоубийц и «рельсовые» трупы, — как бы советуясь сам с собой, проговорил он. — Выбрасывать на смерть живых людей она не предписывает. Остановки, о которой надо докладывать в Москву, тоже не было...

— Да, Ефимов молодец, он снизил скорость, и парня аккуратно достали из сетки. А мотоцикл повис на переднем сцепном крюке тепловоза...

Военврач оживилась, на лице появилась улыбка. Она поняла, к какому решению пришел супруг.

— И когда его выгружали, мы не останавливались. Правда, двигались со скоростью черепахи, но двигались...

Полковник усмехнулся.

— Кого ты думаешь обмануть, детка? Государство? А самописцы на что? Даже если график выдержан, подозрительные изменения скорости привлекут внимание и потребуют объяснений. А все уже объяснено, вот здесь...

Он снова потряс листом бумаги.

— Это рапорт майора Сомова. И он уже направил его по своей связи в Москву!

В тоне полковника не было осуждения, только констатация факта. Особист сделал то, что должен был сделать.

— Так что Ефимов напишет рапорт о происшествии, ты приложишь свое объяснение, я соглашусь с целесообразностью такого решения и направлю материал по команде. Пусть разбираются. Но думаю, они одобрят мой вывод.

— Хорошо быть женой командира! — засмеялась Наташа.

— Будь серьезней, — поморщился полковник. — Ведь речь идет о серьезных вещах...

— Ладно. Тогда напиши в своем заключении, что военврач Булатова использовала возможность попрактиковаться. Это чистая правда. Я ведь давно не делала операций. Как психолог я востребована, как хирург — нет.

— Кстати, каково психологическое состояние личного состава?

Этот вопрос командир гарнизона обязан задавать при каждом контрольном посещении.

— Особых отклонений нет, товарищ полковник, — после едва заметной заминки ответила военврач. Говорить о своих проблемах она не стала.

Но командир отдельной воинской части стратегического назначения должен быть хорошим психологом. Он встал, обошел стол и вплотную приблизился к военному врачу БЖРК.

— Я думаю, что тебе надо оставить службу, — полковник Булатов нежно пробежался сухими пальцами по ее шелковистым пепельным волосам.

В жене Андрею Андреевичу нравилось буквально все. И волосы, и лицо, и фигура. И ему очень нравились глаза Наташи. Полковник подхватил пальцами ее подбородок с ямочкой и заставил приподнять голову. Глаза супругов встретились. Его — карие, суровые и жесткие, и ее — голубые, чистые и бездонные, но грустные. Полковник достаточно долго работал с личным составом, чтобы уметь определять настроение подчиненных. Тем более если подчиненная — собственная жена.

— Я же чувствую, как ты мучаешься здесь, — продолжал полковник. — Поезд не место для женщины. Пусть даже эта женщина — военврач в звании майора. Бытовые условия тут ужасные — ни в душе, ни даже в туалете нельзя запереться...

Наташа едва заметно улыбнулась.

— Для меня сделано исключение. И я пользуюсь специальной съемной задвижкой.

— Вряд ли это меняет дело коренным образом! К тому же специфика режима связана со многими личными ограничениями. Секретность, запрет на лишние контакты, даже внутри поезда, вечное напряженное ожидание, состояние готовности...

— Да, это нелегко. Вчера я забраковала совсем молоденького бойца из охраны. У него стала активно развиваться клаустрофобия, — Булатова коротко кивнула.

Стараясь не вызвать неудовольствие супруга, она высвободила лицо из его ладоней и слегка отстранилась. Пытаясь мотивировать этот жест, Наташа потянулась к термосу Ефимова, в котором всегда был крепкий и вкусный чай, и налила себе стакан.

— Хочешь чаю, Андрюша? — ласково предложила она.

— Нет, спасибо.

Наташа сделала маленький глоток. Чай действительно был хорошим. Андрей, по ее мнению, многого не понимал. Для него этот поезд был чем-то большим, чем простая работа, и она чувствовала это лучше других. Поезд заменял ему друзей, семью, жену...

Проклятый поезд! Наташа с ужасом осознавала, что отношение к поезду переносит и на мужа. Во всяком случае, стена отчуждения между ними становилась все толще. Как вообще они оказались женаты? Тогда, много лет назад, когда ее жених Саша Ветров разбился на мотоцикле, Наталья Игоревна поступила на военную службу в Тиходонский окружной госпиталь. А Андрей Булатов лечился там от лучевого ожога правой кисти. Так они встретились. Сначала он был для молодой докторши хорошим другом и наставником, а потом... Как часто бывает, потом они поженились. А любовь? Любви так и не было. Была только жизнь по инерции.

— Почему ты молчишь, Наташенька? — выдернул ее из невеселых размышлений полковник.

Интересно, осознает ли он, как они далеки от образа идеальной супружеской пары?

— А что я должна сказать? — она еще отхлебнула чаю, продолжая держать обжигающий стакан в обеих ладонях. Это помогало заглушать боль и неудовлетворенность в душе. — Я ненавижу этот поезд. Но я привыкла к определенному ритму жизни, к делу, которым я занимаюсь. А если я спишусь на твердую землю, что мне делать? В Кротове я начинаю сходить с ума через три дня! Это болото, там просто мухи дохнут со скуки! Эта Белова, которая постоянно таскается с телефонистками и сплетничает о разговорах офицеров, эти коммунальные дрязги, эта еле текущая из крана вода!

Она наконец не выдержала и, поставив стакан на стол, растерла обожженные ладошки.

— Меня хватает на три дня, не больше. Постираться, выкупаться, отоспаться на твердой, не раскачивающейся кровати, — и все: я хочу опять в рейс! Не потому, что мне там нравится, просто чтобы убежать из этой помойки! К тому же здесь у меня приличная зарплата, все эти надбавки складываются в солидную сумму. И льготный стаж выслуги. Словом, есть перспектива на будущее. Старость-то, увы, не за горами...

Наталья Игоревна грустно усмехнулась.

— Но у тебя есть муж! Похоже, ты на меня совершенно не рассчитываешь!

Военврач помолчала. Чуть дольше, чем позволяли приличия.

— Ну почему же... Рассчитываю...

Ответ прозвучал неубедительно. Опытный полковник сделал вид, что этого не заметил.

— Делай так, как тебе лучше, — сказал он. — Я не собираюсь насильно держать тебя в болоте и помойке.

Если полковник и обиделся, что супруга называет вверенную ему особорежимную часть обидными словами, то виду не подал.

— Вот и замечательно!

Наташа почувствовала, что перегнула палку, и примиряюще улыбнулась.

— К тому же если уволиться, то где я найду такого замечательного, все понимающего и доброжелательного начальника? Нигде!

— Хорошо, что ты это понимаешь, — Булатов бросил короткий взгляд на часы.

— Ты долго у нас пробудешь? — спросила Наташа.

Муж качнул головой. У него был отсутствующий вид. Мысленно он уже проверял поезд.

— До Архангельска. Через три часа самолет.

— А... Мы не успеем?

— Ну что ты, Наташа... Как ты себе это представляешь? Весь поезд знает о моем прибытии, я должен пройти по вагонам, проверить технику, поговорить с личным составом...

— Ну ладно...

* * *

Распрощавшись с Сашей, Оксана в университет не пошла. Никакой консультации по психологии у нее сегодня не было, а если и была, то она не входила в учебную программу. Сев в такси, девушка приехала на площадь Героев, заглянула в магазин «Швейцарские часы», расположенный в первом этаже высотного здания из проржавевшего железа и тусклого стекла, потом зашла в вестибюль, позвонила по внутреннему телефону, представившись, передала трубку угрюмому охраннику и была пропущена внутрь.

Игнорируя лифт, Оксана взлетела по лестнице на четвертый этаж, как выпущенная из клетки птица, с наслаждением расправившая занемевшие крылья. Но птица рвется к облакам, повинуясь инстинктам, а она и сама не могла понять, какое именно чувство гнало ее по напичканному офисами зданию. Любовь? Очень сомнительно. Любопытство? Вероятно. Тяга к новым ощущениям? Еще вероятнее. Интерес к незнакомой, острой и безумной игре? Вполне возможно... А скорее — пряный коктейль из всех перечисленных компонентов.

Впрочем, она не привыкла глубоко анализировать свои ощущения и обычно даже не задумывалась над ними. Через несколько минут загорелые ноги принесли ее ладное тело к стальной двери, деликатно обшитой светло-коричневым ламинатом с вычурной золоченой табличкой: «ООО Строительные материалы».

Оксана не успела нажать кнопку звонка, как дверь раскрылась сама по себе. Шкафообразный охранник, не чета сидящему внизу увальню, обозначил уважительный жест.

— Проходите, пожалуйста, Степан Григорьевич вас ждет.

Это подчеркнутое уважение, несомненно, входило в состав того коктейля, за которым она каждый раз торопилась на встречу с Суреном.

В просторной приемной девушка получила очередную дозу внимания: красивая секретарша встретила ее ослепительной улыбкой, предназначенной для VIP-персон, и повторила:

— Пожалуйста, Степан Григорьевич вас ожидает.

Улыбнувшись в ответ, Оксана поправила прическу и куснула губы, чтобы они стали ярче. Сквозь двойную дверь она прошла в просторный, обставленный дорогой офисной мебелью кабинет. Сурен уже шел ей навстречу, широко улыбаясь и расставив руки для объятия.

— Здравствуй, Барби! Ты все хорошеешь! Мне всегда радостно тебя видеть!

Он поцеловал Оксану в лоб и обе щеки, то ли по-дружески, то ли по-отечески.

Сурену Бабияну недавно исполнилось шестьдесят пять, он был на двадцать лет старше Оксаниного отца, а ей вполне годился в деды. Назвать его красивым или симпатичным было нельзя. Большая лысина, окруженная венчиком редких седых волос, морщинистый лоб, круглые, серые глаза, большой клювообразный нос, впалые щеки, тоненькие седые усики-стрелочки. Хотя он брился каждое утро, седая щетина пробивалась вновь очень быстро, создавая впечатление некоторой неряшливости, но тонкий запах дорогого одеколона вносил поправку: никакая это не неряшливость, а модная «шведская небритость», ради которой за баснословные деньги приобретаются специальные бреющие машинки. Дорогой костюм хорошо подобран к фигуре, отглаженная рубашка, слегка распущенный узел галстука — единственная вольность, которую он позволял себе в неофициальной обстановке.

Образ благообразного предпринимателя нарушал ледяной металлический взгляд серых зрачков, именно он, как ни странно, и являлся магнетически притягательным для Оксаны. И конечно, само имя Сурена Гаригиновича, хорошо известное в мире предпринимателей Тиходонска. И его слава донжуана... И умелая обходительность, невиданные прежде знаки уважения и внимания. И невиданная щедрость...

Он появился как джинн из сказки. Оксана стояла на троллейбусной остановке, когда рядом остановился огромный белый «Лендкрузер», оттуда вышел представительный, хорошо одетый, благоухающий необычными ароматами пожилой мужчина... Впрочем, нет. Загорелый Сурен не производил впечатления пожилого. Просто взрослый, зрелый человек. Или человек в возрасте. Очень обходительный и обаятельный, надо отдать ему должное. Он предложил подвезти девушку.

И хотя каждой девушке с детства внушают, что не следует

садиться в машину к незнакомцам, в данном случае и машина, и незнакомец не внушали опасений. Больше того — располагали к интригующей и многообещающей прогулке. Оксана села в джип, приняла приглашение пообедать в одном из самых дорогих ресторанов города, прямо за столиком получила привезенную шофером бархатистую темно-бордовую розу на длинной ножке, а после прекрасного обеда и интересной беседы Сурен завез ее в ювелирный бутик и купил кольцо с огромной матово-белой жемчужиной, которое до сих пор спрятано в ее шифоньере, замотанное в ношеные колготки. Так начался их роман.

Оксане было лестно, что столь уважаемый и известный человек обратил на нее благосклонное внимание и искренне расположился к молоденькой, не знающей жизни студентке. Когда они входили в дорогой ресторан или принадлежащий Сурену ночной клуб, ореол его славы и значительности окутывал и Оксану. Это и перед ней распахивали тяжелые двери, и перед ней расшаркивались, и ей предназначались любезные, часто заискивающие улыбки.

— Я уж думал, ты сегодня не придешь, — Сурен бросил короткий взгляд на наручные часы. — Впрочем, ради тебя я готов перекроить свои планы.

— Меня задержал жених, — с достоинством произнесла Оксана. Знать себе цену и при каждом удобном случае ее завышать девушку научил сам Сурен.

— Он вернулся с преддипломной практики, и мы обсуждали планы на будущее.

— Ах да, — Сурен Гаригинович рассеянно махнул рукой. — Он ведь у тебя курсант-ракетчик... Военная жизнь, скитания по гарнизонам, общежития... Это не для Барби. Я бы не советовал тебе торопиться.

Сердечко Оксаны учащенно забилось. Эта заинтересованность выдавала серьезные намерения богатого ухажера.

— Я и не тороплюсь. Собственно, это он постоянно заводит разговоры о свадьбе. Я согласия еще не дала. У меня нет никакой охоты жить в лесу. Он будет неделями сидеть под землей, а мне что делать?

— Это еще полбеды, — прицокнул языком Сурен. — Там же радиация-шмаризация, волны-молны... Они там все становятся импотентами. Зачем тебе нищий муж-импотент?

— Ой, правда?! — ужаснулась Оксана. — Я этого и не знала! Но все равно сказала, что согласна только на Москву. Или Тиходонск.

— И правильно, моя умница! — обняв девушку за гибкую

талию, предприниматель увлек ее к окну и обвел рукой раскинувшуюся внизу площадь с похожим на трактор театром, старинным зданием Управления дороги и высоченной стелой Победы.

— Это большой город, в нем идет большая жизнь. А какая жизнь в отдаленном гарнизоне? Неустроенный быт, задержки зарплаты, дрязги между офицерскими женами, интриги между их мужьями... Это не жизнь, это существование. Разве для этого ты создана? Конечно, нет! Помнишь, как мы ездили в Сочи? Весной, конечно, там не так весело, как в сезон, но думаю, ты почувствовала вкус жизни?

— Конечно, — кивнула Оксана.

Там они жили в шикарной гостинице, ходили по шикарным ресторанам, купались в шикарном бассейне с морской водой, ели шашлыки на набережной, бросали в море монетки. В Сочи Сурен научил ее делать настоящий минет, вначале ей это не понравилось, но постепенно вошла во вкус.

— Пойдем, Барби, я чем-нибудь тебя угощу, — Сурен увлек ее в комнату отдыха, где на столе, как всегда, стояло шампанское, шоколад, бутерброды и фрукты.

— Ой, я как раз проголодалась, — Оксана с удовольствием надкусила бутерброд с копченой колбасой. — Ты всегда такой внимательный...

Действительно, Кудасов, только встретившись, сразу хотел тащить ее в постель, да и вообще ни один из сверстников никогда не порывался ее накормить. Разве что собственным белком.

Сурен, улыбаясь, погладил ее гладкую ногу.

— Я старше, я опытнее и должен заботиться о тебе. Вот, кстати, имей в виду: когда лежишь на спине, никогда не принимай в рот. Можно захлебнуться. Насмерть. Когда-то давно в Степнянске был такой случай. Хорошая девочка, студентка... Делала «шестьдесят девять» со своим знакомым, сперма попала в трахею, и она погибла...

Оксана лукаво улыбнулась.

— Какой ужас! Я никогда не думала, что это такое опасное занятие.

Наставник печально кивнул.

— Это еще не все. Степнянск ведь большая деревня, слухи там быстро расходятся, а нравы строгие, особенно в те годы. Получился срам на весь город. Родители от нее отказались, даже тело из морга не забрали. И парень с позором уехал. А в чем они виноваты, если разобраться?

Сурен снял пиджак, аккуратно повесил на плечики в стенной шкаф. Под мышкой, в открытой кобуре у него висел пистолет. Расстегнув две пряжки, он снял кобуру и, обернув ремнями, тоже спрятал в шкаф.

— Зачем тебе пистолет? — спросила Оксана.

— Жизнь такая, Барби. Каждый норовит сожрать тебя или что-то отнять. Если не будут бояться — останусь голый и босый, оттраханный и еще всем должный.

Он разлил шампанское.

— Давай выпьем за все хорошее, — предложил Сурен и снова посмотрел на ее надкушенный бутерброд и на часы.

— Ты торопишься? — Оксана с удовольствием выпила холодный пузырящийся напиток.

— Жду звонка, — неопределенно ответил тот. — Дела...

Оксана съела несколько бутербродов, яблоко и банан. Незаметно они допили бутылку шампанского. В голове приятно шумело. Сурен гладил ей ноги, постепенно забираясь все выше и выше. Наконец ноги кончились...

— Подожди, Суренчик, мне надо помыться...

Настоящим именем Бабияна называли только родственники и близкие друзья. Для общего пользования существовал русифицированный вариант: Степан Григорьевич.

— Не надо, моя прелесть, ты и так чистенькая...

— Нет, нет, нет, обязательно, — Оксана осторожно высвободилась и нырнула в душ. Уже через пять минут она выскользнула наружу, свежая, еще влажная и лишь для приличия прикрытая полотенцем.

— Ты просто королева.

Сурен страстно обнял ее за плечи, свободной рукой сорвал и отбросил в сторону полотенце, жадно впился в розовые губы. Оксана слегка отстранилась и пробежалась пальчиками по волосатой груди, как пианистка, пробующая клавиатуру. Густые седые пряди навивались на ноготки.

— Я все равно стесняюсь, — томно произнесла она, кокетливо моргая длиннющими ресницами, отчего ее сходство с куклой Барби стало еще больше. Страсть захлестнула Сурена, и он почувствовал, как животная сила превращает его в первобытного самца. Такие благотворные флюиды исходили не от каждого молодого тела, поэтому он и боготворил Оксану. Но надеяться на этот порыв было нельзя.

— Ты знаешь, я не успел выпить таблетку, — извиняющимся тоном сказал он. — Придется по-другому...

— Хорошо, как захочешь, — прошептала Оксана, жарко дыша в ухо и покусывая его острыми зубками.

Они устроились на диване, Сурен захватил ртом одну из ее упругих грудей с остро торчащими возбужденными сосками.

Оксана протяжно застонала. Ее собственные пальчики уже расстегнули брюки партнера и колдовали с орудием сексуального труда, которое то приобретало необходимую твердость, то снова ее теряло, как будто Сурен много лет провел в шахте возле радиоактивной ракеты.

— Давай, давай, — Бабиян сбросил штаны и откинулся на мягкие подушки, Оксана тут же сползла вниз и прибегла к оральной стимуляции. Дело пошло на лад. Сурен воспрянул и, подмяв девушку под себя, энергично вошел в нее, одновременно погрузив в рот пальцы задранной на плечо ноги. Оксана стонала и извивалась, покручивая рукой собственные соски. Глаза ее закатились, но тут соитие закончилось, ибо рабочий орган предпринимателя утратил необходимую упругость и выскочил наружу. Оксана знала, что надо делать, и тут же захватила его рукой, другая рука скользнула между собственных бедер и быстро задвигалась, поглаживая нежный розовый бутон. Раскрасневшееся лицо Сурена покрыли мелкие капельки испарины, он застонал. Вязкая молочная струя лениво выплеснулась на гладкий девичий живот. Она тоже застонала. Руки расслабленно разжались.

«Ручной запуск», — вспомнила Оксана рассказы Кудасова и не удержалась от легкого смешка.

— Что такое? — обеспокоенно спросил Сурен.

— Ничего, ничего, просто мне хорошо...

Оксана уже успела привыкнуть к замещающим формам секса. Возраст Сурена делал свое черное дело: без «Виагры» он не мог успешно играть в первой лиге. Оксане приходилось самой заботиться о себе. Но и в этой необычности был определенный кайф. Во всяком случае, ее такая игра устраивала. Никто из ее сверстников не прибегал к таким ласкам, которыми владел Сурен, и никто из сверстниц не видел, как лысоватая голова могущественного Бабияна движется у тебя между ног. Сурен тоже был доволен. Каждый из них получал то, что хотел.

* * *

— Оксанка! — мать, как ядро из пушки, выскочила в коридор, как только хлопнула дверь. — Ну, где ты опять так поздно шляешься?

Девушка провела рукой по волосам, за длинный ремешок небрежно повесила сумочку на вешалку.

— С Сашей в кино ходили, — с легким раздражением ответила она. — Я не понимаю, чего ты так волнуешься. Я ведь уже взрослая!

Ирина Владимировна скрестила руки на груди.

— Я уже не раз говорила тебе — когда выйдешь замуж, тогда и будешь взрослой. Пусть тогда за тебя муж волнуется, — нравоучительно произнесла она. — А расхаживать ночью по Тиходонску опасно. Слышала, как соседей ограбили прямо возле дома? Пристукнут и фамилию не спросят. Или еще хуже...

Оксана тихо засмеялась.

— А что может быть хуже, чем пристукнут?

— Чему ты веселишься? Я серьезно говорю. Газеты читаешь? Там такое расписывают, волосы дыбором встают...

— Да успокойся, я на машине прямо к подъезду подкатила...

— На какой машине?

— На «Москвиче». Сашин друг подвез. Чего ты все выпытываешь?

— Как ты с матерью разговариваешь? Пока в доме живешь, должна слушаться... Вот выйдешь замуж...

Оксана отмахнулась, словно от назойливой мухи, и, присев на тумбочку, начала разуваться.

Ирина Владимировна осеклась.

— Новые? Где взяла?

— Что взяла? — девушка подняла на мать зеленые, как у кошки, глаза.

— Что ты дурочку из себя строишь?! У тебя новые босоножки. — Ирина Владимировна мотнула головой в сторону красных босоножек на высоченной шпильке, которые Оксана аккуратно поставила под вешалку. — Вот я и спрашиваю: откуда?

— Ах, босоножки! Так бы и говорила, — Оксана избалованно оттопырила нижнюю губу. — Это мне Саша подарил. В честь встречи после долгой разлуки.

— На какие же, интересно, шиши? — не унималась мать. — Они тысяч пятнадцать стоят!

— Ему на практике сразу за полгода выплатили. А он там и не тратился совсем. Вот и расщедрился.

— Да курсанту столько и за полгода не заработать, — покачала головой Ирина Владимировна. — Хотя ты его в такую даль проведывать ездила, наверное, он оценил...

Поездкой к жениху Оксана залегендировала путешествие с Суреном в Сочи. Сейчас она чувствовала раздражение. Как бы мать не сболтнула Кудасову.

— Про эту поездку уже забыть пора! Что ты все за старое цепляешься!

— Да ни за что я не цепляюсь. Просто говорю, что балует он тебя. Ему же потом это и аукнется.

— Ничего не балует, небось не автомобиль купил! Ты его еще научи от жены деньги зажимать! Для дочки пожалела! — резко оборвала она причитания матери.

— Так вы женитесь? — насторожилась Ирина Владимировна.

— Посмотрим. Расписаться — дело нехитрое, только надо думать о будущем. Одно дело быть генеральшей, а другое — куковать в глухом лесу!

Мать покачала головой.

— Смотри, доиграешься... У меня в молодости была подруга — писаная красавица. Тоже все женихов перебирала. Так и кукует одна, хотя и в городе. А генералы из лейтенантов вырастают...

— Ладно, я это учту, — недовольно сказала Оксана и направилась к себе в комнату.

— Ужинать-то будешь? — спросила на всякий случай Ирина Владимировна, глядя в узкую спину дочери.

— Нет. Мы в кафе поужинали.

Оксана закрыла за собой дверь. В ее комнату родители никогда не заходили, это была ее личная территория. Вся остальная жилая площадь считалась общей.

Она подошла к высокому зеркалу, остановилась напротив него и придирчиво окинула взором свое отражение. Оксане Моначковой было двадцать два года, и выглядела она очень аппетитно. Среднего роста, аккуратная худенькая фигурка: плоский живот, маленькая грудь с розовыми сосками, округлые бедра, аппетитная попка, безукоризненной формы ноги... Кукольное личико: фарфоровые щечки, тонкий, чуть вздернутый носик, чувственная линия губ и лебединая шея. Рыжеватые волосы, густые и блестящие, ниспадали до плеч ослепительным каскадом, как в рекламе шампуня. Барби, одним словом. Так ее называют последние три месяца. И это ей нравится.

Игривым движением руки отбросив со лба золотистую челку, Оксана ласково улыбнулась в зеркало сама себе. Потом разделась, полюбовалась на свое голое тело с бритым лобком — в ванной у нее лежит бритвенный станок, которым она бреет ноги, лобок, подмышки; растерла пальцем небольшой синячок возле пупка. Ничего, пройдет. Кудасов не обращает внимания на такие мелочи. Хотя Сурен бы обратил.

Оксана залезла в шкаф, порывшись в белье, достала свернутые в комок старые колготки, развернула и извлекла на свет божий серьги и кольцо с крупными, отборными жемчужинами. Сурен обещал еще подарить такое же ожерелье, тогда будет полный комплект... Только как все это легализовать? Пока она надевала украшения только в компании самого Сурена и его друзей. Все солидные мужики смотрели на нее, как кот на сметану, только что не облизывались. Один даже сунул украдкой свою визитку...

Девушка надела серьги, кольцо и принялась принимать перед зеркалом соблазнительные позы.

— Голая Барби в украшениях — это улет! — говорил Сурен, подкатывая глаза со слегка желтыми белками.

И глотал «Виагру», которой обычно старался не злоупотреблять, чтобы не перегружать сердце: «А то помру, что ты тогда будешь делать?»

Оксана в ответ махала руками: дескать, не говори глупостей. Но она уже успела понять одну вещь, столь же простую, сколь и непостижимую: тогда другие мужчины будут наперебой водить ее в рестораны, возить на шикарных машинах и дарить драгоценности! Только за то, чтобы получить доступ к определенной части ее тела и проделывать манипуляции, которые не только не вызывают неприятных ощущений, но даже доставляют удовольствие! Непостижимым было то, что эта часть тела, так же как рука или нога, досталась ей от природы совершенно бесплатно, и когда она девчонкой обыденно мыла ее или защищала прокладками в критические дни, то никогда не предполагала, что, повзрослев, начнет получать такие дивиденды... Причем оказалось, что, в отличие от других женщин, мышцы этой части тела у нее подвижны и умеют сжиматься. И хотя никаких ее заслуг в этом не было, сумма дивидендов увеличивалась.

Спрятав украшения на место, она набросила легкий шелковый халатик и вышла на общую площадь.

Мать хлопотала на кухне, отец сидел в зале у телевизора, полностью поглощенный футбольным матчем. Квартира показалась тесной: все друг у друга на виду, развернуться негде.

Девушка прошла в ванную комнату и повернула кран. Тоже убого: тусклый дешевый кафель, допотопный душ, еле пропускающий воду. Ни биде, ни джакузи...

Нет, пожалуй, пора выходить замуж! Причем удачно, по любимому Суреном Карнеги.

* * *

Площадь Героев в Тиходонске — место оживленное. По одну сторону стоит монументальный драматический театр, выстроенный в тридцатых годах прошлого века в форме трактора — по индустриальной моде того времени. Ходили слухи, что позже архитектора расстреляли. Якобы за то, что трактор под определенным углом и с определенной высоты напоминал фашистскую свастику. Вертолетов в то время еще не было, как обнаружили второй вредительский вид сооружения, оставалось тайной. Но в слухи верили. Потому что разоблачить и расстрелять в те годы можно было кого угодно. И за что угодно.

Архитектора более позднего времени, создавшего высоченную стелу с парящей в высоте бронзовой статуей Богини Победы, никто и пальцем не тронул, хотя куда более веские основания для этого имелись. Во-первых, к юбке Богини он приделал дно, из которого грубо торчали обрубки ног, а во-вторых, кроме эстетического безобразия допустил технические просчеты, в результате к сегодняшнему дню статуя пришла в аварийное состояние и требовала демонтажа, денег на который, естественно, не было.

Если провести между театром и стелой воображаемую линию, то справа окажется высотное здание из ржавого железа и мутного стекла, а слева — пятиэтажное квадратное здание, выстроенное еще при царе в самом начале прошлого века, причем в рекордные сроки, о чем убедительно сообщали цифры на фронтоне: 1902—1904 гг. Царские строители никаких поводов для репрессий не давали: здание стояло незыблемо и даже не трескалось. Мало того, оказалось, что оно возведено на грунтовых водах, но об этом узнали только тогда, когда современные работяги пробили стену подвала и внутрь, словно в пробоину корабля, тут же пошла вода. Теперь здесь располагалось Южное Управление железных дорог с его многочисленными отделами и службами, в числе которых находилось и Управление военного коменданта, поэтому к людям в армейской форме здесь давно привыкли.

Сухощавый майор лет тридцати пяти изнывал от жары даже в летней форме: рубашке с коротким рукавом и расстегнутым воротом и легкой пилотке вместо бронеподобной фуражки. Впрочем, пилотку он, в нарушение устава, держал в руке. Косясь на женщин в открытых платьях, майор пересек наискосок площадь, вошел в Управление дороги, поднялся на второй этаж, но не свернул в отсек комендатуры, а набрал код на железной двери напротив, лишенной вывески, таблички с номером или каких-либо еще опознавательных знаков.

— Где? — спросил он у молоденького солдата-срочника со штык-ножом на поясе.

— В комнате отдыха, — тот показал рукой в глубь помещения. — Кино смотрит.

— А ты не сиди развалясь, когда кто-то входит, — сделал майор внушение дневальному. — Может, это тебя убивать пришли!

По левую сторону достаточно длинного коридора располагались несколько дверей: небольшие — в туалет и душ, высокая двойная — в кабинет Уполномоченного, еще две обычные — в кабинеты попроще. В торце располагалась комната отдыха. Из-за ее закрытой двери действительно доносилась музыка, звуки выстрелов и сопутствующий любым боевикам грохот. Олег Станиславович Кандалин работал. И хотя он не любил, когда его отвлекали, вызов был срочным. Майор подошел к двери, постучал и, не дожидаясь ответа, вошел.

Невысокий приземистый мужичок лет сорока восьми в форменных брюках и обуви, но с голым лоснящимся торсом сидел в кресле и смотрел очередной видеофильм. В руке он держал блокнот, карандаш и пульт дистанционного управления.

— Здравствуй, Костя, — Уполномоченный по Южной зоне подполковник Кандалин, привстав, крепко пожал сухощавую кисть вошедшего. — Проходи, садись спокойно. Поезд сейчас под Архангельском, там с проверкой Булатов.

— Да знаю, — сказал майор. — Я же только что из гарнизона. Садиться он не стал и стоя уставился на экран.

Там бандиты в масках грабили поезд. Двое держали под пистолетами машинистов и лежащих на земле охранников, двое потрошили вагон-сейф. Автогенное пламя с искрами взрезало стальную переборку.

Кандалин включил ускоренную перемотку и сделал пометку в блокноте.

— Есть что-нибудь? — спросил майор.

— По тактике кое-что попадается. А по технике почти ничего. У них в основном автомобили навороченные, а боевых поездов практически нет. Только в фантастических фильмах... Таран впереди локомотива, выдвижные рельсы для преодоления пропасти и прочая нереальная ерунда... Нашел, правда, две детали... Раскладная сетка впереди, ее мы уже поставили. И паруса над составом. Надо просчитать, если получается, то можно и нам такие сделать...

Помощник Уполномоченного Константин Маслов был лет на пятнадцать младше своего шефа. Безусловно, любая женщина посчитала бы Константина просто красавчиком. Зачесанные назад светлые волосы, голубые глаза, прямой нос, широкие скулы. Но главное — уверенная манера держаться, которая выдавала скрытую силу духа и тела. Одним словом, природного обаяния в нем было хоть отбавляй.

— БЖРК под парусами — это действительно здорово, — Константин улыбнулся, демонстрируя собеседнику ряд ровных белоснежных зубов. — Могу себе представить...

— Ничего смешного. Если сделать легкие складные мачты, то в районах, где нет контактной сети, они вполне могут стать альтернативным источником движения в аварийной ситуации. Но речь не об этом.

Кандалин пружинисто выбросил из кресла свое жилистое тело, набросил форменную рубашку и застегнул пуговицы, сразу принимая строгий официальный вид, как и положено человеку, наводящему ужас на всех железнодорожников Южной зоны. После того как с подачи такого же Уполномоченного в Челябинской области уволили начальника отделения дороги и разослали об этом информационное письмо по всем дорогам, отношение к Уполномоченным резко изменилось. Теперь исчезла необходимость дважды повторять даже самую пустяковую просьбу.

— Пошли в кабинет!

Мимо стоящего навытяжку солдатика Уполномоченный с помощником прошли в большую светлую комнату с огромной картой железных дорог на стене, добрым десятком телефонов, системой ВЧ-связи и радиостанцией. На карте по уровню 65-й параллели у Белого моря краснел флажок, обозначающий местонахождение БЖРК. Чтобы установить его, Кандалину наверняка приходилось становиться на стремянку.

— Ну, как обстановка в поезде? — спросил подполковник, занимая место за столом, как раз напротив карты. Красный флажок должен всегда находиться у него перед глазами. Он отвечал за движение поезда, Маслов — за личный состав и техническое состояние БЖРК.

— Без отклонений. Хотя Белов что-то чудит. С женой у него какие-то нелады, между рейсами мрачный ходит. В пределах нормы, но все-таки... С ним надо решать вопрос.

— Как раз за этим я тебя и вызвал, — сказал подполковник. — Дело в том, что появился очень перспективный кандидат...

— Даже перспективный? — удивился майор. — То вообще не могли никого подходящего подобрать!

— Вот слушай, — нахмурился Кандалин. Он не любил, когда его перебивают. Впрочем, этого никто не любит.

Резко зазвонил телефон железнодорожной связи. Судя по

первым фразам, секретарша соединяла Уполномоченного с каким-то начальником.

— Здравствуйте, Виктор Тихонович, я — Уполномоченный Министерства обороны подполковник Кандалин. Да, я просил со мной связаться. Речь идет о солярке для специального поезда. Та, которую мы получаем, очень низкого качества...

Очевидно, собеседник возражал, Кандалин поморщился и отставил трубку подальше. Мембрана с такой силой сотрясала воздух, что даже сидящий в стороне Маслов мог расслышать раздраженный барственный голос:

— Другие дизеля на ней успешно работают, и никто не предъявляет претензий...

Кандалин вновь прижал трубку к уху.

— Возможно, другие дизеля на ней работают, но у нас не обычный поезд... Этого я не знаю, только у нас должна быть качественная солярка, причем по цистерне во всех местах дозаправки... Да, всего десять цистерн в разных частях России. Что ж, очень жаль. Я так и напишу в рапорте руководству, что вы не можете обеспечить бесперебойное движение спецпоезда. Вы помните информационное письмо про пятиминутную задержку в Челябинской области? И чем она закончилась для начальника отделения дороги?.. Помилуйте, я не собираюсь никого пугать, я собираюсь только написать рапорт о том, что вы мне сейчас сообщили... Это другое дело... Да, пожалуйста, изыщите... Что ж, можно пока поставить по половине цистерны в каждой точке. Но в ближайшее время следует обеспечить полный и постоянно возобновляемый запас. Очень хорошо, спасибо. Всего доброго...

Кандалин положил трубку.

— Только одного все боятся — что выгонят к чертовой матери! И когда понимают, что это реально, то ведут себя совсем по-другому... Ладно, о чем мы говорили?

Он наморщил лоб.

— Ах да...Так вот, в Министерство пришло письмо из Красноярского полка МБР, где дается исключительная характеристика курсанту Тиходонского ракетного училища Кудасову. Математический склад ума, прекрасная математическая подготовка, скоростные и точные расчеты. Хорошая интуиция, ассоциативное мышление, безупречное поведение. Он блестяще прошел все тесты, психологически устойчив, выражает желание служить на стратегических «изделиях», готов даже залезть под землю.

— Когда у них выпуск? — коротко осведомился Маслов.

— Через неделю. Времени мало, поэтому не откладывай.

— Ясно. С чего начать?

— Наведи справки в училище, посмотри личное дело, проведи ознакомительную беседу. Потом тест на полиграфе[1]. Если результаты окажутся положительными и все, что о нем пишут подтвердится, тогда я проведу с ним окончательный разговор.

— Есть, товарищ подполковник, — ответил майор Маслов, как и положено по уставу.

Глава 2

КОНЕЦ ПРОМЕТЕЯ

В четверг Фалькова с утра вызвали к начальству. Полтора часа он просидел в приемной у генерал-лейтенанта Моисеева, потом удостоился короткой аудиенции.

— Чем вызван ваш рапорт о переводе в другой отдел? — холодно осведомился монументальный хозяин огромного кабинета с настоящими дубовыми панелями.

— Честно говоря, я засиделся на одном месте, товарищ генерал-лейтенант, — ответил Фальков, стараясь быть как можно более убедительным. Хотя понимал, что убедительности в таком объяснении быть не может. Особенно когда оно исходит не от двадцатипятилетнего старшего лейтенанта, а от убеленного сединами и отягощенного излишним весом генерала. Но не скажешь же начальнику, что, выполняя задание иностранной разведки, генерал Фальков пытается поближе подобраться к секретам БЖРК!

— Так, может, отправитесь в Красноярский лес? — поднял бровь Моисеев. — Комдив Осипенко уходит на пенсию, вот и приложите силы на новом месте. Там есть где развернуться!

— Гм... Я бы с удовольствием, товарищ генерал-лейтенант... Но дело в том, что жена не может выезжать из Москвы по состоянию здоровья. К тому же у меня маленький сын, а дочь заканчивает школу...

Начальник поднял вторую бровь.

— Это ведь ваш второй брак?

— Так точно, товарищ генерал-лейтенант.

— И отец вашей жены всеми нами уважаемый Степан Иванович Бабенко?

Фальков поежился. Ему давно не задавали таких вопросов — с тех пор, как стал генералом. А до того задавали часто, и

---

[1] Полиграф — прибор, более известный под названием «детектор лжи».

в каждом слышался намек на желание поправить карьеру выгодной женитьбой. Собственно, так оно и было.

— Да. К сожалению, тесть безвременно ушел из жизни, товарищ генерал-лейтенант.

Брови Моисеева опустились.

— Но ведь он успел?

— ...Что? Простите, товарищ генерал-лейтенант, я не понял вопроса...

— Можете идти. У меня нет возражений против вашего перевода. Заполните в приемной нужные документы и оставьте у моего порученца.

Когда большая полированная дверь закрылась за Фальковым, монументальность хозяина кабинета вмиг испарилась.

— Ах, гаденыш! Засиделся он на одном месте, сука! Скоро насидишься в другом! И как Степан Иванович пригрел на груди такую гадину!

Моисеев снял телефонную трубку.

— Да, ты был прав. Он рвется к ракетным секретам. Да, конечно. Продержим сколько надо.

В приемной Вениамин Сергеевич два часа вписывал в анкеты сведения, которые уже десятки раз включались в его личное дело и были хорошо известны кадровикам. Когда он попросил бланки с собой, адъютант-подполковник вежливо, но твердо отказал, сославшись на их чрезвычайную секретность. Принимая заполненные анкеты, подполковник бросил на генерала странный взгляд. Как будто он знал о нем нечто, не известное всем остальным людям.

Остаток дня прошел в напряженной работе: в один день причудой судьбы оказались впрессованными десятки важных, срочных и неотложных дел. Посетители, бумаги, телефонные звонки и шифротелеграммы. Только около восьми часов генерал разбросал наконец все дела и отправился домой. Уже в машине он стал прокручивать в памяти беседу с Моисеевым. Похоже, что генерал-лейтенант совсем недавно читал его личное дело. Зачем? В связи с рапортом на перевод? Но это уровень компетенции отдела кадров... И зачем понадобилось в десятый раз заполнять анкеты? И этот странный взгляд адъютанта... Неужели кольцо сжимается?

— Давай поездим по городу, — сказал он водителю. — Просто покатаемся по Москве. Что-то я устал...

Они долго колесили по городу, генерал внимательно поглядывал в зеркальце, проверяя, нет ли за ним за «хвоста». Но ничего подозрительного заметить не удалось, и он распорядился ехать к дому. Пальцы все же подрагивали, сердце неприятно ныло в груди.

Жена встретила Фалькова в прихожей.

— Я целый день не могла с тобой связаться! Прямой телефон не отвечал, приемная тоже...

— Сегодня был очень напряженный день, — ответил Вениамин Сергеевич. — Много дел, очень много. Даже не помню, когда было столько.

— И у меня тоже, — всплеснула руками Наталья Степановна. — Сколько мы ждали участка под дачу, а сегодня позвонили — пятнадцать соток в Малаховке по бросовой цене, приезжайте смотреть! Очень срочно: или сегодня, или никогда... Ты не отвечаешь, домработница, как назло, заболела, Сережу оставить не с кем... Пришлось взять его с собой, в результате он остался без дневного сна и очень устал. Но участок хороший и цена...

— Во сколько это было? — перебил Вениамин Сергеевич бойко тараторящую супругу.

Наталья Степановна недоуменно замолчала.

— Часов в одиннадцать. А приехала я уже около трех.

— А Галя?

Жена улыбнулась.

— Наверное, у нее единственной был приятный день. После школы она встретилась с очень приличным мальчиком, он пригласил ее в кафе, и они очень мило провели время. Она хочет привести его и познакомить с нами... Ты меня не слушаешь, Веня?

Прометей расстегнул воротник форменной рубашки. С одиннадцати до двух все члены его семьи находились вне дома и были заняты внезапными делами. И он был очень занят. Все были заняты настолько, что не могли внезапно вернуться в свою квартиру.

— К нам кто-нибудь приходил?

— Нет, — удивленно покачала головой жена. — Правда, меня полдня дома не было... Но Валюша обязательно бы сказала...

Да, консьержка... Она посмотрела точно так же, как адъютант Моисеева. Как будто ей тоже известно больше других.

Вениамин Сергеевич обошел жену и, осматриваясь, пошел по квартире. В первую очередь зашел к себе в кабинет. Все вещи находились на тех же местах, где он их оставил. Никаких следов пребывания посторонних. Но когда негласный обыск производят профессионалы, то следов не остается.

— Наталья, посмотри внимательно, все ли вещи на местах!

— А что случилось?

— Делай, что я тебе сказал! — повысил голос Вениамин Сергеевич, а про себя добавил: «Дура!»

Прометей, крадучись, продолжил обход квартиры. «Надо было оставлять секретные метки: волосок, кусочек бумажки, нитку», — раздраженно попенял он Вениамину Сергеевичу.

«Но если каждый день ставить такие метки в собственной квартире, а потом их проверять, выверяя доли миллиметра и вспоминая, не было ли сквозняка, не трогал ли вещи сын или дочь, или жена, — то можно свихнуться», — возражал Прометею Вениамин Сергеевич.

И он был прав: психическое расстройство — нередкий конец для шпиона. И Прометей тоже был прав. А наметившееся раздвоение сознания подтверждало последний тезис.

Прометей приблизился к телефону и снял трубку с аппарата. Приложил ее к уху и набрал первый попавшийся семизначный номер. Отключился. Снова набрал. Опять отключился. Гудок появлялся с секундным опозданием. Это могло ничего не значить, а могло значить очень многое.

— Все вроде на месте, — сказала Наталья Степановна. — Ложка вроде не так лежит, но, может, я забыла...

Фальков взволнованно ходил из угла в угол.

— Вспомни, внимательно вспомни, к нам никто не приходил в последние дни? Сантехник, телефонный мастер, врач? Или вообще, может, ты замечала что-то подозрительное — на улице возле дома, в подъезде, на этаже...

— Да нет, ничего. А что случилось? — супруга встревожилась не на шутку.

— Ничего, ничего... Ты же знаешь мою работу... Надо быть бдительным!

Фальков достал двадцатикратный бинокль, подошел к окну, слегка отодвинул штору и выглянул на улицу. Сквозь мощные окуляры осмотрел двор. Вроде ничего особенного или необычного... Разве что незнакомый белый микроавтобус рядом с аркой... Неужели это пост наблюдения?! Сволочи! За кем следят?! За ним, за генералом Фальковым? Да чем он это заслужил? Ах, сволочи! Мысли в голове Вениамина Сергеевича перепутались окончательно. Он чувствовал, что нужно искать какой-то выход. Но он выхода не видел.

— Да что с тобой, Веня? — Наталья Степановна смотрела с беспокойством. — Чем ты так озабочен? Что случилось? На тебе лица нет!

Фальков обхватил голову руками и энергично растер пальцами виски. В равной мере все происходящее может быть плодом воспаленного воображения. Комплексом вины. Глубоко запрятанной в подсознание, но угнетающей его вины.

— Ерунда. Обычная бдительность.

Холодный пот струился по лбу и щекам генерала.

— Слышал, какой бдительный, гадюка? — сказал оператор в белом автобусе.

Его напарник молча кивнул.

* * *

БЖРК мчался по необозримой степи. За стальной обшивкой шла своя, скрытая от посторонних глаз жизнь. Почти весь личный состав носил военную форму, только военврач да повара ходили в белых халатах, да внешние охранники периодически надевали штатские костюмы. Внутренний режим и ритм жизни определялись строевым уставом и правилами внутреннего распорядка.

В первом вагоне бойцы охраны неотрывно смотрели в перископы кругового обзора, во втором военврач Булатова тестировала на психологическую устойчивость старшего инженера смены запуска, а повар готовил суп на сегодняшний обед, в третьем, штабном, вагоне подполковник Ефимов диктовал радисту очередную шифротелеграмму в Центр, а майор Сомов вел бесконечный прием личного состава, на который сам же этот личный состав и вызывал.

В четвертом вагоне располагалась группа запуска — мозг боевой части БЖРК. В случае поступления сигнала боевой тревоги командование от начальника поезда подполковника Ефимова переходило к командиру запуска, полковнику Белову. Сейчас начальник смены Евгений Романович Белов, глубоко затягиваясь сигаретой, выпускал дым через лошадиные ноздри в решетку вентиляционной системы, нарушая запрет на курение во время рейса. Но второй, а может, и первый человек в экипаже может себе это позволить. Тем более что сейчас он выполнял ежедневный тест на боеготовность БЖРК, рассчитывая по поступившей из Москвы вводной координаты очередной цели и соответствующую боевую траекторию.

Стучали колеса, лязгали сцепки, раскачивался вагон, но все это было там, снаружи, в другой жизни. Здесь щелкали клавиши клавиатуры, сменялись цифры на голубоватом экране монитора, шло контрольное время. Два оператора пуска напряженно следили за действиями начальника.

— Огонь! — резко скомандовал полковник Белов сам себе и так же резко нажал клавишу «Enter».

Ничего не произошло. Поезд не остановился, гидравлические домкраты не сбросили крышу боевого вагона, не выдвинулась труба направляющего контейнера, не вылетела, окутанная клубами дыма и пламени, похожая на карандаш ракета. Запуск был условным.

Старший оператор запуска — двадцативосьмилетний капитан Петров с острыми внимательными глазами стоял за спиной полковника и внимательно считывал информацию, от старательности шевеля губами. Ему казалось, что закономерная логика цифр в чем-то нарушена. Щелкнула клавиша ввода. До его слуха по-прежнему долетал лишь равномерный стук колес да поскрипывание рессор. Тест закончен. Сейчас на мониторе вспыхнет надпись «Цель поражена». Так было уже много раз и стало вполне привычным. Ему тоже хотелось курить, но делать это следовало тайком, и он медленно стал отходить к двери. Дежурному оператору было двадцать пять лет, он сидел сбоку, на жестком откидном сиденье, ему осточертели постоянные расчеты, и он только из вежливости делал вид, что наблюдает за происходящим.

Сам полковник, завершив тест, притушил сигарету, сунул окурок в наполовину пустую пачку и откинулся на спинку кресла, прикрыв руками утомленные мерцающим светом экрана глаза. Когда он оторвал пальцы от век, на экране горела надпись, расположенная в ярко-красном прямоугольнике: «Цель не поражена!»

Что за черт! Полковник протер глаза еще раз, но проклятое «НЕ» осталось на месте. Он оглянулся. Похоже, операторы ничего не заметили.

— Десять минут перерыв, — чужим голосом произнес командир пуска. — Потом дежурному оператору занять свое место, остальным отдыхать!

Сзади раздалась возня, приглушенный выкрик, прокатилась на роликах и с лязгом захлопнулась дверь, по коридору послышался топот ног. Так вырываются на перемену засидевшиеся школьники.

В другое время Белов послал бы им вслед приличествующий случаю окрик, но сейчас не обратил на недопустимое ребячество никакого внимания. Он был похож на неподвижное каменное изваяние, причем в камень его превратила эта нестандартная надпись, недопустимая на боевом мониторе. Она гипнотизировала и парализовала, он не мог двинуть ни рукой, ни ногой, даже мысли текли медленно и оцепенело. Но когда в этот вязкий поток попала фамилия Сомов, начальник смены встрепенулся. Особист имел обыкновение появляться за спиной в самый неподходящий момент, тем более что ему разрешалось совать свой нос всюду. Полковник быстро очистил экран и даже перезагрузил компьютер.

БЖРК несся вперед. На карте Генерального штаба и на картах Уполномоченных в регионах его местоположение отмечалось с точностью, которую позволял масштаб карты.

Это было стратегическое оружие страны, в которое вложен труд тысяч людей: конструкторов, физиков-ядерщиков, инженеров, рабочих... В него вложены огромные деньги, человеческие и технические ресурсы, новейшие технологии, государственные секреты... И все ради того, чтобы надпись «Цель не поражена» никогда не появлялась на экране боевого компьютера.

Евгений Романович Белов был человеком старой закалки и, как все люди того поколения, уже не молодым. Несколько месяцев назад он переступил пятидесятипятилетний рубеж — предельный возраст службы для полковника. Конечно, он находился в отличной физической форме, спасибо папе с мамой и хорошей генетической базе. Но это не имело никакого значения. Достиг пятидесяти пяти — добро пожаловать на пенсию. Без надбавок, без дополнительных льгот, без обязательной санаторной путевки на двоих с женой каждый год... Пенсия составит около четырех тысяч рублей, если переехать из гарнизона в большой город, то еле-еле сведешь концы с концами... Да и кто его ждет в том городе?

Белов боялся пенсии. И четко понимал: держат его только до тех пор, пока не найдут замену. А отыскать кандидата очень и очень непросто, дело может затянуться на годы. Кандидат должен быть надежным, проверенным, физически здоровым, крепким, а главное — хорошим расчетчиком, знатоком баллистики, чувствующим ракету и обладающим тонкой интуицией. Поди отыщи такого!

Но пока кандидата ищут, надо самому не давать повода! А промах на ежедневном тестировании — как раз такой повод. Одно дело — найти замену безупречному начальнику смены. И совсем другое — вышедшему в тираж старику, который допустил промах! Его может заменить любой — хуже не будет!

«Акела промахнулся!» — вспомнил Белов ставшую знаменитой фразу.

Что же делать? Что делать?!

Результаты контрольного тестирования в течение часа необходимо передать в Москву. И самыми уважительными причинами объяснить, почему ты загубил ракету ценой в несколько миллиардов рублей, не удастся. Не скажешь ведь: «Я сильно устал и по рассеянности ввел ошибочный параметр...»

Белов отодвинул кресло и поднялся во весь свой немалый рост. Худощавое, бледное от природы лицо полковника с узким тонким носом и глубоко запавшими круглыми глазами отражало напряженную работу мысли.

По существу, БЖРК — это единственное, что у него есть. И просто так он его не отдаст! Белов напрягся, вырываясь из лап подступающей депрессии.

Результаты теста необходимо направить в Центр в течение часа, и время его начала уже зафиксировано. Но он вдвое перекрывает норматив. И вполне может успешно повторить тест, отправив в Москву положительный результат. А распечатку по первой, неудачной пробе отправить не в Центр, а в бумагорезательную машинку! Конечно, не исключено, что компьютерная система автоматически направляет отчет по проваленному тесту... Но кто не рискует, тот не выигрывает!

В отсек вошел дежурный оператор.

— Разрешите заступить на дежурство, товарищ полковник? — как положено обратился он, деликатно намекая, чтобы командир освободил кресло.

— Отставить! Зови Петрова, — приказал начальник смены.

— Вы же скомандовали отдыхать... — растерянно промямлил тот.

— Зови его сюда. Я покажу вам усложненный вариант задачи.

В течение следующих двадцати минут Белов виртуозно отработал задание, и, хотя с тревогой ждал результата, на экране появилось обычное: «Цель поражена». Он перевел дух. Кажется, обошлось. Распечатку первого запуска полковник лично запустил в узкую щель устройства для уничтожения секретных документов. Раздался негромкий гул, и в поддон высыпалась бумажная труха. Но избавиться от бумаги, зафиксировавшей твою ошибку, гораздо легче, чем от самой ошибки. Ибо в серьезных случаях ошибки фиксируются не только на бумаге, но и в дублирующих системах накопления информации, в памяти людей, наконец!

На следующий день капитан Петров по своей инициативе посетил купе-кабинет майора Сомова.

* * *

Близнецы просматривали видеозапись в режиме реального времени. Днем приходили только сотрудники и обслуживающий персонал, поэтому пленку можно было перематывать, с семнадцати часов — с момента открытия — поток посетителей был достаточно редким, но уже к восемнадцати уплотнился. Кого здесь только не было! Элитные проститутки Москвы, начинающие профессионалки, любительницы, пришедшие на разовую подработку, известные артисты, бизнесмены, политики, бандиты, в том числе находящиеся в розыске. Но капитанов интересовали шпионы.

— Вот он, гадюка, — Малков остановил кадр и скопировал лицо Фалькова. Ломов поморщился. То, что изменник здесь был, они и так знали из рапорта наблюдателей. А вот с кем он встречался... За вечер в «Ночном прыжке» побывали пятьдесят мужчин.

— Давай отсеем заведомо неподходящих, — предложил Влад.

— Давай. А кто заведомо неподходящий? — спросил Толик. Напарник задумался.

— М-да, действительно...

Связником шпиона мог быть любой. И народный артист, и депутат, и бандит.

— Ты знаешь, его контакт наверняка пришел раньше Фалькова. Из вежливости. Чтобы не заставлять ждать генерала.

— Пожалуй...

Раньше изменника пришли только восемь мужчин. Потом стали отслеживать, кто из них когда вышел. До момента обнаружения трупа Марины вышли пятеро фигурантов. Трое с девушками, что вполне вытекало из стандартных целей визита в «Ночной прыжок», а двое, пришедшие вместе, выходили по одному и без девушек!

— Ну-ка, давай их крупным планом...

На экране укрупнился вальяжный господин в даже на вид дорогом костюме. Из обращающих на себя примет можно было выделить острый вытянутый подбородок, широкий лоб, тонкие, стянутые в ниточку губы.

— На мертвеца похож, — сказал Влад.

— Почему на мертвеца?

— Не знаю. Только похож.

— Этот ушел за полчаса до обнаружения трупа. Когда он уходил, Марина наверняка была жива. Давай второго.

Второй был гораздо моложе и спортивнее. Коротко стриженный парень с большой бугристой головой, узким скошенным лбом, массивным подбородком и злыми глазами.

— По теории Ломброзо это прирожденный убийца, — Влад ткнул пальцем в экран.

— Да. Если первый больше похож на связника шпиона, то

этот скорей исполнитель мокрых дел... Думаю, в МУРе его легко опознают.

Капитан Малков встал. В этом розыске он был старшим.

— Я поеду в «Ночной прыжок», а ты сгоняй в МУР. Встречаемся через два часа.

Через два часа картина прояснилась. Официантки ночного бара опознали Фалькова и вальяжного господина с острым подбородком как товарищей, оживленно говоривших между собой и не обращавших внимания на девочек. Посидели недолго, Фальков ушел первым, его спутник минут через десять. Девушка в черно-белом прикиде еще оставалась за столиком. Потом к ней подсел стриженый, они коротко переговорили. Потом ушла девушка, почти сразу за ней — большеголовый.

В МУРе фигурантов тоже опознали сразу — ими оказались скандальный журналист Василий Иванович Слепницкий по прозвищу Курт и его телохранитель Федор Петрович Кузин, ранее судимый за вымогательство, грабежи и известный в криминальном мире под кличкой Череп.

— Опасный тип, сейчас он собрал свою бригаду, и ожидать от него можно чего угодно, — сказал оперативник уголовного розыска, глядя на фотографию Черепа.

Когда результаты расследования доложили Смартову, тот решил, что Фалькова пора арестовывать. Мезенцев с таким решением согласился.

* * *

— Суетится, засранец, — с недоброй усмешкой произнес Анатолий Ломов, лениво поглядывая на улицу сквозь зеркальное, односторонней прозрачности стекло мобильного наблюдательного пункта. — То звонит неизвестно куда, то в бинокль чего-то высматривает... Опасается, паскуда. Совесть-то у него нечиста...

— Еще бы, своих продает, сука, — откликнулся с соседнего сиденья его напарник Владислав Малков. — К тому же он не вчера родился. Должен понимать, что к чему. Да они и чувствуют всегда, когда трандец подкрадывается. Вон, Гордиевский сумел даже «наружку» обмануть и за кордон уйти.

— Это редкий случай. Надо сказать, англичане молодцы, свои обязательства выполнили, вывезли его на дипломатической машине в Финляндию. Как думаешь, наши бы так сделали? Рискнули шкурой ради агента?

— Не знаю. Все ведь от конкретного человека зависит. Я бы рискнул.

— Я тоже. Своих поддерживать надо. И квитаться за них. Только тогда у нас сила будет. И авторитет во всем мире, как в былые годы, когда предателей на краю земли находили...

— Я с ним, гадом, за Маринку поквитаюсь, — процедил Влад. — Если только даст повод, хоть чуть-чуть дернется — я ему заеду в солнечное от души! Нокаут гарантирую! А этих двоих тоже растопчу!

— Ладно, хватит, развоевался, — Ломов кивнул в сторону оператора, делающего вид, что полностью поглощен аудиоконтролем и ничего не слышит. — Только я одного не пойму: если этот гад просек, что мы его под колпак взяли, то чего сидит и ждет? Почему в бега не ушел?

Этот вопрос задавал себе и сам Фальков. Почувствовав, что кольцо сжимается, он выехал в Измайловский парк и с переданного Куртом «Сименса» позвонил Бицжеральду.

— Я нахожусь в положении один. Мне нужна помощь.

«Положение один» означало крайнюю опасность, потому что следующее «положение ноль» означало арест. Однако из такого положения еще ни один агент не звонил своим хозяевам.

Бицжеральд помолчал. Это означало, что он хотел спросить что-нибудь типа «Вы уверены?» или еще какую-нибудь подобную глупость. Но военный атташе не имеет права задавать глупые и бессмысленные вопросы. Поэтому он молчал. Когда агент находится в «положении один», то единственная помощь, на которую он рассчитывает, — это эксфильтрация из страны. Сложная и довольно рискованная операция, в которой шансы на успех примерно один к четырем.

— У меня нет никаких оснований полагать, что это действительно так, — наконец сказал он. — С нашей стороны поводы к этому отсутствуют полностью. Возможно, вы переутомились. Может быть, возьмете отпуск?

Теперь молчал Фальков. Он понял, что операция по его спасению проводиться не будет. Страна, на которую он работал, не станет противостоять стране, против которой он работал. Когда борются два гиганта, неизвестно, кто возьмет верх. Но когда один гигант отойдет в сторону, оставив прирученного лилипута разбираться с другим, то исход такого противостояния очевиден.

Он не испытывал ненависти к Генри Бицжеральду. Деловые отношения хороши тогда, когда приносят взаимную выгоду. И плохи, когда могут принести неприятности. Хотя самое большее, что грозит дипломату, — это высылка из страны пребывания.

Фальков посмотрел на крохотный телефончик. Он не стал волшебной палочкой спасения. Хотя Курт передавал его с такой значительностью, как будто это спасательный круг на все случаи жизни. Он вспомнил змеиную улыбку, барственную снисходительность, вальяжный голос... Вот кого он ненавидел до глубины души.

— Если я окажусь в «положении ноль», то виноватым в этом будет Курт, — сказал он. — Прощайте.

Сдвинув половинки «Сименса», он с размаху забросил его в небольшой, затянутый ряской пруд. Его совершенно не беспокоило, что возможные наблюдатели могут зафиксировать этот жест и телефон достанут. Если преследование — плод его воспаленного воображения, значит, никто ничего не увидит. Если нет, то телефон — не самая большая улика. Правда, он не знал, какими уликами располагает контрразведка.

На следующий день генерал Фальков попросился в давно запланированную командировку, но нарвался на отказ — мол, нет денег. Попробовал получить пистолет — и снова отказ — мол, сейчас идет инвентаризация оружия... Все стало ясно. Кроме одного: что делать? Он не видел наблюдателей, хотя кожей чувствовал чужие недоброжелательные взгляды. Наверное, если постараться, то можно от них оторваться. Но что дальше? Без поддержки, без документов, без явок... Куда он денется...

Прометей сидел у себя дома и допивал бутылку коньяка. Проклятый БЖРК! Да будь он проклят! На нем получился прокол, ведь до этого столько лет все проходило гладко! Будь проклята его армейская служба, которая на протяжении всей жизни не принесла ничего хорошего! Одну головную боль! Будь прокляты эти сволочи, что раскусили его двойную игру и теперь ведут тотальную слежку, загоняя его в угол! Будь проклят и Курт, и Бицжеральд, и все, кто стоит за его спиной...

Время от времени он поднимал трубку то одного, то другого телефона, звонил по несуществующим номерам, подходил к окну и, прячась за шторой, разглядывал в бинокль двор, где так и стоял подозрительный белый фургон. В правой части двора, у заднего входа в продуктовый магазин толклась троица алкашей в замусоленных жеваных футболках и тренировочных штанах с оттянутыми коленками, отчего создавалось комичное впечатление, будто мужики стоят на полусогнутых ногах. Вениамин Сергеевич только мазнул по ним взглядом и повел окуляры дальше. Алкаши вроде вполне натуральные, одного он, кажется, видел и прежде. Хотя кто знает... В том спектакле, в котором он сейчас играет, нет ничего определенного, все зыбкое и двусмысленное.

Он поднял бинокль и стал всматриваться в миллионы огней ночной Москвы. Это было прекрасное и успокаивающее зрелище, если бы можно было раствориться в нем, навсегда забыв о совершенных ошибках...

Вдруг в дверь постучали. Не позвонили, а именно постучали. Невероятно! Никто в столь позднее время не стучит в генеральские двери, да никто и не может пройти мимо консьержки, которая всегда предупреждает о визитере! Это могут быть только **они**!

— Подойди к двери! — крикнул он жене.

— Почему я? Есть же мужчина в доме, — Наталья Степановна оторвалась от телевизора, по которому говорили о каком-то убийстве.

— Подойди!!!

Взглянув на ужасное лицо мужа, Наталья Степановна уронила на пол очки и шаркающей старушечьей походкой двинулась к двери.

На экране телевизора показывали черно-белый кафель туалета бара «Ночной прыжок» и распластанное на нем красивое женское тело в черно-белой одежде. Прометей понял, что это убийство как-то связано с ним и люди, которые стучат в дверь, пришли и из-за него тоже!

— Кто здесь? — дрожащим голосом спросила Наталья Степановна. Она тоже поняла, что происходит нечто ужасное, выходящее за рамки привычной жизни.

— Водопроводчик, — раздался строгий молодой голос. — Вы заливаете соседей. Откройте, пожалуйста, дверь!

— Но мы... Мы никого не заливаем, — растерянно сказала Наталья Степановна и, оглянувшись на мужа, в голос заплакала.

— Что вам надо?! — приступ гнева бросил генерала Фалькова к двери. — Немедленно убирайтесь!

— Гражданин Фальков, вы знаете, кто мы и что нам надо, — раздался столь же строгий голос постарше. — Немедленно откройте, иначе мы взломаем дверь! У нас есть санкция на обыск!

Непривычное обращение «гражданин» резануло душу больше, чем упоминание об обыске. Бывший генерал сник.

— Что? Какой обыск? — Наталья Степановна заливалась слезами и в отчаянии кусала пальцы. — Веня, ну сделай же что-нибудь!

Фальков стоял, как бетонный столб. В голове крутились обрывки горячечных мыслей. Хорошо, что нет Галочки и спит

Сережа... Как бы они его не разбудили... Если бы можно было отмотать ленту жизни назад и начать все заново: выдать замуж Галину, вырастить Серегу, продвинуть Андрея... Но жизнь, как и БЖРК, никогда не дает обратный ход.

В дверь ударили кувалды, рама покачнулась, посыпалась штукатурка. Удар, удар, еще удар! Да что же вы делаете... Ведь ребенок спит... Еще удар, еще... Один угол двери оторвался от стены, сейчас она рухнет...

— Наташа, отойди, ударит! — истошно закричал Фальков, бросаясь к себе в кабинет. Он убегал от падающей двери, от жестких безжалостных рук группы захвата, от позора...

Раздался страшный грохот, вываливая железными штырями кирпичи, стальная дверь провалилась в прихожую, по ней сквозь клубы пыли пробежали три человека в бронированных, с узкими смотровыми щелями, шлемах, в тяжелых жилетах, с толстыми щитами и короткими автоматами в руках. Следом ворвались штатские: два огромных атлетических блондина и несколько человек обычных габаритов. Но все они опоздали.

Прометей ворвался в кабинет, пробежал его насквозь и всем своим грузным телом ударил в высокое хрупкое стекло, проломил его и, в ореоле осколков, вылетел в прозрачный прохладный воздух ночной Москвы, взлетел над прекрасным ночным пейзажем, ценой в десять тысяч ничего не стоящих долларов, но продолжать полет не смог, потому что это удел ангелов, а не бесов. Кувыркаясь, он падал вниз, беспомощно развевались полы халата, как у тряпичной куклы болтались руки и ноги, но это продолжалось недолго, всего несколько секунд, после чего тело бывшего генерала смачно врезалось в землю.

Глава 3

ЗАЧИСТКА

В резидентуре ЦРУ в посольстве США в Москве царило траурное настроение. В программе новостей одной из главных сенсаций прозвучало известие о самоубийстве высокопоставленного сотрудника Генштаба, генерал-майора Вениамина Сергеевича Фалькова. Бицжеральд почувствовал, как все поплыло у него перед глазами. Значит, все-таки это никакая не мнительность агента и не нервное расстройство, а настоящий провал!

Ведущая программы — красивая женщина с пикантной короткой стрижкой и пухлыми губами сказала, что самоубийство произошло на бытовой почве, кроме того, рассматривается и версия несчастного случая. Долгим крупным планом показали самого Прометея, лежащего сломанной куклой на залитом кровью асфальте.

Еще семь лет назад информация о смерти шпиона никогда бы не стала достоянием гласности, и контрразведка могла использовать эту тайну в своих целях. Например, от имени покойного вести какую-то игру с резидентурой. Скажем, выманить самого Бицжеральда или кого-нибудь из сотрудников на «моменталку» или контейнерную операцию и захватить их с поличным. А поскольку последствия захвата заранее предусмотреть трудно, то и Бицжеральд мог лежать на земле в луже собственной крови... Бр-р-р! Его передернуло. При такой профессии это вполне реальный вариант.

Хорошо, что в России журналисты так усердно делают свою работу, что предупреждают иностранных разведчиков об опасности и срывают козни ФСБ! Они называют это «свободой печати», но даже в Штатах, где свобода печати возведена в абсолют и является одним из главных столпов американской демократии, самые влиятельные газеты и телеканалы не стали бы в ущерб ФБР подыгрывать шпионам!

Заперевшись в кабинете, Бицжеральд взвесил все последствия происшедшего. Утрачен многолетний источник информации, особенно важный сейчас, когда Центр интересуется «Мобильным скорпионом». Печально, конечно, но ничего особо страшного не произошло. В ЦРУ, кроме него — Генри Ли Бицжеральда, есть техническая разведка, есть нелегальная сеть агентуры, есть специальные офицеры, способные прибыть на место и добывать информацию гораздо эффективнее, чем посольская резидентура... А вот у самого Бицжеральда есть только он один! И ему крайне нежелательны те неприятные последствия, которые могут возникнуть! Много лет контакты между покойным Прометеем и резидентурой поддерживал Курт. Отработка связей шпиона неизбежно приведет к нему. А он укажет на военного атташе. Если уже не указал: ведь в последнем звонке Фальков прямо обвинил Курта в возможном провале! Да-а-а... Конечно, «холодная война» закончилась и «острые акции» вроде бы не приветствуются, однако что делать, если без них не обойтись?

* * *

Размашистым шагом господин Слепницкий спустился вниз по мраморной лестнице, почти обогнав бесшумный лифт с прозрачными стенками. В просторном и комфортабельном холле «Мариотт Гранд отеля» тихо и проникновенно звучала живая музыка: пианистка в белом бальном платье и скрипач во фраке вкладывали в игру не только мастерство, но и душу. Толстый ворсистый ковер гасил шаги, респектабельная публика в холле разговаривала тихо и уважительно, вышколенные швейцары и секьюрити зорко смотрели: не надо ли кому-то помочь.

Курт хотел зайти в «Самобранку», съесть великолепное карпаччо из говядины, каких не делают даже в Европе, запить рюмкой хорошей водки, отмечая начало нового делового дня, но времени было не очень много, и он ограничился чашкой кофе в лобби-баре. Он прожил здесь уже пять дней, без предварительного заказа номер обходился в триста долларов за сутки, прижимистому Курту это не нравилось. Но домой идти нельзя, туда приходила милиция, и, хотя объяснений этому могло быть тысяча и одно, он исходил из одного — самого худшего: девушка в «Ночном прыжке»! Эта скотина Федька сработал очень грубо, и неудивительно, если он засветился...

Свой телефон Курт сразу же выбросил, чтобы не смогли запеленговать, а себе купил два новых, один использовал для разговора с Бицжеральдом, после чего тоже выбросил, а второй оставил себе.

Этот долбаный американец явно чем-то недоволен, это чувствовалось по голосу. Все расспрашивал, что сказал этот долбаный генерал, дословно! Ну, ничего, обойдется... Они нужны друг другу, а значит, любое недовольство надо засунуть в задницу. Через час у них встреча, и, скорей всего, разговор пойдет о том, что делать с Федькой. А что делать... Федьку надо спускать, хотя от него было немало пользы. Вот только подобрать исполнителей будет трудновато: в Москве его хорошо знают, значит, чтобы не засветиться, надо привозить кого-то из провинции. А то можно так нарваться, что тебя самого спустят...

Допив кофе и оставив на столике триста рублей, Курт направился к выходу. Швейцар с поклоном сказал «До свидания», оборудованные фотоэлементом стеклянные двери плавно разъехались в стороны, выпуская его на загазованную Тверскую. Жарко, воздух плывет, размягчается асфальт, ни ветерка. Он протискивался сквозь дрожащее марево, и вдруг все вокруг замерло, как в стоп-кадре. Предчувствие чего-то ужасного почти парализовало его, превратив в соляную статую. В стоящей возле отеля красной «Мазде» плавно поехало вниз тонированное стекло, и это было как-то связано с тем, что должно произойти. Зачем этот долбаный американка так выпытывал подробности разговора с генералом? Ведь они скоро встретят-

излучение ракетной боеголовки успешно гасилось стенками контейнера и свинцовой крышей боевого вагона.

«Плутон» добросовестно выполнял новую программу, но БЖРК оставался невидимым. И, лишь зависая над океанскими просторами, разведывательный спутник брал реванш, точно распознавая местонахождение каждой из бороздящих водную толщу атомных субмарин.

Начальник технического сектора русского отдела ЦРУ Дэвид Барнс получил задание найти другой способ, чтобы «высветить» «Мобильного скорпиона».

* * *

— Возьмите, наденьте, — майор милиции Клевец открыл багажник черного «БМВ» и протянул Близнецам по кевларовому пулезащитному жилету «Кора» самого большого размера. Сделал он это вполне обыденно и буднично, как будто предложил закурить. Сам он уже надел мягкий джемперок из скользкой ткани себе под рубашку, так что полоска защитного цвета выглядывала в распахнутом вороте светлой шведки, а сердце закрывала квадратная титановая пластина толщиной в два миллиметра.

— Думаешь, пригодится? — спросил Влад Малков, отстраняя его руку. — Почему бы тогда не послать впереди нас спецназ?

— Я не знаю, где сейчас Череп, — терпеливо пояснил Клевец. По габаритам и богатырскому телосложению он не уступал Близнецам: огромный мужик с ногами сорок пятого размера и пудовыми кулачищами. — Мы пойдем его искать, а значит, переворошим с десяток адресов. Очень специфических адресов! Нельзя заранее угадать, как нас там встретят. Направлять в каждый спецназ — тоже нельзя: если повезет, все обойдется без шума и пыли. А эти ребята, вы же знаете, не разбираются. Если их пустили — сметают все на своем пути! Представляешь: десять штурмов за день...

— Ну ладно, — согласился Малков, но «Кору» не взял. — Мы уже поддели. Японские.

Его напарник капитан Ломов переложил коричневый «дипломат» в левую руку и расстегнул пуговицу на рубашке. Под ней открылась черная ячеистая ткань.

Клевец бросил «Коры» обратно в черное чрево вместительного багажника и захлопнул крышку.

— Тогда поехали!

Он сел за руль и привычно установил над дверью синий проблесковый маячок.

— Это ты был в «Ночном прыжке»? — поинтересовался Малков. — Я эту тачку там видел.

— Тачка дежурная, разъездная, из конфиската. Но в «Ночном прыжке» был именно я. И к «Мариотту» на убийство я выезжал. Там же наши клиенты работали, по почерку видно. Только непонятно...

Клевец быстро набрал скорость.

— Непонятно, чего вы лезете в это дело? Убийство — подследственность прокуратуры. Оперативное обеспечение ведем мы. Даже если у вас там есть свой интерес, чего дергаться? Дождитесь, пока этот пес окажется в камере, и работайте с ним в свое удовольствие...

Майор говорил тихо, почти не размыкая губ, только с правой стороны рот чуть-чуть приоткрывался. Севшему рядом Малкову казалось, что опер РУБОП чревовещает.

— Ан нет, вы сами в пекло лезете, даже защиту надели, приготовились к выстрелам... Странно все это!

Малков положил огромную ладонь на крепкое колено оперативника.

— А если тут личный интерес? Если вопрос чести? Тогда как, стоит под пули идти?

Клевец на миг оторвал взгляд от дороги и с уважением посмотрел на фээсбэшника.

— Тогда стоит!

И, закрыв предыдущий вопрос, задал новый:

— Откуда у тебя шрам? Похоже, осколочный. В Чечне получил или здесь?

Малков поежился, втягивая голову в плечи, будто хотел скрыть отметину воротником рубашки.

— Там.

Стало ясно, что происхождение шрама он обсуждать не хочет. Клевец это понял и перешел на нейтральную тему.

— А эти японские штучки, они тоже первого класса?

— Нет, второго. Держат пулю «ПМ», ножи, заточки...

— Это хорошо. А мой от штык-ножа защитит, а любой стилет проколет его свободно. И «ТТ» прошибет. Но «ПМ» держит.

— Не советую тебе в нем и под «ПМ» попадать, — сказал сидящий сзади Ломов. — Заброневой удар и ребра поломает, и печень разорвет.

— Тогда пойдешь первым, — усмехнулся майор. — Мы уже приехали.

Они вошли в старый дворик на Садово-Самотечной, Клевец указал пальцем на дверь в глубине.

— Окно с другой стороны. Кто-то должен обойти дом и ждать там. И приготовьте оружие, на всякий случай...

— Давай я пойду, — вызвался Анатолий и быстро выбежал на улицу.

Подождав несколько минут, Клевец и Малков подошли к двери и постучали. Никто не подавал признаков жизни. Клевец загрохотал кулаком в голое железо. Снова никакого эффекта.

— Открывай, сука! — послышался изнутри знакомый голос. Щелкнули замки. На пороге стоял щуплый длинноволосый парень, дрожащий крупной дрожью. За шиворот его держал невозмутимый Ломов.

Они вошли внутрь. Большая, почти пустая комната, огромный диван, заваленный какими-то вещами, накрытый потертой клеенкой стол, раскрытое настежь окно...

— Черепа когда видел? — спросил Клевец, словно продолжая давно начатый и с полным пониманием принимаемый обеими сторонами разговор. При этом он поднял растопыренную ладонь, будто хотел поправить прическу, но рука остановилась на полпути.

— Черепа? — казалось, что парень хочет вообще отказаться от знакомства с разыскиваемым и только зависшая в воздухе огромная ладонь мешает ему это сделать. — Вчера, — волосатый облизнул губы. Похоже, что ответил он честно.

— Молодец, — похвалил Клевец. — Видно, ты человек не совсем пропащий. Надо только наркоту забросить — и все у тебя будет нормально.

— Да я уже давно не ширяюсь, только на «колесах» иногда катаюсь...

— Ша! — Ладонь чуть шевельнулась. — С кем он был?

— Один... Но с волыной!

— Это понятно, он всегда с волыной. Только она ему не поможет, — Клевец все же пригладил волосы, но руку не опустил. — Ему теперь ничто не поможет, так что ты не бойся. Говори все, что знаешь. Где его сегодня искать?

— Откуда я знаю...

Ладонь резко опустилась на бледное крысиное личико. Волосатый, опрокидываясь, улетел к стене. Раздался сильный удар, будто мешок костей сбросили с высоты. Бесформенным кулем тело сползло на пол. Похоже, нокаут.

Клевец подошел к столу, поднял скатерть и собрал с обожженной столешницы несколько бумажных квадратиков.

— Молодец, Спица, законы знаешь! До десяти разовых доз! Раньше бы присел на пять лет, а теперь только административная ответственность! Скажи спасибо депутатам...

Он прошел в туалет и высыпал наркотики в унитаз. Спица приоткрыл один глаз и завыл.

— До свиданья, через часок загляну, — задержавшись у порога, сказал Клевец. — Если сбегаешь позвонить — шкуру спущу.

За четыре часа они побывали в трех адресах, и результаты визитов были почти одинаковыми. Подъезжая к четвертому, Клевец вдруг резко затормозил и, приоткрыв дверцу, снял с крыши синий маяк. Близнецы поняли: что-то произошло!

— Вот его тачка!

У новомодного высотного дома из желтого кирпича, не очень выделяясь среди запаркованных рядом шикарных автомобилей, стоял серебристый «Мерседес» S-класса. На него и указывал майор.

— Неплохо у вас бандюки живут! — сказал Малков.

— У вас шпионы не хуже, — озабоченно процедил Клевец.

— А когда мы его упакуем, тачка вам отойдет? По конфискату? — продолжал подначивать милиционера Малков. Но тот не был расположен к шуткам.

— Значит, так, у него всегда «ствол» в кармане, может, два, а может, и граната, — быстрой скороговоркой начал инструктаж майор. — С ним может быть и Хомяк — тот, что у «Мариотта» стрелял. Он тоже отмороженный. Обоим терять нечего. Федька рукопашник, боец отменный и имеет привычку шмалять прямо из кармана. Так что держитесь!

— Да мы приготовились...

Ломов открыл коричневый «дипломат» и передал напарнику короткий пистолет-пулемет «Кипарис». Себе достал такой же и светошумовую гранату «Гром и Молния».

— Да вы что, ребята?! — изумился Клевец. — Вы тут бой собираетесь вести? В этом доме знаете, кто живет? А ну, пуля в окно отскочит? Или тачки стотысячные покрошите? Не, я на это дело не подписываюсь...

Он щелкнул тумблером спрятанной под панелью рации.

— Это Клевец. Я в шестом квадрате Юго-Западного округа. Стою у машины Черепа. Нужна силовая поддержка. Срочно!

— Ну, раз так...

Малков тоже извлек телефон и передал аналогичное сообщение.

— А если зайти в дом и взять его прямо в квартире? — спросил Ломов.

— Нас туда не пустят, — буднично ответил Клевец. — Там

частная охрана, видеокамеры... Будем ждать подмоги. Это так-
тически правильное решение.

— А нас везде пускают, — похвастал Ломов. — Недавно в
высотке на Фрунзенской одного гада брали...

Под взглядом напарника он осекся и замолчал. Клевец
оживился.

— Так это у вас генерал в окно выскочил?

— У вас, у нас... У нас никто не выскакивал, — нахмурился
Малков. За неудачное задержание они с Толяном получили по
строгому выговору. — Ты лучше скажи: ваши сколько будут
ехать?

Клевец пожал плечами.

— Сейчас везде пробки. Часа полтора в лучшем случае.
А ваши?

— Столько же...

В это время из подъезда желтого дома вышел плотный приземистый человек с непропорционально большой, коротко
стриженной головой. Несмотря на жару, он был в пиджаке и
держал руки в карманах.

— Вот он, Череп! — выдохнул Клевец. Близнецы тоже узнали его по фотографии. Только вживую Федор Кузин выглядел
куда более грозно.

Следом шел небольшого роста парень с круглым лицом,
оттопыренными ушами и пухлыми щеками. Он тоже держал
руки в карманах.

— Хомяк! — прокомментировал Клевец.

Череп и Хомяк шли к «Мерседесу-S», но из подъезда вышли еще двое мужчин в костюмах, белых сорочках и галстуках.
Они двигались следом.

— А это кто? — спросил Влад.

— Понятия не имею, — напряженно отозвался Клевец и
вновь взялся за рацию.

— Обстановка осложняется, их четверо! — быстро сказал
он в маленькую, сплюснутую с одной стороны трубку. — Череп, Хомяк и двое неизвестных. Когда будет поддержка?

Невидимый собеседник что-то объяснял, и, судя по лицу
майора, это объяснение ему очень не нравилось.

— Как на выезде?! Ну и что, что не заказывал, откуда я
знал, что так получится?! Что мне теперь, их бросать?! Вот и я
не знаю! — он с силой воткнул трубку на место. — Долбачи! Силовая поддержка не заказана... Резерв должен быть!

Тем временем вся четверка погрузилась в «Мерседес», причем Череп сел за руль, Хомяк — рядом, а неизвестные заняли

места сзади. Машина тронулась. Отпустив ее метров на сто, Клевец двинулся следом. Между ними и «Мерседесом» шли «Жигули», «Опель Кадет» и «Газель». На несколько минут маскировка обеспечена. Но только на несколько.

— Сейчас они нас срисуют и начнут уходить, — сказал Клевец. — Прозвони своим, узнай...

Малков соединился с Управлением ФСБ.

— Группа захвата выехала в указанный район. Расчетное время прибытия — сорок минут, — четко сообщил дежурный.

— Обстановка изменилась, — сказал капитан. — Мы преследуем фигурантов розыска, они движутся в сторону центра. Автомобиль «Мерседес», серебристого цвета, госномер... Меняйте маршрут и выходите на перехват!

— Попробуем, — неуверенно сказал дежурный.

— Короче, придется обходиться своими силами, — скрипнул зубами Клевец. — Вот так всегда. Никому ничего не нужно. Я иногда думаю, а мне что, больше всех надо? Или вам? Может, я сейчас приторможу и поедем потихоньку в одно чудное место, пивка попьем на свежем воздухе... А потом вернемся и доложимся: так, мол, и так, гонялись за ними по всей Москве, но они, гады, оторвались!

— Да, хорошо бы, — сказал Малков. — Давай, сократи дистанцию. Там, впереди, пустырь, поравняемся, я в них прицелюсь... Не остановятся, прострелю колесо...

— Не годится, — отозвался Клевец. — Ты колесо прострелишь, а Федька тебе голову. Или мне. Или ему.

— Мне не надо! — отказался Ломов. — Лучше давайте их сразу положим!

— Да как... Если б они вдвоем, а их четверо... Тех мы не знаем...

— Рожи у них тоже бандитские...

— Ну что ж, если б за рожи убивали, в госструктурах знаешь, сколько б вакансий было?

— Хватит трепаться! — рявкнул Малков. — Нагоняем у пустыря, тараним и всех захватываем! Кто дернулся — пулю!

Клевец усмехнулся краем рта.

— Идея мне нравится! Если бы еще не мою тачку бить! — опустив стекло, он опять поставил маячок на крышу.

Малков отмахнулся.

— Она все равно не твоя, а казенная! И потом, аккуратно прижмешь, только крыло помнешь...

«Мерседес», словно заподозрив неладное, стал резко набирать скорость.

— Э-э-э, ладно... Пристегнитесь! — Клевец перехватил туловище ремнем и вдавил педаль газа. «БМВ» прыгнул вперед. Это очень скоростная машина, именно за это ее так любили бандиты времен дикого передела. Клевец включил сирену и маяк. Машины на полосе шарахались к обочине. Они обошли одни «Жигули», вторые, обогнали «Газель». Расстояние сокращалось. Маски были сброшены.

— «Мерседес» госномер... остановитесь! — приказал Клевец в громкоговорящее устройство. Усиленный мощным динамиком голос загрохотал над шоссе.

Малков и Ломов опустили стекла и выставили наружу «стволы» «Кипарисов». Ветер со свистом врывался в комфортабельный уютный салон. Правда, сейчас сидящие в нем оперативники не ощущали ни комфорта, ни уюта.

— Федор Кузин, остановитесь! — грохотало над дорогой. — Остановитесь, иначе будем стрелять!

Это было чисто психологическое воздействие. Каждому было ясно, что Череп не остановится.

— Давайте я в них гранату брошу! — азартно предложил Ломов, потряхивая в руке дырчатый шар «Грома и Молнии».

— А правильно! Это лучше, чем таранить! — согласился Малков и повернулся к Клевцу. — Обходи их, обходи!

— Сделаю! — водитель припал к рулю и слился с машиной в единое целое. — Осторожней, как сравняемся, они начнут!

«БМВ» несся со скоростью двести километров в час. Ярко горящие фары, мигающий синим маячок, ревущая сирена освобождали середину шоссе — весь транспорт, и встречный и попутный, прижимался к обочинам. Справа начался огромный пустырь. Скоро здесь начнут строить очередной торговый центр.

— Федька Череп, остановись, хуже будет! — гремел голос Клевца, забывшего про необходимость соблюдать официальные обороты. — Стой, сука!

«БМВ» настиг «Мерседес», черный и серебристый борта поравнялись, между ними было не больше полутора метров. Сквозь тонированные стекла ничего видно не было. На такой скорости Череп не мог стрелять, Хомяк тоже не мог стрелять через водителя. Опасность представляли только задние пассажиры. Заднее стекло плавно поползло вниз.

— Толян, смотри! — крикнул Малков. Ломов выдернул чеку. Нервы у всех были на пределе. Щель увеличивалась. Толян как горячий пирожок подбрасывал на ладони взведенную светошумовую гранату. Когда стекло съехало до половины, стало видно испуганное лицо человека в костюме. Он поднимал руку к все увеличивающемуся оконному проему. Что было в руке, пока определить не удавалось, но оперативники не сомневались, что там может быть только одно...

— Оп! — как заправский волейболист, Толян забросил гранату в окно «Мерседеса». В момент броска он увидел руку человека в костюме. Против ожидания, в ней не было пистолета: человек показывал какое-то удостоверение! — Это лох! — крикнул Толян.

Ни один бандит в такой ситуации не станет козырять даже самой козырной ксивой. Потому что от скорости пули и гранаты любая, даже самая весомая «корка» защитить не в состоянии!

«Мерседес» резко затормозил и тут же остался далеко позади. Клевец тоже сбросил газ и плавно нажал на тормоз. Он следил только за дорогой, а повисшие на ремнях Близнецы, скручивая шеи, жадно смотрели назад. И не зря!

Тонированные стекла «Мерседеса» вдруг вылетели наружу, за ними вспучился из тесного салона ослепительный огненный шар, раздался оглушительный взрыв, машина вильнула, вылетела на обочину и несколько раз перевернулась: колеса — крыша — колеса, — как хорошо поставленный трюк в многобюджетном фильме. Со стороны казалось, что в прочном салоне осталось только размазанное по стенкам кровавое месиво, но оперативники знали, что это не так.

— Давай быстрей назад, пока не очухались! — для порядка сказал Малков, хотя Клевец и так знал, что делать. Просто остановиться на скорости двести километров в час очень нелегко, если, конечно, не хочешь сломать себе шею. Майор тормозил умело, и «БМВ» пронесся метров семьсот, а потом со скрипом развернулся и помчался назад, к выброшенному на пустырь раздутому «Мерседесу». Там уже остановились несколько машин, из них выбрались любопытные и широким кольцом начали окружать потерпевший аварию «Мерседес».

— Внимание, не подходить, опасно! В машине опасные преступники! Всем разойтись! — гремел Клевец в громкоговорящее устройство.

Это подействовало: кольцо стало расширяться и редеть. «БМВ» подлетел к месту аварии и резко затормозил, оставляя на асфальте черные следы протекторов. Отстегнув ремни и держа «Кипарисы» наготове, Близнецы выпрыгнули наружу. В тот же миг передняя дверца «Мерса» распахнулась, оттуда тяжело вылез Череп и, едва держась на ногах, побрел в глубь пустыря.

Близнецы подскочили к машине. Хомяк уже пришел в себя, но к активным действиям был непригоден: подушка безопасности прижала его к спинке сиденья, как игла коллекционера пришпиливает к картонке диковинного жука, он очумело таращил глаза, тряс головой и ковырялся в ушах, будто хотел найти и вытащить пробки, отгородившие его от мира звуков. Пистолет лежал у него под ногами, Ломов быстро забрал оружие и крикнул:

— Держи руки на виду, сука!

Вряд ли Хомяк расслышал или понял команду, он так и продолжал свое занятие.

Прижатые подушками мужчины в костюмах распластались на задних сиденьях, как оглушенные судаки. Их одежда обгорела, у одного были обожжены руки и волосы, из ушей и носа у обоих сочилась кровь.

— Держи их, я возьму Черепа! — Влад пружинисто побежал за уходящим преступником.

Тот шатался из стороны в сторону. Шансов скрыться у него не было. Влад тоже перешел на шаг. Между ними было около ста пятидесяти метров. Даже шагом капитан заметно сокращал это расстояние. Но он не торопился, явно чего-то ожидая. И дождался. Крепкий организм бывшего спортсмена взял свое: Череп стал приходить в себя. Он оглянулся, потом полез в карман, и в руке у него оказался пистолет. Этого Малков и ожидал.

— Стой, Череп, стрелять буду! — громко крикнул он. — Бросай оружие!

К его удивлению, Череп действительно бросил пистолет на землю. А может, уронил: руки у него сильно дрожали.

Вот скотина! Капитан оглянулся. Ломов и Клевец стояли возле «Мерседеса», а на обочине, конечно же, толклись зеваки — человек десять.

Череп повернулся и попытался бежать. Им руководили инстинкты: чтобы жить, надо нападать, бить, убивать, а если нет сил и возможностей — тогда следует уносить ноги. Примитивная «мудрость», но ею руководствуются все бандиты, и до поры до времени она им помогает. Однако сейчас Черепу не могло помочь ничто. Ему не следовало убивать Маринку!

Впереди стоял экскаватор, он уже начал рыть котлован, Череп подбежал к краю, чуть задержался и спрыгнул вниз. Это была ошибка. Рассмотреть, что происходит в котловане, свидетели не могли.

— Гражданин Кузин, сдавайтесь, сопротивление бесполезно! — крикнул Малков еще громче и побежал к котловану.

По дороге Влад подобрал оружие Черепа. Надо быстрее заканчивать. Как бы эта скотина не оклемалась да не достала гранату...

Но Череп забился в угол и скреб ногтями осыпающуюся землю, будто собирался выбраться наверх. Волосы на затылке обгорели, ворот пиджака — тоже. Он явно не понимал, что делает, работали инстинкты — убежать, заползти в нору, спастись... Хрен тебе!

Влад несколько раз выстрелил из его пистолета себе под ноги и в блестящий срез спрессованной земли за своей спиной. Потом бросил пистолет на землю. На выстрелы Череп обернулся и поднял руки. Малков нажал спуск «Кипариса». Короткая очередь, и пули усиленных девятимиллиметровых патронов прострочили живот и грудь бандита. Его глаза удивленно выпучились, изо рта плеснулась кровь. Мертвое тело осело, скорчившись на нагретой солнцем, парящей земле. Влад повернулся и пошел прочь.

Хомяк уже сидел на земле в наручниках, хотя по-прежнему пытался ковыряться в ушах. Мужчины в костюмах оставались в салоне. Они пришли в себя, но находились в шоке: бесцельно двигали руками, бессмысленно таращились по сторонам. Тот, который показывал ксиву, облизывал обожженные руки.

— Знаешь, кто это? — спросил Клевец. — Вот этот — депутат Государственной думы, а вот это — его помощник.

— Ну и х.. с ними! — махнул рукой Малков.

— А что там у тебя вышло? — спросил Клевец, закуривая.

— Ничего особенного. Стрелять в меня начал...

— А-а-а, — если майор что-то и заподозрил, то виду не подал. А Толян одобрительно кивнул.

* * *

Об атомном поезде судачили не только на разъездах и полустанках, его обсуждали не только в штаб-квартире ЦРУ, но и в Кремле, на самом высоком уровне.

— Разоблаченный нами генерал Фальков, судя по всему, передал информацию о БЖРК, — докладывал Директор ФСБ. — Во всяком случае, наш источник в ЦРУ отметил активизацию интереса к железнодорожному комплексу. Они считают, что это вопрос политический...

Президент сидел молча, сцепив тонкие пальцы в замок и водрузив их на полированную поверхность стола прямо перед собой. Свет из высокого окна проникал в просторное помещение, в солнечных лучах кружились почти невидимые глазу пылинки, хотя в данном помещении они просто не имели права находиться. Президент любил такие солнечные дни. Погода за окном во многом оказывала влияние на его эмоциональный настрой. Игривые теплые лучики, скользя по жесткому, словно высеченному из мрамора лицу, заставляли разглаживаться хмурые черточки первого человека государства.

Он встал, и Директор ФСБ, приняв это за некое указание, замолчал. В звенящей тишине Президент неспешно прошел к окну, остановился, заложив руки за спину, и посмотрел на пустынный, идеально чистый и залитый солнцем двор. Только два сотрудника Федеральной службы охраны в пиджаках и галстуках прогуливались по широким асфальтовым аллеям. В зале было прохладно, не больше двадцати градусов, поэтому казалось, что и во дворе тоже прохладно, но Президент понимал, что на самом деле эти двое изнемогают от жары в костюмах и сбруях со спецснаряжением. Хотя виду, естественно, не подают.

— Да, это вопрос политический, — веско произнес Президент, и три участника совещания что-то записали в своих блокнотах, хотя перед каждым стоял открытый и включенный ноутбук. — Напряженность между двумя державами нарастает... Соединенные Штаты Америки привыкли к доминирующей позиции в мире. А Россия долгое время довольствовалась ролью скромного созерцателя. Теперь положение меняется. И создание супермобильного ракетного комплекса помогает нам изменять это положение.

Директор ФСБ, министр обороны и министр путей сообщения старательно записывали, как будто конспектируя каждое слово Президента.

— Как проходит взаимодействие военных и железнодорожников? — Президент вернулся к столу и сел на свое место. Тугой узел темно-синего галстука сбился немного набок, и он поправил его легким, быстрым движением руки. Пригладил светлые волосы и по привычке сцепил пальцы в замок. Взгляд его серых стальных глаз, не мигая, устремился на Абросимова.

Министр путей сообщения вскочил, будто подброшенный пружиной.

— Мы расцениваем движение поезда как важнейшее государственное задание, товарищ Президент. Малейшая задержка, малейший сбой влекут острую реакцию. Например, за пятиминутное нарушение графика был снят с должности начальник отделения дороги.

— Хорошо, — Президент кивнул. — А что скажут военные?

Министр обороны тоже вскочил, а поскольку предыдущие докладчики так и не садились, то все трое оказались стоящими навытяжку и держащими на весу блокноты с нацеленными в них ручками. Военным эта поза более-менее удавалась, а вот начальнику железных дорог — нет.

— Как правило, все вопросы взаимодействия решаются удовлетворительно, — сказал руководитель военного ведомства. — Бывают, конечно, какие-то шероховатости и сбои...

Главный железнодорожник напрягся.

— Но мы решаем их в рабочем порядке.

— Хорошо, — Президент кивнул еще раз. — Как обстоит дело с личным составом комплекса? Надо привлечь туда лучших специалистов, талантливую и перспективную молодежь, создать хорошие бытовые условия!

Министр обороны кивнул:

— Все это уже делается.

Президент откинулся на спинку кресла.

— Садитесь, товарищи, — мягко разрешил он. — Я предложил своему аппарату проработать этот вопрос. В восьмидесятые годы по Советскому Союзу патрулировали пять таких поездов. Потом их постепенно сняли с маршрутов и поставили на консервацию. Они, конечно, одряхлели, но наверняка их можно вернуть в рабочее состояние и дооснастить современными ракетами, пока мы будем готовить новые составы. Это важно и для безопасности основного поезда: чем больше целей, тем труднее поразить нужную. Займитесь этим вопросом, товарищи. Я думаю, что новую доктрину сдерживания надо строить на системе БЖРК. Это будет достойный ответ на американский план разворачивания ракет космического базирования.

— Так точно, товарищ Президент, — министр обороны почтительно кивнул. — Вследствие высокой мобильности железнодорожный комплекс практически неуязвим, и быстрота прямого выстрела с космической орбиты не спасет агрессора.

Президент чуть заметно улыбнулся неистребимости чиновничьего «высокого штиля» перед вышестоящим руководителем.

— Хорошо, что мы одинаково понимаем приоритеты в стратегической обороне, — сказал он. — Попрошу задействовать и все наши разведвозможности в США, чтобы обезопасить комплекс от любых происков.

— Есть, товарищ Президент! — встал министр обороны.

— Есть, товарищ Президент! — поднялся следом Директор ФСБ.

И министр путей сообщения встал. Хотя ему не дали конкретного поручения, но отставать от коллег он не хотел.

— Есть, товарищ Президент! — сказал главный железнодорожник страны.

* * *

— Оцените ситуацию сами! И выставьте себе отметки!

Генерал Мезенцев был мрачнее тучи. Недавно он получил взбучку от вышестоящего начальства, а теперь торопился отыграться на подчиненных. Если вовремя спустить пар и разрядить нервную систему, то перенесенный стресс не успевает разрушить организм. Недаром медицинские исследования показали: чем выше уровень руководителей, тем меньший процент инфарктов, инсультов, язвы желудка и других болезней, вызванных сильными переживаниями. Зато чем ниже спускаешься по иерархической лестнице, тем пышнее расцветает весь этот букет.

— Люди сделали все возможное, товарищ генерал! — сказал Смартов, стоящий по стойке «смирно» перед грозными очами начальника Управления.

Это был мужественный поступок, потому что куда проще было повернуться к стоящим навытяжку чуть в стороне Близнецам и обрушить на них не только генеральский, но и свой собственный гнев. Заступаться за подчиненных в последнее время стало немодно, каждый начальник думает только о своей шкуре, поэтому слова Смартова характеризовали его как порядочного человека. Но порядочность — категория эфемерная, она не отражается в служебных характеристиках. Раньше в аттестациях обязательно писали: «Идейно выдержан, делу Партии и Родины предан». Теперь эта архаическая строчка канула в Лету. Осталось лишь вневременное, вечное, неподвластное любым политическим и государственным переменам: «Табельным оружием владеет уверенно...» Да и в оценках сотрудника такие категории, как честь, совесть, порядочность, увы, не учитывались. Больше того, вызывали раздражение, так как препятствовали стопроцентной управляемости. И генерал Мезенцев подумал, что он переоценивал начальника отдела контрразведки.

— И что же они сделали? Прохлопали гибель сотрудницы наружного наблюдения Веремеевой? Допустили самоубийство Фалькова? Не предотвратили убийство Слепницкого? Не смогли взять живым Кузина? Да, молодцы, с этим они справились, оборвав все нити к американской резидентуре! Теперь мы даже не можем выслать Бицжеральда из страны!

Смартов молчал. Близнецы тем более молчали.

— Но главное даже не это! — генерал перешел на крик. — Они взорвали уважаемых людей, депутатов Госдумы!

— Один депутат, товарищ генерал, — вставил Смартов,

окончательно выходя за рамки приличия. На разносах подобного рода допускается только смотреть в пол, молчать и каяться. — Второй — его помощник.

— Да какая разница?! Разве помощников можно взрывать?! Или им наплевать, кто перед ними?! Где вы взяли таких идиотов?! Они даже на документ не среагировали! Ведь депутат показывал им удостоверение! Даже идиот мог понять, что к чему!

Близнецы начали переминаться с ноги на ногу. Они поняли, в чем состоит их главное прегрешение.

— На скорости в двести километров в час прочитать удостоверение трудно, товарищ генерал, — тихо произнес Малков. — К тому же эти люди находились вместе с разыскиваемыми особо опасными преступниками. Мы думали, они тоже преступники...

Мезенцев ударил кулаком по столу.

— Плевать, что вы думали! Вы заварили такую кашу, которую я не знаю, как удастся расхлебать! У депутата сильный шок, он оглох на одно ухо и стал заикаться! У второго положение ненамного лучше!

— Не будут садиться к бандюкам в машину, — негромко сказал Ломов, но генерал услышал. Это уже была беспрецедентная наглость.

— Вон отсюда! В приемной напишете рапорта!

— Есть! — сказал Малков.

— Есть! — сказал Ломов.

Синхронно развернувшись, Близнецы вышли из кабинета. Смартов остался с генералом наедине.

— Я разочаровался в вас, полковник, — уже спокойней проговорил Мезенцев. Он выпустил пар, и инфаркт ему не угрожал. — Будет лучше, если вы тоже напишете рапорт. Сейчас в Центральном аппарате создается группа по оперативному обслуживанию какого-то нового стратегического оружия. Могу рекомендовать вас туда.

Смартов некоторое время молчал. Смещение с такой должности равносильно нокаутирующему удару. Но он умел держать удар.

— Спасибо, товарищ генерал. Могу я взять с собой Близнецов? В смысле, капитанов Ломова и Малкова?

Мезенцев пожал плечами.

— Это ваше дело. Вам же с ними работать...

Он уже был совершенно спокоен.

Глава 4

СЫН ШПИОНА

Распределение прошло обыденно и без неожиданностей. Кудасов вошел в кабинет шестым, доложился председателю комиссии — незнакомому генерал-майору Синявскому из Москвы. Пятеро старших офицеров смотрели на него доброжелательно, начальник училища генерал-майор Панков, наклонив голову, спрашивал что-то у начальника факультета полковника Ерохина, и тот отвечал, показывая на лежащее перед ними личное дело. Панков улыбался и кивал головой. Саша решил, что слова отца оправдаются — за высокие баллы по спецдисциплинам и отличные показатели на практике ему предложат... Ну, может, и не Москву, но крупный город и перспективную должность.

— Александр Олегович, — не по-уставному и как бы неофициально начал Панков. — Вы отличник по техническим дисциплинам, но по философии, обществоведению, истории — у вас сплошные «тройки». Чем это вызвано?

Кудасов замялся. Не станешь же сейчас рассказывать, что он причислял прослойку интеллигенции к классу и не соглашался с тем, что определяющую роль тут играет отношение к средствам производства. Ведь и рабочий, и инженер имеют одинаковое отношение к станкам, а именно никакого отношения не имеют, поэтому только директор завода легко приватизировал все средства производства, поделившись со своими замами и начальниками. Или про идею, что мысль материальна и вполне может быть первичней материи... Или... Здесь это никого не интересовало, да и времени мало.

— Хуже учил, товарищ генерал-лейтенант, — четко доложился он. — Больше интересовался специальными предметами!

— А напрасно, — отечески пожурил московский генерал. — Идеологические дисциплины не менее важны!

Панков согласно покивал, но счел необходимым заступиться за курсанта.

— Василий Иванович, он прекрасно рассчитывает траектории. По практике один из немногих получил отличную оценку и привез замечательную характеристику!

— Это хорошо, — кивнул москвич и заглянул в лежащий перед ним список.

— Александр Олегович, вам предлагается направление в Красноярский полк МБР, где вы себя прекрасно зарекомендовали. Для начала на должность третьего номера дежурной смены запуска. Вы прекрасно понимаете, насколько ответственна эта работа и какое доверие оказывает вам Родина.

Никакой Родины Кудасов перед собой не видел, только членов комиссии: двух генералов и трех полковников. Даже если они полностью безупречны на службе и в быту, не злоупотребляют служебным положением, работают не щадя сил, не заводят внебрачных связей, не напиваются и не скандалят, никогда не ругаются матом, — все равно это не повод идентифицировать пятерых мордатых осанистых военных с высоким понятием Родины. Но если бы черт в очередной раз дернул Кудасова за язык и он сказал это вслух, то его служба немедленно бы и закончилась.

— Так точно, товарищ генерал. Готов служить там, куда пошлют.

Члены комиссии поощрительно разулыбались.

— Ну что ж, курсант Кудасов, комиссия желает вам успехов в службе! — прочувствованно сказал Синявский. — И, конечно же, желаем дослужиться до генерала! Да, да, это вполне возможно. Когда-то и мы с вашим начальником, — он положил короткопалую руку на генеральский погон Панкова, — тоже были зелеными курсантами и тоже стояли перед комиссией по распределению! Так что примеры у вас перед глазами! Можете быть свободным!

Примеры были не самыми лучшими. То есть, если бы Кудасову предложили стать генералом, он бы, конечно, согласился. Но если бы ему предложили превратиться в Синявского или Панкова, он бы с негодованием отказался. Но ничего такого ему никто и не предлагал.

— Есть! — отдав честь, Кудасов привычно крутнулся через левое плечо и строевым шагом направился к двери.

— Ну что? — окружили его товарищи.

— Красноярский полк МБР, — равнодушно ответил он.

Никаких особых чувств парень не испытывал, только легкую досаду оттого, что это он оказался прав, а не правильный Кудасов-старший. Но, в конце концов, получен предполагаемый результат, никаких разочарований и расстройств... Ни лес, ни подземный бункер его не пугали, а боевой пульт даже притягивал. Другое дело — Оксана... Но сейчас думать об этом не хотелось.

Комвзвода Смык зашел восьмым и тоже вышел с направлением в Красноярский полк. Курсант Коротков заходил двенадцатым, а вышел дежурным расчетчиком Приволжской дивизии наземного базирования. Он широко улыбался.

— Там места красивейшие: леса, прозрачные озера, песчаные берега, — курорт! Годик-два перекантуюсь, а там будет видно...

Судя по всему, он уже знал, что именно будет там видно, и точно представлял свою дальнейшую карьеру.

— А знаете что? — Андрей хлопнул Сашу по плечу. — Послезавтра выпуск, и мы разъедемся кто куда. Когда доведется увидеться? Давайте закатимся в «Золотой круг»! Там прикольно и недорого!

Боря Глушак закивал.

— Конечно, надо отметить это дело!

Он заходил вторым и получил назначение в степи Калмыкии, тоже на поверхность.

— Пошли, — кивнул Смык. — Мы с Сашей не скоро попадем в такие заведения! Точно, коллега?

— Я согласен. Только я Оксанку возьму, — подчиняясь внезапно пришедшей мысли, сказал Кудасов.

— Бери, — согласился Коротков. — Значит, в семь у «Золотого круга»!

Саша пришел домой, переоделся в гражданскую одежду и сразу позвонил Оксане.

— Оксанка, пойдем вечером в «Золотой круг», — радостно предложил он. — Мы с ребятами хотим отметить распределение.

— И куда тебя распределили? — напряженным тоном спросила девушка.

— Как я и предполагал... В лесную часть...

Радость в голосе Саши исчезла. Он почему-то чувствовал себя виноватым.

— Туда, где морозы до тридцати? — тон Оксаны не предвещал ничего хорошего.

— Это только зимой. Летом даже жарко. В лесу ягоды, птички поют, свежий воздух... Будешь гулять по лесу и слушать.

— А ты будешь неделями сидеть под землей, зарабатывая импотенцию, — ледяным тоном спросила Оксана. Даже не спросила, а констатировала.

Саша поперхнулся.

— Почему... Почему импотенцию?

Такие слухи ходили среди ракетчиков. Мол, если несколько лет просидеть в шахте, то твоя ракета будет смотреть только «на полшестого» и ни к какому запуску, даже ручному, станет не пригодна. Но слухи есть слухи. Мало ли что болтают! Вот курсовой офицер подполковник Волков девять лет просидел в бункере, а потом народил трех девочек! И потом, откуда это знает Оксана?

— Я не пойду в «Золотой круг», — все тем же тоном продолжила Оксана. — Это грязный притон, порядочной девушке там делать нечего.

— Ну, пойдем в другое место... Правда, мы договорились, но ребята согласятся, я их уговорю... Можем и сами пойти, вдвоем. Хочешь — в «Белого медведя»?

— Я никуда не пойду. Потому что нам нечего праздновать. Сегодня ты потерпел фиаско, провалился. Это скорее повод для грусти!

Кровь ударила Кудасову в голову.

— Я так не считаю! Если у тебя есть поводы грустить — грусти, твое дело! А я заканчиваю учебу, становлюсь офицером и начинаю самостоятельную жизнь! И собираюсь это отметить с друзьями!

Саша бросил трубку. За все время их знакомства он впервые так резко говорил с девушкой.

Когда он выходил из квартиры, то столкнулся с отцом.

— Как распределение? — радостно спросил он.

— В лес, под землю, — буркнул Саша. Он был не в настроении и не расположен к разговорам.

Отец потух. Он явно ожидал чуда.

— Ну что ж, не огорчайся... Все равно ты себя проявишь и тебя оценят по заслугам...

— Я не огорчаюсь. Просто спешу к друзьям. Мы еще обо всем поговорим.

Четыре молодых человека ровно в семь часов встретились у входа в «Золотой круг». Веселые и раскрепощенные, в гражданской одежде, они ничем не выделялись среди сверстников. Разве что короткими стрижками, прямыми спинами и четкими движениями, выработанными за четыре года на плацу и в спортивном зале. Никто не мог заподозрить, что это без пяти минут офицеры, специалисты по стратегической ракетной технике. Именно они в ближайшее десятилетие будут дежурить у той самой кнопки, и, если вдруг, не дай бог, придет приказ, именно они начнут или продолжат Третью мировую войну.

Молодые люди купили билеты по сто пятьдесят рублей каждый и прошли в полутемный зал, с задрапированным под звездное небо потолком. Вместо звезд, с черного свода светили яркие точечные лампы. На столиках тоже стояли лампы, выполненные в виде свечей. Народу было немного, официант сразу же принес карту напитков и закусок.

— «Маргарита», «Б-52», — медленно, с трудом разбирая буквы, читал Глушак. — О! «Секс на пляже»!

Коротков покровительственно усмехнулся.

— Это коктейли. Стоят дорого, а льют туда всякую гадость: когда перемешано, никто не проверит. Давайте возьмем водку с томатным соком и будем сами делать «Кровавую Мэри». А на закусь — по салату и можно двух грилевых цыплят!

Он деловито сделал заказ, не спеша огляделся по сторонам. Посетители прибывали. Было много девушек — их пускали бесплатно.

— Ну что, лейтенанты, повеселимся! — с энтузиазмом воскликнул Андрей.

— Повеселимся! — криво улыбнулся Смык. — Правда, из нас всех у тебя больше всего оснований для веселья...

Командир взвода ошибался. Как раз в это время в училище поступила срочная шифротелеграмма из Генерального штаба. Дежурный немедленно сообщил начальнику, и генерал Панков через полчаса прибыл на службу. Прочитав расшифрованный и отпечатанный в единственном экземпляре на бланке с грифом «Совершенно секретно» текст телеграммы, он смачно выругался, подтвердив тем самым мысли Кудасова о неидеальности людей, взявшихся отождествлять себя с Родиной.

— Поднять заместителей, Ерохина, Волкова и Котельникова! — распорядился он и мрачнее тучи скрылся в своем кабинете.

Было ясно, что произошло нечто чрезвычайное, требующее внимания руководства. Поскольку Ерохин был начальником факультета стратегических ракет, Волков — начальником выпускного курса, а Котельников — офицером военной контрразведки, обслуживающим училище, или, на обыденном языке, «особистом», то дежурный, набирая нужные номера, догадался, что ЧП случилось с курсантом выпускного курса факультета стратегических ракет. И он был почти прав, ошибившись только в одном: телеграмма сообщала о ЧП с отцом курсанта.

Когда все вызванные офицеры собрались в кабинете Панкова, он молча протянул расшифрованную телеграмму особисту.

— Читай, это по твоей линии!

Котельников взял строгий бланк, быстро пробежал глазами текст, ужаснулся и, еще не осознав, чем полученная информация угрожает лично ему, стал хриплым голосом читать вслух:

— Начальнику Тиходонского ракетного училища генерал-майору Панкову. Принятыми мерами изобличен в шпионаже и покончил с собой генерал Фальков, который является отцом курсанта вверенного вам училища Короткова. Требую принять неотложные меры по предотвращению допуска курсанта Короткова к сведениям и работам, составляющим государственную тайну. Необходимо также проверить осведомленность Короткова о фактах, связанных со шпионской деятельностью Фалькова. Об исполнении доложить в суточный срок. Подпись: начальник управления учебных заведений Минобороны России генерал-лейтенант Хромов.

Особист замолчал, промокнул платком вспотевший лоб и обвел взглядом собравшихся. Он уже понял, что лично ему произошедшее ничем не грозит: шпиона прохлопали там, в Москве. Пацан, ясное дело, никакого отношения к делам папашки не имеет, хотя теперь его придется «потрошить» по усиленному варианту: может, что-то знает, что-то слышал, о чем-то догадывался.

Остальные офицеры еще не оценили степень личной опасности, но все сидели красные и потные, будто от души попарились в баньке и хорошо выпили.

— Что скажете? — грозно спросил Панков. Сейчас он был здесь старшим и мог спрашивать с подчиненных. Но уже завтра с него самого может спросить посланник УУЗа Василий Иванович, который сейчас возглавляет комиссию по распределению, но вполне способен и провести служебное расследование.

— Генерал Фальков не наш сотрудник, у него был безупречный послужной список, Коротков по всем параметрам подходил для учебы в военном вузе, так что нашей вины ни в чем не усматривается, — сказал зам по кадрам. Он или не допарился, или перепил: лицо неравномерно покрывали красные пятна.

— Поведение Короткова было вполне удовлетворительным, в Москву к отцу он ездил редко и учился на вполне законных основаниях, — доложил зам по воспитательной работе.

— Успеваемость у него была вполне удовлетворительной, а если иногда получал «двойки», то пересдавал их в установленном порядке, — высказался зам по учебной работе.

— Наукой Коротков не занимался, поэтому характеризовать его не могу, — с облегчением «отстрелялся» зам по научной работе.

— В вопросах носки обмундирования курсант Коротков с отрицательной стороны себя не проявил, — так же кратко выступил зам по тылу.

Котельников откашлялся.

— Никакими компрометирующими материалами на Короткова военная контрразведка не располагает!

— Значит, все хорошо? — зловещим тоном спросил генерал Панков. — А кто ставил ему «тройки» и «четверки» вместо «двоек»? Кто вывел отличный балл за практику? Кто распределил его лучше, чем отличников? Где ваша принципиальность?

Он помолчал. Присутствующие опустили головы. Но начальник должен не только критиковать, но и подавать пример самокритики.

— И где моя принципиальность? То есть я хочу сказать, что не снимаю ответственности и с себя! Мы все пошли на поводу у генерала Фалькова и закрывали глаза на факты! А факты таковы: Коротков посредственный курсант, он давно подлежал отчислению! И если бы мы проявили принципиальность, сейчас у нас бы не было никаких проблем!

Офицеры переглянулись. Если бы знать, что появятся **такие** проблемы, все они обязательно бы проявили принципиальность!

— И этот курсант не был бы допущен к государственным секретам! — продолжал греметь Панков.

Это точно! Его бы выбраковали по здоровью еще на вступительных экзаменах.

— А что теперь? Мы уже почти выпустили его! Послезавтра мы присваиваем выпускникам офицерские звания и направляем их в войска! Представляете, что было бы, если бы эта телеграмма пришла через неделю?

Майор Котельников вздохнул. Это было бы замечательно. Никаких забот — переслали телеграмму в часть по месту распределения, и пусть у них голова болит!

Генерал осекся. Он тоже понял, что сморозил глупость. Но на то он и генерал, чтобы не признаваться в своих ошибках. По крайней мере перед подчиненными.

— Нам надо его немедленно отчислить и уволить из армии! Немедленно! Сегодняшним числом! Майор Котельников, это ваша задача!

Особист пожал плечами.

— Оснований для увольнения нет. Сын за отца не отвечает. Сейчас ведь демократия...

Зам по кадрам кивнул.

— Если бы лет десять назад — другое дело...

Панков подскочил на месте.

— Пусть не за отца отвечает! Пусть за себя отвечает! Он что, святой?

— Да нет, — Котельников вновь пожал плечами.

— Вот то-то! Немедленно соберите материал и подготовьте проект приказа. Действуйте прямо сейчас! Я буду на месте и подпишу приказ в любое время ночи. А утром мы сообщим о принятых мерах!

— Совершенно правильно, товарищ генерал, — одобрительно сказал зам по кадрам. И обратился к особисту: — Вы знаете, где сейчас искать этого Короткова?

Котельников сдержал усмешку. Это хорошо, что его считают всезнающим и всемогущим. Тем более что можно позвонить нескольким доверенным курсантам, и они наверняка прояснят обстановку.

— Знаю, — кивнул особист. — Но мне надо кое-что уточнить. Я вернусь через несколько минут.

Компания курсантов, веселящаяся в «Золотом круге», ни о чем не подозревала. Зал наполнился людьми и дымом. Оглушительно гремела музыка, мигали разными цветами многочисленные прожектора, крутился под потолком отбрасывающий блики шар из кусочков зеркал. Световые «зайчики» прыгали по лицам и телам танцующих перед темной сценой пар, попадали в бокалы с экзотическими коктейлями и высокие стаканы с «Кровавой Мэри», стоящие на столе у ракетчиков. Бутылка водки и пакет томатного сока были уже выпиты, в расход шла вторая порция. Настроение у ребят было хорошим, Кудасов забыл про Оксану, Глушак обнимался со Смыком, особенно веселился Коротков. Он подмигивал девушкам за соседними столиками, улыбался парням, которые или отводили взгляды, или хмурились в ответ.

— Давайте выпьем за наше братство, за ракетчиков! — перекрикивая бьющие по барабанным перепонкам и нервам басы, предложил Андрей.

— Ведь это мы будем защищать всех их! Хотя они об этом и не подозревают!

Курсанты чокнулись и выпили в очередной раз.

— Ура! — громко крикнул Андрей. — Да здравствует РВСН![1] РВСН — ура!

С соседних столиков на них косились, но он не унимался.

— Ра-ке-та! Ра-ке-та! Ура!

Низкие басы смолкли, остановился бликующий шар, но он кричал и в наступившей тишине. Вдруг на сцене вспыхнули ослепительные софиты и из-за кулис выбежали шесть девушек в обтягивающих маечках, коротких белых юбочках и золотых босоножках на платформе. В высокие прически были вставлены

---

[1]РВСН — ракетные войска стратегического назначения.

разноцветные перья, как будто выдернутые из павлиньих хвостов. Возможно, так оно и было. Вновь заиграла музыка, но другая — более мелодичная, девушки стали танцевать. Искусная подсветка подчеркивала грациозность гибких тел, длинные тени беспорядочно метались по залу. Теперь внимание всех посетителей было устремлено на сцену.

Самая высокая рыжеволосая красавица принялась стучать в бубен и извиваться в каком-то экзотическом латиноамериканском танце. Подруги извивались вокруг.

— Гля, какая! Ну и грудь! Наверное, шестой размер! — разгоряченный Коротков показал руками. Он не сводил с рыжей взгляда.

Девушки станцевали канкан, а потом неожиданно... спустились в зал и стали подходить к столикам, призывно качая бедрами и пританцовывая. Яркие лучи прожекторов пробивались сквозь табачный дым и освещали мужские руки, засовывающие за пояски юбок денежные купюры. В благодарность дамы терлись о щедрых кавалеров животами и даже садились к некоторым на колени.

— Рыжая, рыжая, иди сюда! — неистово орал Коротков, размахивая пятисотенной бумажкой. И его призыв был услышан. Высокая красавица в круге света, как царевна-лебедь, подплыла к нему, благосклонно позволила вставить себе за пояс пятьсот рублей, но купюра выпала и спланировала на пол. Девушка нагнулась, задевая Кудасова павлиньими перьями, в это время Андрей задрал ей юбочку, обнажив крупный зад, лишь для приличия перечеркнутый «стрингами», и поцеловал вначале одну ягодицу, потом другую.

Зал взревел от восторга, вспыхнули оглушительные аплодисменты. Крики, смех, улюлюканье... Красавица подняла деньги, села Андрею на колени, обняла его и поцеловала взасос! Тут вообще началось нечто невообразимое: овация, топот ног, свист, радостные вопли... Танцовщица убежала, а Андрей Коротков оказался на вершине славы. Он даже привстал, расставил руки и поклонился залу, как артист, выполнивший сложный, не каждому доступный трюк.

Сидящие за соседним столиком парни корчились от смеха, один упал со стула, двое других держались за животы и показывали пальцами на героя, не в силах вымолвить ни слова.

Андрей поднял стакан и, обведя им зал, выпил как бы за всех присутствующих, потом сел на место. Он был чрезвычайно возбужден и горд.

— Учитесь, салаги! — сказал он товарищам. — Я ее сегодня трахну!

Аплодисменты стихли, внимание публики переключилось на пятна света у других столиков. Только соседи продолжали умирать от смеха.

— Что-то ты слишком заносишься, — сказал Кудасов. — Кончай пить!

Вместо ответа Андрей выпил чистой водки.

— Я не заношусь. Просто это символ. Вы думаете, что все мои успехи от отца или от водки! Ан нет! Они от меня самого! Здесь же отца нет, да и я не пьяный. Но сегодня я трахну солистку варьете, а вы пойдете домой на ручной запуск!

— Брось! — отмахнулся Саша.

— Нет, не брось! Вот ты будешь сидеть под землей, а я буду ловить рыбу и загорать. А кто раньше получит старшего лейтенанта? Я! И капитана я! И майора! Если все будет нормально, я стану генералом! Почему? Да потому, что я знаю, как жить! И любого научу...

— Послушай, Коля, он нажрался, давай уведем его домой! — предложил Кудасов.

Смык кивнул.

— Давай.

— Идите на хер! Я остаюсь. У меня здесь есть дело. Трахнуть солистку.

Выступление варьете закончилось, девушки исчезли за кулисами. Парни за соседним столиком продолжали смеяться. Это было похоже на истерику. Они тянули руки к Андрею и хотели что-то сказать, но не могли вымолвить ни слова.

— От нее только потом воняет, — икнув, сказал Коротков. — Как от мужика. Ну, ничего, помоется...

Один из парней наконец немного успокоился, настолько, что смог выговаривать слова.

— Зачем... ты... Юрку... в жопу... целовал? — с трудом выговорил он и снова зашелся в смехе.

— Кого?! — у Андрея вытянулось лицо.

— Юрку-пидора, зачем в жопу целовал?

Коротков мгновенно протрезвел и плюнул на пол.

— Ах они суки!

Он рванулся к сцене, но дорогу заступил крепкий парень с табличкой «Охрана». К нему тут же подошел напарник. Курсанты тоже подтянулись к своему товарищу. Назревал крупный конфликт. Невидимый телеграф тут же оповестил персонал, как из-под земли появился администратор зала и другие сотрудники «Золотого круга».

— Кто у вас тут танцует? Пидоры? Где этот Юрка?! — в бешенстве орал Коротков.

— Успокойтесь, пожалуйста, успокойтесь, — увещевал его охранник. — Нам не нужны скандалы.

— Откуда вы знаете про Юрку? — спросил администратор. — Кто вам сказал?

— Ребята сказали! Какая разница, кто сказал! Где этот пидор?!

— Вы ошибаетесь, — откуда-то возникла миловидная женщина с мягкой улыбкой. — Это недоразумение. Юра действительно танцевал в прошлом сезоне. Но сейчас танцует его жена. Вы его жену поцеловали!

— Где она? Покажите! Это мужик, от него несло, как от козла!

— Послушай, друг, какие у тебя претензии? — напористо сказал охранник. — Кто тебя заставлял лезть под юбку и целовать в жопу? Кто?

— Я думал, это женщина! Он же точно как баба! И фигура, и ноги гладкие! Вы обязаны предупреждать!

— Кто тебя заставлял лезть под юбку? — гнул свою линию охранник.

— Давайте Юрку сюда! — орал Коротков и норовил заехать охраннику в физиономию. Смык и Кудасов его оттаскивали.

Администратор и еще несколько женщин увещевали мирно настроенного Глушака:

— Уведите своего товарища! Это недоразумение. Завтра придете, мы вас проведем и накормим бесплатно!

— Суки, развели пидоров! — надсаживался Коротков.

— Андрей, кончай, сейчас патруль вызовут, — шептал в ухо товарищу Смык.

— Ха-ха-ха! — закатывались парни с соседнего столика.

— Убери руки! — угрожающе рычал охранник.

И вдруг, как гром среди ясного неба, средь дикой какофонии ночного клуба раздался голос курсового офицера Волкова:

— Что здесь происходит, товарищи курсанты? Коротков, немедленно прекратить!

Саша в ужасе обернулся. Неужели это глюки от водки?

Но сзади стоял не только подполковник Волков, но и особист Котельников, начальник факультета Ерохин и зам по кадрам Горин. От водки такой галлюцинации быть не могло, только от хорошей дозы наркотиков.

— Товарищи курсанты, быстро на выход, — негромко, но властно приказал Горин. Все четверо понуро и покорно направились к выходной двери.

Глубокой ночью в кабинете Панкова подводили итоги разбирательства. Особист, заглядывая в бумажку, перечислял пункты обвинения, руководство их рассматривало и обсуждало.

— Выкрикивал название рода войск и скандировал слово «ракета», чем раскрывал принадлежность к ракетным войскам и угрожал сохранности государственной тайны...

— Слабовато, — скривился генерал. — К тому же позволяет упрекнуть нас в том, что не смогли воспитать у курсантов умение хранить секреты. Отпадает.

Котельников вычеркнул забракованный пункт.

— Дискредитировал звание курсанта тем, что публично поцеловал переодетого артисткой варьете мужчину...

— Не годится! — вскинулся зам по воспитательной работе. — Нас сразу упрекнут в том, что мы растим гомосексуалистов.

— А ведь наши выпускники служат в отдаленных гарнизонах, где наблюдается нехватка женщин, — озабоченно кивнул зам по учебной работе. — Это может бросить тень на училище.

— Отпадает, — подвел итог Панков.

Особист вздохнул и вычеркнул второй пункт. У него появилась мысль, что со всех сторон обосравшегося курсанта будет не за что уволить.

— Организовал пьянку, в которую вовлек еще трех курсантов, в том числе командира взвода, чем подорвал...

— Да что вы такое пишете, товарищ майор! — возмутился зам по воспитательной работе. — Это приговор всем нам! Массовая пьянка на выпускном курсе с участием младших командиров! Тогда и меня надо увольнять, и...

Он бросил взгляд на Панкова и осекся.

— Отпадает, — мрачно повторил начальник училища. — Никакой групповщины!

Подозрение особиста укрепилось.

— Посетил ночной клуб, где употреблял спиртные напитки и устроил скандал с администрацией...

Наступила одобрительная тишина.

— Беспричинно устроил скандал, — внес поправку зам по воспитательной работе.

— Может, добавить: «Бар со стриптизом»? — спросил зам по учебе. — Это усилит...

— Там нет стриптиза, только варьете, — уточнил начальник факультета.

Все посмотрели на генерала. Тот поджал губы и склонил голову набок, размышляя.

— Неважно, есть там стриптиз или нет! — наконец сказал он. — Что так вертеп, что этак. Варьете — тот же стриптиз! А моральное разложение подчеркивает сильнее. И нашей вины особой нет. К каждому курсанту сторожа не приставишь! Давайте на этом и остановимся!

Собравшиеся облегченно вздохнули.

В пять часов утра в Москву ушла ответная шифротелеграмма:

«Начальнику УУЗ Минобороны генерал-полковнику Хромову. Коротков А.В. отчислен из училища и уволен с военной службы за дискредитацию высокого звания курсанта, выразившуюся в посещении ночного бара со стриптизом, употреблении там спиртных напитков и последующим беспричинным скандалом с администрацией бара. Нарушение выявлено руководящим составом училища по собственной инициативе. Проведенным дознанием установлено, что Коротков А.В. о противоправной деятельности своего отца генерала Фалькова не осведомлен. Руководством училища из происшедшего сделаны выводы и разработан план профилактических мероприятий с целью предупреждения подобных фактов в дальнейшем. Начальник Тиходонского РУ генерал-майор Панков».

Инцидент был исчерпан.

Глава 5

ЛИЧНЫЕ ОТНОШЕНИЯ

В то время, когда Александр Кудасов с товарищами бурно проводил время в «Золотом круге», Оксана и ее пожилой кавалер плыли по Дону на небольшом кораблике, стилизованном под парусную шхуну. На самом деле судно шло на моторе, паруса, мачта да и сам корпус с угловатыми обводами были сплошной декорацией: оно не было приспособлено для борьбы с морской или даже речной стихией. Кораблик был приписан к стоящему прямо на берегу ресторану «Петр Великий» и предназначался для прогулок гостей после изысканного обеда и солидных возлияний... Первый час прогулки стоил четыре тысячи рублей, второй — три, третий — две, остальные — по договоренности. Сурен Гаригинович, разорвав банковскую упаковку, не считая, отделил капитану половину пачки пятисотенных купюр и спросил:

— До Москвы дотянете?

Это была шутка, но шутить с Бабияном мог позволить себе не каждый, поэтому молодой загорелый мужчина в морской фуражке, непроизвольно бросив взгляд на огромного телохранителя, вполне серьезно объяснил:

— Не получится. Остойчивость не та, топлива не хватит, да и документов нет. Нам же надо будет через шлюзы идти, а без документов невозможно. К тому же каюты у нас больно маленькие, затомитесь.

— Ну, нет так нет, — добродушно согласился Бабиян. — А до Степнянска дойдем?

— Это без вопросов! — просиял капитан.

На палубе уже был накрыт десертный стол: фрукты, конфеты, шампанское, шоколад, коньяк и любимый Оксаной кампари. Негромко тарахтел мотор, неторопливо плыли мимо поросшие кустарником берега, играла легкая музыка, специально захваченный на прогулку официант споро подливал напитки. Капитан стоял за штурвалом в крохотной, как домик кума Тыквы, рубке, помощник-матрос туда не помещался и вставил только голову, оставаясь полуголым туловищем на палубе. Шкафообразный телохранитель Алик сидел на стуле в стороне, ближе к носу. Он никогда ничего не ел и не пил в присутствии хозяина, он даже не смотрел в его сторону, но безошибочно реагировал на каждый жест.

Бабиян пил коньяк, Оксана через трубочку потягивала кампари с грейпфрутовым соком и со льдом. Этот коктейль открыл для нее Сурен, и ей он пришелся очень по вкусу. Вообще Сурен научил ее смотреть на мир совсем другими глазами. И, несмотря на разницу в возрасте, она чувствовала себя с ним легко и свободно. Более того, гораздо увереннее, чем с Кудасовым или другим своим сверстником.

— Я тебя поздравляю с окончанием института, — с легкой улыбкой Сурен протянул девушке плоскую, обтянутую бархатом коробочку. Оксана открыла ее и охнула: внутри переливалось перламутровым блеском жемчужное ожерелье. С завернутыми в старые колготки кольцом и сережками оно составляло красивый и дорогой гарнитур. Сурен, как всегда, сдержал слово.

— Спасибо! — девушка вскочила, обошла стол и от души расцеловала Сурена в колючие щеки. Тот довольно улыбнулся.

— Это тебе спасибо. Когда подарок доставляет радость, мне радостно вдвойне... Где думаешь работать?

— В шестнадцатой школе, учителем начальных классов. Это и от дома недалеко, да и с маленькими детьми хлопот меньше...

— Хочешь, ко мне иди, — предложил Сурен и допил коньяк. Проворный официант тут же подскочил и налил еще.

— Кем? — удивилась Оксана.

— Какая разница? Кем хочешь! Хоть секретарем, хоть заместителем. Ничего делать не будешь, тысячу каждый месяц получишь.

— Тысячу?

— Тысячу. Долларов.

— Долларов?!

Сурен довольно улыбнулся.

— Ну конечно, Барби! Не рублей же!

Она покачала головой.

— Столько мой бывший жених заработает в своем лесу месяца за два-три!

— Почему бывший? — заинтересовался Сурен.

— Потому, что он не может устраиваться в жизни. Он предложил мне ехать с ним в какую-то тайгу, к этим ужасным ракетам, которые сделают его импотентом, — с досадой сказала она. — А потом накричал на меня и бросил трубку.

— Это плохо, — Бабиян покачал головой. — Каждая девушка должна выходить замуж, создавать семью. Таков закон природы.

— Слушай, Сурен, женись ты на мне, — неожиданно предложила Оксана.

Бабиян утратил обычную невозмутимость и даже поставил рюмку на стол. Он внимательно посмотрел в лицо своей юной спутницы: не шутит ли?

— Ты что, серьезно?

— Вполне, — девушка выжидающе прищурилась, уголки губ чуть заметно поползли вверх. — А что, тебя это пугает?

Губы Сурена Бабияна, известного в определенных кругах Тиходонска под прозвищем Змей, сжались в плотную линию, холодные глаза заблестели твердыми злыми льдинками.

— Меня никто и ничто не может напугать, детка. Ты разве не знаешь, что я женат?

Незнакомый жесткий тон и ледяной взгляд напугали Оксану. Она перестала улыбаться. Окружающая природа пожухла, приятная прогулка вмиг утратила свою прелесть.

— Я знаю... Но любишь-то ты меня, а не свою жену...

— А ты знаешь, что у меня есть дети и четверо внуков? — холодные глаза безжалостно гипнотизировали молодого педагога.

— Ну да... Но что это меняет?

— Как что? Я сам, мое имя, мои деньги и мое имущество сейчас принадлежат семье. А если я женюсь на тебе, кому они будут принадлежать? Может быть, тебе и твоей семье?

Теперь в голосе кавалера звучала отчетливая угроза. Вмиг

исчезли обычные обходительность и дружелюбие. Перед Оксаной сидел совсем другой человек. Чужой и страшный.

— При чем здесь имущество и деньги? Разве я из-за этого?!

— А из-за чего? Из-за моей красоты? Я действительно был
красивым парнем... Лет тридцать-сорок назад. Когда тебя еще
не было на свете.

— Я и не думала претендовать на твои деньги, — растерянно лепетала Оксана. Она чувствовала, что допустила серьезную
ошибку, и не знала, как поправить дело.

— Это правильно, — кивнул Сурен. — Те, кто так думал, все
плохо кончили. Все до одного.

— Вы меня неправильно поняли, Степан Григорьевич!
Просто мне надо выходить замуж, вот я и подумала...

— Головой надо думать, а не... другим местом!

Сурен хлопнул ладонью по столу, рюмка покатилась на палубу. Официант быстро поймал ее, но ставить обратно не стал
и ушел на корму. Алик бросил настороженный взгляд и снова
отвернулся.

— С какой стати я должен на тебе жениться, милочка?! И
зачем? Чтобы ты наставляла мне рога?!

Оксана отшатнулась назад, будто ее ударили по лицу. Зеленые кошачьи глаза наполнились слезами.

— По-твоему, я — потаскуха?

Бабиян пожевал губами, сделал ищущее движение рукой, и
перед ним мигом оказалась наполненная коньяком рюмка.

— Я не говорил этого...

Сурен опрокинул рюмку и сразу же следующую.

— Но подумал. Ведь подумал, Степан Григорьевич? — девушка раскраснелась от гнева и обиды.

Бабиян вскочил, резко прошелся по палубе взад-вперед,
как загнанный в клетку тигр. Если бы у него был хвост, то наверняка он хлестал бы себя по бокам. Но хвоста у него не было.
И он подскочил к капитанской рубке.

— Какого хера ты тут торчишь? — схватив матроса за руку,
он рывком выдернул его голову наружу. Алик мгновенно вскочил на ноги.

— За что ты получаешь мои деньги?! За то, что стоишь и ничего не делаешь?!

— Я моторист... Если мотор забарахлит — чиню, или водо-
забор забьется... — испуганно оправдывался тот. — Тогда я за
борт лезу и прочищаю...

— Вот и лезь за борт, живо! Дармоеды! Пошел вон!

Сурен потащил матроса к борту. Тот не сопротивлялся.
Алик на всякий случай подошел поближе. Капитан с камен-

ным лицом смотрел вперед. Если бы было можно, он бы закрыл глаза.

— Прыгай сам, а то выброшу под винт! — остервенело орал Сурен, толкая парня в спину. Ему ничего не оставалось, как перелезть через перила и прыгнуть в воду. Раздался всплеск, взметнулся фонтан брызг.

— Давай и этого халдея за борт! Сами нальем! — приказал Сурен, и Алик бросился на корму, где оцепенело стоял официант. Тот шарахнулся в сторону.

— Не надо, я же в одежде...

Алик молча сгреб официанта в комок, как мешок с тряпьем перевалил через перила и швырнул в воду. Раздался еще один всплеск.

— Вот так-то лучше! — сказал Бабиян и, просунув руку в рубку, похлопал капитана по плечу. — Отдашь половину бабок — мы сэкономили на персонале.

— Да, да, конечно, — испуганно закивал тот.

Сурен вернулся за столик, сам налил и выпил.

— Развелось дармоедов, только деньги хотят получать... Вчера дома смотрю: мышь залезла к коту в тарелку и жрет его «Китти-кэт», а он сидит и на нее смотрит! Ты же, гад, должен у меня дома мышей ловить, за это я тебя кормлю!

Он потянулся к рюмке, но теперь Алик подскочил и наполнил ее.

— Только знаешь, я сам в этом виноват! Ведь если бы я кота не кормил, он бы был голодный и эту мышь обязательно сожрал! Правильно, Барби?

Оксану била нервная дрожь.

— А если... они... утонут? — с трудом вымолвили дрожащие губы.

— Да ну, что ты, тут недалеко, — добродушно рассмеялся Сурен. — Иначе я разве б стал их купать? Это же шутка! Вон, гляди, как плывут!

Действительно, два пловца постепенно приближались к берегу.

— Теперь послушай про наши дела, — тон его заметно смягчился. — Между нами должна быть полная ясность. Хочешь, возьму тебя на работу. Хочешь, сниму тебе квартиру, обеспечу содержание — не работай, делай, что хочешь. Хочешь, поедем в Турцию отдохнем. Или в Венецию, на гондолах кататься. Это все можно. Но семью рушить — извини! Хочешь замуж, пожалуйста, выходи за своего лейтенанта. Я его оставлю в городе, на хорошей должности...

Бабиян замолчал. В запале он соврал, прогнал чернуху, задвинул фуфло. Управлять кадровыми расстановками в ракетных войсках он пока не мог. Но вырвалось слово, а за слова отвечать надо... Если не перед этой девчонкой, то перед самим собой!

— Свадьбу вам справлю хорошую, оплачу все!

Это совсем другое дело, это он и вправду может.

— В общем, в жизни я тебе помогу. Но глупости всякие из головы выбрось! Ты меня поняла, Барби?

Перед Оксаной сидел прежний Сурен. От пережитого она разрыдалась.

— Ну все, хватит, пойдем вниз, я тебя успокою... Эти ведь козлы хотели посмотреть, как мы трахаться будем. А нам зрители ни к чему. Хочешь, и Алик за борт прыгнет?

Телохранитель почтительно смотрел на хозяина. У Оксаны ни на миг не возникло сомнения, что если Сурен прикажет, он прямо в одежде бросится в воду. Она замотала головой.

— Нет, нет, не хочу...

Сурен довольно улыбнулся.

— Ну, тогда ладно. Пойдем вниз, Барби!

Никакого настроения у Оксаны не было, но в такой ситуации деваться некуда. Иначе можно самой оказаться за бортом.

Каюта действительно была крохотной: в половину обычного железнодорожного купе, с единственным лежачим местом, занимающим практически всю ее площадь. Такая каюта действительно не годилась для длительных или даже коротких путешествий. Она предназначалась только для одного. И была использована по своему прямому назначению.

Когда кораблик пристал к берегу, капитан протянул Сурену обратно полученные деньги. Тот засмеялся.

— Ты что? Я же пошутил! А это передай ребятам, чтоб не обижались, — и он отдал капитану оставшуюся часть пачки.

* * *

Военврач БЖРК майор Булатова пыталась сосредоточиться на книге, но монотонный стук колес все больше и больше склонял ее ко сну. Глаза непроизвольно смыкались, во всем теле чувствовалась неимоверная усталость. Сегодня выдался суматошный день. И, главное, ужасно длинный, почти бесконечный. Да что там день! Весь рейс растянулся настолько, что кажется, будто длится целую вечность. Возможно, дело в происшествии с мотоциклистом или во внеплановом посещении мужа — то есть в обилии впечатлений, а может, в общей усталости...

Она отложила монографию по психологии в сторону и поднялась с жесткой полки, наступив босыми ногами на неуставной коврик. Поезд мчался на бешеной скорости по ночной степи, как будто он тоже торопился домой, на базу. Никакой степи женщина не видела, потому что в БЖРК не было окон — просто имитация во внешней обшивке. Но у нее была прекрасно развита интуиция, к тому же она любила выглядывать в перископы кругового обзора и хорошо изучила рельеф местности по маршруту следования.

Майорская форма висела сбоку на вешалке, Наталья Игоревна была в синем спортивном костюме, подаренном полковником Булатовым. До Кротова еще пять часов пути, они должны прибыть под утро. Хотелось лечь и уснуть. Но перед этим требовалось сходить в туалет, в условиях БЖРК это целая процедура. Женщина взяла накладную защелку, надела неуставные шлепанцы и вышла в коридор. Здесь царили синий полумрак и безлюдье. По правилам внутреннего распорядка в двадцать три часа объявлялся отбой и весь личный состав, кроме дежурной смены, отходил ко сну. Основная часть экипажа ночевала в шестиместных купе, которые почему-то назывались каютами. Только начальник поезда Ефимов, особист майор Сомов, командир пуска полковник Белов и она, военврач Булатова, имели право на отдельные каюты.

Туалет располагался через две двери, по негласной договоренности им пользовалась только военврач, но Наталья Игоревна все же деликатно постучала. По соображениям внутренней безопасности запираться в любых помещениях БЖРК запрещалось, исключение делалось для тех же лиц. Наталья была уверена, что если бы военврачом оказался выпускник военно-медицинской академии или другой доктор мужского пола, то на них бы эта привилегия не распространялась.

Войдя внутрь, она вставила защелку в специальные пазы, заперлась и сделала свои дела, потом вымыла руки и вернулась обратно в каюту. От избыточного давления слегка закладывало уши. Это потому, что уменьшились хождения и реже открываются двери. А вообще избыточное давление нужно для того, чтобы снаружи не просочились какие-нибудь вредные вещества: слезоточивый газ CS, смертоносный зарин, радиоактивная пыль и прочая гадость, представляющая угрозу для личного состава. Наружный воздух засасывается только через специальные фильтры и подвергается автоматическому анализу.

Наталья выдернула из узла волос на затылке простую заколку, и пепельно-русые локоны рассыпались по хрупким плечам. В дверь осторожно постучали. Кто это может быть? Начальство всегда пользуется внутренним телефоном, дежурный — тоже... Она щелкнула задвижкой.

— Да, войдите!

Дверь откатилась. На пороге стоял командир взвода охраны второй смены старлей Виктор Гамалиев. Один из самых активных поклонников военврача, это он вопреки инструкции пускал ее к перископам обзора, даже не задумываясь о ее родстве с командиром части. Виктор был на удивление самоуверенным и слегка нагловатым молодым человеком. Каждый раз, когда заступала вторая смена, старлей находил повод пообщаться с майором Булатовой, причем его конечная цель не составляла большого секрета. Но явиться в такое время! Уход с поста не остается незамеченным, а в поезде не так много мест, куда можно пойти, поэтому уже через полчаса весь экипаж будет знать об этом визите. Наталья нахмурилась, но старлей не обратил на это никакого внимания.

— Я прищемил руку дверью! — с ходу сказал он, как бы предлагая один из вариантов легенды прикрытия. Если докторша захочет, она вполне может впустить его на десять минут...

— Почему вы с этим пришли ко мне? — холодно спросила Наташа. — Пустяковыми травмами занимаются санитары, в вашем взводе это прапорщик Марков.

— Прапорщик Марков не может сравниться с майором Булатовой. Ни в каком отношении.

Он пристально и откровенно смотрел ей в глаза. Похоже, что мальчик настроился на решительную атаку...

Булатова знала, что старлей младше ее лет на восемь, внимание молодого человека ей немного льстило. Но обстановка БЖРК совершенно не располагала к флирту.

— Я не собираюсь ни с кем сравниваться, старший лейтенант, — по-прежнему холодно сказала она. — Я собираюсь лечь спать. Причем одна. Вы меня хорошо поняли?

Гамалиев многозначительно прищурился.

— Более чем! Спокойной ночи, товарищ майор. Извините за позднее вторжение.

Старший лейтенант захлопнул дверь, и Наташа снова осталась одна. Нельзя сказать, что ее это обрадовало. Некоторое время она еще стояла на одном месте без движения и смотрела перед собой. Потом крадучись подошла и осторожно откатила дверь. Гамалиев стоял на том же месте, смотрел на нее в упор и улыбался.

— Почему вы не идете к прапорщику Маркову? Кажется,

вам нужна была медицинская помощь? — спросила она первое, что пришло в голову, и тут же поняла, что сморозила глупость.

— Прапорщик меня не вылечит, Наталья Игоревна, — еще шире улыбнулся молодой человек.

— Но... Ну... Почему вы здесь стоите? — майор Булатова пыталась возмутиться, но у нее ничего не получалось.

— Проверял песню, Наталья Игоревна.

— Какую песню?

— Я оглянулся посмотреть, не оглянулась ли она, чтоб посмотреть, не оглянулся ли я, — довольно мелодично пропел старлей под аккомпанемент колес.

Наталья хотела ответить что-нибудь остроумное, но в голову ничего подходящего не приходило. Она молча захлопнула дверь и заперла ее. Интуиция подсказывала, что Гамалиев так и стоит под ее каютой. Она приложила ухо к двери, но из-за стука колес ничего слышно не было. Однако через несколько минут тяжелые сапоги протопали в дальний конец коридора. Только через несколько минут!

«А он весьма симпатичный... — подумала Наташа. — Если бы я впустила его на перевязку? Военно-железнодорожный роман... А что, это способ скрасить серое существование на БЖРК...»

Если не кривить душой, то Виктор Гамалиев ей нравился. Не так чтобы очень, но он был самым приятным из всех мужчин, с которыми судьба сталкивала Наташу за последний год службы. Несмотря на это, мысль о возможной измене не доставляла ей радости. Ей было жалко Андрея. Но в то же время Наташе было жалко и себя. Молодость безвозвратно уходит, а она... Да что там молодость, молодость уже ушла! Зрелость уходит по каплям, как вода из сомкнутых ладоней, и впереди, не так уж и далеко, маячит старость. Что она увидит, оглянувшись на прожитое? Выслугу лет? Службу на благо отечества? Жизнь по уставу? Господи! Майор Булатова и забыла, когда последний раз чувствовала себя просто женщиной. Может быть, еще тогда, в юности, когда гоняла с Сашей на мотоцикле, прижимаясь к родной горячей спине...

Только сейчас она вдруг осознала, что тот далекий образ любимого юноши руководил ею, когда она скомандовала извлечь из сетки разбившегося мотоциклиста. Если бы кто-то в свое время смог помочь Саше, ее жизнь сложилась бы совершенно по-иному. И сейчас ее точно не было бы на борту атомного поезда...

Вздохнув, Наташа погасила в каюте свет и, не раздеваясь, проворно нырнула под одеяло. Жизнь не знает сослагательных наклонений: как сложилась, так и сложилась. Она военврач БЖРК и все-таки привыкла к жизни по уставу. Но сон не шел, и она долго еще ворочалась с боку на бок.

Пока во втором вагоне не могла заснуть Наталья Игоревна, в четвертом вагоне группы запуска начальник смены Белов в своей каюте занимался самотестированием на встроенном в стену дублирующем компьютере управления. Привычно вводил исходные цифры, отработанно производил расчет и... получал неверный результат!

В горле Белова пересохло от волнения, руки дрожали, на лбу выступила предательская испарина, и полковник поспешил промокнуть ее грубым ярко-зеленым носовым платком. Дрожащими пальцами Евгений Романович вновь пробежался по клавиатуре, выводя на плоский экран монитора столбики цифр. Перевел взгляд на лежащую слева сопоставительную таблицу. Белов не мог поверить своим глазам. Снова ошибка! Грубейшая ошибка, недопустимая для командира пуска!

Это началось сразу после контрольного тестирования. На ежедневных прогонах боевых ситуаций он раз за разом не попадал в цель! Оставшись в своей каюте наедине с компьютером, Белов отключил его от общей сети и принялся экспериментировать. Пять ошибок из десяти проб! Это провальный результат, признак профессиональной несостоятельности...

В чем же дело? Столько лет он безукоризненно рассчитывал траектории и без промаха попадал в цель. Не мог же он внезапно разучиться? Если у кого-то спросить, тебе деликатно укажут на возраст, но ведь это формальный признак! Нельзя вмиг потерять многолетний навык только потому, что тебе исполнилось пятьдесят пять! Скорей всего дело в усталости. Да, это единственное правдоподобное объяснение.

Белов стер из памяти машины результаты прогона. Это запрещалось, но он и так уже нарушил все возможные запреты. И самый главный: немедленно докладывать об изменении самочувствия, препятствующем успешному выполнению боевой работы! Но он прекрасно себя чувствует! Только раз за разом промахивается...

В текущей работе ему удалось это скрывать: как только он понял свою беду, так сразу и переложил работу по ежедневным вводным на дежурного оператора. А сам предпринимал попытки в отсутствие посторонних глаз, причем положительные результаты оставлял в памяти компьютера и на контрольных распечатках, а отрицательные уничтожал. Но бесконечно так продолжаться не могло. Максимум, он сможет продержаться месяц. Один месяц, до следующего контрольного тестирования. Второй провал никак не удастся замаскировать... Что же делать?

Полковник вскочил на ноги.

— Тук, тук, тук! Тук, тук, тук! — угрожающе стучали колеса.

В крохотной каюте негде было повернуться, внезапно он ощутил недостаток воздуха, стены словно сдвинулись, сжимая грудную клетку и не давая дышать. Хотелось бежать — в коридор, тамбур, межвагонный переход — куда угодно, но ближе к свежему воздуху! Белов резко рванул дверь в сторону и стремительно выскочил в зал группы запуска. Синий полумрак, только у аппаратуры яркий свет точечных ламп, дежурный оператор и инженер находятся на своих местах. Один контролирует состояние «изделия», другой готов принять учебную или боевую вводную из Центра. Оба попытались доложиться по форме, но он остановил их движением руки.

— Что с вами, товарищ полковник? Вам плохо? — спросил капитан Петров, свидетель той роковой ошибки при контрольном тестировании. Свидетель или очевидец? Видел ли он, что произошло на экране? Почему он так внимательно смотрит? И что он рассмотрел на лице своего непосредственного начальника? Что полковник Белов созрел для отставки? Тогда у капитана есть шансы! Конечно, с неба звезд он не хватает, но считает неплохо. Сносно. Во всяком случае, ошибок делает намного меньше! Если освободится место начальника смены, он вполне может претендовать на него! Ишь, улыбается, гаденыш... Или это не улыбка, а блики от лампы? Все равно...

— У меня все очень хорошо, товарищ капитан! — отрубил Белов. — Лучше внимательно следите за ситуацией!

— Есть! — капитан обиженно уткнулся взглядом в экран.

Белов отвлекся, и ощущение удушья прошло. По инерции он вышел в тамбур, но здесь была такая же спертая атмосфера, как и во всем поезде. Только если открыть наружную дверь, внутрь ворвется свежий степной воздух! Как хочется глотнуть свежего воздуха! Полковник положил ладонь на ручку герметизации. Что ж, он вполне сможет это сделать. Правда, за глоток свежего воздуха придется расплатиться должностью, но когда нечем дышать, о должности думать не придется...

Реальная возможность открыть дверь успокоила его окончательно, и он вернулся к себе. По пути заглянул в открытую каюту смены запуска. В синем сумраке белели четыре будто неживых лица. Закрываясь в своем купе, Белов бросил взгляд на капитана Петрова. Тот, не отвлекаясь, смотрел на монитор.

Итак, что делать? Командир запуска не в состоянии рассчитать траекторию, в результате виртуальный учебно-боевой удар нанесен неточно. С небольшим отклонением от заданных координат.

Белов приободрился.

Действительно, по большому счету отклонение было предельно мизерным. В реальной боевой ситуации нет никакой разницы — попадет ракета точно в цель или угодит на сто метров в сторону. Или даже на двести метров! Что такое двести, триста, пятьсот метров, километр и даже два для ядерного взрыва?! Ничего! Это просто повод выкинуть на пенсию неугодного командованию человека!

Сердце Евгения Романовича предательски заныло. Что, если об этом станет известно? Сейчас, когда его карьера и так висит на волоске, подобные инциденты только на руку тем, кто мечтает отправить полковника на заслуженный отдых. А он, черт возьми, получается, сам помогает им в этом! Сволочи! Никому нельзя верить, ни на кого нельзя рассчитывать!

Полковник опять взмок и снова ухватился за свой зеленый платок. Чудовищный цвет! Правда, его купила жена, а он не избалован проявлениями заботы со стороны боевой подруги! Он вытер лоб, шею, лицо, засунул платок в карман. Надо довериться Ирине! Взять отпуск, отдохнуть вдвоем, восстановить нервы, и все станет на свои места, он снова станет считать без ошибок! Ему положена путевка в санаторий, причем на двоих с женой, причем каждый год, — это одна из льгот службы на БЖРК. Надо ею воспользоваться. И тогда все пойдет как прежде, он, Белов, — профессионал высокого класса, будет служить еще долго, а этот негодяй Петров перестанет издевательски улыбаться, он так и сгниет за пультом дежурного оператора!

Белов снял мундир, аккуратно повесил его на вешалку и лег в помятую постель. Сердце билось ровно, колеса стучали уже не грозно, а успокаивающе, полковник расслабился и стал засыпать.

«Лишь бы ничего не прознал вынюхивающий все, как ищейка, особист!» — мелькнула напоследок тревожная мысль.

А офицер военной контрразведки майор Сомов не спал в третьем, штабном, вагоне. У него была довольно просторная каюта, которая днем выполняла функции служебного кабинета. В соседнем купе располагалась его собственная радиостанция с лейтенантом-шифровальщиком, который подчинялся только ему. Майор Сомов был третьим человеком в БЖРК, а может быть, и первым — как посмотреть. Только он, начальник БЖРК Ефимов и командир пуска Белов постоянно носили личное оружие во время всего рейса. Но пистолет Макарова, хотя и помогает принудить взбунтовавшийся экипаж к пови-

новению, не позволяет решать масштабные задачи. А звено
«черных автоматчиков» — позволяет! Причем они подчиняются только ему одному — майору Сомову! А сам Сомов не под-
чинен ни начальнику БЖРК, ни командиру пуска, никому в
этом поезде. Поэтому он свободен в своих решениях, и если
раскопает измену, от которой не поздоровится всему руководству БЖРК, а то и командованию отдельного дивизиона, то
не станет ничего скрывать, — сразу отправит сигнал своему начальству!

Но измена — дело достаточно редкое. В мире существует
множество угроз безопасности, которые встречаются куда более часто. В большинстве это человеческие слабости, разного
свойства и калибра. Пьянство, наркомания, внебрачный секс,
всевозможные половые извращения, расстройства психики,
повышенная нервная возбудимость, — вроде бы обыденные
вещи, а могут погубить БЖРК так же легко, как и прямой
шпионаж или диверсия! Именно поэтому майор неутомимо
пропускает через свой кабинет личный состав, расспрашивает
каждого, выпытывает: что видел, что слышал, о чем догадыва-
ется... Незаметно для окружающих, в общей массе проходят и
специальные человечки — доверенные лица, которые целенаправленно собирают информацию и передают своему курато-
ру. И технические средства играют свою роль: встроенные в
важных местах микрофоны, подключенный параллельно компьютер, автоматические устройства съема информации...

Два источника и поймали в расставленную майором сеть
полковника Белова. Вначале попросился на прием капитан
Петров: он стоял за спиной Белова во время контрольного тестирования и обратил внимание на какой-то непорядок в циф-
ровых рядах. Значения этому вначале не придал, но когда Белов вдруг повторил тестирование, задумался: а что бы это зна-
чило? Заглянул в отчеты об испытаниях, а там вместо двух —
всего один! А второй где? Непонятно... Вот и пришел капитан к
офицеру особого отдела посоветоваться, как учили... Наверное, у него свой интерес есть — Белова подсидеть, но для дела
это не важно.

А тут из Москвы шифровка приходит лично Сомову: на
контрольный тест два отчета поступили. Один Белов прислал,
положительный. А второй автоматически пришел — отрица-
тельный! И получается, что начальник смены вначале тест за-
валил, а потом пытался это скрыть! Вот такой факт, тут и до измены недалеко...

Ведь ошибиться, в конце концов, всякий может. Но если
честно признался и исправить старается, значит, честный че-

ловек, ему можно верить... А если начинает маскировать, фальсифицировать, выкручиваться, — тогда человек гнилой и надо к нему повнимательней присматриваться!

Сомов собрал все относящееся к Белову в один файл, сбросил под паролем на дискету, а дискету запер в маленький, но надежный сейф.

Потом он прочел несколько сообщений доверенных лиц. Так, ерунда: прапорщик Свиридов тайком пронес сигареты и в нарушение правил внутреннего распорядка курит в межвагонных переходах (а кстати, Белов тоже курит, причем при подчиненных!), прапорщик Конев заснул на дежурстве у кругового перископа, лейтенант Матвеев жаловался, что эта железная коробка ему осточертела... Мелочовка, конечно. Но... Курочка по зернышку клюет, а яйцо вон какое получается!

Сомов сжал внушительный кулак и довольно осмотрел его со всех сторон. Одно маленькое нарушение — действительно ерунда, второе — уже система, а третье — это, извините, линия поведения... Он стал распределять информацию по личным делам проштрафившихся. Тут деликатно звякнул внутренний телефон.

— Товарищ майор, старший лейтенант Гамалиев к доктору ходил. Придумал, что руку прищемил, и ушел с поста, — раздался приглушенный голос.

— И что?

— Да ничего. Она его не пустила. Постоял, постоял под дверью да пошел обратно.

— Ладно, молодец, наблюдай дальше и докладывай!

Сомов не распознал голоса: может, кто-то из его доверенных лиц, а может, какой-то инициативник. Неважно, сигнал есть сигнал, а любой стук — это пища для особиста. Ай да Гамалиев! Губа у тебя не дура, надумал к жене командира клинья подбить! Надо будет к тебе присмотреться попристальней...

Ложился спать он уже поздно, когда до Кротова оставалось часа два езды.

Глава 6

СЛУЖЕБНЫЕ ОТНОШЕНИЯ

Ржавую защелку сторож сноровисто отбил молотком, навалившись всем телом, с трудом отвалил тяжелую калитку на заскорузлых, отчаянно скрипящих петлях. В огромном заброшенном депо гулко прокатилось эхо неожиданного вторжения.

— Давайте смотрите, а я здесь постою, на солнышке, — сказал сторож, отступая в сторону. Четыре человека, инстинктивно пригибаясь, вошли внутрь через проржавевшие ворота. Здесь царил полумрак: пробивавшиеся сквозь проломы в выгнутой крыше солнечные лучи разжижали густую, как высохший мазут, и столь же черную темноту, тут и там материализующуюся в угловатые силуэты старинной железнодорожной техники. Устоявшийся дух солярки, смолы и дегтя за десятки лет утратил свою обычную крепость и остроту, позволяя обонянию ощущать сопутствующие любой заброшенности запахи пыли, тлена и упадка.

— Посвети влево, — попросил Ломов, и Малков направил в указанном направлении луч тяжелого аккумуляторного фонаря.

Обычный довоенный паровоз «ФД» — реликвия, какие люди современного поколения видели только на картинках да в исторических фильмах. За его тендером впритык стояли такие же древние вагоны: пассажирские с узкими окошками и товарные с покоробленными деревянными стенками. Казалось, старинный состав сформирован для очередного рейса и только ждет команды, чтобы вырваться на российские просторы. Справа неуклюже протянул поперек путей свою длинную руку путеукладчик, за ним стояла механическая дрезина и открытая грузовая платформа, груженная шпалами. Захлопали крылья, из-под ног Малкова всполошенно взлетели к высокому потолку то ли птицы, то ли души поставленной на вечный прикол техники. Он шарахнулся в сторону, обо что-то споткнулся и чуть не упал.

— Осторожно, тут можно искалечиться! — предупредил он идущих сзади местных оперативников ФСБ. Один был действующим и обслуживал железнодорожный транспорт, а второй — ветеран-пенсионер, который в свое время курировал БЖРК первого поколения.

Второй фонарь был в руках действующего сотрудника, и направляемый им желтый луч сноровисто перебегал с покореженного вагона на цистерну, с цистерны на паровоз, с паровоза на состав пожарного поезда.

— Не вижу ничего интересного. Может, разобрали его или порезали на металлолом?

— Исключено! Он никуда деться не мог, — подал голос ветеран. — Стоит где-нибудь в уголке, уже и не ждет, что о нем вспомнят... А раньше-то что вокруг него поднималось: ого-го!

В голосе проскользнули грустные нотки. В давно прошедшие времена и сам отставник был еще ого-го, а теперь о нем вспоминают лишь по праздникам, да вот выдался случай...

Светя фонариками, четыре человека прошли между путями из конца в конец, перешли на другую линию и двинулись обратно, осматривая стоящие на рельсах локомотивы, вагоны и другую технику. Иногда на пути попадалась жесткая, с хрустом лопающаяся паутина, иногда приходилось озабоченно переступать через окаменевшее дерьмо, из-под некоторых вагонов с писком вылетали летучие мыши.

— Перемажемся, как черти, — сказал молодой оперативник.

— Это точно, — буркнул Малков.

Близнецы на этот раз были одеты не в пижонские пиджаки, а в повседневные костюмы, но жалели, что не надели рабочие комбинезоны.

— Подождите, вон он, кажется, — сказал ветеран, останавливаясь. — Посвети сюда... Да, точно...

Два фонарных луча скрестились на самом обычном грузовом вагоне, почти не отличающемся от тех, что десятками стояли вокруг.

— Вы не ошибаетесь, отец? — спросил Малков.

— Конечно, нет! — возмутился ветеран. — Это вспомогательный вагон БЖРК!

— Ну, давайте посмотрим...

Малков поднялся по тонкой лестничке, прошелся по открытому тамбуру и заглянул внутрь. Обычный товарняк, только изнутри укрепленный листовой сталью и разбитый на отсеки шириной в два-три пассажирских купе. Похоже, на грубых деревянных столах раньше стояла какая-то аппаратура. Да еще небольшие прорези в стенках, напоминающие бойницы.

Капитан вылез обратно и мелом нарисовал на борту вагона большой крест.

— Мы его забираем. Подготовьте к транспортировке и отправьте на Тиходонск-товарную.

— Будет сделано, я прослежу! — отозвался молодой оперативник.

— Еще что-нибудь от него осталось? — спросил Ломов у ветерана.

Тот уверенно кивнул.

— По-другому и быть не может! Все должно быть здесь, все пять вагонов и локомотив! Не знаю, почему они порознь стоят!

Но вопреки уверенности старого контрразведчика больше никаких частей БЖРК обнаружить не удалось. Выйдя на свет божий, четверо оперативников как могли отчистили одежду от пыли, следов ржавчины и паутины и распрощались. Гордый своей полезностью ветеран пошел домой, молодой опер поехал на службу докладываться начальству, а сотрудники отдела «Зет», как для конспирации называлась вновь созданная служба по обеспечению безопасности БЖРК, отправились на вокзал и выехали обратно в Москву.

— Может, мы и действительно идиоты? — спросил капитан Малков капитана Ломова, когда они наполовину распили бутылку водки в купе «СВ» и уже испытывали друг к другу приязнь и полное доверие, но еще не ощущали неприятных последствий опьянения.

— Да нет, — воспротивился тот. — Мы-то при чем, что все эти поезда порастерялись? Бардак в стране, а тут столько лет прошло!

Они уже три недели искали боевые поезда первого поколения — и все безуспешно. Обнаружить исходные документы им не удалось: БЖРК находились в ведении Министерства обороны и курировались военной контрразведкой, сейчас и военные, и особисты в ответ на все запросы только разводили руками: дескать, двенадцать лет прошло, объекты давно списаны, а все бумаги уничтожены... К тому же предположительно один поезд остался в Белоруссии, второй — на Украине, следы третьего затерялись в Казахстане... Ракеты с них, естественно, были сняты, а судьба самих спецсоставов никого особенно не интересовала. Тем более что бывшие покладистые советские республики, превратившись в самостоятельные государства, стали чрезвычайно важными и неуступчивыми, задавать им вопрос о судьбе БЖРК не имело никакого смысла.

Поиски на российской территории тоже не принесли успеха. По слабым следам, оставшимся во второстепенных документах: графиках прохождения литерных поездов, ремонтных нарядах, ведомостях на выдачу зарплаты, Близнецы колесили по всей стране, осматривая территорию частей железнодорожных войск, заброшенные и действующие депо, запасные рельсовые ветки ракетных подразделений и даже музеи железнодорожного транспорта. Сегодняшняя находка в заброшенном депо на одной из узловых станций Свердловской области стала их самым большим достижением.

— Я не про поезд, — поморщился Малков. — Я вообще. Мезенцев нас за что драл? За то, что Фалькова взять не смогли, Курта прозевали. Может, он и прав?

Ломов удивленно вытаращил глаза.

— Чем же он прав? План задержания Фалькова кто утверждал? Скажи мне — кто?

Малков задумчиво покрутил в руках пустой стакан.

— Он же и утверждал.

— Вот именно! Зачем было лезть к нему домой через стальную дверь? Пришли бы на работу, гада бы вызвали в отдел кадров, там бы мы его спокойненько и свинтили! Или на входе, или на выходе, или внезапно на улице! Главное, чтобы был элемент неожиданности! И тогда он бы никуда не делся! Не так, что ли?

— Так, — кивнул Малков. — Наливай.

— Подожди. А за Курта в чем наша вина? Или за Маринку? Нас же там не было, мы их не охраняли! Вот с Черепом, тут да, но тут вопрос принципа! Ты мне, Влад, честно скажи: у тебя ведь с Маринкой шуры-муры были? Иначе ведь ты б его стрелять не стал?

Малков поднял на товарища тяжелый взгляд.

— Что ты думаешь, я тебе отвечу? Наливай давай!

Они допили водку, закусили сырокопченой нарезкой и сыром.

— А когда нас в Чечню посылали, мы идиотами не были? — спросил Ломов. — Зачем туда идиотов посылать? А помнишь, на что нас пустили? Мы же группа захвата особо опасных преступников, вот они и бросили нас под автоматный огонь в Первомайском: там ведь особо опасные преступники, вот вы их и захватывайте! А там не захват, там бой, общевойсковая операция, другая тактика, другие силы и средства, другое взаимодействие! Сколько ребят полегло, тебе за малым голову не отрубило! А кто нас посылал? Тот же Мезенцев! Так, может, это он и есть идиот?

— Скорей всего! — согласился Малков.

— Тогда теперь ты посылай его в задницу и больше о нем не вспоминай! А я тебе вот что скажу: надо нам поискать старый БЖРК через ветеранов-отставников! Ведь если бы сегодня с нами старикана не было, хрен бы мы этот вагон нашли!

— Точно, — кивнул Влад.

— Вот и надо разослать телеграмму по Управлениям, чтобы порасспрашивали ветеранов, которые пятнадцать лет назад работали по линии железнодорожного транспорта! Кто-нибудь чего-нибудь обязательно вспомнит!

Влад снова кивнул.

— Молодец, Толян! Голова у тебя варит! А теперь давай отдохнем!

Расположившись на удобных мягких полках, Близнецы расслабились и закрыли глаза. Монотонный стук колес быстро их усыпил.

* * *

На северо-западе Тиходонского края, в трехстах восьмидесяти километрах от краевого центра, располагается небольшой рабочий поселок Кротово. Пятнадцать тысяч жителей, мукомольный комбинат, овощеконсервный завод, железнодорожная станция. Глухая провинция, чахлый очажок жизни в тиходонских степях.

В двух километрах от Кротова издавна располагалась часть железнодорожных войск, с которой жители имели плотное и разностороннее общение. Кто-то устраивался в вольнонаемный персонал, молодые парни, отслужившие в армии и не нашедшие себя на овощной и мукомольной ниве, поступали на сверхсрочную. Большинство контактов носило неофициальный характер: перебравшись через хлипкий забор, крали то, что плохо лежит, но может пригодиться в хозяйстве, меняли на самогон у солдат и старшин мазут и уголь для печей, доски и краску для ремонта квартир, ношеное и новое обмундирование. Так продолжалось до начала девяностых. Под влиянием реформ все кротовское хозяйство благополучно приходило в упадок: консервный завод остановился, на мукомолке не платили зарплату, воинская часть тоже агонизировала и в конце концов была расформирована. Ленивые часовые делали вид, что охраняют остатки государственного добра, а на самом деле по мере сил способствовали охватившему страну процессу приватизации.

Потом начался сельский ренессанс: деловые люди из Тиходонска купили и овощной завод, и мукомольный комбинат, и уже ходили присматриваться к бесхозному военному городку, когда где-то наверху провернулись могучие механизмы и у остатков гарнизона появились новые хозяева. Они взялись за дело еще круче, чем городские «новые русские»: укрепили забор, обнесли подходы колючей проволокой, по слухам, даже установили мины. Вокруг периметра зашагали злые патрули с собаками, прилегающую местность объявили запретной зоной и натыкали тут и там парные и одиночные секреты. Внутри городка тоже развернулось масштабное строительство, но что и для чего строили, никто из кротовцев не знал, ибо местных ни на какие работы не брали.

Через год часть наполнилась солдатами и офицерами, членами их семей, детишки стали ходить в местную школу, но прежние братские отношения между армией и народом уже не восстановились, потому что теперь невозможно стало даже подойти к высоченному бетонному забору, не то чтобы что-нибудь стырить или, на крайний случай, сменять. К большому удивлению местных, и юные солдатики не бегали в самоволку, не искали самогонку, а если военные с петлицами железнодорожных войск и выходили в поселок по какой-то надобности, то это были сплошь взрослые прапорщики и офицеры, которые в контакты с поселковыми жителями не вступали. По ночам в часть приходили какие-то поезда и по ночам же уходили, но случалось это нечасто. Сельчане видели и обычные для железнодорожных войск товарняки, дрезину, дорожный кран, цистерны, видели даже нехарактерный для армии пассажирский состав, хотя был ли это один поезд или разные — тоже никто наверняка сказать не мог.

Новая воинская часть по военной классификации была отдельным дивизионом, а разместилась на обширной базе дивизии. Поэтому квартирный вопрос был решен полностью. Два давно пришедших в негодность общежития и офицерская «малосемейка» оказались невостребованными, оставшись стоять в своем первозданном виде, без ремонта. За годы безвластия из них вытащили рамы, сорвали полы, электропроводку и все, что можно, полковник Булатов давно собирался их снести, а пока разрушающиеся здания обреченно смотрели черными глазницами на действующий гарнизонный городок.

Жилой сектор находился в восточной части двухсотгектаровой территории и состоял из пяти слегка отреставрированных, но все равно убогих панельных пятиэтажек, стоящих в ряд, как вагоны почтово-пассажирского поезда. Заселение шло по ранжиру: в первом доме размещались полковники, во втором — подполковники и майоры, в третьем — младшие офицеры, в четвертом и пятом — прапорщики с семьями. Для холостых прапорщиков чуть в стороне стояло общежитие, столь же гнусного вида, как и любое здание, приспособленное для группового проживания. Его зеркальным отражением являлось стоящее напротив общежитие для незамужнего женского персонала.

Выщербленные асфальтовые дорожки, обязательная клумба в центре, грубые скамейки, выкрашенные традиционной зеленой краской, места для курения вокруг бочки с песком, баня, почта и переговорный пункт — все было как в тысячах других военных городков, разбросанных по всей России. Так же сушилось на балконах и на веревках между домами белье, так же хлопали крышки мусорных баков, так же громко переговаривались женщины в бигудях, домашних халатах и шлепанцах на босу ногу.

Правда, здесь действовал особый режим секретности: отправленная корреспонденция перлюстрировалась и подвергалась цензуре, телефонные разговоры прослушивались и записывались на магнитную ленту, о чем сразу предупреждались все обитатели городка. Специальные электромагнитные поля блокировали работу мобильных телефонов, проводная связь имелась только в первом и втором доме, да и то действовала через коммутатор.

Должность командира отдельного дивизиона стратегического назначения по табели о рангах имела генеральский «потолок», и, хотя Булатов еще ходил в полковниках, для него в глубине территории строился отдельный коттедж, огороженный забором и охраняемый часовыми. Ухоженный дворик резко отличался от остального пространства части, как отличается все генеральское от просто военного, но Булатов не собирался переселяться в генеральское жилье, пока официально не получит шитые золотом погоны.

В западной части территории, за забором из колючей проволоки располагались служебные и технические сооружения: вертолетная площадка, ангар со скоростным немецким «Стрижом», штаб, узел связи, служба радиопомех, начальник станционной службы и жилой дом для «черных автоматчиков». Еще дальше находились депо со вспомогательными локомотивами, платформами, товарными вагонами, цистернами, шпалоукладчиками, кранами и другой железнодорожной техникой, склады, подземные резервуары для топлива.

Ближе к северу находился главный сектор воинской части: сектор БЖРК. Отдельное депо, отдельный бункер для боевого вагона, маневровый дизель, медпункт предрейсового обследования... Весь сектор, включая отдельную железнодорожную ветку, был окружен несколькими рядами колючей проволоки: и обычной «колючкой», и режущей «егозой». Как и внешний периметр, особый сектор был окружен минами, правда, сигнальными, не способными разорвать нарушителя на куски, зато гарантирующими сильнейший шок, возможно, ожоги и уж точно — самое пристальное внимание близлежащих патрулей.

БЖРК был главным объектом отдельного дивизиона стратегического назначения, вся жизнь гарнизона крутилась вокруг него и была ему посвящена. Непосредственно на атомном поезде, сменяясь, работали два экипажа, по шестьдесят человек в каждом. Еще один экипаж был резервным: на случай внезапных подмен, болезней и отпусков. БЖРК почти все время находился в рейсе, и каждый рейс был ответственным боевым дежурством. Рейсы длились от двух до четырех недель, инструкция советских времен предусматривала возможность замены экипажей в промежуточных пунктах, но уже давно денег на массовые перелеты или даже переезды не выделялось, поэтому и замены экипажей остались в прошлом. Как следствие, возрастала психическая нагрузка, но эту проблему решили очень просто и экономно, в духе времени: изменили нормативы, продлив допустимое время боевого дежурства для всех членов экипажа, включая и группу запуска.

Уход БЖРК на боевое дежурство и возвращение на базу были для всех обитателей военного городка большим событием, его провожали и встречали как торговое судно, рыболовный сейнер или, что более правильно, военный корабль. Гарнизон готовился к встрече: подметались асфальтовые дорожки, проводилось торжественное построение, жены стирали белье и готовили вкусные обеды. Впрочем, из этого правила бывали и исключения.

БЖРК прибывал в Кротово в пять утра. Несмотря на неподходящий, располагающий ко сну час, почти все население городка выстроилось вдоль ограждающей полотно «колючки». Офицеры делали это по обязанности, многочисленные женщины — по велению души и сердца. Дети тоже всегда просились встречать папочек, поэтому здесь было немало детей, причем самых разных возрастов. Долгое ожидание наконец было вознаграждено: вдали послышался характерный звук идущего поезда, который в ночной тишине разносился на несколько километров. Ярко блеснул приближающийся луч прожектора.

Раздался натужный скрип. В заборе периметра распахнулись сервоприводами тяжелые стальные ворота, сдвинулась в сторону перекрывающая пути бетонная плита, и на территорию медленно вплыл черный локомотив, натруженно тащивший за собой семь специальных вагонов. Когда он поравнялся с встречающими, ничего не изменилось: не открылись двери и окна, никто не выглядывал, не улыбался и не выискивал взглядом своих близких. Официальные встречающие тоже не проявляли эмоций, только женщины и дети радостно махали руками, а детишки еще и кричали:

— Папа, ты где? Папочка!

Темный неулыбчивый поезд со слепыми декоративными окнами на бронированной обшивке постепенно замедлял ход и, наконец, остановился. Именно на том уровне, на котором положено: у белой отметки на импровизированном перроне. Благодаря этому штабной вагон замер как раз напротив группы встречающих во главе с полковником Булатовым.

Послышался шум стравливаемого воздуха, когда внутреннее давление сравнялось с внешним, дверь штабного вагона раскрылась и наружу молодцевато, как и следует при начальстве, выпрыгнул подполковник Ефимов.

— Товарищ полковник! — четко и торжественно начал он доклад. — Боевой ракетный железнодорожный комплекс с боевого дежурства прибыл. За время дежурства произошло одно происшествие, не связанное с личным составом, о котором вам докладывалось ранее. Никаких других происшествий не было! Начальник БЖРК подполковник Ефимов!

— Вольно! Благодарю за службу!

Булатов пожал подполковнику руку.

— Строить личный состав, товарищ полковник? — уважительно спросил Ефимов. — Вообще-то рейс был долгий, люди устали...

Булатов кивнул.

— Пусть отдыхают.

Ефимов поднял руку. Тут же двери всех вагонов распахнулись, и атомный поезд стал отрыгивать не переваренных им до конца людей. Свободные от дежурства офицеры и прапорщики прыгали на перрон, жадно выискивая глазами своих близких в толпе стоящих по ту сторону колючей проволоки людей. Дежурным предстояло еще сдать по описи имущество сменному экипажу, и для них встреча с родственниками откладывалась на несколько часов.

Колючей проволокой встреча БЖРК отличалась от встречи в порту вернувшегося сухогруза или линкора. Да еще тем, что в небольших чемоданах и тощих вещмешках сменившегося экипажа не было никаких подарков, только грязное перепревшее белье. Выпрыгнув на твердую землю, люди с непривычки пошатывались, жадно и глубоко вдыхали живой воздух, от этого кружилась голова, и надо было тщательно контролировать каждый шаг, чтобы не упасть.

Пройдя КПП, экипаж вышел к семьям, началась родственная встреча: слезы, объятия, поцелуи... Обнимая жен, члены экипажа спешили домой — к вкусной еде, уюту и постельным утехам. Практика показывала, что большинство, оказавшись в квартире, не станет ни есть, ни пить, ни ласкать жен, а просто повалится на непривычно устойчивую и необыкновенно мягкую постель и провалится в глубокий сон на добрые сутки. Атомный поезд высасывал их силы, надсаживал нервы, по крупицам отбирал здоровье. Такова была плата за повышенные оклады и льготный стаж службы.

Военврач Булатова осторожно спустилась по ступенькам. В руках она тоже держала маленький чемоданчик, но поскольку в рейсе Наталья Игоревна стирала сама себе, то белье в нем было чистым и свежим. Полковник Булатов пожал жене руку и чуть заметно улыбнулся. При подчиненных он никогда не выказывал военврачу каких-либо внеслужебных чувств.

Практически все члены экипажа, кроме холостых, расходились парами. И только начальник смены Белов, долго оглядываясь по сторонам, так и не нашел свою супругу и, выругавшись про себя, отправился домой в одиночестве.

А военврач Булатова приняла душ — ночью вода шла нормально — и, замотавшись в полотенце, вышла к своему супругу. Но он спал. Так и не раздевшись, прямо в кресле, словно внезапно отключившийся робот. Она не стала его будить и одна прошла в супружескую спальню. И тоже отрубилась, едва коснулась подушки.

Утром Наталью Игоревну вызвали к телефону.

— Нам надо протестировать кандидата на службу, — сказал Уполномоченный Минобороны Кандалин. — Завтра жду к одиннадцати у себя. Надеюсь, полковник Булатов выделит вам машину...

Машину командир части выделил, военврачу показалось, что он сделал это с облегчением. Выехав из Кротова в пять утра, она прибыла в Тиходонск без четверти одиннадцать и ровно в назначенное время зашла в кабинет к Кандалину. Олег Станиславович приветливо поздоровался и выложил из сейфа на стол еще тонкое личное дело:

— Ознакомьтесь, кандидат сейчас появится.

Наталья откинула обложку и обомлела! С фотокарточки на нее смотрел Саша Ветров: первая юношеская любовь — давняя, но незабываемая. Не может быть! Конечно, не может... Чудес на свете не бывает. Выпускник Ракетного училища Кудасов. Кандидата тоже звали Сашей, и это совпадение показалось ей многозначительным.

* * *

На следующий день после происшествия в «Золотом круге» курсанты Смык, Глушак и Кудасов писали объяснения: начальнику училища, начальнику факультета, особисту, кому-то еще... Несколько раз приходилось их редактировать и переписывать, чтобы излагаемые факты укладывались в некую продуманную начальством схему.

На доске объявлений висел приказ об отчислении за аморальное поведение курсанта Короткова. По училищу ходили глухие слухи, что Андрея уволили за гомосексуализм. Даже участники событий думали, что судьбу товарища определил злосчастный поцелуй трансвестита.

— Но как они узнали? Прошло минут десять, а они уже оказались в «Золотом круге», — недоумевал Коля Смык.

— Может, позвонил кто... Или там были осведомители Котельникова, — размышлял вслух Боря Глушак.

— Там были только мы четверо. И никто не выходил, — уточнил Кудасов. — Откуда среди гражданских осведомители?

— Но факт-то налицо!

От кабинета начальника училища шла женщина с красными заплаканными глазами и помятым лицом. Это была мать Андрея. Никого не узнавая, она прошла мимо.

— Да, повеселились, — вздохнул Смык. — Какого черта мы поперлись в этот притон с переодетыми педерастами!

— Вспомни, сам Андрей и предложил, — сказал Боря Глушак.

Александр молчал. Он вспомнил Оксану. Она тоже сказала, что «Золотой круг» — это притон, в котором приличной девушке не место. А он, вместо того чтобы поблагодарить за предупреждение, наорал на нее и бросил трубку...

— Курсант Кудасов, ко мне! — раздался сзади голос подполковника Волкова.

Четко развернувшись и подойдя строевым шагом, Кудасов бросил руку к виску:

— Товарищ подполковник, курсант Кудасов по вашему приказанию прибыл!

— Вас вызывает начальник факультета. Следуйте за мной!

Опять, что ли? Сколько можно? И почему его одного?

Удивленный Александр пошел за курсовым офицером. За всю учебу его никогда не вызывал к себе полковник Ерохин. Только Коротков удостаивался чести бывать в его кабинете.

Но сейчас вместо Ерохина в кабинете находился незнакомый майор — стройный, светловолосый и голубоглазый.

— Здравствуйте, Александр Олегович, — не по-уставному поздоровался он и с доброжелательной улыбкой протянул крепкую ладонь.

Майор располагал к себе и внешним видом, и осанкой, всей манерой держаться и говорить. Но кто это и что ему надо? Неужели особист из округа? Или самой Москвы?

— Курсант Кудасов, это майор Маслов, он хочет с вами побеседовать. Характер и содержание беседы разглашению не подлежит, — официальным тоном сказал Волков. — Вам все ясно?

— Так точно, — растерянно ответил курсант.

Волков тут же вышел, оставив его наедине с незнакомцем.

— Присаживайтесь, — пригласил тот, указав на кресло возле журнального столика, и сам сел напротив, создавая неофициальную и непринужденную обстановку.

— Я представляю командование Ракетных войск стратегического назначения, — сказал майор. — Причиной нашей беседы явился рапорт майора Попова из Красноярского полка МБР. В нем вы охарактеризованы исключительно положительно. Поэтому я уполномочен провести с вами подготовительную работу и в случае положительного результата предложить очень ответственную и перспективную должность. Что вы на это скажете?

— Я готов! — четко ответил Кудасов. Сердце у него заколотилось. Ясно, что после такого предисловия его позовут не в бункер МБР шахтного базирования.

Майор Маслов разговаривал с ним около тридцати минут. О семье, об учебе в школе, о спортивных интересах, об учебе в училище, об интересах, о преддипломной практике... Вчерашний случай он не упомянул вообще, похоже, что он вообще ничего не слышал.

— А о какой работе идет речь? — улучив момент, спросил Александр. Он изнывал от любопытства.

— Пока я не могу говорить о работе. Скажу только об условиях. Первое — полковничья должность. Сразу при зачислении на нее вам будет присвоено внеочередное звание...

Кудасов даже рот раскрыл от изумления.

— Второе — двойной оклад, третье — льготная выслуга: год за полтора...

Такого просто не бывает! Никто никогда не слышал о таких царских условиях службы... Но тут же Александр насторожился. Может, речь о ядерном полигоне на Новой Земле? Полярные ночи, остаточная радиация, поливитамины вместо овощей и фруктов, выезды на материк раз в три года. Тогда большое спасибо...

— Четвертое: через пять лет вы сможете, при наличии желания, конечно, поехать на учебу в Академию Ракетных войск. Это, как вы знаете, открывает дорогу к высшим командным должностям. Вопросы есть?

Кудасов невесело усмехнулся. Без подвоха здесь не обойдется.

— А место службы? Небось Новая Земля?

Майор покачал головой.

— Место службы — город Тиходонск. Точнее, Тиходонский край. Род занятий — по вашей непосредственной специальности. Будете делать то, чему вы обучались на протяжении четырех лет в ракетном училище. С некоторой спецификой.

Майор понизил голос.

— Работа секретная, связанная с обеспечением военной безопасности страны. Она требует хорошей психологической устойчивости, выносливости, искренности. Поэтому, если вы согласны, вам придется пройти ряд психологических исследований. Что скажете, Александр Олегович? Если надо, подумайте до завтра.

Кудасов улыбнулся.

— Тут и думать нечего: я согласен!

На следующий день в одиннадцать часов утра, возле Управления железной дороги Кудасов встретился с Масловым. На этот раз майор был в штатском: брюках и кремовой шведке с распахнутым воротом. Он проводил курсанта внутрь, в просторный прохладный вестибюль, по мраморной лестнице, со стертыми за сто лет ступенями, они поднялись на второй этаж, и Маслов набрал код на обитой железом двери без опознавательных знаков. Мимо вскочившего и вытянувшегося в струнку рядового они прошли по коридору и зашли в какую-то комнату.

— Здравствуйте, Александр Олегович! — невзрачное помещение будто заиграло яркими красками радуги, которая исходила от женщины в белом халате, сидящей за видавшим виды столом. У нее было красивое лицо, замечательные глаза и обворожительная улыбка. Перед ней на обшарпанной поверхности стола стоял открытый ноутбук и еще какой-то прибор, от которого отходили провода.

— Здравствуйте...

— Можете называть меня Наталья Игоревна, — сказала женщина. — Или товарищ майор, как вам удобней.

— Здравствуйте, Наталья Игоревна, — с трудом выговорил курсант. И чтобы прийти в себя, огляделся по сторонам. Офис был достаточно скромным, как по размерам, так и по обстановке. Квадратное помещение, общей площадью метров шестнадцать, с единственным окном во внутренний замкнутый дворик. Два видавших виды стола, три стула и один компактный диванчик у окна. На этот самый диванчик сразу плюхнулся майор Маслов, вольготно развалился, закинул ногу за ногу и сцепил руки на колени. После чего нахально уставился на женщину в халате. Волосы, как обычно, идеально уложены с зачесом назад, лицо гладко выбрито. Герой-любовник, победительный и неотразимый. Почему-то Саша почувствовал к нему антипатию.

За вторым столом сидел еще один мужчина: средних лет толстячок с большой плешью, тщательно маскируемой зачесанными справа налево редкими волосами. Маскировка получилась плохой, лысина все равно проглядывала. При виде Кудасова он встал, подошел ближе, любезно подставил стул.

— Меня зовут Василий Васильевич. Фамилия моя Михеев, — представился он.

Речь у него была невнятная, с пришепетыванием. Маленькие зеленые глазки нервозно бегали из стороны в сторону, будто надеялись ухватить какую-то незаметную обычному человеку, но важную деталь. Он сразу испортил впечатление, радуга исчезла, комната поблекла и превратилась в обычную казенную заштатную контору.

— Ну что ж, давайте начнем тест, — прошепелявил Михеев, пытаясь изобразить на бледных губах некое подобие улыбки. — Садитесь поудобней.

Он сноровисто привинтил на стул никелированный подголовник с двумя выгнутыми дисками для поддержки затылка. Когда-то такие встречались в зубоврачебных кабинетах, но Саша видел их только в кино.

— Расслабьтесь, — толстяк перетянул грудь Кудасова лентой на застежках-залипах. Впереди лента заканчивалась разрезанным поперек стальным цилиндром, половинки соединялись пружиной, создававшей необходимое натяжение. В спецкурсе «Обеспечение государственной тайны» курсанты изучали полиграф, хотя и довольно поверхностно. Александр понял, что лента позволяет контролировать частоту и интенсивность дыхания.

Наталья Игоревна тоже подошла и поправила ленту.

— Процедура абсолютно безболезненна и не причиняет ни малейшего вреда, — ласково сказала она. — Теперь давайте пальчики...

Саша на миг ощутил тепло женской ладони. И тут же хищные, как крокодильи челюсти, защелки вцепились в безымянный и указательный пальцы его левой руки. Очевидно, этот детектор измеряет кровенаполнение и частоту пульса.

— Теперь другую руку, — проворковала женщина, и Кудасов понял, что готов слушать ее голос всю жизнь.

Хищная защелка обхватила средний палец правой руки. Похоже, это датчик потоотделения.

— Вот и все, — Наталья Игоревна улыбнулась своей замечательной улыбкой.

Проводки от датчиков тянулись к черному блоку размером с большую толстую книгу, тот в свою очередь соединялся с компьютером. Перед монитором, плюхнувшись на нагретый телом Натальи Игоревны стул, устроился неприятный толстяк. Женщина и майор Маслов незаметно вышли из комнаты. Наступила томительная тишина.

— Сейчас вы запишете любую цифру от ноля до десяти и покажете ее мне, — невнятно сказал Михеев. — Вот картонка и ручка, прямо у вас под рукой. Давайте. Любую.

Отставив палец с присоской, Кудасов вывел кривоватую пятерку и повернул картонку в сторону оператора.

— Хорошо. А теперь я буду называть цифры подряд, но вы не признавайтесь, какую написали. Короче — врите!

Кудасов кивнул. Ерунда какая-то. Он знает, что я загадал, какой смысл отказываться?

— Начали. Итак, вы загадали ноль?

— Нет.

— Единицу?

— Нет.

На мониторе жили своей жизнью три линии — белая, голубая и зеленая, они то поднимались вверх, то опускались вниз, то перекрещивались, то сливались в одну.

— Двойку?

— Нет.

— Тройку.

— Нет.

«Контрольный тест, — вспомнил вдруг Кудасов, когда они дошли до десятки. — Какие реакции соответствуют заведомой лжи...»

— Продолжаем. Теперь я буду задавать вопросы, а вы коротко отвечать: да, нет, не знаю. Вопросы не ставят целью унизить ваше человеческое достоинство, обидеть или оскорбить. Вам все ясно?

— Ясно.

— Вы живете со своими настоящими родителями?

— Да.

— Вы родились в Тиходонске?

— Да.

— Вы жили в других городах?

— Нет.

— Вы служили срочную службу?

— Нет.

— У вас есть родственники за границей?

— Нет.

— Кто-либо из ваших родственников имеет судимость?

— Нет.

— Вы девственник?

— Нет.

Вопросы сыпались как из рога изобилия. Кудасов отвечал без запинки, он был вполне искренен. Какой смысл ему врать? Хотя некоторые вопросы показались весьма странными.

— Вы болели венерическими заболеваниями?

— Нет.

— Вступали в гомосексуальные связи?

— Нет.

— Употребляли наркотики?

— Нет.

— Задерживались милицией?

— Нет.

— У вас есть знакомые иностранцы?

— Нет.

— У вас есть постоянный половой партнер?

— Да.

— Это мужчина?

— Нет.

— У вас бывают головные боли?

— Нет.

— Галлюцинации?

— Нет.

— Обмороки?

— Нет.

— Вы выполните любой приказ командования?

— ...Да.

Голубая линия показала неискренность. Две другие подтвердили правдивость ответа. Вместе с тем аппаратура отметила двухсекундную заминку.

— Вы способны произвести боевой пуск МБР?

— ...Думаю, да.

Теперь белая и зеленая линии выразили сомнения. И опять заминка.

— Вы боитесь замкнутого пространства?

— Нет.

— Вы рассказывали кому-нибудь о служебных делах?

— ...Нет.

Все три линии показали ложь. И снова заминка.

Опрос продолжался еще около двадцати минут, наконец толстяк встал, освободил курсанта от датчиков и молча вышел из комнаты. Александр опустился на диванчик у окна, переводя дух. Он весь вспотел от напряжения. Странно: обычные вопросы, обычные ответы. Ему ведь нечего скрывать... Наверное, оттого, что слишком многое поставлено на карту. Предложенная работа привлекает его, и мысль о том, что от дурацких вопросов и бездушной машины зависит, получит он ее или нет, вызывает напряжение. Саша чувствовал, что его судьба решается именно сейчас, в эту минуту!

Действительно, в кабинете Кандалина шло небольшое совещание.

— В целом никаких особых отклонений не выявлено, — докладывал Михеев. — Но на вопросы о выполнении любого приказа и о способности произвести боевой запуск четкие ответы не получены. К тому же они даны с задержкой...

— Это вполне нормально, — прокомментировала Наталья Игоревна. — Речь идет о предположительных действиях. Он сам не знает, как поступит в этих ситуациях. Такова реакция девяноста процентов тестируемых.

— Так, может, надо ориентироваться на остальные десять процентов? — спросил Михеев. Уполномоченный и его помощник молчали.

— Как правило, это люди, не обладающие критическим мышлением, — спокойно пояснила Булатова. — Они более уверены в себе и думают, что выполнят любую задачу. Однако при учебно-боевых запусках процент срывов одинаков как для первой группы, так и для второй. Потому что **думать** о том, что ты сделаешь, и **сделать** — это совершенно разные вещи. А стартовый ступор — это серьезная нервно-психологическая проблема!

— И он соврал на вопрос о том, рассказывал ли кому-нибудь о служебных делах, — тоном ябедника прошепелявил Михеев.

— Вот как? — насторожился Кандалин.

Но Наталья Игоревна махнула рукой.

— Это просто характеризует его как совестливого и ответственного человека. О служебных делах рассказывают практически все, только в разной степени. О новом назначении, перемещении по службе, какой-либо проблеме... Все. Сто процентов. Главное, не выдавать секретных данных. А с этой стороны он не замечен, у него прекрасное личное дело.

Михеев пожал плечами, то ли соглашаясь, то ли, наоборот, возражая.

Кандалин ненадолго задумался.

— Скажите, Василий Васильевич, есть ли идеальные кандидаты, которые проходят испытание без сучка и задоринки?

— Нет, — с некоторым сожалением ответил Михеев. — А если такое произойдет, то это очень тревожный сигнал: скорее всего испытуемый проходил специальную подготовку. Сами понимаете, что это значит.

Уполномоченный пристукнул рукой по столу.

— Тогда и не надо наводить тень на плетень. Наталья Игоревна, проведите психофизиологическое тестирование. Если все пройдет хорошо, приглашайте его ко мне на беседу.

Военврач вернулась в комнату, кандидат поднял на нее ждущий взгляд.

— Полиграф вы прошли успешно, — ободряюще улыбнулась она. — Осталось тестирование по изучению свойств вашей личности. Вот это вопросник...

Булатова передала парню довольно пухлую брошюру.

— А это варианты ответов. Видите, номер вопроса совпадает с номером ответа. Вам остается только подчеркнуть: «Да» или «Нет». Отвечать надо искренне, потому что вопросы перепроверяют ваши ответы. Чтобы не запутаться, надо быть честным. И еще надо уложиться в тридцать минут. Вам все ясно?

Кудасов пожал плечами.

— Вроде все...

— Тогда приступайте!

Вопросы были дурацкими: «Любите ли вы цветы?», «Любите ли животных?», «Бывают ли у вас расстройства желудка?», «Любите ли охоту?», «Любите ли вы рвать цветы?» и так далее.

Александру показалось, что кое-что он понял. Расстройства желудка бывают у всех, хотя признаваться в этом неудобно. Если ответил положительно, значит, проявил честность, ответил отрицательно — соврал. Если любишь цветы и любишь их рвать, значит, в натуре заложено противоречие, точно так же с любовью к животным и охоте. Но можно любить уже собранные цветы, а охотиться только на птиц... Тогда никакого противоречия нет.

А этот вопрос: «Просыпаетесь ли вы ночью?» Или этот: «Снятся ли вам сны?» Они-то что проясняют?

Но, размышляя о содержании вопросника, Кудасов не останавливался и бойко отмечал в большом, разграфленном на 400 клеточек листе свои ответы. Он уложился в двадцать минут.

— Молодец, хорошее время, — сказала Наталья Игоревна. Александру показалось, что она смотрит на него с симпатией. — Теперь посидите, я это расшифрую.

Он снова остался один, но теперь волнения не было. Пришла уверенность, что все будет хорошо. Так и получилось. Через двадцать минут Наталья Игоревна вернулась.

— Поздравляю, Саша, тесты вы прошли успешно. Возможно, нам с вами придется работать вместе, — она в очередной раз улыбнулась.

Потом в комнату зашел Маслов и пригласил его к шефу. В большом кабинете с массой телефонов и огромной картой железных дорог на стене сидел приземистый худощавый человек. У него были большие некрасивые уши, огромные залысины и лицо усталой обезьянки. Если бы не полковничья форма и не окружающая обстановка, его можно было принять за обычного работягу — сантехника, грузчика или монтера пути.

— Здравствуйте, Александр Олегович! — полковник привстал и протянул через стол цепкую руку. — Я Уполномоченный Минобороны по Южному округу Олег Станиславович Кандалин.

— Курсант Кудасов, — представился Саша. — Правда, я уже выпускаюсь.

— Вы знаете, что такое БЖРК, товарищ курсант?

Вопрос прозвучал так неожиданно, что Александр на мгновение растерялся. «Работяга» пристально и испытующе смотрел ему в глаза. Кудасов взял себя в руки и приосанился.

— Слышал, — ответил он. — Нам преподавали курс «Структура РВСН». Это боевой ракетный железнодорожный комплекс. Один из видов мобильных ракетных установок.

— Правильно, — кивнул полковник.

— Когда-то БЖРК играли важную роль в обороне СССР, — продолжил Кудасов, вспоминая сведения, не имевшие практического значения. — Их было несколько штук, по-моему четыре или пять. Потом их расформировали, и сейчас это только история развития вида вооруженных сил...

— Вот тут вы ошибаетесь, Александр Олегович, — перебил его Кандалин. — Год назад БЖРК снова был поставлен на боевое дежурство. В новой, модернизированной модификации. С самой современной ракетой. Пока только один поезд, но он уже сейчас играет роль первой скрипки в обороне нашей страны. Поезд полностью автономен, он пересекает Россию из конца в конец, он все время в движении. Остановки допускаются лишь в самых крайних случаях, да и то на основании распоряжения или согласия штаба. Все, что связано с этим поездом, является совершенно секретным. Это следует иметь в виду.

— Конечно, — кивнул Кудасов.

— Вам предлагается служба на борту БЖРК, — сказал наконец Кандалин то, чего Саша уже давно ждал.

— Я готов. Но... В качестве кого?

Кандалин и Маслов переглянулись.

— Сейчас мы вас удивим, — усмехнулся полковник. — Но давайте по порядку. Начальник БЖРК командует им в мирных условиях. Порядок службы, соблюдение графика движения, дисциплина личного состава, обеспечение топливом и продовольствием, бесперебойное функционирование систем и механизмов — все это входит в компетенцию начальника комплекса. Но!

Кандалин многозначительно поднял палец.

— Как только поступает боевой приказ, командование переходит к начальнику смены запуска. Он начинает выполнять функции командира пуска, ибо главная боевая задача БЖРК — произвести пуск ракеты с ядерной боеголовкой... Это очень важная и ответственная должность, ключевая на БЖРК. Пожалуй, более важная, чем должность командира комплекса.

До сих пор Кудасову все было ясно. Теперь он перестал понимать, к чему клонит Уполномоченный. Олег Станиславович широко улыбнулся.

— Вам предлагается пройти стажировку на должность начальника смены запуска. В боевых условиях — командира пуска. Что скажете?

Саша потерял дар речи. Мысли слегка путались, и требовалось какое-то время, чтобы привести их в порядок. Нельзя сказать, что он не осознал важности предложения. Напротив, это предложение было трудно переоценить. Перспектива подземных дежурств в глухой тайге таяла на глазах. А вероятность женитьбы на Оксанке, наоборот, резко увеличивалась. Но если бы ему предложили работу дежурного оператора, это одно, а стажироваться на роль второго или даже первого лица стратегического ракетного комплекса — для зеленого курсанта это все равно что сесть в кресло командира полка. Страшно!

— Разве такое может быть?! Я, курсант, и сразу после выпуска...

— Может, — не дослушал его подполковник. — По одной простой причине: сложность запуска! БЖРК постоянно перемещается, поэтому в полетное задание не введена координата старта. Понимаете, насколько это усложняет расчеты?

— Да, это очень затрудняет работу, — задумчиво произнес Кудасов.

Олег Станиславович кивнул.

— Вот именно! Мы не смогли подобрать расчетчика такого уровня. По существу, вы единственная подходящая кандидатура.

Саша был польщен.

— Ну, если так...

Но внезапно в голову пришла еще одна мысль.

— А кто сейчас занимает эту должность?

— Полковник Белов Евгений Романович. Под его началом вы и будете стажироваться.

— Но это получится...

— Ничего не получится! — перебил его Кандалин. — Белову пятьдесят пять лет, это верхний возрастной предел службы. И он пойдет на пенсию, с вами или без вас. Просто, если его место займете вы, страна будет в большей безопасности, чем если в кресло командира пуска сядет случайный человек!

— Но опыт! Я просто не созрел до такой должности! — почти закричал Кудасов. — Ведь положено начинать со стажера оператора, потом работать оператором, потом старшим оператором, потом заместителем начальника смены...

Кандалин раздраженно взмахнул рукой.

— Молодой человек, я хорошо знаю иерархию должностей! Поверьте, гораздо лучше вас! Вы все говорите правильно. Но обстоятельства конкретной ситуации заставляют нас сделать вам конкретное предложение! И оно резко отличается от стандартных ситуаций и стандартных предложений. Такие предложения делаются один раз в жизни! И основано оно исключительно на ваших высоких личностных и профессиональных качествах!

Слышал бы это Олег Иванович! Он бы оказался на седьмом небе от счастья. И утвердился в мысли, что справедливость все равно берет верх, что бы там ни говорили.

Кандалин и Маслов в упор рассматривали курсанта. В глазах их застыло странное выражение. Похоже, что они ждали отказа.

Саша подумал, что бедный Коротков до рокового поцелуя, не задумываясь, принял бы столь перспективное предложение. И те сомнения, которые мучают его самого, Андрею даже в голову не могли прийти! «Глупо отказываться от того, что само идет в руки!» — неоднократно говорил Коротков. Вспомнилась и еще одна мудрость генеральского сына: «В жизни реже дают, чем отбирают. Поэтому свой шанс упускать нельзя!» Правда, все эти премудрости не пошли ему на пользу.

— Что ж, давайте попробуем, — наконец сказал Кудасов. — Я согласен!

Олег Станиславович встал и протянул ему руку.

— Поздравляю с правильным и ответственным решением. Будем работать вместе. Предупреждаю: необходима строгая конспирация! За секретами БЖРК охотятся разведки всего мира!

Курсант улыбнулся.

— А между тем ваш штаб не очень-то защищен!

Полковник помолчал, пожевал губами.

— Мы только координаторы. Никаких особо секретных документов здесь нет, наши инструменты — карта и связь.

— Но вы сами — секретоносители высшей категории, — не унимался настырный курсант. — Охрана могла бы быть посерьезней!

Когда Кудасов ушел, Кандалин с досадой сказал помощнику:

— А у парня голова работает! Я много раз ставил вопрос об усилении охраны, но ответ один — нет средств! Если шпионы или террористы выйдут на нас, дело может кончиться плохо. Ты носишь оружие?

Маслов качнул головой.

— Как правило, нет.

— А надо!

— Не сгущайте краски, Олег Станиславович! — вежливо улыбнулся майор. — До сих пор все шло нормально и дальше будет так же.

Глава 7

ЛИЧНОЕ И СЛУЖЕБНОЕ

— Почему ты не вышла к поезду? Почему из всего экипажа только меня никто не встречал?! Хотя именно мне это, может быть, важнее, чем всем остальным! — кричал Белов, быстро расхаживая по комнате.

— Господи, как ты любишь все драматизировать! — Ирина Александровна закатила глаза. — Я же тебе объяснила — я просто не слышала будильника. Почему бы тебе не оставить меня в покое?

— Оставить в покое? — Белов резко остановился, будто наткнулся на стенку. — Как раз сейчас мне очень нужна поддержка в семье. У меня большие проблемы!

Ирина нахмурилась, глядя на его отражение в зеркале, а затем перестала расчесывать густые белокурые волосы и повернулась лицом к супругу.

Она была моложе своего мужа лет на пять, но сохранилась очень хорошо. Слегка полноватая, невысокого роста и в целом далеко не красавица, Ирина Александровна до сих пор производила неизгладимое впечатление на представителей противоположного пола своим внушительным, вызывающе торчащим бюстом и вельможными манерами потомственной аристократки. И то и другое было ненатуральным. На пластику груди Евгений пожертвовал деньги, скопленные на машину, а происхождения жена полковника была самого пролетарского — родители всю жизнь проработали на свиноводческом комплексе, хотя и сумели дать дочери высшее образование.

— И что у тебя случилось такого чрезвычайного? — растягивая слова, поинтересовалась она.

— Да то, что я достиг пенсионного возраста...

— Разве это новость? — аккуратно, со знанием дела выщипанная бровь Ирины рельефно изогнулась, что, как по опыту знал ее муж, выражало крайнюю степень недоумения. — И разве это повод устраивать мне скандалы и так орать? Я, к твоему сведению, дорогой, две недели просидела здесь, в этой квартире. Безвылазно. Как запертая в клетке птица... Разве я заслужила такой тон? Ведь я отдала тебе лучшие годы жизни, а что получила взамен?

— Не преувеличивай, пожалуйста, — Белов недовольно поморщился и подошел вплотную. — Все знают, что ты целые дни тусуешься с полуграмотными телефонистками, сплетничаешь с ними, приводишь домой пить кофе... Ты жена полковника, хоть бы соблюдала субординацию! На что же ты жалуешься?

— На одиночество, Женя, — Ирина забросила ногу на ногу, выставляя на обозрение мужа свою розовую широкую стопу с несвежим педикюром на пальцах. Впрочем, в гарнизоне вообще никто не делал педикюр. Кроме майора Булатовой. — На отсутствие свободы. Неужели ты сам не понимаешь? Если мне не изменяет память, я уже не раз говорила тебе об этом, но, кажется, ты пропускаешь все мои душевные откровения мимо ушей. А Катя и Валя меня понимают, у них широкие души, хотя по званию они прапорщицы...

— Прапорщики! — рыкнул Евгений Романович. — Не прапорщицы, а прапорщики!

— Ну какая разница! — Ирина вновь подняла глаза. Она сидела на низком пуфике, и полковник видел высоко открытые ноги и крепкую большую грудь. Белов облизал враз пересохшие губы, но тут же постарался прогнать нарастающее желание. Даже в моменты крайнего раздражения и неудовольствия жизнью Ирина притягивала его как магнит. Вот только жаль, что он ее не притягивал. Может быть, тогда взаимопонимание было бы достигнуто...

— Ты столько ездишь по стране, хоть бы раз привез мне подарок, — упрекнула жена. — В Москве столько хороших товаров, купил бы духи, колготки, сумочку...

— Ты что, с ума сошла? Мы же нигде не останавливаемся! Даже носа не высовываем!

— Зачем же вы тогда ездите столько времени?

Белов оставил вопрос без ответа. Он полез в шифоньер и достал полбутылки дагестанского коньяка, купленного в поселке, а возможно, там и произведенного. В военном городке действовал «сухой закон», поэтому приходилось быть крайне осмотрительным.

— Выпьешь со мной?

Ирина с интересом посмотрела на бутылку.

— Давай.

Он до половины наполнил стаканы.

— Будем здоровы! — Белов резко опрокинул свой стакан. Теплая противноватая жидкость прокатилась по пищеводу и согрела желудок. Ирина, отставив мизинец, сделала несколько мелких глотков, потом, облизнувшись, отставила стакан в сторону.

— Купи мне вина про запас, — капризно попросила она. — Будем хоть с подружками выпивать со скуки.

— Ладно, — кивнул Евгений Романович. — Только смотри, не попадись! Дружи лучше с офицерскими женами, а не с этими девчонками!

Пил он редко, и коньяк подействовал почти сразу. Настроение улучшилось, в голове слегка зашумело.

— Так послушай мою проблему, — вернулся он к прерванному разговору. — Мало того, что я достиг предельного возраста, так я еще стал допускать ошибки при расчетах! Если это обнаружится, то меня... В общем, сама понимаешь...

Ирина с досадой допила свой коньяк.

— Что я понимаю? Я ничего не понимаю! Ты притащил меня из столицы в этот богом забытый угол, обещал золотые горы, шикарное жилье, материальное благополучие. И где это все? Монотонная невыносимая жизнь, рутина... С ума сойти можно... И теперь ты подготовил мне сюрприз. Не надо загадок, лучше скажи все честно. Тебя собираются выпихнуть со службы? Под зад коленом? Такой будет финал?

Белов кивнул.

— Ну, в общем, к этому идет... Мне надо отдохнуть. Давай возьмем отпуск и поедем в санаторий. За три недели я опять войду в норму!

Ирина повернулась к зеркалу, снова взяла щетку и принялась тщательно расчесывать свои густые волосы.

— Ты знаешь, я что-то не хочу в санаторий. Там такая же скучища, как здесь. Одни старые пердуны и больные старушки, которые надеются вылечиться и прожить сто лет.

— Но если ничего не делать, то меня забракуют при ближайшем тестировании! — почти выкрикнул Евгений Романович.

— О! — Ирина вскинула щетку и победительно посмотрела на супруга. — Не бойся, милый. У тебя же есть жена. Я тебе помогу!

— Что?!

— Ты блестяще пройдешь тестирование, вот что!

— Каким образом? — полковник допил остатки коньяка.

— Очень простым, — возбужденно жестикулировала она. — Валечка замечательная подруга. Она учится на психологическом факультете и помогает Булатовой. У нее есть книжка, где указаны правильные ответы на вопросы тестов. Валечка принесет ее мне, а ты выучишь наизусть. Вот и все! Пусть тестируют тебя хоть каждый день!

А ведь это выход! В опьяненном сознании Белова мелькнула мысль, что теперь все беды останутся позади.

— Какая ты умница, Ириша. Я хочу тебя, — Белов вылез из кресла, шагнул вперед и запустил обе руки в вырез сарафана супруги. Отреставрированная грудь была плотной и приятной на ощупь.

— Сядь на место, Женя! — чуть ли не выкрикнула Ирина и резким движением вырвала руки мужа из-за пазухи. — Не смей ко мне приставать. Тем более когда я веду с тобой речь о серьезных вещах. Сядь, я сказала! У тебя манеры солдафона!

Порыв прошел. Евгений Романович послушно вернулся в кресло и попытался выжать из бутылки последние капли. Внутри все клокотало от гнева и полного бессилия, но Евгений Романович благоразумно сдерживал эмоции. Перечить Ирине — означало нажить на свою голову дополнительные неприятности. А у полковника и так их хватало сверх меры. Он чувствовал себя опустошенным и разбитым.

* * *

Майор Сомов закончил доклад, и теперь начальник отдела ВКР[1] отдельного дивизиона стратегического назначения Николай Тимофеевич Кравинский внимательно просматривал собранные материалы. Сомов доложил и сделал свое дело, а вся ответственность за правильно и своевременно принятое решение ложилась на подполковника Кравинского.

Он и так был в опале. Еще недавно он работал в Центральном аппарате и жил в Москве, как вдруг новое назначение в эту дыру. Скорей всего сыграло роль то обстоятельство, что Николай Тимофеевич имел опыт оперативного обслуживания первого БЖРК, курсировавшего по железным дорогам Советского Союза еще в 1988 году. А может, это просто предлог, а на самом деле он пал жертвой борьбы между «коренными» и «варягами».

---

[1]ВКР — военная контрразведка. Когда-то эти подразделения называли «Особыми отделами». На обыденном уровне это название сохранилось до сих пор.

Такое противостояние постоянно идет во всех центральных ведомствах. То на ключевые посты ставят хорошо знакомых и проверенных москвичей, то вдруг приходит другая волна, и аппарат начинают забивать шустрыми выходцами из провинции. Как бы то ни было, а после столицы оказаться в диком степном краю — этого никому не пожелаешь!

В задачи Кравинского входило бдительное наблюдение за личным составом всех трех экипажей поезда, обслуживающим персоналом, охраной и строжайшим соблюдением государственной тайны. При любой утечке информации или злостном нарушении устава кем-либо из сотрудников спрос будет непосредственно с Николая Тимофеевича. И спрос нешуточный. Понятное дело, что все это не добавляло Кравинскому жизненного оптимизма и не избавляло от душевной горечи, связанной с переездом из столицы в отдаленную глубинку. Но в целом он смирился. А его благоверная супруга Алла Петровна все еще продолжала бунтовать — и против богом забытого Кротова, и против вечной занятости мужа, и против драконовских порядков военного городка. Разрушительная сила этих бунтов обрушивалась на одного человека: самого Николая Тимофеевича. И дополнительно угнетала его нервную систему. Правда, недавно ему удалось пристроить Аллу Петровну Председателем женсовета, так что теперь ее энергия получит полезный выход.

— Что будем делать, товарищ подполковник? — озабоченно спросил Сомов.

— Иди доложи Булатову. Пусть будет в курсе.

Николай Тимофеевич сдернул квадратные очки со своего мясистого большого носа, растер пальцами переносицу и водрузил их на прежнее место. В это время раздался телефонный звонок. Трезвонил дальний белый телефон специальной связи. Звонки по нему, как правило, никогда не приносили ничего хорошего.

Кравинский потянулся и нехотя снял трубку.

— Кравинский слушает.

— На боевом посту, Николай Тимофеевич?

Голос звучал весьма тихо и отдаленно, но это один из недостатков закрытой для прослушивания линии. Кравинский без труда узнал Кандалина. Уполномоченный хренов! Кто его и куда уполномочил? Сидит себе в Тиходонске и названивает во все концы: там стрелку не вовремя перевели, там цистерну солярки не выставили. Завхоз, вот он кто! А пытался подмять под себя отдел ВКР во главе с ним, Кравинским! Дескать, Уполномоченный главнее... Правда, хрен у него вышло что-нибудь из этой затеи! Катался бы сам в спецпоезде и проверял себе на здоровье. Однако все эти мысли метались только в голове Николая Тимофеевича, и ни одна из них не выскочила через ротовое отверстие.

— Я всегда на боевом посту, Олег Станиславович, — отрапортовал Кравинский, откидываясь на спинку стула и машинально ослабляя тугой узел галстука, давившего на кадык. — Чем могу быть полезен?

Все-таки с Уполномоченным Министерства обороны лучше жить в мире и согласии.

— Да вот решил узнать, как обстоят у вас там дела, — небрежно молвил Кандалин.

«Я так и думал, — поморщился Николай Тимофеевич. — Когда коту делать нечего, он яйца лижет». Сравнение понравилось Кравинскому, и он даже улыбнулся, представив, как Олег Станиславович, изогнувшись на диване и задрав ногу выше головы, вылизывает собственную промежность. Кандалин и внешне-то напоминал старого ленивого кота, предпочитавшего большую часть времени проводить перед телевизором, чтобы заимствовать бредовые выдумки голливудских режиссеров для реального БЖРК. Взял из фантастического фильма дурацкую сетку и поставил ее на поезд... Дурдом какой-то!

— Пока не жалуемся, Олег Станиславович.

— Это хорошо, — Кандалин по извечной своей привычке причмокнул губами. — А у меня для вас хорошая новость, Николай Тимофеевич.

— Что за новость? — Кравинский откровенно насторожился. Ведь самые лучшие новости — это отсутствие всяких новостей.

— Если все пройдет гладко и так, как мы запланировали на настоящий момент, в ближайшие две недели направим к вам на поезд стажера.

— Стажера? — переспросил начальник особого отдела. — И на кого он будет стажироваться?

— На начальника смены запуска, командира пуска, — бодро ответил Уполномоченный.

Кравинский опешил.

— Вы как в воду смотрите, Олег Станиславович, — он даже забыл о жене и других личных проблемах. — У меня на столе как раз компрматериалы на Белова! Только... Кто он, этот стажер?

— Выпускник Тиходонского ракетного училища. Очень способный парень. Кудасов его фамилия. Лейтенант. Мы его сразу к старшему представим.

— Как выпускник?! Вчерашнего курсанта сажать «на кнопку»?!

— Сажать «на кнопку» надо того, кто сможет рассчитать траекторию с «плавающей» координатой старта. Таких людей очень мало. Мы нашли только Кудасова. Если у вас есть лучшая кандидатура — пожалуйста, представляйте ее.

В голосе Уполномоченного чувствовалась легкая издевка. Он прекрасно знал, что среди опытных ракетчиков, проходящих службу в частях РВСН, таких кандидатур нет. Опытного спеца никто не отдаст, да и когда человек в возрасте, он вряд ли станет шарахаться с места на место. Да и вряд ли согласится на столь беспокойный и сложный объект, как БЖРК.

Начальник отдела ВКР несколько секунд помолчал. Конечно, никаких кандидатов у него не было. Оставалось только красиво прийти к компромиссу.

— Да я не возражаю против молодежи... Только ведь дело очень серьезное. Потянет?

— Потянет, не сомневайтесь. Вам в обязанность вменяется оказать содействие молодому сотруднику, а Евгения Романовича тактично подготовить к выходу в отставку. Вы меня понимаете?

— Понимаю, — Кравинский многозначительно выпятил нижнюю губу. — Чего ж тут непонятного!

Положив трубку, он некоторое время сидел, уставившись в одну точку перед собой. Проблема Белова была близка к разрешению. Особый отдел собрал о нем всю информацию и доложил командованию. Начальнику смены подобрана замена. Как справится с делом зеленый курсант — его, Кравинского, не касается. Главное, что контрразведка вовремя отреагировала.

Николай Тимофеевич встал, прошелся по кабинету и довольно потянулся. Время близилось к обеду.

* * *

Семья Моначковых готовилась отходить ко сну. Оксана, как обычно, выполняла вечерний ритуал: надев жемчужный комплект, крутилась перед зеркалом в чем мать родила. Внезапно распахнулась дверь и на пороге появилась Ирина Владимировна.

— Тебе звонил какой-то взрослый мужчина...

Она осеклась, брови недоуменно поползли вверх.

— Что это?!

Оксана чувствовала себя как воровка, задержанная с поличным.

— Это? Бижутерия. Купила по случаю окончания учебы.

Ирина Владимировна подошла поближе.

— Бижутерия, говоришь...

Рабочие пальцы перебрали матовые шарики.

— Да нет, милочка... На эти цацки наших с отцом зарплат за целый год не хватит. Теперь мне все ясно...

Мать тяжело опустилась на стул. Оксана быстро накинула халат и сняла украшения.

— И что тебе ясно?

— Все! Тебе звонит твой любовник. Взрослый любовник. Он содержит тебя последнее время, покупает вещи, драгоценности, водит по ресторанам. Потому ты стала отказываться от ужинов... Ты содержанка?!

— Ох, мама, перестань драматизировать! Сейчас многие так живут. В конце концов, что тут плохого? Если я встречаюсь с Кудасовым и... в общем, все понятно, но он мне ничего не дарит, то это хорошо. А если есть человек, который обо мне заботится, — то это плохо! Где логика?

Мать провела натруженными руками по лицу.

— Сколько ему лет?

— Боже, ну какая разница?

— Неужели... сорок?

— Какое это имеет значение? Хоть... пятьдесят!

— Неужели пятьдесят? Так он старше твоего отца?

— Это я просто так сказала. Нет никакой разницы, сколько ему лет. Главное, он любит меня и обо мне заботится. Ведь ты желаешь счастья своей дочери?

— Желаю, желаю... Только... А как же Саша?

— Он и о Саше позаботится! Сашу распределили в лес на подземные дежурства, а он пообещал устроить его в Тиходонске!

— Значит, это ты с ним ездила... А я еще подумала: поехала в Сибирь без теплых вещей, а вернулась смуглая, как с моря.

— Надеюсь, ты ни о чем не проболтаешься, — сказала Оксана. — Ни отцу, ни... В общем, никому! В конце концов, ты моя мать, а не Сашина!

Мать встала. Она превращалась в невольную сообщницу и явно не знала, как себя вести.

— Я этому, твоему... сказала, что ты уже спишь.

— И правильно. Пусть звонит в дневное время.

После происшествия на речной прогулке Оксана стала бояться Сурена и всячески избегала его. Он несколько раз звонил и вот теперь нарвался на мать. А ведь он так просто не отстанет!

Ему ничего не стоит заявиться прямо домой или прислать своего мордоворота...

В прихожей тренькнул звонок. Сердце Оксаны оборвалось. Она выбежала в прихожую и, словно бросаясь в омут, распахнула дверь.

— Привет, Оксанка! — Александр с букетом чайных роз и радостно сияющим лицом замер на пороге.

— Прости, что так поздно. Но у меня для тебя потрясающая новость. Надеюсь, ты уже не сердишься? — молодой человек обезоруживающе улыбнулся.

— Да нет. Все нормально, — девушка перевела дух и отбросила со лба прядь волос. — Проходи, Саша.

Сзади появилась Ирина Владимировна.

— Здравствуй, Сашенька! Сколько лет, сколько зим! Давненько тебя у нас не было...

— Так учеба все... Теперь вот распределение, завтра выпуск.

— И куда тебя отправляют? Далеко? — спросила Ирина Владимировна.

— Туда, где круглый год тридцатиградусный мороз! — не удержалась, чтобы не съязвить, Оксана.

Саша торжествующе засмеялся.

— Отставить! Этот вариант уже отменен! Я остаюсь в Тиходонске и на очень перспективной должности!

Мать и дочь многозначительно переглянулись.

— На какой же? — дрогнувшим голосом спросила Оксана.

— Полковничья должность, через месяц я получу старшего лейтенанта! Двойной оклад, льготная выслуга лет, через пять лет пошлют в Академию! А там и до генерала недалеко!

«Какой все-таки молодец Суренчик, — с благодарностью подумала Оксана. — А что вспыльчивый, так это с каждым может случиться...»

— Да ты проходи, проходи, а то что мы стоим в коридоре! — засуетилась Ирина Владимировна. — Оксанка, накрывай чай, такое дело нужно отметить. Сейчас я отца подниму...

— Ни в коем случае! — возразил Саша. — Давайте пока сами посидим. У меня важное дело!

Мать и дочь снова обменялись взглядами. Ясно было, о каком предложении идет речь. Ирина Владимировна незаметно ущипнула дочку за тугой бок. Это означало: не будь дурой и не упусти свой шанс.

— Тогда я пойду принаряжусь, — покладисто сказала Оксана.

— Ага. Только цветы поставь в воду. Это тебе.

Александр наконец вручил ей букет. Розы были так себе.

Сурен дарил совсем другие — голландские, на длинных стеблях, с крепкими плотными бутонами. И тщательно подбирал цвет. Уже не говоря о том, что мастерски обставлял всю процедуру. А Кудасов все делал крайне неловко и неуклюже. Он абсолютно не умел ухаживать за девушками. Может, вследствие отсутствия опыта. И вообще, скорей всего, до нее был девственником. Оксану это несколько забавляло. Но Саша никогда не вышвырнет ее за борт. И на него можно положиться, он надежен и никогда не подведет. Такие ребята огромная редкость в нынешней жизни. К тому же у него прекрасная фигура, молодое тело, гладкая упругая кожа...

— Спасибо.

Оксана взяла розы, передала их матери и скрылась в своей комнате. Ирина Владимировна, увлекая за собой Сашу, двинулась на кухню. Кудасова распирала уверенность и гордость, он развернул плечи и старательно выпрямил спину. В строю положено видеть грудь четвертого человека. Сейчас выпяченную грудь курсанта Кудасова могли бы видеть даже право- и левофланговые. Ведь теперь у него есть что предложить будущей жене в качестве залога счастливой семейной жизни. Это тебе не таежные края, милая!

Ирина Владимировна принялась привычно хлопотать по хозяйству: вскипятила чайник, разложила по вазочкам варенье. Она почему-то чувствовала себя виноватой и, наверное, поэтому тараторила не умолкая.

— Это мое варенье, фрукты из нашего сада, они такие свежие, что от запаха голова кругом идет! А у вас есть сад?

— Нет. В свободное время родители любят гулять. А фрукты покупают на рынке.

— Ну что ты! Разве свои с рыночными сравнишь?

Так они болтали ни о чем, Саша то и дело поглядывал в сторону Оксаниной комнаты.

Она вернулась минут через пятнадцать. На ней было красивое платье с вызывающим декольте и оголенными плечами. На ногах новые босоножки на шпильках. Волосы полностью распущены. В ушах жемчужные серьги, на высокой шее такое же колье, на пальце тоже крупная жемчужина. Александр невольно залюбовался ею.

— Ты просто красавица! А что это за украшения?

— Родители подарили! — Оксана незаметно подмигнула матери. — В честь окончания института.

Лицо Ирины Владимировны окаменело. Она повернулась к Кудасову спиной и стала остервенело тереть старое пятно в раковине.

— Так что у тебя за важное дело? — нетерпеливо спросила Оксана.

Самые опытные знатоки оперативной психологии не смогли бы выбрать более удобного момента для легализации драгоценностей. Оксана, безусловно, заслуживала отличной оценки по этому предмету. Но она никогда его не изучала и действовала по собственному наитию.

— Хочешь стать женой генерала? — загадочно прищурился Александр.

— Ты уступишь меня генералу? — сыронизировала девушка. — Но, во-первых, ни один генерал ко мне не сватался, а во-вторых, они все такие... взрослые.

С некоторых пор она избегала слов «пожилой» или «старый».

Кудасов рассмеялся.

— Нет. Карты судьбы выпали так, что я сам вполне могу стать генералом!

— Ты как будто в лотерею выиграл! Весь сияешь. Я тебя давно таким не видела.

Оксана пристально смотрела на молодого человека, невольно сравнивая его с Суреном Гаригиновичем. Память вновь и вновь возвращалась к неприятной сцене между ними. Каждый раз ее передергивало.

— Ты меня никогда таким не видела, — сказал Александр и встал. — Я предлагаю тебе выйти за меня замуж.

Фраза прозвучала торжественно. Мать перестала драить раковину. Кудасов повернулся к ней.

— Ирина Владимировна, я прошу у вас руки вашей дочери!

На тесной кухоньке наступила тишина. Оксана порозовела. Хотя она и ждала этого, но внезапно разволновалась. Ей предстояло сделать выбор. Прямо сейчас.

— Но почему такая срочность? — спросила она. — И кем ты будешь работать? Где?

— Оксана, — он накрыл ее руку своей тяжелой увесистой ладонью и проникновенно заглянул в зеленые, как два изумруда, глаза. — Я рассказал тебе в общих чертах о моих перспективах. Большего я рассказывать не могу. Тем более что и сам-то я знаю не так уж много. Скажу тебе одно: жить мы будем в нескольких километрах от Тиходонска. И ты сможешь навещать родителей хоть каждую неделю.

— Чего ты пристала к парню! — вступила в разговор Ирина Владимировна. — Он же военный, у них секреты всякие, тайны. Чего ты туда лезешь? Человек тебя замуж зовет, вот и отвечай! А будешь капризничать — я тебе про свою подругу рассказывала...

— Нам сразу дадут квартиру. Двухкомнатную, со всеми удобствами, — Кудасов бросил на чашу весов последний аргумент, очень весомый в условиях российского бесквартирья.

— Вот видишь! — мать в сердцах швырнула губку. — Чего тебе еще надо?

Оксана улыбнулась.

— Ничего. Я согласна.

— Ну и слава богу! — Ирина Владимировна всплеснула руками. — За это надо выпить, у меня бутылочка кагора припасена для гостей! Оксана, буди отца!

— Зачем? Ему все по барабану. Только бухтеть будет. Завтра скажем.

Втроем они выпили по крохотной рюмочке сладкого вина, потом еще по одной.

— Живите, дети, долго и счастливо, — Ирина Владимировна протерла взмокшие глаза. — А я буду приезжать, деток нянчить.

— А далеко ехать-то? — Оксана облизнула сладкие губы. Глаза ее блестели, щеки горели румянцем.

— В Кротово.

Девушка поставила рюмку.

— Ничего себе! Это же черт знает где! Как же я смогу приезжать к родителям, когда захочу?!

— Это всего триста километров, — как бы оправдываясь, сказал Кудасов. И округлил расстояние в меньшую сторону, потому что в действительности выходило почти четыреста. — Три часа на машине.

— А у тебя есть машина?

— Не бойся, найдем!

— Ну ладно, гулять так гулять! Наливай!

Оксана пила кагор, улыбалась, участвовала в разговоре, но в голове носился целый рой мыслей.

Что ж, замуж выходить все равно надо. Кротово — не сибирская тайга. Не понравится — вернется! Попытка — не пытка... А может, все и сложится. Если служба заладится, то в отдаленной дыре они не задержатся... А уже через месяц она будет женой старшего лейтенанта! То-то Ленка Карташова обзавидуется! Да и другие девчонки с ума сойдут. И Сурен... Может, он тоже пожалеет, что так с ней разговаривал...

Несмотря на размер рюмок, бутылка все равно закончилась.

— Давайте, детки, за ваше будущее! — Ирина Владимировна тоже раскраснелась. — За скорую свадьбу!

В кухню заглянул взлохмаченный Федор Степанович.

— Ну, чего расшумелись, полуночники? — не здороваясь, пробурчал он и прошел дальше. Заливисто прогудел унитаз.

— Уже поздно, я пойду, — счастливый жених встал и по привычке щелкнул каблуками. Босоножки не давали такой четкости звука, как сапоги.

* * *

Зато на следующий день на плацу училища сапоги грохотали на славу.

— И — раз! И — раз! — задавал ритм Коля Смык. «Коробки» офицеров-выпускников одна за другой проходили мимо трибуны, на которой стояло все руководство училища и представители городских властей. Блестят в солнечных лучах генеральские и полковничьи погоны, празднично отсверкивают на серых парадных кителях ордена и медали, прижаты к лакированным козырькам привычные офицерские пальцы, отутюжены штатские пиджаки. Выпуск — большой праздник. Но для руководства это очередной праздник в череде таких же, а для выпускников — единственный, один из самых главных в жизни. Потому, не жалея ног, рубит шаг один выпускной взвод за другим, что молодые люди в непривычных золотых погонах понимают — это первое офицерское прохождение, но на училищном плацу оно последнее. Впереди новая жизнь, новые плацы, а где-то впереди ждет такая же трибуна, с которой можно смотреть сверху вниз на проходящие строевым шагом колонны.

— И — раз! И — раз!

Лейтенант Александр Кудасов шагает во второй шеренге. Распаренной кожей головы он чувствует плотно насаженную фуражку. Это опасный предмет во время прохождения. Все по много раз проинструктированы: если у кого слетит головной убор — не поднимать, иначе сломается строй, и не обходить — иначе сломается строй, и не отфутболивать — иначе тоже сломается строй! Идти, как шли, растопчете фуражку — и ладно, новую купите! А то был случай, выпускной взвод перед самим генералом Хромовым опозорился...

— И — раз! И — раз!

Чтобы шеренги были ровными, каждый лейтенант локтем прижимается к локтю соседа. Сейчас неважно, какие у тебя были оценки, списал ты на экзамене или сам решил задачу, —

все это уже в прошлом. И преподаватели, и начальники курсов, и начальник факультета, да что там — даже сам всемогущий начальник училища генерал Панков утратили власть над свежеиспеченными офицерами. Теперь они сами хозяева своей судьбы, да их новые отцы-командиры. А чтобы судьба была милостивой, чтобы в службе везло, каждый зажимает в потных пальцах одну, две или три монетки. «Коробка» поравнялась с трибуной.

— И — раз!

Это уже не просто метроном ритма. Это команда. Взвод принимает положение: «Смирно, равнение направо!» Руки прижаты к туловищу, головы повернуты к трибуне, только ноги выпрямляются и еще сильнее молотят по асфальту. Офицеры на трибуне улыбаются, рассматривая напряженные молодые лица. Через пять-десять лет именно они будут «делать погоду» в ракетных войсках, а те, кто сейчас на трибуне, пойдут на пенсию и будут вспоминать с гордостью: «А ведь генерал имярек, он-то у меня учился!» Может, к кому-то придется и обратиться со скромной ветеранской просьбой... Сейчас старшие офицеры отчетливо об этом не думают, хотя в затаенном уголке сознания такие мыслишки шевелятся...

— И — раз!

Это тоже команда, но особая. Десятки рук подбрасывают нагретые монеты в воздух. На счастье, на удачу, на везение, на хорошую службу! Летят, крутятся, отблескивают на солнце серебристые диски, набирают свой потолок высоты и устремляются вниз, щедро осыпая юных офицеров, падают на фуражки, на погоны, звякают об асфальт, раскатываются в стороны... Уставом такое не предусмотрено, в принципе это нарушение порядка, монета может попасть под сапог и сломать строй, но такова традиция! Все выпускники военно-учебных заведений России устраивают себе дождь из серебряных монет, и начальство смотрит на это сквозь пальцы, потому что нельзя убивать в молодых людях мечту о счастливом будущем.

Прохождение закончилось. Звучит последняя в училище команда: «Вольно, разойтись!» Ломаются шеренги, парадные лейтенантские мундиры смешиваются с гражданскими одеждами: родители, друзья, невесты дождались своего часа. Обнимаются, целуются, фотографируются на память — такой день ведь больше не повторится! Малышня шныряет по плацу, собирает монетки, им тоже радость — купить мороженое на счастливые офицерские деньги.

Долго длится эта сумятица, лейтенанты обмениваются адресами, обсуждают, когда теперь придется встретиться...

— А где Андрей Коротков, кто знает? — спросил вдруг Боря Глушак.

Никто не знает.

— Да, угораздило его с этим пидором! — покачал головой Коля Смык. — А ведь нам еще повезло, и мы могли загреметь под фанфары!

— Мы же никого в задницу не целовали, — возразил Глушак. — И его никто не заставлял. Но Андрюху жалко. Давайте его завтра проведаем!

— Вряд ли захочет, — сказал Кудасов. — Он же нас жизни учил, генералом грозился стать, а тут такой облом. Но на свадьбу мы с Оксанкой его пригласим.

Саша погладил невесте руку. Оксана стояла как картинка: открытое платье, модные босоножки, жемчужный гарнитур... Хоть на обложку журнала фотографируй!

— Конечно, — кивнула она. — И вы, мальчики, тоже приходите!

Кудасов довольно улыбался. Первый раз она прилюдно подтвердила свои намерения. Значит, это не сон: скоро они заживут вместе! И будут жить долго и счастливо.

* * *

— ...согласны ли вы, Александр Олегович, взять в жены Оксану Федоровну и быть ей верным и любящим мужем?

Последнюю неделю перед свадьбой Александр и Оксана практически не виделись. Все свободное время отнимали многочисленные приготовления. Костюм, платье, кольца, приглашения для друзей и родственников, документы. Все заботы легли в основном на жениха и его родителей. Правда, столь важный вопрос, как свадебный стол, взялись уладить сваты. Оксана сказала, что родственник отца уже заказал ресторан и жениху не придется платить за него ни копейки. Это было очень кстати, так как денежные ресурсы семьи Кудасовых подходили к концу.

Из бывших курсантов на свадьбу пришли только Боря Глушак и Коротков, остальные разъехались — кто навестить родных, кто — отдохнуть и устроить личные дела перед отъездом к месту службы. Все считали, что выпускник Кудасов убывает по распределению в Красноярский полк МБР. Оттуда действительно придет в училище сообщение о прибытии молодого лейтенанта. На самом деле ему предстояло в течение двух-трех дней после свадьбы отправиться с молодой женой в Кротово. Но пока он об этом не думал.

Сегодня лейтенант Александр Кудасов стоял в новом недорогом костюме перед регистратором городского загса и счастливо улыбался.

— Да, конечно, согласен!

Гостей пригласили не очень много: только родственников и ближайших друзей. Свидетелем со стороны Кудасова выступал Боря Глушак. Он был навеселе и заигрывал со свидетельницей невесты Леной Карташовой. Коротков держался в стороне, он был мрачен и напряжен. Против обыкновения он даже не обращал внимания на подруг Оксаны, которые радостно щебетали вокруг невесты.

— Согласны ли вы, Оксана, — регистратор, хрупкая рыжеволосая женщина лет тридцати семи, повернула голову к Моначковой, — отдать руку и сердце Александру и быть ему верной и любящей женой?

Девушка немного замешкалась.

— Да.

Саша слегка наклонился к ней и ободряюще пожал руку. Оксана благодарно перехватила его пальцы и улыбнулась. Как бы там ни было, а это ее законная свадьба. Прежде ничего подобного она не переживала и сейчас, к своему удивлению, заметно волновалась. Голос рыжеволосой доносился будто из какого-то другого, нереального измерения.

— ...именем Российской Федерации объявляю вас мужем и женой, — прозвучала наконец решающая фраза. — Примите поздравления родных и близких.

«Вот и все, — счастливо подумал Кудасов, проворно поворачиваясь то в одну, то в другую сторону и отвечая на многочисленные поцелуи и рукопожатия гостей. — Я законный супруг Оксаны Моначковой». Оксана теперь принадлежала ему по праву, хотя и сохранила девичью фамилию. Эта мелочь колола самолюбие, но офицер не должен обращать внимания на мелочи.

Шумной гудящей толпой компания гостей во главе с женихом и невестой вывалила из здания загса на улицу. Защелкали фотообъективы, тихо зажужжала видеокамера, с хлопком выскочили пробки сразу из трех бутылок шампанского.

— За молодых! — громче всех горланил отец Оксаны. Выпив, он превратился в другого человека. Куда девались постоянная апатия и безразличие!

Пенящаяся искристая жидкость полилась в подставленные с разных сторон фужеры. Александр скосил взгляд на державшую его под руку супругу. Оксана сегодня была просто обворожительна. В белом подвенечном платье, в экстравагантно заломленной набок шляпке, в жемчужном комплекте, в белых туфельках на высокой шпильке, подчеркивающих стройность ее ног.

Кудасов был счастлив в это мгновение. И он любил не только ее, но и ее родителей, подруг, родственников, он любил весь мир. Его родители целовались со сватами, он тоже подошел, взял тестя под локоток.

— Я, конечно, на первых порах не смогу покупать Оксане такие украшения, так что не обижайтесь, — извиняющимся тоном сказал он. — Это же, наверное, дорогой комплект?

— Чего? — переспросил Федор Степанович.

— Эти украшения, что вы купили Оксане, они сколько стоят? Тесть недоуменно посмотрел по сторонам.

— Так кто его знает, чего они покупают...

Тут же коршуном налетела Ирина Владимировна.

— Уже напился! Лыка не вяжешь, а свадьба только начинается! Постыдился бы!

— Ничего, свадьба один раз в жизни, — успокоила сватью Татьяна Федоровна.

Олег Иванович обнял сына за плечи, погладил по спине.

— Видишь, ты всего добился сам. И хорошего распределения...

— Тс-с... — Александр быстро огляделся. — Это секрет, я же тебе сказал!

— Ах, да... И красивой невесты. Все в твоих руках, сынок! Я пью за твое счастье!

Отец залпом выпил шампанское.

В это время к загсу подъехала кавалькада дорогих машин. Кудасов подумал, что это очередная свадьба, но из огромного белого «Лендкрузера» вылез пожилой армянин в белом костюме, с огромным букетом белых роз в руках.

— Здравствуйте, дорогие! — вновь прибывший подошел к компании, пожал руку Кудасову, вручил цветы Оксане. — Поздравляю вас! Прошу всех в машины. Стол уже накрыт.

— Это Степан Григорьевич! — шепнула Оксана на ухо мужу. — Я тебе о нем говорила.

— Да? — Саша напряг память. — Что-то я не помню...

— Ну как же, — Оксана захлопала ресницами. — Степан Григорьевич взял на себя расходы по ресторану.

— А-а-а... Но какой же он родственник? Он же армянин, а твой отец — русский.

— Сводные родственники, по женам, — туманно пояснила девушка. — Давай командуй, ты же теперь мой муж!

— По машинам! — командным голосом гаркнул польщенный лейтенант.

Скоро кортеж автомобилей прибыл в «Петр Великий» на левом берегу Дона. Это был известный в городе ресторан, столь же фешенебельный, сколь и дорогой.

Огромный фрегат петровских времен стоял на кромке берега, на палубе был накрыт длинный стол. Два колко топорщащихся шипами осетра, золотистая пара запеченных поросят, аппетитно разложенные мясные и рыбные ассорти, черные маслины и зеленые оливки, горы чисто вымытых овощей, свежайшая зелень, множество разнообразных холодных закусок, запотевшие батареи водки, похожие на противотанковые гранаты бутылки шампанского...

Непривычные к такой роскоши гости заметно оробели. Степан Григорьевич гостеприимным жестом пригласил всех к столу.

— Молодожены сюда, родители рядом, родственники здесь, молодые гости напротив, — деловито рассаживал он гостей. — Прошу наливать и закусывать. За молодых! Горько!

Александр и Оксана впервые поцеловались как муж и жена. Степан Григорьевич оказался рядом с Коротковым. Тот быстро пил и заметно пьянел. Степан Григорьевич, глядя на Кудасова, о чем-то расспрашивал бывшего курсанта. Тот охотно отвечал.

Свадьба шла по установленному порядку. Пили за молодых, за их родителей, за их счастье и будущих детей, за друзей. Время летело быстро. Мимо шли тяжело просевшие баржи, огромные неряшливые сухогрузы, белые прогулочные пароходики. В борт били упругие донские волны, и казалось, что фрегат плывет вверх по течению, унося молодоженов и гостей к новой, счастливой жизни.

Капитаном фрегата, конечно же, был Степан Григорьевич. Он умело вел стол, остроумно шутил, к месту рассказывал анекдоты. Но Саша почему-то испытывал к нему глухую неприязнь. Может, потому, что молодой муж сам должен быть капитаном на своей свадьбе, может, оттого, что Степан Григорьевич по-хозяйски осматривал не только стол, но и Оксану. Неприязнь усугублялась зависимостью от этого человека — ведь оплатить такой стол Кудасовы были не в состоянии. Значит, оставалось только одно — улыбаться и плыть по течению.

— На кавказских свадьбах положено просить невесту о танце! — заявил Степан Григорьевич. — И щедро платить за этот танец! Оксаночка, прошу! Мы все просим!

Он захлопал в ладоши, гости подхватили. Заиграла восточная музыка, тон в ней задавала зурна. Оксана вытерла салфеткой алые губы и вышла из-за стола. К удивлению Александра, она расставила руки и белым лебедем поплыла по кругу, как будто уже много раз танцевала такие танцы.

— Поблагодарим невесту! — Степан Григорьевич не щадя рук бил в ладоши. — А это на обзаведение хозяйством!

Он извлек из кармана пачку денег и принялся бросать Оксане под ноги. Белые туфельки без колебаний попирали сотенные купюры.

— Поддержите меня, дорогие гости, поддержите, — азартно восклицал он.

— Не надо, ветром все в Дон унесет! — озабоченно выкрикнула Ирина Владимировна.

— Ничего, для такой красивой невесты не жалко, — капитан свадьбы не успокоился, пока не разбросал всю пачку. — Помогайте, гости дорогие!

Федор Степанович швырнул пригоршню монет, они со звоном раскатились, как давеча на плацу.

— Надо больше любить свою дочь! — с улыбкой укорил капитан свадьбы.

Боря Глушак бросил две пятидесятирублевые купюры, Андрей Коротков неточным жестом отправил под белые туфельки три сотни.

— Молодец, Андрюша! — подбодрил его Степан Григорьевич. Гости начали выгребать из тощих карманов кто что мог — на палубу посыпались мелкие купюры.

У Александра оставалось около двух тысяч, эту сумму он приготовил на такси для гостей, но благодаря лимузинам Степана Григорьевича она оказалась сэкономленной. Но сейчас он не мог отсидеться или отделаться сотней-другой: капитан свадьбы бросал на него внимательные и ожидающие взгляды. Кудасов выпил стоящую перед ним нетронутую рюмку с водкой и выскочил из-за стола.

— И — эх! — через секунду он закружился вокруг жены в какой-то безумной пляске — в ней смешались лезгинка, джига и «семь сорок». Высокий темп, мелькающие руки и ноги, бешеные развороты, — рисунок пляски был изобретением Кудасова. — И — эх! — он стал бросать под ноги Оксане купюру за купюрой, пока деньги не закончились. Тогда он, обессиленный, упал на одно колено и поцеловал жене руку.

— Молодец, ай молодец! — кричал Степан Григорьевич. — Азартный парнишка, люблю таких! Теперь мой выход!

Легкий ветерок шевелил деньги, как опавшие листья, медленно сметая их к борту. Ирина Владимировна не выдержала и, выбежав из-за стола, принялась собирать купюры. Федор Степанович последовал за супругой, но не преуспел в столь перспективном деле: едва наклонившись, он потерял равновесие и грохнулся на полированные доски. Оксана с гримасой досады хотела поднять отца, но Степан Григорьевич увлек ее за собой и закружил в танце.

— Ну-ка, дай ручку... Вот так, вот так, — он вставил между наманикюренных пальцев одну стодолларовую купюру, потом другую, третью...

— И вот так, и вот так...

Теперь Оксана танцевала с веером из зеленых американских рублей, крепко зажатых тонкими пальчиками с хищнокрасными ноготками.

— Давай съездим ко мне в офис, — страстно прошептал в маленькое ушко распалившийся Степан Григорьевич и вцепился в тонкую девичью талию.

— Ты что, с ума сошел! У меня свадьба! — от возмущения Оксана даже на миг потеряла улыбку.

— Ну, давай на машине отъедем в сторону! На пять минуток всего! Я что-нибудь придумаю...

— Перестань сейчас же!

Оксана вырвалась из цепких рук партнера и вернулась на свое место за столом.

Все происходящее Кудасову не нравилось. Почему этот похожий на обезьяну старикан так сыплет деньгами, почему он прижимается к Оксане с такой сальной мордой, что он шепчет ей на ухо? Подойти бы и дать ему в рог! Но у входа на трап стоит его здоровенный водитель, наверняка выполняющий функции телохранителя. Да и материальная зависимость еще больше, чем охранник, связывает по рукам и ногам. Молодой муж опустошил несколько рюмок одну за другой.

В опьяненном сознании родилась забавная мысль: а что, если предложить старой обезьяне посоревноваться в плавании? Прямо сейчас прыгнуть с борта и переплыть Дон? Кто быстрей... Или просто по факту — кто доплывет, а кто потонет... Хотя с борта прыгать нельзя, там мель — покалечишься только, да и все...

— Я хочу выпить за нашего друга Степана Григорьевича! — встала с бокалом новобрачная. Она раскраснелась от выпитого и танцев, глаза блестели больше обычного. — Это очень внимательный и заботливый человек, он заботился и обо мне, и принял участие в судьбе моего мужа...

«Что за новости? — подумал Кудасов. — Какое участие? Ерунда какая-то!»

— Я благодарю Сурена... Степана Григорьевича и желаю ему долгих лет счастливой жизни!

Оксана залпом выпила свой бокал.

— Спасибо, спасибо, дорогие. — Степан Григорьевич раскланивался со всеми присутствующими и чокался с протянутыми к нему со всех сторон рюмками. Похоже, он уже стал всеобщим любимцем.

— Кто это? — спросил Олег Иванович.

Александр пожал плечами.

— Я его впервые вижу. Какой-то родственник Оксанки.

Проворные официанты разнесли горячие закуски, потом подали уху и шашлыки. Водка и шампанское лились рекой. Гости разомлели. Все танцевали, Коротков взболтал бутылку и порывался купать девчонок в шампанском, подружки Оксаны уворачивались от пенной струи и визжали. Андрей гонялся за ними, пока не уронил бутылку на палубу. Тогда он ударом ноги загнал ее за борт.

Кудасов подошел к разгулявшемуся товарищу. Тот был сильно пьян.

— Поздравляю тебя, Сашок, — заплетающимся языком сказал он. — Ты и лейтенант, и женился на такой красавице... А я... Видишь, в какой я жопе...

— По-моему, с тобой поступили очень жестоко, — новобрачный обнял товарища. — За этот дурацкий поцелуй... Ну выговор, ну строгий! Напиши письмо министру — тебя обязательно восстановят в армии!

Коротков оглянулся и понизил голос.

— Какой поцелуй? Ты думаешь, что это все из-за «Золотого круга»?

— А из-за чего же?

Андрей опять оглянулся.

— Да из-за моего папочки! Он оказался шпионом! Представляешь, шпионом!! Но при чем здесь я?! При чем?!

Андрей неожиданно заплакал. Сзади подошел Степан Григорьевич.

— Мужчины не плачут! Не получилось в армии, получится в коммерции. Я найду тебе работу! Хочешь?

Коротков вытер красные глаза.

— За что меня выгнали? Сын за отца не отвечает!

Степан Григорьевич хлопнул его по плечу.

— Еще как отвечает! Чего у тебя отец-то сделал?

Андрей только махнул рукой и не ответил.

Степан Григорьевич доброжелательно улыбнулся.

— Я недавно купил консервный завод. Баклажанная икра, помидоры-мобидоры, огурцы-могурцы! Овощей у нас очень много, и стоят копейки, но большая часть пропадает. А я хочу закатывать их в банки и продавать! Это выгодное дело. И мне нужны помощники. Возьми визитку, надумаешь — позвонишь...

Потом он повернулся к Александру.

— Я уже заплатил за все, гуляйте, отдыхайте, веселитесь. Я должен идти. Дела. Мы еще увидимся.

Они пожали друг другу руки.

Оксана проводила Степана Григорьевича до машины и на прощанье крепко поцеловала. Александра это покоробило. И хотя свадьба гуляла до полуночи и все гости были очень довольны, у молодого мужа остался от нее неприятный осадок.

This book belongs to

Phoenix Medical Center
4147 Labyrinth Rd
Baltimore, MD 21215

Часть III

ОХОТА НА «СКОРПИОНА»

Глава 1

ШПИОНСКОЕ ГНЕЗДО

Маленький сморщенный человечек, не более одного метра шестидесяти сантиметров ростом, с торчащими седыми клочками волос на голове, скромно притулился на скрипучем кресле в углу кабинета и терпеливо ждал, когда «большие люди» соизволят обратить на него свое драгоценное внимание. Лоуренс Кольбан начинал университетским профессором, но большую часть своей жизни проработал в правительственной организации. Сейчас он, пожалуй, не сумел бы и вспомнить сколько и каких операций, в каких странах и на каких континентах провел он по линии технической разведки.

Наиболее значимой была операция «Камбала», центром которой стало уникальное устройство разведывательного перехвата и накопления информации: герметичное, обладающее полной автономией и не нуждающееся в обслуживании, способное функционировать под водой. «Камбала» должна была по запросу передавать накопленную информацию тем, кто сможет ее найти. Именно такие параметры содержались в техническом задании, доведенном до Кольбана. И он спроектировал и изготовил прибор, фиксирующий любые виды электронной информации на магнитную ленту в двух режимах: либо непрерывно в течение 150 суток, либо по заданной программе более длительное время с общей продолжительностью записи более 4000 часов. Он решил целый ряд чисто технических проблем: кроме самого устройства создал гидроакустический маяк, работавший по кодированному запросу с радиусом передачи до 500 метров, снабдил его автономным электрохимическим источником питания, придумал механизм крепления к основному контейнеру. Все, выходящее за пределы технического задания, его не интересовало. Он не задумывался, как и где «Камбала» будет устанавливаться, с какими целями и на какой срок. За качественно выполненную работу Кольбан получил премию и забыл о ней. Специальная подводная лодка доставила «Камбалу» в Охотское море, боевые пловцы-диверсанты установили ее на лежащий на дне магистральный кабель связи

Магадан — Петропавловск-Камчатский и в течение полугода с интервалом в 15 дней американские разведчики на японских рыбацких шхунах с расстояния в 500 метров, ничем не рискуя, снимали накопленную информацию[1]. Потом советская контрразведка ликвидировала «Камбалу», но все это Кольбана уже не касалось.

По образованию Кольбан был радиофизиком, в университете изучал радиосигналы Вселенной, исследовал пульсары, участвовал в программе по поиску внеземного разума, но позже его уникальным способностям нашлось более радикальное применение. Однажды, во времена «холодной войны», созданный им инфразвуковой излучатель заставил выброситься с шестого этажа агента-перебежчика, круглосуточно находящегося под усиленной охраной. Это было в Восточной Германии лет двадцать назад. Одновременно с важным агентом в окно выбросились и оба охранника. Однако, несмотря на это, Лоуренс не оставил теоретическую науку: продолжал исследования, публиковался в физических и астрономических журналах, участвовал в международных симпозиумах. Его руководство вполне устраивало, что среди мировой научной общественности он считался выдающимся ученым современности, работающим в Национальном агентстве по авиации и космонавтике — НАСА. На самом деле Кольбан числился главным инженером технического отдела Центрального разведывательного управления США. В детали и тонкости своих разработок, выходящие за рамки конструктивных решений, он никогда не вдавался и случай в Восточном Берлине рассматривал в отрыве от трех трупов, как очередное, успешно выполненное техническое задание.

Осторожно пригладив рукой нерасчесанные вихры на голове, будто опасаясь привлечь внимание начальства к своей персоне, Лоуренс покосился на орлиный профиль Директора. Шеф ЦРУ, опустив обе свои руки на столешницу ладонями вниз, хмуро взирал на расположившегося по другую сторону стола Ричарда Фоука. На протяжении последних десяти минут Директор не произнес ни единого слова. Он лишь внимательно слушал то, что ему говорили, и время от времени кивал. То ли в знак согласия с собеседником, то ли в знак несогласия: определить смысл кивков никто не мог до тех пор, пока Директор не откроет рот. Кольбану, как и другим сотрудникам, было прекрасно известно, насколько закрытым и лишенным внешнего

---

[1] Такая операция действительно проводилась ЦРУ. См.: *Широнин В.* Под колпаком контрразведки. М., 1996. С. 390.

проявления эмоций являлся глава разведывательного ведомства. Однако молча слушать глупости он не любил, поэтому долгое молчание шефа скорее можно было расценивать как одобрение.

— ... я не отвергаю эффективности агентурной работы, господин Директор, — неторопливо и веско говорил Ричард Фоук. — Но после провала Прометея мы лишились доступа к информации о «Мобильном скорпионе». Я полагаю, что центр тяжести следует перенести на технические методы проникновения...

Директор чуть заметно усмехнулся.

— Да, попытка использовать «Протон» не увенчалась успехом, — продолжил Фоук уже быстрее, опасаясь, что шеф может оборвать его монолог в любой момент и не даст высказаться до конца. — Но «Протон» создавался для отслеживания атомных подводных лодок, его неудача не означает, что другой разведывательный спутник, рассчитанный для поисковой работы по параметрам «Скорпиона», также окажется неэффективным. Конечно, это колоссальные затраты, но если не добиваться дополнительного финансирования, то мы не сможем решить поставленную Президентом задачу...

— Похоже, что вы, Ричард, лучше меня знаете, что и как надо делать? — с легкой усмешкой откликнулся Директор, не меняя при этом ни позы, ни выражения лица.

Фоук на миг замолчал. Но он знал себе цену и потому продолжал смотреть шефу прямо в глаза.

— Я просто знаю, что и как надо делать. Лучше или хуже кого-то — судить не мне. Но если задача выследить «Скорпиона» поставлена передо мной, а не перед кем-то другим, значит, на своем уровне компетентности я знаю это лучше других!

Шеф в очередной раз кивнул. На этот раз смысл кивка был очевидным: он соглашался с подчиненным.

— Итак, в чем заключается неуязвимость «Мобильного скорпиона»? — продолжил Ричард Фоук. — В том, что мы не имеем возможности установить его координаты. Атомный поезд русских все время перемещается, теряясь на огромных российских пространствах. Если мы поймаем его в сеть или обнаружим его базу, можно будет переходить к следующему этапу операции...

Шеф коротко покосился в сторону тихо сидевшего в углу Лоуренса Кольбана, понимая, что присутствие главного инженера здесь вовсе не случайно. Он помнил также, что почти все акции, которые планировал этот коротышка, давали положительный результат.

— И как вы собираетесь его поймать? У вас есть конкретное предложение, подготовленное с помощью мистера Кольбана?

— Да, сэр, — кивнул Фоук.

— Я слушаю.

Начальник русского отдела нагнулся, подхватил с пола увесистый кожаный портфель, все это время мирно покоившийся возле правой ноги, и водрузил его себе на колени. Щелкнул замками, раскрывая объемное нутро.

Кольбан внимательно наблюдал за его действиями из-под густых лохматых бровей, низко нависающих над глазами. Узловатые пальцы Фоука проворно юркнули в кожаное чрево и тут же вынырнули, сжимая сложенную вчетверо карту и несколько схваченных скрепкой листов бумаги.

— Взгляните на эти схемы и чертежи, сэр, — он положил перед шефом извлеченные документы. Тот неспешно разложил карту на рабочем столе. Рядом разложил листки. На двух листах были чертежи, три остальных покрывал мелкий убористый почерк, явно не принадлежащий Ричарду Фоуку. Директор вновь покосился на Кольбана. — Совершенно верно, сэр, — безошибочно истолковал его взгляд Фоук. — Этот проект разработал и к настоящему моменту довел до рабочего состояния наш главный инженер технического отдела.

— И в чем его суть? — Шеф ЦРУ решил разобраться с бумагами позже, когда останется один. — Хотел бы услышать ее из уст самого разработчика. Подойдите ближе, мистер Кольбан. Садитесь рядом со мной.

По-стариковски крякнув, Лоуренс поднялся со стула, приблизился к столу и молча расположился в неудобном для него, слишком глубоком кресле.

— Расскажите мне, в чем суть вашего проекта? — предложил Директор.

— В поиске объекта детекторами низкой радиоактивности, — голос у Кольбана был низким и гортанным. — Нам известно, что на борту объекта поиска имеется источник повышенной радиоактивности, — это первая посылка...

Ученый загнул палец. Он привык буквально разжевывать свои мысли, чтобы их могли потреблять и те, чьи мозги не в состоянии переваривать тонкую материю.

— Этот источник движется по рельсам. Не по бездорожью, не по воде, не под водой, не по шоссе, не по воздуху, а именно по рельсам. — Кольбан задумался на миг и уточнил: — По железнодорожным рельсам.

Он опять задумался, но Директор пришел ему на помощь:

— Не по рельсам трамвая или подземки, не по монорельсу, а именно по железнодорожным рельсам. Я понял вас, мистер Кольбан, продолжайте.

— Это вторая посылка. Из первой и второй посылок с достоверностью вытекает логический вывод: зафиксировать местонахождение объекта можно с помощью детектора низкой радиоактивности, который тоже движется по рельсам. В одном направлении с объектом или в противоположных — сути дела это не меняет. Главное, что детектор низкой радиоактивности, изготовленный на базе обычного счетчика Гейгера, пройдет мимо искомого объекта. И среагирует на него. Одновременно необходимо вести аэрокосмическую фотосъемку. Сопоставив координаты, отмеченные детектором с фотоснимками, мы сможем идентифицировать объект, вывести его из зоны невидимости.

Кольбан замолчал. Ему казалось, что ничего ясней сказанного быть на свете не может. И по-своему он был прав. Но на разных уровнях компетенции существует своя правота. Директор взял остро отточенный карандаш, покрутил его, постучал по столу и внимательно осмотрел со всех сторон, будто это и был «Мобильный скорпион».

— А если они не встретятся? Если ваш детектор и «Мобильный скорпион» разминутся?

— Такое возможно. С учетом протяженности железных дорог, продолжительности рейсов «Скорпиона» и коэффициента случайных чисел можно высчитать вероятность как положительного, так и отрицательного результата. Теоретически, при грубой прикидке варианты равновероятны. То есть пятьдесят процентов каждый. Иными словами — пятьдесят на пятьдесят. Если они разминутся, придется повторить попытку. И повторять ее до тех пор, пока положительный результат не будет получен.

Карандаш хрустнул в руках Директора. Он сделал над собой усилие и задал следующий вопрос:

— Почему детектор определит то, что не может определить спутник?

Лоуренс Кольбан тяжело вздохнул.

— Дело в том, что орбита спутника находится, ориентировочно, в трехстах километрах над Землей. Любое излучение, в том числе и радиоактивное, имеет обыкновение рассеиваться. В атмосфере микроизлучение объекта теряется уже на дистанции в один-два километра. Может, немного меньше, может, немного больше... Но даже пять или десять километров — это гораздо меньше, чем двести-триста километров. К тому же, скорей всего, крыша объекта покрыта свинцом, поэтому повышенный уровень радиации может гаситься уже на пятидесяти-ста метрах. А может, на двухстах или трехстах. Но триста или даже пятьсот метров — это тоже гораздо меньше, чем расстояние до спутника. Поэтому датчики спутника и не фиксируют микроизлучение объекта — у них просто не хватает чувствительности. А детектор низкой радиоактивности пройдет в нескольких метрах от объекта: в двух, трех, пяти, десяти... Может, двадцати или тридцати. Причем мимо его боковой стенки, которая вряд ли имеет специальную защиту. Именно поэтому детектор с двух или двадцати метров определяет то, что не может определить спутник с двухсот или трехсот километров. В этом все дело, сэр.

Хотя ученый всего-навсего ответил на поставленный вопрос, у присутствующих создалось впечатление, что он дал оценку их умственным способностям. И оценка эта крайне невысока.

— Почему прямо не передать импульс на спутник, чтобы получить целевой снимок? — спросил Директор.

Кольбан опять тяжело вздохнул.

— Во-первых, спутник в данный момент может не находиться над точкой контакта. То есть он может находиться над точкой встречи и тогда сделает целевой снимок, но может и не находиться в пределах съемки и тогда сфотографировать объект не сможет. В то же время мощный радиоимпульс почти наверняка привлечет внимание противника. Конечно, существует возможность, что и не привлечет, то есть пройдет незамеченным. Но с большей долей вероятности, что все-таки привлечет. Если он не привлечет внимания и спутник будет находиться над точкой контакта и сделает фотографию, тогда имеет смысл передавать импульс на спутник. Если импульс привлечет внимание противника...

— А спутник не будет находиться над точкой контакта, — перебил его Директор, — и не сможет сделать снимок, то передавать импульс на спутник не имеет смысла. Я правильно вас понял?

Директор язвил, но Кольбан посмотрел на него с явным одобрением и кивнул.

— Совершенно правильно, сэр. Надо только добавить, что, имея отметку детектора, мы сможем определить местоположение объекта и при не совпадающей по времени съемке. То есть если снимок будет сделан в плановом порядке — раньше или позже. Методом компьютерной экстраполяции, сэр. Поэтому риск передачи импульса превышает возможную выгоду. Это делает передачу неоправданной.

Директор долго смотрел на растрепанного человечка. Ему хотелось спросить у Ричарда Фоука: «Где вы нашли этого идиота?» Но, во-первых, он знал, что Кольбан не идиот, его разработки определили успех ряда операций ЦРУ и способствовали славе ведомства и возглавляющего его человека. А во-вторых, то, что может позволить по отношению к подчиненному любой российский руководитель, даже гораздо меньшего уровня: обругать матом, швырнуть пепельницей, ударить в ухо, не говоря уже о такой мелочи, как назвать идиотом, в условиях реальной охраны прав и свобод гражданина просто немыслимо.

Ибо оскорбленный Кольбан, не задумываясь, обратится в суд, судья, не задумываясь, начнет процесс и, не колеблясь, вызовет ответчика, кем бы он ни был: Директором ЦРУ, Министром юстиции или Президентом США. Прецедент уже создан: на глазах всей страны судебные врачи исследовали половой орган бывшего Президента на предмет наличия кривизны, о которой говорила якобы пострадавшая от его сексуальных домогательств, совершенно рядовая и заурядная американка Пола Джонс. А в ходе процесса показания Кольбана подтвердят, несмотря на зависимое от ответчика положение, и свидетель Ричард Фоук, и он сам — Директор. Даже если ему очень не хочется изобличать самого себя — деваться некуда: лучше заплатить штраф за оскорбление словами, чем получить не условный, а вполне реальный тюремный срок за неуважение к суду. Недаром и тот бедолага-Президент каялся на всю страну в одном-единственном минете, отпущенном под настроение стажерке своей администрации. Если бы в России за подобные прегрешения клеймили позором на всю страну, то все телеканалы показывали бы только мордатых и толстопузых руководителей различного ранга, выступающих в роли кающихся грешников. А за оскорбления подчиненных могли загреметь практически все начальники — и бывшие, и действующие.

Но Директор не мог себе представить, что его российский коллега генерал Мезенцев на каждой планерке кроет матом подчиненных и даже не подозревает, что делает нечто нехорошее, за что с него могут спросить по всей строгости закона. И подчиненные, что характерно, воспринимают это как должное и даже не помышляют о таких глупостях, как жалобы вышестоящему начальству или, упаси боже, в суд. И до тех пор, пока Директор ЦРУ и другие руководители американской администрации не могут себе представить реалий российской действительности, сохраняется миф о «загадочной русской душе», феномен которой Запад, на горе себе и радость России, не может разгадать уже столько десятилетий.

Кольбан, в свою очередь, смотрел на Директора ЦРУ. Он тоже мог задать Фоуку вопрос: «Где вы взяли такого идиота?», тем более что в отличие от Директора не располагал сведениями, опровергающими это мнение. Но, во-первых, вышеприведенные соображения полностью распространялись и на него, а во-вторых, Директор вдобавок платил ему неплохую зарплату. Так что оскорблять его словами у ученого не было никаких оснований. Поэтому они просто сидели и молча смотрели друг на друга.

— А как ваш детектор поедет по российским железным дорогам? Кто его будет сопровождать? Ведь это большой риск! — наконец нарушил молчание Директор.

Кольбан развел руками.

— Я могу только собрать прибор и высказать соображения по его эксплуатации. То, о чем вы говорите, не входит в сферу моей компетенции. Но думаю, его надо замаскировать в грузовом контейнере, следующем через Россию транзитом под пломбами страны-отправителя.

Ричард Фоук откашлялся. У него была такая манера привлекать к себе внимание во время беседы.

— Действительно, тактические вопросы продумает мистер Паркинсон. А я прослежу, чтобы взаимодействие между Паркинсоном и мистером Кольбаном было наиболее эффективным. Только один вопрос: какова конечная цель отслеживания «Мобильного скорпиона»?

Директор долго молчал, глядя в сторону окна. Наконец заговорил, и голос был совершенно бесцветным.

— Это политическое решение, его должно принимать высшее руководство страны. На мой взгляд, любая угроза национальной безопасности должна быть уничтожена.

Совещание закончилось.

В коридоре Кольбан одобрительно сказал Фоуку:

— А ведь Директор вовсе не такой иди... Я хочу сказать, что некоторые мысли он хватает на лету!

Последнюю фразу Директора он, как всегда, пропустил мимо ушей. Подобные детали его не касались.

Глава 2

МЕДОВЫЙ МЕСЯЦ РАКЕТЧИКА

Триста восемьдесят километров по трассе Вильнюс — Клайпеда, по «Дороге Солнца» Ницца — Париж или по автобану Дюссельдорф — Берлин — это одно. Триста восемьдесят километров по шоссе местного значения Тиходонск — Кротово — это совсем другое. Разбитая, в многочисленных выбоинах дорога, подлежащий списанию по возрасту автобус, теснота, духота, устойчивый запах пота... Основную часть пассажиров составляли селяне, которые посетили по какой-либо надобности Тиходонск и возвращались в родные места. Кто-то ездил за правдой в государственные или судебные органы, кто-то проведывал обучающихся в тиходонских институтах детей, кто-то выбирался за покупками. Для сельской глубинки Тиходонск был тем, чем для самого Тиходонска являлась Москва: столицей, центром власти, очагом культуры, городом изобилия, конечной инстанцией в судебных тяжбах и блистательной перспективой для будущей жизни детей и внуков.

Автобус натужно тащился по выбоинам и ухабам, то и дело останавливался в райцентрах и приткнувшихся к шоссе населенных пунктах, изрыгая изжеванных и потных пассажиров. В салоне становилось просторнее, появились свободные места, потом освободилась половина автобуса. Молодой лейтенант и красивая девушка с капризным выражением лица сидели справа от прохода в задней части салона. Саша снял лейтенантский китель, оставшись в форменной рубашке с погонами, закатал рукава и расстегнул несколько пуговиц. Спертый воздух был пропитан миазмами, он попытался открыть окно, но оно было заколочено наглухо.

— Так что это за Степан Григорьевич? — как бы невзначай вернулся он к теме, которую уже неоднократно затрагивал. — Почему он вел себя как хозяин? Почему взял на себя такие расходы? Почему ты его поцеловала?

— Ой, ну сколько можно говорить об одном и том же? — Оксана подняла глаза. — Я тебе уже все рассказала. Человек устроил нам праздник, я чмокнула его в щеку, что с того? Ты же не тиходонский Отелло в лейтенантском мундире? И вообще, не приставай ко мне с всякими глупостями!

Как опытный разведчик или неоднократно судимый уголовник, она избегала конкретизаций и уточнений, ограничиваясь самыми общими и неопределенными словами. Причем этому ее никто не учил, она сама интуитивно определила тактику, максимально затрудняющую выявление лжи.

Многочасовая тряска в душном междугороднем автобусе не могла поднять настроение Оксане. Кудасов всю дорогу предпринимал отчаянные попытки растормошить свою молодую супругу и отвлечь ее от мрачных мыслей, но у него ничего не получалось.

— Оксанка, рассказать анекдот? — приступил он к очередной попытке. — Приходит генерал домой, а там...

— У меня нет настроения для анекдотов, — отрезала Оксана.

Разувшись и забравшись с ногами на сиденье, девушка больше смотрела в окно, чем на расположившегося слева Александра. Мимо проплывали убогие пейзажи российской глубинки, которые она расценивала как печальных предвестников ее будущего. Солнце припекало через толстое стекло, занавески на окне не было, Оксана изнывала от жары. Она пыталась заснуть, но и это ей сделать не удалось.

— Я думаю, что это твое Кротово еще хуже, чем я предполагала, — раздраженно произнесла новобрачная. — И это называется медовый месяц! Честно скажу тебе, Саша, я представляла его себе несколько иначе.

— Да, это не медовый месяц, — Саша ласково погладил нежные девичьи ступни. — Это трудовые будни. Прости, но когда мне предложили эту работу, отказаться от нее или попросить отсрочки на месяц было бы по меньшей мере неразумно. Я бы даже сказал, глупо.

— У тебя все получается глупо, радость моя, — язвительно ответила девушка, продолжая созерцать унылые ландшафты за окном автобуса и не поворачивая головы к мужу. — Зачем было срывать меня с места? Что я буду делать в этой дыре? Коров доить?

Александр невольно рассмеялся, хотя и понимал, что смех вызовет еще большее раздражение.

— Почему коров? — он попытался обнять Оксану за плечи и прижать ее к себе, но супруга строптиво высвободилась. — Кротово — не деревня, это военный городок, коров там нет. К тому же ты можешь не работать, у меня достаточная зарплата. И потом, через несколько лет я поеду в Академию на учебу и мы будем жить в Москве...

— Саша, перестань нести чушь, — девушка непроизвольно повысила голос, не замечая, что на них уже начинают оглядываться другие пассажиры. — Все, о чем ты говоришь, это вилами на воде писано. Ты фантазер и романтик, но я-то смотрю на вещи более здраво. Мне не нравится начало твоей карьеры. Эта ужасная поездка как бы модель нашей будущей жизни. Вонь, тряска, духота... Я жутко устала. У меня сейчас нет сил даже на то, чтобы спорить с тобой. Я мечтаю принять прохладный душ. А еще лучше ванну. С пеной.

— Скоро мы доберемся, и ты примешь ванну, — заверил супругу Александр, хотя вовсе не был уверен, что именно так все и будет. — Мне это пообещали серьезные люди. У нас будет квартира со всеми удобствами.

Оксана ничего не ответила. Она вновь сомкнула глаза, пытаясь все-таки задремать. Александр не стал ее беспокоить. Всю оставшуюся часть пути молодые супруги молчали, хотя Оксане так и не удалось уснуть. Когда девушка вышла из автобуса, она буквально валилась с ног от усталости. Кудасов огляделся.

Они попали в сонное царство. Тишь, лень, безвременье... Пыльная, окруженная колючими акациями площадь, голая потрескавшаяся клумба вокруг гипсового памятника Ленину, небольшой продовольственный магазин в маленьком саманном домишке с двускатной крышей и крохотными оконцами, спящая на обочине собака, медленно катящаяся за гнедой кобылой телега, набитая свежескошенной травой. Наискосок через площадь нетвердой походкой шли два неопределенного возраста человека в военных галифе, заправленных в сапоги, и синих линялых майках. Эта картина могла с равной степенью достоверности относиться и к девяностым, и к шестидесятым, и даже к сороковым годам прошлого века.

Людей на площади было немного, только у магазина царило некоторое оживление. Попутчики куда-то исчезли. По дороге автобус регулярно останавливался и отрыгивал измятых и потных пассажиров, до Кротова доехали человек шесть, и все они как-то сразу и незаметно рассосались. Кудасов поставил объемистую спортивную сумку и чемодан на землю и догнал пожилого мужчину с усталым морщинистым лицом.

— Здравствуйте. Подскажите, где здесь воинская часть?

Селянин осмотрел лейтенанта с ног до головы, особо скользнул взглядом по знакам различия. В целях конспирации перекрещенные пушки ракетчика у него были заменены на эмблему железнодорожных войск.

— А-а-а, так ты из этих... Там твои, — он неопределенно ткнул пальцем куда-то за акации. — Километра два или чуть поболе.

— А как туда добраться?

Мужчина зажал заскорузлым пальцем одну ноздрю и привычно сморкнулся.

— А никак. Пеши иди.

— Как пеши? У меня ж вещи... И жена устала. Такси у вас здесь есть?

— Какое там такси! — собеседник махнул рукой на проезжающую телегу. — Вот наше такси, останавливай. За бутылек Гришка, может, и довезет.

Кудасов бросился наперерез гужевому транспорту. Возница — молодой парень с голым, загорелым дочерна торсом тоже был одет в галифе, только вместо сапог носил резиновые галоши. Он сидел на прибитой к передку доске и придерживал вожжи расслабленными руками.

— До воинской части довезешь?

Гришка отрицательно покачал головой. Глаза у него были сонные и самопроизвольно закрывались.

— Почему?!

— Там эта... Запретная зона. Стреляют без предупреждения. На кой мне это сдалось?

Телега продолжала катиться, Кудасов шел рядом, держась за плохо оструганную доску, и снизу вверх смотрел на Гришку. При этом представлял, как эта сцена выглядит со стороны, и чувствовал себя полным идиотом.

— Не бойся, со мной стрелять не будут. Я заплачу!

Возница начал просыпаться.

— А ты военный, что ли?

— Конечно! Не видишь, я же в форме!

— Мало ли кто в форме. А сколько заплотишь?

— Сколько надо?

Гришка проснулся окончательно, резко натянул вожжи, остановив телегу, и сосредоточенно зашевелил губами.

— Четвертак. Если у бабы Любы брать, то четвертак.

— Договорились. Сдай назад, к чемоданам...

— Да как я сдам-то? У кобылы заднего хода нет!

Кудасов чертыхнулся.

— Ну ладно, стой здесь.

Пока он принес вещи и привел Оксану, телега отъехала еще метров на пятьдесят. От травы пахло зеленым соком и пылью. Александр забросил вещи, потом провел рукой по траве. На ладони остались грязные полосы. Он отряхнул перепачканную ладонь, с сомнением посмотрел на красный Оксанин сарафан, потом отстегнул притороченную к сумке скатку, раскинул поверх травы плащ-накидку, подсадил супругу и забрался сам. Телега тронулась в путь.

Лежать на мягком брезенте было приятно, но Саша не мог наслаждаться моментом: он думал о том, как его встретят в части, каков его новый командир и каковы новые сослуживцы. Оксана с интересом смотрела по сторонам.

— Слушай, а тут совсем нет машин, только мотоциклы! — поделилась она с мужем результатом наблюдений.

— Почему нет? — обиделся Гришка. — У Панина «Москвич», у Витюхи «Жигуль»... Мотоциклов, конечно, больше. Они ведь дешевле...

Минут через двадцать они приблизились к высокому забору с «колючкой» поверху и острозубой «егозой» внизу.

— А правда, что у вас там мины напиханы? — спросил Гришка.

— Не знаю, — пожал плечами Александр.

— Понятно. Военная тайна, значит...

Телега подъехала к КПП, бойкий старший сержант с автоматом выглянул наружу. Кудасов протянул предписание и военный билет, но сержант больше разглядывал Оксану. Еще два солдатика таращились на нового лейтенанта и его супругу через стекло.

— Проходите, товарищ лейтенант, мы вас ждем, — мельком заглянув в документы, улыбнулся начальник караула. — Сам Николай Тимофеевич Кравинский распорядился вас встречать!

Кудасов расплатился с Гришкой, и тот поспешно уехал. Саше хотелось спросить, кто такой Кравинский, но он решил, что лучше не выдавать своей неосведомленности.

— Показывайте, куда идти! — строго и официально сказал Александр. Именно так должен разговаривать офицер с рядовым и сержантским составом.

— Товарища лейтенанта велено отвести в особый отдел, к Николаю Тимофеевичу, а жену — прямо в квартиру. Вас во втором доме расселили! — со значением подчеркнул сержант.

— Что это значит? — не удержался Кудасов.

— Этот дом только для майоров и подполковников, — объяснил старший сержант. — А вас сразу туда!

Кудасов с гордостью посмотрел на жену. Но на Оксану это не произвело особого впечатления.

Откуда-то появившийся солдат взял вещи, ворота распахнулись, и лейтенант Кудасов с молодой женой зашли на территорию базы постоянного базирования БЖРК. За то, чтобы узнать местонахождение этой базы, офицеры ЦРУ США были готовы отдать все что угодно.

* * *

Минувшей ночью атомный поезд ушел в очередной рейс со вторым сменным экипажем. Вопреки традиции, Белов провожать поезд не ходил, да и вообще сменившийся экипаж предпочитал отсыпаться, поэтому в последнее время БЖРК провожали только официальные лица части и родственники дежурного экипажа.

Белов встал поздно, около полудня, он выспался и хорошо

себя чувствовал, прошла беспокоящая последнюю неделю дрожь пальцев, настроение заметно улучшилось.

— Ирина! Ириш!

В ответ — тишина. Любимая и благоверная супруга будто испарилась. Куда она отправилась с раннего утра и зачем, по каким таким делам, Евгений Романович не знал. Ирина никогда не ставила его об этом в известность. Считала ниже своего аристократического достоинства.

Белов проворно, как в молодости, облачился в гражданскую рубашку и брюки. Босиком прошагал на кухню и поставил на плиту чайник. Подхватил с холодильника пачку сигарет, присел на краешек обеденного стола. Закурил. Долго сидел в одной позе без движений, мрачно созерцая некую воображаемую точку прямо перед собой. Словно отметку цели на экране радара. Это была своеобразная медитация. Полковник будто погрузился в иное измерение, стараясь пронзить взглядом окружающее пространство и отчетливо увидеть цель, в которую должна попасть ракета. Когда-то это ему удавалось. И будет удаваться впредь!

Старенький, допотопный чайник с насаженным на носик свистком известил о закипании воды. Евгений Романович споласнул фарфоровый чайничек кипятком, затем в разогретое нутро насыпал заварки. Выждав, пока чайные листики расправятся, он снова залил кипяток. Наверху образовалась коричневая пена. Значит, он все выполнил правильно. Потом Белов полез в холодильник, достал несколько яиц для глазуньи. Одно яйцо выскользнуло, хряско шлепнулось на пол и растеклось небольшой желто-белой лужицей. Полковник выругался. Он осторожно положил яйца на стол, сходил в ванную, намочил тряпку и аккуратно убрал получившееся безобразие. Потом отнес тряпку на место, вымыл руки и вернулся к оставшимся яйцам.

Но здесь начавшееся копиться раздражение вырвалось наружу. Яйцо полетело вперед, гранатой врезалось в кафельную стенку над мойкой и расплескалось бесформенным пятном, некрасиво стекающим вниз. Если бы Ирина Александровна попала под горячую руку, то это пятно стекало бы по ее физиономии!

Да... твою мать! Неужели нельзя приготовить мужу завтрак, когда он пришел из рейса! Неужели недостаточно две или три недели подряд плевать в потолок и подыхать от безделья, пока муж сжигает свои нервные клетки в замкнутой стальной коробке! Куда и за каким хером можно сдергивать из дома с раннего утра, оставляя мужа голодным!

От хорошего настроения ничего не осталось.

Тут раздался звонок, кроме жены звонить было некому.

Заявилась, голубушка, легка на помине! Евгений Романович, как атакующий носорог, устремился в прихожую. Резко распахнул дверь.

На пороге квартиры, заложив обе руки в карманы светлых брюк, отчего пиджак нелепо топорщился, стоял загорелый Игорь Шульгин. Свет, падавший на лестничную площадку через маленькое окошко под потолком, отражался в его темных очках. Шульгин нервно оглянулся через плечо.

— Хватит дергаться, — сразу осадил его Белов. — У тебя врожденная мания преследования. Никому ты на хрен не нужен. Никто за тобой не следит. Проходи.

Евгений Романович отступил в сторону, пропуская гостя, тот поспешно переступил порог квартиры. Полковник закрыл дверь. Шульгин был оператором его смены, его конфидентом — доверенным лицом, на которое можно положиться. Месяц назад он списался в отпуск, и его заменял лейтенант Тельнов из резервного экипажа.

— Ну, как отдых? — мрачно спросил Белов.

— Как всегда — лучше, чем работа, — ответил Шульгин. Не в пример шефу, он пребывал в отличном настроении. — Между прочим, Евгений Романович, — Шульгин снял песочного цвета пиджак и повесил на вешалку, — моя осторожность более чем оправданна. Кравинский — весьма опасный человек, как бы наплевательски вы к нему ни относились...

— Я не отношусь к нему наплевательски, Игорь, — возразил полковник.

— Нет, относитесь! — настаивал Шульгин. — Я случайно узнал, что они собирают информацию даже о курении в рейсе! Как вам это нравится?

Они прошли на кухню, и Белов принялся отмывать с кафеля разбитое яйцо.

— Ерунда. Пусть собирают.

— А внеслужебные контакты не приветствуются, более того, между лицами, находящимися в прямом подчинении, они прямо запрещены!

— Да, конечно. Расскажи это Булатову. И расспроси, какие у него контакты с военврачом.

— Во-первых, между ними нет прямого подчинения. Наталья Игоревна напрямую подчинена подполковнику Ефимову.

— А во-вторых?

— А во вторых... как это яйцо оказалось на стене?

— Я его бросил. Что «во-вторых»?

Шульгин улыбнулся.

— Что дозволено Юпитеру, не дозволено быку!

— Это я бык, что ли?

— «Бык» — это символическая фигура, — дипломатично ответил Шульгин. Он умел собирать информацию обо всем, что происходит в поезде, и добросовестно передавал ее начальнику смены. Сейчас Белова посетила неприятная мысль, что так же добросовестно Игорь может сдавать информацию и о самом начальнике смены.

— Есть будешь? Или чай?

— Нет, спасибо, — Шульгин покачал головой.

Белов ложечкой разбил одно яйцо, посолил, выпил и заел хлебом с маслом. Потом так же поступил еще с двумя. После этого налил себе чаю.

Шульгин прохаживался по кухне, с интересом наблюдая за происходящим.

— А чего так, всырую? — аккуратно спросил он.

— Лень готовить, а супруга куда-то завеялась.

Шульгин сделал нейтральное лицо.

— Ирина Александровна поехала в Кротово, в магазин. Вместе с этой прапорщицей, как ее...

— Прапорщиком! — рявкнул Белов. — Не прапорщицей, а прапорщиком! Сколько можно вам говорить?!

Но тут же успокоился.

— Чего ей в магазине?

— Говорят, хотели вина купить...

Вот дура! В городке все друг о друге знают, какого черта болтать? Предупреждал же!

Игорь замер напротив, молча наблюдая за тем, как полковник старательно размешивает ложечкой сахар в стакане.

— Вряд ли вина, — наконец нарушил молчание Белов. — Ира совсем не пьет.

Если Шульгин докладывает командиру или особистам, пусть осветит позицию супруга нарушительницы.

— Я ее просил варенья сварить. Видно, решила магазинным отделаться.

— Конечно, — беззаботно согласился Игорь. — Мало ли что бабы болтают!

Белов допил чай.

— Еще какие новости? — по привычке спросил он. — Ты только вчера вернулся, а небось уже больше меня все знаешь?

Шульгин кивнул.

— Новый лейтенант прибыл, с женой. Такая фифа... Накрашенная, прикинутая, с педикюром! Их во второй дом поселили!

— Как во второй? Не может быть! Он же для старших офицеров...

— В чем и загадка. И принял его сразу Кравинский, а потом Булатов.

Евгений Романович задумался.

— Странно... А в какой экипаж?

— Похоже, в наш, — с нажимом произнес Шульгин. — Вроде стажером.

Белов поднял на него обеспокоенный взгляд.

— И на какую должность он будет стажироваться?

— Не знаю, — Игорь отвел глаза. — Только окончил Тиходонское ракетное.

Евгений Романович задумчиво пожевал губами. Общевойсковик или десантник мог бы идти на взвод охраны. А ракетчик, да еще принятый с таким почетом и почестями, может примеряться только на одну должность. Должность начальника смены. Неужели они нашли подходящую замену?

Белов ощутил легкое покалывание в левой стороне груди. Рука машинально потянулась к сердцу, но замерла в воздухе, так и не преодолев намеченную траекторию.

— И где он сейчас? — спросил Евгений Романович.

— Надо полагать, беседует с командиром, — Шульгин пожал плечами. — Во всяком случае, из штаба он еще не выходил. Может, когда я зашел к вам...

В это время раздался зуммер внутреннего телефона. Предчувствуя, что звонок напрямую связан с рассказом Шульгина, Белов поднял тяжелую эбонитовую трубку.

— Белов слушает!

— Здравствуйте, Евгений Романович. Зайдите ко мне в штаб, — мягко распорядился полковник Булатов.

— Есть, — упавшим голосом ответил Белов и положил трубку.

Шульгин смотрел выжидающе.

— Командир вызывает, — пояснил полковник. — Я переоденусь... Хотя надо еще побриться...

— Ладно, я к вечеру заскочу, — Шульгин мгновенно испарился. Хлопнула дверь в прихожей.

Через десять минут одетый по форме начальник смены доложился командиру части. У Булатова был довольно просторный кабинет, обставленный хорошей мебелью, но без излишеств и претензий. Никаких новомодных офисных столов за шестьдесят тысяч, кожаных кресел и диванов, дорогих светильников. Все самое необходимое: обычный письменный стол с приставным столиком, книжный и платяной шкафы, в стороне длинный стол для совещаний, самые обыкновенные стулья. На одном из них за приставным столиком сидел начальник отдела контрразведки Кравинский, на другом, напротив, — незнакомый, совсем молодой лейтенант, напряженный и явно чувствующий себя не в своей тарелке. Командир занимал свое место, создавалось впечатление, что все трое вели оживленную дружескую беседу, которую прервал своим появлением полковник Белов.

— Познакомьтесь, Евгений Романович, — поздоровавшись, сказал Булатов. — Это наш новый сотрудник Александр Кудасов. Он будет проходить стажировку в вашей смене. Александр успешно окончил наше ракетное училище, у него высокие баллы по специальным дисциплинам и по практике в войсках. Особо отмечаются его способности в расчетах боевых траекторий. Так что прошу ввести в курс дела, проявить отеческое внимание и оказать необходимую помощь. Через три-четыре месяца он должен быть достаточно подготовлен как руководитель смены и ваша правая рука. Вы меня поняли?

— Так точно! — ответил Белов. Сесть ему никто не предложил, приходилось стоять как наказанному.

— Александр Олегович, а это ваш непосредственный начальник — полковник Белов. Евгений Романович. Начальник смены, а в боевой обстановке — командир пуска. Я уже рассказывал вам о нем.

Лейтенант встал, обозначил стойку «смирно», резко наклонил голову.

— Лейтенант Кудасов!

Последняя фраза командира в немалой степени озаботила Белова. Что же, интересно, такого мог рассказывать о нем полковник Булатов только что прибывшему стажеру? Что он — старый пень, которому давно пора в отставку? Что он допустил промах на контрольном тестировании? Что его жена не выходит встречать мужа после рейса, а все свободное время проводит с молодыми прапорщицами? Тьфу, прапорщиками? Что служба пожилого неудачника подходит к концу и скоро он сможет занять его место? Все эти мысли при психоанализе выдавали крайнюю закомплексованность личности, повышенную тревожность и мнительность, фрустрационный синдром и неуверенность в себе. Но, общаясь с психологами, Евгений Романович тщательно скрывал свои переживания, да и сейчас разоблачающие его мысли вихрем пронеслись в голове, заклубились и осели, вызывая нескомпенсированную перегрузку нервной системы, но никак не проявляя себя вовне.

Белов заставил себя улыбнуться и даже протянул руку лейтенанту:

— С прибытием, лейтенант. Надеюсь, мы сработаемся.

Полковник думал, что ничем не выдал своей неприязни к стажеру, однако все присутствующие заметили и принужденность улыбки, и холодность голоса, и отчужденное выражение лица.

— С моей стороны будет сделано для этого все возможное, товарищ полковник, — Александр приосанился и гордо вскинул голову.

Булатов и Кравинский переглянулись. Этот мальчик имеет самолюбие и знает себе цену!

— А пока что, Евгений Романович, подготовьте стажера к очередному рейсу. Пусть изучит необходимые приказы и инструкции, познакомится с руководящим составом экипажа, теоретически ознакомится с материальной частью поезда. Когда поезд вернется, покажите ему материальную часть в натуре. Ну и, конечно, беседы с Ефимовым, Волобуевым, Сомовым. У каждого пусть получит необходимый инструктаж. Вопросы есть?

— Никак нет, товарищ полковник! — четко ответил лейтенант Кудасов.

— Никак нет, — повторил полковник Белов.

Когда офицеры вышли, Булатов испытующе посмотрел на Кравинского.

— Что скажете, Николай Тимофеевич?

— Парень мне понравился. И по анкетам, и лично. К тому же он очень непрост: вон как отбрил Романыча!

Булатов согласно кивнул.

— У меня тоже складывается положительное мнение. Пусть входит в курс дела. Думаю, ошибки тут нет, он вполне потянет должность начальника смены запуска.

— А что будем делать с Беловым? — поинтересовался особист. — Вы ознакомились с нашими материалами?

Командир помолчал.

— Пусть отдохнет до следующего рейса. За это время Наталья Игоревна проведет с ним психофизиологическое тестирование, а я приму у него зачет по расчетам траекторий. Если результаты будут нормальными — пусть пока работает и готовит себе замену. Если нет — будем думать.

Думать особенно было не над чем. В резервном экипаже начальника смены запуска нет. Заменять Белова сегодня некем. Оставалось надеяться, что, отдохнув, он вернется в хорошую форму.

Выйдя из штаба, Белов распрощался с лейтенантом.

— Сегодня отдыхайте, завтра приступим к занятиям. Я живу вон в том, первом доме, а вы, я слышал, в следующем.

— Когда вы успели услышать? — удивился Александр. — Я только приехал и еще сам не знаю, где живу!

Белов криво улыбнулся.

— Здесь новости разносятся со скоростью гиперзвуковой ракеты...

Полковник осекся. Слово, которое он произнес, относилось к государственной тайне, и его не следовало произносить всуе. Даже если собеседник имеет такой же допуск к секретной работе, как и он сам.

— Со скоростью звука, — поправился он. — И новости, и сплетни. Поэтому не всегда им можно верить. Имейте в виду оба эти обстоятельства.

Не прощаясь, Белов зашагал к своему дому. И хотя идти им следовало в одном направлении, он предпочел проделать этот путь в одиночку. Даже малоопытный в хитросплетениях служебных отношений Кудасов понял, что это означает.

Отпустив полковника на сотню метров, он неторопливо двинулся следом, с любопытством оглядываясь по сторонам, поглощая и переваривая новую информацию и делая определенные выводы. Асфальтовая дорожка была в достаточно хорошем состоянии, трава между деревьями подстрижена, встречные солдаты и прапорщики исправно отдавали честь. Справа виднелся выкрашенный защитной краской ангар, откуда-то доносился шум, характерный для железной дороги. Между служебным и жилым секторами имелся забор из колючей проволоки, проход осуществлялся через КПП, на котором несли службу двое вооруженных автоматами часовых. Кудасов предъявил только что выписанный Кравинским пропуск и беспрепятственно прошел в жилую зону.

Кое-какие выводы у него уже появились. В части поддерживаются порядок, дисциплина, высокий уровень режима секретности и повышенная боеготовность. Ибо в любом подразделении на внутренних постах часовые вооружаются только штык-ножами. Не считая, конечно, оружейных арсеналов и складов ГСМ. Здесь есть своя авиация, скорей всего вертолет или легкомоторный самолет. Неподалеку располагается и место стоянки БЖРК. Саша уже столько слышал про поезд, как его запросто здесь называли, что ему не терпелось увидеть его воочию.

Возле жилых домов сидели на скамейках женщины, бегали детишки, сохло на специальных веревках белье. В курилках сидели мужчины в форме и штатском, очевидно, сменившиеся с дежурства или свободные сегодня от службы. Все обитатели городка провожали лейтенанта взглядами.

Первый и второй дом отличались от остальных: они были выкрашены свежей краской, вокруг разбиты газоны. У подъезда второго дома сидели пышная блондинка лет сорока и молодая, коротко стриженная девушка. В ногах у них стояла объемистая сумка. Они смотрели на лейтенанта и улыбались.

— Извините, я только сегодня прибыл и еще не знаю свою квартиру... — начал объяснять Кудасов, но объяснения не требовались.

— Двенадцатая квартира, — перебила его блондинка. — С приездом в страну чудес...

— Почему чудес? — спросил Саша.

— Скоро узнаете, — хихикнула девушка.

Когда Кудасов вошел в подъезд, то услышал за спиной приглушенное:

— А он симпатичный!

Но не разобрал, кто из женщин это сказал.

Подъезд был чистым, на ступеньках нарисована красная дорожка. Поднявшись на четвертый этаж, Александр позвонил. Оксана сразу же открыла дверь, и он вошел в первое в своей жизни собственное жилье.

— Как дела? — спросил он у молодой жены.

Она улыбалась. Улыбка, как и домашний халатик, была ей к лицу.

— Все не так плохо, как могло быть. В нашем доме вода идет круглосуточно, а в остальных — по часам.

— Вот видишь! Подожди, откуда ты это узнала?

— К нам заходила такая милая женщина... Симпатичная приветливая блондинка.

— Такая пухленькая? Она сидит внизу. С какой-то девушкой.

— Возможно, но заходила одна. Она жена какого-то начальника, но держится очень просто.

— Как ее фамилия?

— Зовут Ирина Александровна, а фамилия, по-моему, Белова... Да, точно, Белова.

Кудасов присвистнул.

— Вот так штука! Значит, ее муж — мой непосредственный начальник! Причем он мне не показался ни милым, ни приветливым. Скорей напротив: надулся на меня, как сыч. Хотя его можно понять...

— Ничего, ты разберешься... Пойдем, покажу квартиру.

Две просторные комнаты, немаленькая кухня, удовлетворительное состояние, телефон. Есть необходимая мебель: шифоньер, стол, стулья, видавший виды телевизор, шкафчик с посудой на кухне, на кровати лежит комплект белья, в ванной — чистые полотенца.

— Ну что ж, жить можно! — удовлетворенно выдохнул Кудасов. Он знал, что далеко не во всех частях встречают так неоперившегося лейтенанта.

— Я хочу поспать, — Оксана потерла глаза. — А потом можно выйти и осмотреться.

— Давай поспим, — согласился Кудасов. — Сегодня я выходной.

Оксана стала стелить постель, молодой муж с удовольствием наблюдал. Когда она нагнулась, халатик задрался, и он обнаружил, что нижнего белья на ней нет. Это изменило их планы. Заснули молодожены только через час.

Глава 3

ОПЕРАЦИЯ «СЕТЬ»[1]

На рейде Владивостока, или, как говорят опытные маремāны, Владика, всегда много судов. Рыболовецкие сейнеры, плавучие рыбзаводы, танкеры и сухогрузы... Кто-то меняет экипаж, кто-то сдает улов, кто-то грузится или набирает топливо, кто-то разгружается, а кто-то еще ждет таможенного досмотра. Основным торговым партнером в этих краях является Япония, и суда Страны восходящего солнца в порту Владика привычны настолько же, насколько в японских портах привычны браконьерские российские краболовы.

Сухогруз «Кавасаки», дождавшись своей очереди, подошел к четвертому причалу и, получив таможенное «добро», начал разгрузку. В числе других, портовые грузчики, которые в платежных документах выступают под мудреным названием стивидоры, подцепили стропами и выгрузили из глубокого трюма на причал два грузовых контейнера, идущих транзитом из Японии в Швецию.

---

[1]Такая операция, только под названием «Абсорб», тоже проводилась ЦРУ против России. См.: *Пит Эрли*. Признания шпиона. М., 1998. С. 131—132.

Транзитные грузы таможня практически не контролирует, ограничиваясь проверкой пломб, наложенных грузоотправителем, и иногда дублируя их собственными пломбами. При пересечении границы на выезде из России также проверяются пломбы, и, если они в порядке, транзит уходит по своему маршруту.

На выгруженных контейнерах пломбы были в полном порядке, но, судя по нарисованным на огромных ящиках условным обозначениям, они требовали особо бережного обращения. И неудивительно: из сопроводительных документов следовало, что в контейнерах находились керамические вазы. Поэтому их необходимо плавно поднимать и опускать, строго соблюдать положение «верх — низ» и ставить рядом в соответствии с отметками на стенках.

Все эти требования были выполнены, и контейнеры осторожно погрузили на открытую железнодорожную платформу, соприкоснув именно теми стенками, какими следовало. Теперь им предстояло проделать длинный путь через всю Россию: с востока на запад и с юга на север общей протяженностью около восьми тысяч километров. Вначале по Транссибирской магистрали: через Хабаровск, Читу, Красноярск, Томск, Новосибирск, Екатеринбург и Нижний Новгород до Москвы, затем через Санкт-Петербург, Беломорск и Кандалакшу до Мурманска. Там опять предстояла перегрузка на торговое судно и последняя часть маршрута — через Баренцево, Норвежское и Северное моря до Гетеборга.

Маршрут был выбран довольно странный: гораздо логичнее было бы везти контейнеры морем, обогнув Россию с Востока и избежав двух совершенно лишних погрузочно-разгрузочных операций, существенно удорожающих доставку и повышающих риск повреждения хрупкого груза. Но, в конце концов, это дело грузоотправителя и грузополучателя. Всем остальным, включая пограничников, таможенников, стивидоров и железнодорожников, было на это глубоко наплевать. Безразлично. Как говорят молодые люди из поколения «пепси» — фиолетово.

В те же дни из Турции в Туапсе прибыли два транзитных контейнера с керамическими вазами, идущие через Архангельск в Швецию. В туапсинском порту их с осторожностью перегрузили на железнодорожную платформу, установив строго определенным образом, и отправили малой скоростью с юга на север: через Тиходонск, Москву и Вологду на Архангельск. Протяженность этого маршрута была поменьше, но тоже солидной — около трех тысяч километров. Вставали те же вопросы: зачем понадобились две перегрузки и почему вазы не отправили морем вокруг Западной Европы через Босфор и Гибралтар? Но ставить эти вопросы и отвечать на них было некому, потому что те люди, которые могли бы заинтересоваться подобной странностью, не в состоянии анализировать движение миллионов тон грузов, проходящих через территорию России. А всем остальным это тоже было фиолетово.

Поставленные на железнодорожные платформы и соприкоснувшиеся определенными стенками контейнеры, во-первых, оживали, так как автоматически включались детекторы низкой радиации. Во-вторых, строго определенная позиция позволяла контролировать чувствительными приемниками детекторов низкой радиации и правую и левую сторону по ходу своего движения.

Контейнеры начали двигаться практически одновременно, прочесывая российские железные дороги по самым протяженным магистралям. Так браконьерские сейнеры вдоль и поперек тралят дно Охотского моря, вылавливая сотни тонн крабов, морских ежей, трепангов, трубача и другие золотовалютные деликатесы. Одновременно все разведывательные спутники США — «Плутон», «Соколиный глаз», «И-146», «Х-100» и другие вели в том же масштабе времени синхронную, аэрокосмическую съемку, позволяющую осуществить привязку зафиксированного объекта к местности. А компьютерная реконструкция позволяла отследить передвижение «засвеченного» объекта на определенном участке и, возможно, восстановить его маршрут.

Конечно, существует много железнодорожных веток, которые не захватывались «Сетью», но они были гораздо короче выбранных, а «Мобильный скорпион» нуждался в просторе для маневра, ему были необходимы длинные, на всю страну перегоны. Поэтому вероятность того, что он попадет в «Сеть», равнялась семидесяти восьми процентам.

Средняя скорость товарного поезда в России равняется тридцати километрам в час. Опытный железнодорожник с уверенностью скажет, что для благополучия статистики эта цифра завышена на восемь-десять километров. Контейнеры-шпионы неспешно двигались по российским просторам, чутко реагируя на малейшее повышение радиоактивного фона.

Подобных повышений было не так уж и мало. Передвижные лаборатории для контроля рельсов с гамма-дефектоскопами внутри имеются на каждой железной дороге, на наиболее важных магистралях — даже по несколько штук. Сердцем дефектоскопа является ампула с радиоактивным цезием, упрятанная в свинцовую оболочку. Детекторы низкой радиации четко их фиксировали, а скрытые за стенками контейнеров фотокамеры производили одновременный снимок желтых вагонов с надписью «Лаборатория» на борту — технический эксперт ЦРУ профессор Кольман усовершенствовал свое изобретение.

В некоторых местах попадались пятна радиоактивного загрязнения — то ли следы экологической катастрофы в Чернобыле, то ли последствия должностной халатности и менее трагических техногенных ошибок. Счетчики Гейгера реагировали на каждое такое пятно, включая фотоаппараты, которые могли производить съемку даже в ночное время. Но в чувствительные объективы попадали только поросшие могучим бурьяном пустыри, растрескавшаяся и неухоженная российская земля, свалки искореженного металла и другие привычные элементы прижелезнодорожного ландшафта. Большинство зон повышенной радиоактивности не были известны властям, поэтому, если бы карта низкорадиоактивных загрязнений, полученная аппаратурой проекта «Сеть», оказалась во властных структурах, она могла бы оказать существенную помощь в борьбе за экологическую чистоту Российской Федерации.

В «Сеть» попадалась не только бесполезная фоновая информация. Однажды шпионский контейнер, движущийся по Транссибирской магистрали, засек специальный воинский эшелон, везущий изготовленные на атомном заводе в Арзамасе-25 ядерные боеголовки в Красноярский полк МБР. Другой раз счетчик Гейгера зафиксировал перевозку урановых стержней для промышленного атомного реактора.

Поскольку для гарантий неуязвимости контейнеров они работали в пассивном режиме, то есть накапливали информацию, но не передавали ее, российские военные и промышленные секреты, а также следы отъявленного разгильдяйства и головотяпства накапливались в сверхсовременной аппаратуре, заменившей задекларированные керамические вазы. Но главная добыча, ради которой вся операция «Сеть» и была задумана, в поле зрения чувствительных датчиков детекторов низкой радиации пока не попала.

Шпионский контейнер, следующий с востока на запад, вполне мог встретить БЖРК, потому что наиболее часто атомный поезд выходил от Тиходонска на Волгоград и потом несся шесть тысяч километров по Транссибу до Хабаровска и возвращался обратно. Но не в этот раз. Сейчас его пути не совпадали, не встречались и не пересекались с контейнером № 1. Теоретическая вероятность встречи снижалась с каждой новой сотней километров, отстуканной колесами грузовой платформы, груженной контейнерами с отправленными из Японии керамическими вазами. И расчетные 78% вероятности постепенно уменьшались, неумолимо стремясь к нулю.

Контейнер, следующий на север по маршруту Туапсе — Архангельск, приближался к Тиходонску. С противоположной стороны БЖРК возвращался из Воркуты на базу в Кротово. Расстояние между ними составляло двести километров и быстро сокращалось. Железнодорожное полотно в этих местах не имело разветвлений, поэтому вероятность успеха операции «Сеть» резко возросла и приближалась к ста процентам.

* * *

Звание старшего лейтенанта было присвоено Кудасову еще быстрее, чем он ожидал, — через две недели после прибытия в Кротово. Гарнизон собирался встречать БЖРК из очередного рейса, сменный экипаж готовился заступать на боевое дежурство. На очередном инструктивном совещании личного состава полковник Булатов вручил Александру новые погоны и пожелал хороших показателей в его первом рейсе и успехов в дальнейшей службе.

— Такое стремительное продвижение, как у вас, встречается крайне редко, — улыбаясь, произнес полковник. — Это аванс доверия, которое вы должны оправдать.

— Служу России! — четко сказал Александр.

Обычные в подобных случаях аплодисменты оказались довольно жидкими. Столь стремительное продвижение в званиях нравится немногим. Из слов Булатова большинство присутствующих сделали вывод, что у Кудасова есть «волосатая рука» и Кротово — тот трамплин, с которого он запрыгнет в заоблачные карьерные высоты. Сам Александр был бы польщен таким мнением, но скоро в отношениях с окружающими, особенно молодыми офицерами, он явственно ощутил холодок.

Потом сменному экипажу были поставлены очередные задачи на предстоящий рейс. Маршрута никто не знал. Даже в поезде маршрут известен только нескольким командирам. Во время рейса запрещены любые связи с внешним миром: в поезде нет телевизора, радиоприемников, проносить на борт сотовые телефоны запрещено. Всю информацию о происходящем за бронированными стенками вагонов экипаж получает от своего начальства. И полностью подчиняется своим командирам. Боевое дежурство приравнивается к боевой обстановке, поэтому невыполнение приказа грозит военным трибуналом. Не считая перечисленной специфики, задачи были достаточно стереотипны: находиться в постоянной боевой готовности, проявлять бдительность, о любых странностях, чего бы эти странности ни касались, докладывать командиру поезда или контрразведчику майору Сомову.

После выступления командира инструктаж провел подполковник Кравинский. Он рассказал, что БЖРК является самостоятельной стратегической единицей ракетных войск и выполняет чрезвычайно важную задачу обеспечения обороноспособности страны. В связи с этим к поезду приковано внимание иностранных разведок, которые усиленно ищут слабые места комплекса. А слабым местом традиционно являются люди, личный состав, точнее, те, кто имеет скрытые пороки, тайные слабости и другие уязвимые места.

— Страна может принимать чрезвычайные меры для обеспечения своей безопасности, затратить на это миллиарды рублей, труд сотен ученых, конструкторов, бдительность солдат, прапорщиков и офицеров, а какой-нибудь негодяй, из-за пристрастия к спиртному, или слабости к женщинам, или жадности, может развалить всю эту колоссальную систему, — Кравинский многозначительно поднял руку. — Крепость всей цепи определяется крепостью самого слабого звена, запомните это хорошенько! Наша общая задача — вовремя обнаружить это звено и усилить его! Или заменить!

Личный состав много раз слышал это и не проявлял никакого интереса, хотя Кудасов весь превратился во внимание.

— Хочу довести до вашего сведения, что, по полученным нами данным, в последнее время интерес американской администрации и, соответственно, ЦРУ к нашему поезду значительно усилился. Нельзя полностью исключать диверсионно-террористические акции, в связи с чем я еще раз призываю всех к бдительности, конспиративности и сохранению государственной тайны! — закончил свое выступление Николай Тимофеевич.

— Во дает! — хохотнул сзади плотный лейтенант капитанского возраста. Он явно не радовался стремительному взлету нового сослуживца. — Сам американский Президент нами интересуется! Надо же!

Вокруг сдержанно засмеялись.

Самому Кудасову тоже показалось странным, что ими, затерянными в сельской глуши тиходонского края, может интересоваться правительство могущественных Соединенных Штатов. Хотя если иметь в виду гиперзвуковую ракету с разделяющимися ядерными боеголовками, то ничего удивительного в этом и нет. Но он как-то не связывал напрямую себя и эту суперракету. Хотя уже начал понимать, что является одним из винтиков обслуживающего ее механизма. И что внеочередное звание, квартиру в привилегированном доме, многочисленные льготы он получил не потому, что его зовут Александр Кудасов, и не потому, что он весит семьдесят восемь килограммов и способен удовлетворить молодую жену десять раз за ночь, не потому, что он послушный сын порядочных родителей и образованный молодой человек приятной наружности. А исключительно потому, что он способен запустить гиперзвуковую ракету из любой точки огромной России и направить ее в определенную цель на противоположном полушарии, причем с высокой долей вероятности поразить цель! Именно в этом состояло его главное предназначение.

Любое очередное, а тем паче внеочередное звание положено отмечать в воинском коллективе, как принято говорить — «обмывать звездочку». Существует целый ритуал обмывания: от опускания звездочки в наполненный до краев стакан водки, причем так, чтобы не пролить ни капли, и в последующем выпивании этого стакана, что практикуется в родах войск, не требующих выдающихся умственных способностей, а исключительно физической силы, выносливости и умения переносить высокие нагрузки, до простого выпивания рюмки со звездочкой на дне. Второй способ предпочитают интеллигентные военнослужащие из технических специалистов, шифровальщиков, операторов ракетного наведения. Впрочем, определяющим, надо признать, является не род войск, а привычки и наклонности конкретных людей, которые окружают повышенного в звании офицера. В любом случае надо зубами вытащить звездочку из рюмки или стакана и положить себе на плечо. Причем вытаскивать ее надо именно из водки, а не из нарзана, пепси-колы или сухого вина.

В связи с тем, что в Кротове существовал «сухой закон», о чем Кудасова предупредили и командир базы Булатов, и начальник отдела КР Кравинский, и начальник БЖРК Ефимов, и офицер КР майор Сомов, то возникало противоречие между вековой армейской традицией и режимом конкретной воинской части, причем неизвестно еще, что опасней нарушить в данном конкретном случае. Молодой старший лейтенант долго размышлял, как быть, и не пришел ни к какому определенному выводу.

Поскольку подполковник Кравинский по-отечески приглашал запросто заходить и советоваться по любому вопросу, то Кудасов решил так и поступить.

Николай Тимофеевич встретил старшего лейтенанта крайне доброжелательно, усадил за журнальный столик и сел рядом, подчеркивая неофициальность и доверительность разговора. Внимательно выслушал сомнения молодого офицера, а потом сказал:

— Налицо противоречие формы и содержания. Форма запрещает пить, а содержание этого требует. Какой выход? Не привлекая широкого внимания и не вызывая общественного резонанса, отметить сие событие в тесном кругу у себя дома. Пригласи своего непосредственного начальника Евгения Романовича Белова с супругой, посоветуйся, может, он пригласит еще кого-нибудь из вашего коллектива. Человеческое общение сближает людей. Но, конечно, никаких излишеств! Бутылка водки на двух мужиков, бутылка шампанского на двух дам... Для веселья и настроения вполне достаточно.

Кравинский улыбнулся.

— Устраивает такое решение?

Кудасов с благодарностью кивнул.

— Да, конечно, большое спасибо!

Начальник отдела КР поднял палец.

— Только помни: из всего происходящего надо черпать мудрость. А мудрость в чем?

— Не знаю, — растерянно ответил Кудасов.

— Мудрость в знаниях, говоря техническим языком — в информации. Твоя цель не напиться...

— Да я и не любитель этого дела...

— Тем более. А лучше узнать окружающих тебя людей. Кто как себя ведет, когда выпьет, кто что говорит. Выпивший человек себя проявляет определенным образом, он более раскрепощен, раскован, разговорчив... Присмотрись к Белову. Что-то у него с женой какие-то трения. Нервничает он, недавно ни с того ни с сего запустил у себя на кухне в стену яйцом! Почему? Непонятно! Вот и посмотри, может, поймешь. А если поймешь то, что общественный интерес представляет, то придешь и мне расскажешь. Оно и для дела польза выйдет.

Кудасов оторопел.

— Так это получается...

Николай Тимофеевич с досадой махнул рукой.

— Да ничего не получается! Если бы я работал психологом, ты бы ни о чем плохом не думал! А раз я особист — сразу подозрения. Небось думаешь, что Кравинский тебя в стукачи вербует?

Старший лейтенант потупился. У него действительно мелькнула такая мысль, и сейчас он ее устыдился.

— Никуда я тебя не вербую! Кто надо — уже давно завербованы! И, кстати, стукачами их только дураки считают да прямые враги. Потому что это добровольные помощники, доверенные люди, конфиденты. Они помогают против происков врагов защиту ставить. Думаешь, про шпионов мы сами выдумываем, чтобы личный состав запугивать?

Подполковник понизил голос.

— Я тебе одну вещь скажу. Секретную. Так что сам понимаешь...

Кудасов напряженно сглотнул и кивнул.

— Недавно в самом Генштабе разоблачили шпиона. В больших чинах, в генеральском звании, а работал на американскую разведку. Что наработал — кто его знает! Только и про наш поезд он имел информацию. Правда, самого общего порядка, но это тоже много... Ведь есть секреты теоретические: снял копию чертежа, передал формулу, и все, на этом дело закончилось...

Кравинский прищелкнул языком. Вел он себя совершенно естественно, говорил искренне и внушал собеседнику полное доверие.

— А наш поезд — вещь сугубо практическая. Если про него конкретная информация уйдет: как он устроен, да где базируется, да как охрана организована, да по какому маршруту идет...

Контрразведчик вздохнул.

— Это, брат, только первый этап. Потому что хочешь не хочешь, а следующим этапом должна быть диверсионно-террористическая акция, чтобы поезд наш уничтожить со всем, естественно, экипажем! Вот такие пироги, это не игрушки, не шутки и не страшилки! Когда об обороноспособности страны говорим, это вроде какая-то абстракция, от нас от всех далекая. А если поезд взорвут и наших людей поубивают — это конкретика, она каждого касается, вот она, здесь, в груди... Послушай!

Николай Тимофеевич приложил руку к сердцу.

— Послушай, послушай!

Кудасов повторил его жест.

— Сейчас бьется, а может остановиться! И все, нет тебя! Жена плачет, мама с папой... А враги радуются!

Кравинский внимательно посмотрел на старшего лейтенанта и убедился, что с того довольно.

— Поэтому наша безопасность в наших руках. Как в одной книжке написано: «Спасение утопающих — дело рук самих утопающих!» Так что иди, отмечай, радуйся жизни, но про опасность не забывай. Сочтешь нужным, зайдешь ко мне после вечеринки, обскажешь, как все прошло. Не сочтешь — я тебя не заставляю. Ну, будь здоров!

На прощанье он крепко пожал молодому офицеру руку.

Кудасов вышел из штаба с двойственным ощущением. С одной стороны, он чувствовал, что Кравинский прав. С другой — не понимал, как остановка сердца в результате подрыва поезда связана с тем, что расскажет на вечеринке полковник Белов. Однако откровенность Кравинского он оценил в полной мере, тот даже про предателя-генерала в Генштабе рассказал. А это ведь Андрея Короткова отец! Не могут же там сразу два шпиона оказаться!

Теперь надо было придумать, как ловчей пригласить в гости Белова. Тот неоднократно проводил с ним подготовительные занятия: знакомил с инструкциями, экзаменовал, хотя сказал, что главный экзамен — это виртуальный учебно-боевой запуск во время рейса. Но во время общения полковник держался исключительно сухо и отчужденно. Он сразу обозначил лежащую между ними границу и не допускал заступа через невидимую черту ни с одной, ни с другой стороны.

В конце концов Кудасов решил, что попытка — не пытка. Его дело — пригласить. Дело Белова — принять приглашение или отказаться. Задача упростилась, потому что, подходя к дому, он увидел полковника, идущего рядом с уже знакомой пышной блондинкой.

— Здравия желаю, товарищ полковник! — подчеркнуто по уставу обратился Александр к начальнику. — Евгений Романович, разрешите пригласить вас с супругой в гости по случаю присвоения звания и вообще... вливания в коллектив!

Белов поморщился.

— Ничего не получится. У нас все дни расписаны, скоро в рейс, надо подготовиться...

— Ой, Женя, ну что ты все усложняешь! — Ирина Александровна широко улыбнулась. — Сколько можно сидеть взаперти? У молодого человека радость, давай посидим с ним, вместе порадуемся, от дел служебных отвлечешься!

Белов снова поморщился.

— Ну хорошо, мы придем.

Кудасов просиял.

— Значит, завтра часов в пять! И одна вещь, вот какая: Евгений Романович, кого вы посоветуете пригласить еще? Я ведь пока не освоился и познакомился только с руководителями Булатовым, Ефимовым, Сомовым...

Начальник смены усмехнулся.

— Вот и пригласи их всех! Хорошая компания получится! — в его голосе отчетливо прозвучали саркастические нотки.

— Нет, я все понимаю, может, кого-то из нашей смены?

— А чего далеко ходить, позови Игоря Шульгина! Тебе с

ним через три дня в рейс идти. Только помни про внеслужебные контакты, я тебя предупреждал...

Шульгин встретил приглашение с пониманием и вызвался помочь в подготовке торжества. На следующее утро он взял служебный «УАЗ», сам сел за руль и отвез Александра и Оксану в Кротово. Офицеры были в штатском, Оксана, как всегда, надела красивое платье и босоножки. Таким нарядом она шокировала гарнизонных женщин, которые привыкли ходить в жилом городке «по-простому» — в стареньких халатах и шлепанцах, наряжаясь только по какому-то конкретному случаю.

Небольшой рынок в Кротове работал только утром. Они купили овощи, двух кур, молодой картошки и зелени. Потом, оставив военную машину за углом, Кудасов, как в глубокий поиск, выдвинулся к магазину и, настороженно оглядываясь, приобрел бутылку водки, две шампанского, по подсказке Шульгина бутылку коньяка для Белова, печенья, конфет и пастилы. В другом отделе он купил белую пластиковую скатерть и бумажные салфетки. Положив спиртное на дно пакета и замаскировав его другими покупками, он так же настороженно вернулся к машине. Меры предосторожности были оправданны — иногда в Кротово наведывался гарнизонный патруль.

Возвращение на базу прошло без осложнений, Оксана сразу же принялась разделывать кур. Кулинарного опыта у нее было немного, хотя мать пыталась научить ее готовить, но самостоятельно она еще не накрывала ни один стол. Сегодня ей предстоял дебют, она очень старалась, и Александр был благодарен жене за такую самоотверженность.

К пяти часам куры были запечены в духовке, поджарена картошка, нарезаны салаты. Квартиру наполняли аппетитные запахи, Оксана металась с кухни в комнату и обратно, дополняя стол последними штрихами. Она надела открытый красный сарафан на длинной «молнии» сзади. Александр любовался женой и был ею очень доволен.

Белая скатерка и цветные салфетки очень украсили стол, но разнокалиберная казенная посуда портила впечатление, и Александр решил, что с первой же получки надо купить комплект тарелок, рюмок и фужеров.

Гости пришли вовремя, Ирина Александровна принесла самолично испеченный яблочный пирог. Вначале все держались скованно, но после нескольких рюмок расслабились, и настроение улучшилось. Белов с удовольствием пил коньяк и был польщен тем, что новый сотрудник знает его вкусы, Шульгин привычно глотал водку, женщины пили шампанское, хотя Ирина Александровна и предлагала Оксане перейти на коньяк.

Та выпила рюмочку, но больше не стала. Сложней всего пришлось Александру — он тоже хотел пить шампанское, но Белов сурово сказал:

— Ты что, нас споить хочешь, а сам трезвым остаться?

— Да что вы, Евгений Романович, и в мыслях не было, — Александр покраснел. Уж не узнал ли полковник про его разговор с Кравинским?

— Тогда пей как положено!

Пришлось пить на равных.

Гости, как водится, подняли тосты за прибытие Кудасовых к новому месту службы, потом за внеочередное звание, потом за первую в жизни молодоженов квартиру, потом за красивую и старательную хозяйку.

Александр тоже выпил за старшего наставника Евгения Романовича и его супругу, за товарища по службе Игоря Шульгина, за всеобщее благополучие. При этом он копировал поведение Степана Григорьевича, ибо раньше ему никогда не приходилось вести застолье и произносить здравицы.

Белов расслабился и, как показалось Александру, размягчился.

— Знаешь, как я срочную служил? — полковник прищурился, то ли от дыма сигарет, которые смолил одну за другой, то ли от воспоминаний. — На точке. Тогда твердотопливных ракет почти не было, жидкостные дежурили. Наземный старт — стальной «стол», на нем «изделие». Готовность «один». Баки заправлены — перекись водорода, азотная кислота, топливо полета... Жуткие компоненты... Перекись на бетон капнет — он тут же крошится, на этом месте — выемка... Азотная кислота на сапог попала — насквозь прожигает, хорошо, если ногу успел выдернуть... От полетного топлива шишки на руках росли...

Он затянулся, выпустил дым, потянулся за стаканом, не чокаясь выпил.

— А мы молодые, ни о чем таком не думаем... Ждем команду. Тогда надо закачать топливо старта — и запуск. Время старта двадцать минут. Курить охота, а сигареты — дефицит страшенный... Кто-то курит, ты к нему подходишь и спрашиваешь: «Вася, ты кому оставляешь?» — «Пете». Подходишь к Пете: «Кому оставляешь?» — «Сергею». Подходишь к Сергею: «Серега, ты кому-то оставляешь или нет?» — «Да нет». — «Ну тогда мне оставь, ладно?» Тот пожмет плечами: «Ладно». Так и стоим: один курит, а трое-четверо окурок ждут. И каждому достается все короче и короче, последний его палочками сожмет и затянется разок. Потому что в пальцах уже не помещается. Вот так мы служили!

Спиртное быстро кончилось, Шульгин сходил домой и принес еще водки. Норма, определенная Кравинским, была превышена, но Александр уже забыл и о норме, и о Кравинском. Дружеская атмосфера застолья расслабляла и затягивала — опасное чувство, которому более-менее опытные люди, а особенно профессионалы, никогда не поддаются.

— Знаешь, что самое сложное для командира пуска? — положив локти на стол и гипнотизируя старшего лейтенанта взглядом, спросил Белов. Он один допил бутылку коньяка и заметно опьянел. — Думаешь, расчеты? Ерунда! Сейчас разрабатываются системы автоматической коррекции полета, тогда эти расчеты вообще никому не станут нужны! А пока... Когда направляешь «карандаш» с начинкой «Я»[1], промахнуться невозможно. Потому что в радиусе десяти, двадцати, а то и тридцати километров — сплошная зона поражения. А когда начинка разделяющаяся, то весь континент превращается в сплошную зону поражения! Пшфс! И все дела! Ничего нет, только спекшаяся в камень земля... Ты видел когда-нибудь такое, старлей?

— Нет, никогда, — Кудасову было приятно упоминание его нового звания.

— Вот то-то... А я видел на Новой Земле... Так что главное-то? Знаешь? Нет? А я тебе скажу...

Белов поднял пустую рюмку, поднес ко рту и разочарованно отставил ее в сторону.

— Главное — произвести запуск! Нажать ту самую кнопку! И не обосраться при этом! Потому что на самом деле нажать ее не так-то просто... Даже при учебно-боевом запуске многие обсираются. А если настоящий, боевой пуск? Что тогда?

Кудасов пожал плечами.

— Так вот я учебно-боевой запуск производил! — многозначительно сказал Белов. — И не обосрался при этом! Поэтому в моем личном деле есть запись: надежен по первой категории! А ты производил запуск? У тебя такая запись есть?

Старлей покачал головой.

— Нет. У меня нету.

— Вот и все! — Белов выставил вперед палец, как из пистолета прицелился. — Ты сам ответил на все вопросы.

Начальник смены находился в хорошем настроении. Он выучил правильные варианты ответов на вопросы психологи-

---

[1]С ядерным боезапасом.

ческого теста и успешно прошел испытание. Потом так же успешно сдал Булатову экзамен по расчету траектории. Он полностью доказал свою состоятельность и испытывал очевидное превосходство над этим зеленым щенком, который метит на его место.

Ирина Александровна обняла Оксану за плечи.

— Здесь много завистливых людей, Оксаночка! Знаешь, что о тебе говорят за глаза? Что ты форсишь перед чужими мужьями, а на их жен свысока смотришь!

Оксана округлила глаза.

— Какой ужас! Да у меня и в мыслях не было! Я привыкла так ходить, привыкла следить за собой...

— И правильно, правильно, деточка! Не обращай ни на кого внимания, я тебя в обиду не дам! Держись ко мне поближе, я тебе подскажу, как себя вести...

Оксана кивала, а сама наблюдала, как складывается разговор у мужчин. Что-то настораживало ее в этом, казалось бы, мирном диалоге.

— Вы хотите сказать, Евгений Романович, что я обосрусь запустить «изделие»? — громче, чем следовало, спросил Кудасов. — Вот вы не обосрались, а я обосрусь? Ведь вы это имели в виду?

— Да мало ли, что я имел в виду! — Белов откинулся на спинку стула. — Но ты все правильно понял. Потому что чувствуешь, что к чему!

— Товарищ полковник, — Александр перешел на официальный тон. — Я знаю, что вы думаете. Но вы ошибаетесь. Я никогда не обсирался. И при запуске не обосрусь тоже! Можете быть уверены на сто процентов: если я получу приказ, то нажму кнопку без колебаний. Или с колебаниями, не знаю, но нажму!

Белов криво улыбался.

— И еще, — твердо продолжил Александр. — Я не собираюсь вас подсиживать. Я не мечу на ваше место. Все запланированные перемещения — это не моя идея! И они произойдут — со мной или без меня! И если у нас с вами пошел сейчас откровенный разговор...

Евгений Романович запрокинул голову и громко засмеялся. Женщины прекратили беседу и насторожились, Шульгин настороженно выглянул из ванной. Уж больно демоническим и устрашающим был хохот Белова. Кудасов опешил.

— Откровенный разговор? — переспросил Евгений Романович, отсмеявшись и неторопливо прикуривая неловко вставленную между губ сигарету. — Какой может быть откровенный разговор между полковником и старлеем? И с чего это вдруг?

Только с того, что мы вместе пьем водку? Черта с два! Это политес. У нас не может быть никакого разговора...

Полковник встал, его качнуло, чтобы не упасть, он тяжело оперся на стол. Из пальцев правой руки вывалилась сигарета и скатилась на пол. Белов не стал ее ни искать, ни поднимать. Налитые кровью глаза Евгения Романовича буравили лицо Александра, прожигая в нем дыру.

— И запомните, если я с вами выпил, это не значит, что мы стали друзьями. И тем более не значит, что вы можете надеяться на поблажки по службе...

Кудасов тяжело вздохнул.

— Все, все, завелся, значит, надо идти домой, — Ирина Александровна привычно подхватила мужа и направила к двери. — Если б ты знала, Оксаночка, как мне это надоело! Ну, у нас с тобой еще будет время поговорить... — И, уже обращаясь к Евгению Романовичу, сурово сказала: — Женя, быстро возьми себя в руки! Нам сейчас выходить на улицу, ты хочешь, чтобы все увидели, что ты нажрался, как свинья? А ну, пошли в ванную, я тебя умою!

Кудасов не вышел провожать начальника. Он сидел за столом в прежней позе. Настроение было испорчено.

— Да не обращай внимания! — успокоил его Игорь Шульгин. — Романыч — мужик неплохой, но что-то в последнее время у него крыша едет! Злой становится, агрессивный... Раз пришел к нему, он дома один, меня увидел и стал яйцо со стены отмывать. Оказывается, он сам им в стену и запустил, представляешь?

— Откуда ты знаешь, что он запустил? Нарочно, что ли? — спросил Кудасов, стараясь не выдавать заинтересованности ни голосом, ни интонацией.

— Конечно, нарочно! Он сам мне и сказал!

Игорь налил еще водки.

— Давай выпьем за дружбу!

Кудасов покачал головой.

— Не могу. Мне будет плохо.

— Ну, как знаешь! Тогда я сам...

Александр внимательно смотрел на пьющего водку человека. Значит, он является стукачом... нет, конфидентом Кравинского! Узнал, что Белов в сердцах швырнул в стену яйцо, — и тут же доложил! А о сегодняшнем вечере доложит завтра... Значит, надо тоже сходить к Николаю Тимофеевичу и изложить свою версию вечеринки... Иначе можно оказаться в дураках! Выходит, отстояться в стороне и не участвовать в служебных интригах невозможно...

Молодой человек начинал кое-что понимать во взрослой жизни. И осознавать значимость случайно оброненного слова.

Если бы Кравинский не упомянул про это злосчастное яйцо, тайная связь между ним и симпатичным Игорем Шульгиным никогда бы не стала известной Александру! Верно говорят: слово не воробей! Надо держать язык за зубами, внимательно слушать и анализировать болтовню других, самому умело подбирать слова... Это несложная игра, и если он примет в ней участие, то наверняка переиграет других!

— Правда, Игорек? — спросил Александр Кудасов и рассмеялся.

— Правда, правда, не сомневайся, — заплетающимся языком отозвался тот.

Когда Шульгин ушел, Александр обнял жену. Она опьянела, раскраснелась и находилась в приподнятом настроении.

— Какая милая эта Ирина Александровна, правда? — спросила Оксана. — Она такая умная, заботливая, как мама! Пообещала научить меня печь пироги... Ты хочешь, чтобы я пекла пироги?

— Хочу, — Александр расстегнул длинную «молнию», просунул руки под сарафан и взялся за маленькие аккуратные груди. Соски почти сразу напряглись.

Оксана заливисто засмеялась.

— Ты, видно, совсем не того хочешь...

Красной тряпкой сарафан отлетел в сторону. Оксана осталась в сексуальных трусиках и босоножках. Их губы встретились, поцелуи разжигали огонь желания.

— Так ты хочешь, чтобы я пекла пироги? — с неожиданной сноровкой Оксана расстегнула ширинку и сунула мягкую руку внутрь. Кудасов напрягся и застонал. Так же сноровисто нежные пальчики извлекли наружу ту часть Сашиного тела, которая сейчас должна быть использована по прямому назначению и своим состоянием демонстрировала полную к этому готовность, как ракета с включенным зажиганием на стартовом столе.

— Такие маленькие хорошенькие пирожки...

Оксана скользнула на пол и поймала ртом рвущуюся в бой ракету.

Александр замер. До такого дело у них еще не доходило. Он несколько раз робко намекал, но Оксана встречала эти намеки в штыки. «За кого ты меня принимаешь?! Я порядочная девушка, а не какая-нибудь проститутка!»

Сейчас она стояла на коленях и быстро двигала головой. Шпильки босоножек воинственно торчали, между скрещенных ремешков выглядывали округлые пятки, вдоль узкой спины пунктирно выделялась прерывистая линия позвонков. Молодой муж был шокирован, но чувственные удовольствия перевешивают моральные ограничения, и он поплыл по воле волн. Вскоре он ощутил, что дело идет к развязке, и деликатно попытался высвободиться, но Оксана недовольно заурчала и не отпустила — наоборот, удвоила усилия. Он расценил это как приглашение и перестал сдерживаться. В результате разрядка произошла вовсе не туда, куда обычно, но супругу это не смутило, больше того, в тот же момент она напряглась, застонала и после нескольких конвульсий бессильно распласталась на полу. Как рабыня у ног своего господина и повелителя.

Через минуту она пришла в себя и забралась на кровать.

— Ты помоешь посуду? — вопрос прозвучал довольно неожиданно.

— Гм... Помою... Сегодня ты меня несколько удивила... Ты же всегда отказывалась...

— А! — Оксана беспечно махнула рукой. — Теперь же мы муж и жена! Значит, все можно! Ты не согласен?

— Да нет, почему... — неуверенно ответил Александр. Его смущал класс исполнения. На первый опыт было явно не похоже. Чувствовалось незаурядное мастерство, профессионализм, который, как известно каждому офицеру, достигается многократными тренировками. И он не знал, радоваться этому или огорчаться.

* * *

БЖРК со вторым сменным экипажем возвращался на базу. Хотя ритм движения спецпоезда имеет какие-то усредненные показатели, вызванные условиями маршрута, загруженностью переездов, техническим состоянием дорожного полотна и сотней других, больших и маленьких, причин, но средняя скорость при возвращении всегда превышает среднерейсовую скорость. Это обстоятельство можно считать загадкой, а можно объяснить тем, что психологический настрой личного состава оказывается более значимым, чем все другие обстоятельства, вместе взятые.

Литерный почти везде проходил на зеленый свет, задержки если и случались, то устранялись в течение нескольких минут. Внутри шла обычная жизнь, регламентируемая уставом и правилами внутреннего распорядка. Начальник поезда полковник Бодров в очередной раз передал в Центр свои координаты; сменилось с дежурства отделение охраны, на его посты заступило свежее; в столовой подали ужин; смена запуска во главе с майором Сидоровым отрабатывала контрольные вводные; особист Кравцов вел прием личного состава, на который сам же этот личный состав и вызывал; военврач Лепешкин проводил тестирование главного инженера БЖРК.

Все происходило так же, как и при несении службы первым экипажем, с небольшими отличиями: майор Лепешкин, например, не пользовался тем вниманием мужского коллектива, что военврач Булатова, и не имел права запираться в туалете на съемную защелку. Но этот факт никак не был связан с готовностью гиперзвуковой ракеты «Молния» поразить цель в любом районе земного шара.

Внутренняя жизнь поезда проходила скрыто от посторонних глаз, но напряженная деятельность боевого дежурства находила отражение и в окружающем бронированный состав внешнем мире. Разогретые рабочие дизели послушно развивали необходимую мощность, стучали колеса, закусывая белый край рельса, туалеты периодически выбрасывали жидкие и твердые отходы, разбиваемые встречным ветром в пыль и становящиеся по удивительным санитарно-гигиеническим нормативам экологически нейтральными и не представляющими опасности возникновения инфекционных заболеваний.

Радиостанция поезда выбросила через антенну очередную порцию радиоимпульсов телеграммы начальника, станция капитана Кравцова чуть позже передала очередной отчет тоже в виде радиоволн, но по-другому зашифрованных. Инфракрасный тепловой фон двигателей достигал максимального уровня, электрические поля компьютеров полностью гасились обшивкой. Ядерный заряд «Молнии» излучал низкий уровень радиоактивности, как считалось, не опасный для здоровья персонала.

Навстречу БЖРК двигался малой скоростью длинный и тяжело груженный товарный состав, таких на его длинном пути встречалось великое множество. Таких, да не таких! Аппаратура в грузовых контейнерах, перевозимых на открытой платформе в середине состава, была спроектирована, создана и переправлена в Россию специально для того, чтобы зафиксировать и сфотографировать БЖРК! Шпионская «Сеть» была расставлена именно на «Мобильного скорпиона»...

До Тиходонска оставалось около десяти километров, колея здесь была двухпутной, и несущийся на крейсерской скорости БЖРК разминулся на встречных маршрутах с медленно кочующим товарняком. Короткие приветственные гудки встретившихся тепловозов, грохот колес, мелькание вагонов, и встреча закончилась — составы разошлись, каждый к своей цели. Внешне ничего экстраординарного не произошло.

Но на самом деле эта встреча была роковой для БЖРК. Потому что чуткие детекторы низкой радиации зафиксировали излучение «Молнии» и безошибочно определили его природу:

не фоновое загрязнение, не ампула с цезием, а ядерный боезапас с шестнадцатью разделяющимися боеголовками! Сложная аппаратура вмиг пробудилась ото сна — как солдат, вскакивающий по сигналу «Тревога!». Маршрутный датчик зафиксировал местонахождение и направление движения «Мобильного скорпиона», фотокамеры сделали по серии снимков. Одна сфотографировала пятый, шестой и седьмой вагоны БЖРК, эмалевые таблички «Тиходонск — Воркута» и местность, открывшуюся после прохождения литерного состава: железнодорожный переезд со шлагбаумом и надписью «Кузяевка». Вторая фотокамера отсняла местность по другую сторону полотна: пруд, водокачку и ремонтное депо. Снимки позволяли идентифицировать местность, а в сопоставлении с данными аэрокосмической съемки реконструировать маршрут «Мобильного скорпиона». Кроме того, был получен его внешний вид, установлен тип и точное местонахождение ядерного боезаряда.

Технический гений профессора Лоуренса Кольбана сделал свое дело: операция «Сеть» была успешно завершена. Теперь можно было наплевать на конспирацию и передать важнейшую информацию в Центр: то ли путем радиообмена с одним из спутников, то ли путем вертикального взлета шпионских контейнеров и пересечения ими на бреющем полете государственной границы России, то ли путем катапультирования капсулы с разведданными в верхние слои атмосферы, где ее перехватил бы стратосферный истребитель.

Если бы перед Лоуренсом Кольбаном была поставлена такая задача, то можно не сомневаться, что он бы ее успешно решил. Однако поскольку стопроцентной уверенности в том, что «Сеть» поймает «Мобильный скорпион» уже при первом тралении, ни у кого не было, то и способы чрезвычайного завершения операции не разрабатывались, а следовательно, ни один из перечисленных путей возвращения на рассмотрение Кольбана не выносился. Теперь следовало ждать, пока контейнеры естественным путем выйдут за пределы российской территории. В конечном счете, это дело нескольких дней. Ибо что может случиться с опломбированными ящиками, содержащими внутри никак не проявляющую себя аппаратуру пассивного действия? Ровным счетом ничего.

* * *

— В целом все прошло нормально, Николай Тимофеевич. Хотя, должен покаяться, норму мы превысили...

Кудасов изобразил раскаяние.

— Ну что ж, повинную голову меч не сечет, — Кравинский

снял очки и потер переносицу, на которой отпечаталась красная полоска.

— С Беловым-то как пообщался? — доброжелательно спросил он.

Старлей пожал плечами.

— Вначале нормально. Он мне про свою службу рассказывал...

— Срочную? Про трудности и невзгоды? — оживился Николай Тимофеевич. — Как одну сигарету впятером курили?

— Да, точно. А потом он на меня как попер... Дескать, расчеты не главное, а главное — быть таким, как он...

Кравинский кивнул.

— Это за ним есть. Мания величия. Хотя с возрастом оснований для гордости все меньше. Утрачивается мастерство, утрачивается... А как его супруга?

— Замечательно, — от души сказал Александр. — Пирог испекла и такое внимание к моей жене проявила. Прямо как мать родная!

Николай Тимофеевич задумчиво кивал, но не одобрительно, а скорей осуждающе.

— Ее так и зовут девчонки-телефонистки — Мамуля. Все она с ними шушукается, жизни учит... А в женсовет, на общественную работу не идет, не хочет... Есть мнение, что она у них сплетни собирает. У нас ведь все разговоры через коммутатор, девчонки вольно-невольно, а слушают. А она выпытывает. Ты свою предупреди, аккуратненько так, пусть она в эти бабьи дрязги не лезет! Сплетни в закрытом гарнизоне — самое опасное дело: отношения портятся, обстановка накаляется, все друг на друга волком смотрят. Пусть лучше держится от всего этого кубла подальше...

При всей настороженности к Кравинскому, Александр не мог не отметить, что он дает вполне здравые, доброжелательные и дельные советы. И настороженность постепенно пропадала.

— А как Игорь Шульгин тебе показался? — спросил Николай Тимофеевич.

— Хороший парень, — улыбнулся Кудасов. — Он мне здорово помог.

— Ну и ладненько, — Николай Тимофеевич тоже улыбнулся. — Тебе же скоро в первый рейс? Готов?

— Конечно. Давно готов. Затомился уже.

— Ну и хорошо. С майором Сомовым познакомился? Будут какие проблемы — смело к нему обращайся. Как ко мне. Я его предупрежу.

О чем собирался предупредить подчиненного начальник отдела КР, Кудасов не понял. Но переспрашивать не стал.

Глава 4

ВОРЫ И ШПИОНЫ

Любое преступление, как и преступность в целом, имеет определенные закономерности, или, как говорят ученые люди, — алгоритмы. Например, в общей массе преступников доля женщин составляет около 16%, при совершении должностных злоупотреблений их удельный вес возрастает до 40%, а в детоубийствах до 100%, зато в вооруженных посягательствах падает до 1%. Наиболее активная возрастная группа преступников мужского пола — 25—29 лет, они, безусловно, лидируют в грабежах и разбоях, бандитских нападениях и изнасилованиях.

Одни преступления совершаются спонтанно, другие тщательно продумываются.

Большинство не требуют специальных знаний и умений, в определенной части без них не обойтись. Ударить соседа камнем по голове — никакого ума не надо, а чтобы застрелить крупного бизнесмена с дистанции 400 метров, обязательна тактическая и снайперская подготовка. Иногда бывают важны профессиональные знания. Сдернуть оставленную без присмотра сумочку сумеет каждый, а украсть два центнера зерна из бункера комбайна — извините! Ушлый городской щипач понятия не имеет, что такое бункер и куда можно сбагрить двести килограмм пшеницы... В последнем случае со стопроцентной вероятностью замешан сельский механизатор, знающий, как запирается бункер и как из него можно ссыпать зерно. Велика вероятность того, что вор на этом самом комбайне и работал.

Аналогичная картина и при кражах на железнодорожном транспорте. Залетные домушники, опытные карманники или решившая быстро разбогатеть молодежь на товарную станцию не пойдут: уж больно много там непонятного... Где хранятся более-менее ценные вещи? Как отличить вагон с углем от вагона с хрусталем? Как не угодить под маневровый тепловоз? Как пробиться внутрь контейнера? Куда спрятать похищенное? Как замести следы?

Чтобы ответить на все эти вопросы, необходимо хорошо знать весь механизм железной дороги, все тонкости и особенности железнодорожного хозяйства. Поэтому кражи из вагонов, как правило, совершают железнодорожники — действующие или бывшие. Происшествие на станции Кузяевка под Тиходонском не стало исключением.

— На третьем путю товарняк стоит, там контейнера турец-

кие! — сообщил друзьям-подельникам монтер пути Вася Саватеев по прозвищу Савва и привычно сплюнул на шпалы.

— И сколько отстаиваться будет? — Угорь переложил мон-
тировку из одной мозолистой руки в другую.

Савва пожал плечами.

— Пока дизель заменят, пока пассажирские пропустят...
Часа три, не меньше.

Третий участник разговора годился первым двум в отцы.
И называли его уважительно — Лаврентьич. Он неодобрительно хмыкнул.

— Я на турецкие не пойду. Раньше мы к этим вагонам ино-
странным и подойти близко боялись...

— Не бойсь, Лаврентьич, сейчас никакой разницы нет —
наш или ихний, — успокоил Угорь. — Зато там дубленки могут
быть или ковры. Прорубом быстро управимся. А потом уйдет
он — и все! Менты начнут кивать друг на друга, пересылать со
станции на станцию, а искать нас никто не будет.

Лаврентьич покачал головой.

— Хорошо, если так. Только всяко бывает. Если международным скандалом запахнет, то они тут землю носом рыть начнут! Я не иду!

— Ну, как хочешь... Только топорик дай, пилка у меня
есть...

Через несколько минут две тени скользнули к неохраняе-
мому товарному составу и забрались на открытую грузовую
платформу.

— Ну-ка, подсади! Оп-ля...

— Давай руку!

Воры сноровисто забрались на крышу контейнера — это
наименее защищенное место, как живот у ежика. Они действо-
вали ловко и слаженно. В гудках тепловозов, стуке колес, лязге
сцепок и других шумах железнодорожной станции растворились удары топора, скрежет пилы и скрип отдираемых досок.
Через пятнадцать минут в крыше появилось кривое квадратное
отверстие.

— Крепко делают, — пожаловался запыхавшийся Савва. —
Наши куда как легче идут!

— Ну! — кивнул Угорь. — Гля, у них изнутри железом оби-
то! Видно, дорогой груз-то...

— Давай посмотрим, — Савва посветил фонариком. — Что-
то я не пойму... Приборы какие-то...

— Ух ты! — нетерпеливо выдохнул Угорь. — Небось видаки
или телевизоры...

— Да нет... Какая-то елда на подставке! И ящики железные...

— Давай я спущусь, — Угорь привычно ввинтился в про-
руб, завис на руках и пружинисто спрыгнул вниз. Здесь он
включил свой фонарь и осмотрелся.

— Ну, что там? — спросил сверху Савва.

Угорь долго молчал.

— Ну, чего?!

— Хрен его знает. Или кинокамера, или типа того...

— Ну вынимай, давай!

— Да она это... Крепко прикручена... И потом, это не кинокамера...

— А что?

— Не знаю. Дай руку, я вылазить буду... Надо дергать отсюда!

С помощью соучастника Угорь вылез наверх.

— Давай делать ноги. Чувствую, что мы в какое-то говно
вляпались. Надо было Лаврентьича слушать...

Они слезли с контейнера, и тут послышались приближаю-
щиеся милицейские свистки.

— Бежим!

Воры-неудачники со всех ног рванули в темноту. Вслед
устремились лучи ярких фонарей.

— Стой! Стой, стрелять буду!

Стрелять, конечно, никто не стал — случай не тот. Беглецы
растворились в густой южной ночи. К контейнеру подошел
майор Казаков с двумя сержантами и путевым обходчиком.
Фонари высветили английские надписи на борту контейнера.

— Импорт, — присвистнул Казаков. — Ни фига себе! Это
на бой не спишешь... Ну-ка, Оськин, полезай, посмотри... Может, они ничего не успели...

Чертыхаясь, сержант забрался на контейнер.

— Тут дыра! — крикнул он. — И топор валяется!

— Ничего не трогай, а то отпечатки сотрешь! — приказал
майор. — Охраняй место происшествия. Придется опергруппу
вызывать со следователем. Иначе не отпишешься!

* * *

— Вот он! — очередной ветеран радостно потер ладони. —
Как загнали его при мне, законсервировали, так он и стоит!

Близнецы переглянулись. В двадцати километрах от Челябинска, в отдельном ангаре воинской части, не имеющей отношения ни к ракетным, ни к железнодорожным войскам, а просто располагающейся недалеко от железной дороги и имеющей

собственную грузовую ветку, стоял БЖРК первого поколения. В сборе, лоснящийся от солидола, вполне боеспособного вида. Хоть сейчас в дорогу!

Они обошли спецпоезд со всех сторон. Обычный с виду тепловоз, два самых обычных пассажирских и два грузовых вагона, пятый вагон тоже грузовой, но очень странный: металлический корпус с явно видимыми шарнирами под крышей. Каждому видно, что здесь все раздвигается, разъезжается, как купол обсерватории перед тем, как из него выглянет телескоп.

— Открываемый вагон! И как он ездил? — подумал вслух Влад Малков.

— Очень просто и ездил, — пояснил ветеран. — Тогда же была дисциплина. Закон и порядок. Никто лишних вопросов не задавал, лишнего не видел, отворачивался. И, конечно, газетчики без спросу ничего не писали. А если вдруг напишет по недомыслию, то цензура не выпустит...

— Спасибо большое, Марк Захарович! — капитан Малков пожал ветерану руку. — Без вас мы бы его никогда не нашли! Похоже, он остался в единственном экземпляре. Тем более в таком прекрасном состоянии.

— Потому что я знал — такая вещь обязательно понадобится! — улыбнулся отставник. — Лично проследил, чтобы консервацию провели как положено. Теперь можно брать и пользоваться!

Близнецы тепло поблагодарили Марка Захаровича. Влад отозвал в сторону действующего оперативника.

— Организуйте отправку в Тиходонск, — негромко сказал он. — Телеграмму соответствующую ваш начальник получит.

Оставшись наедине, Близнецы дали старому спецпоезду современную оценку.

— Не годится, — сказал Ломов. — По существу, это обычный состав, только один вагон специального назначения. Тогда он внимания не привлекал, народ действительно от секретов отворачивался, это Марк Захарович верно подметил. А сейчас? Да его на каждой станции фотографировать станут, во всех газетах пропечатают, да еще и на всех телеканалах покажут!

— Это точно! — кивнул Малков и почесал шрам на шее. — Но наше дело было его найти. И мы это сделали. Значит, не такие мы идиоты!

— Дались тебе эти идиоты, — усмехнулся напарник. — Пора забыть. Со Смартовым мы нормально работаем. Он такого хамства никогда не позволит.

— Сейчас я ему доложу про поезд, — Влад достал телефон, который тут же зазвонил. — Да. Слушаю, товарищ полковник, как раз вас набираю... Что? Да, я понял. Оба выезжаем в Тиходонск. Немедленно. Да. Так точно.

— Что случилось? — спросил Ломов. — Он даже про поезд не спросил? И ты ничего не сказал!

— Чрезвычайное происшествие под Тиходонском. Что-то с действующим поездом. Подробности на месте!

* * *

После того как в турецких контейнерах обнаружили шпионскую аппаратуру, началось что-то невообразимое. На станцию съезжалось начальство — сначала непосредственное, потом высокое, потом и вовсе никогда не виданное. Вначале дело разворачивалось только по милицейской линии, потом тот же процесс снежного кома повторился по линии «соседей», как в милиции называют фээсбэшников за то, что они, как правило, дислоцируются в тех же зданиях, что и милиция.

Раскрытие посягательства на чужеземный груз приобрело невиданные масштабы. Три привезенные из области собаки отрабатывали запаховые следы с грузовой платформы. Со стенок контейнера и забытого злоумышленниками топорика тщательно сняли отпечатки пальцев. Провели облаву в поселке и задержали двенадцать человек за мелкое хулиганство и нахождение в нетрезвом виде. Пятерых закрыли в камере по подозрению в краже.

Утром стали поступать результаты экспертиз. На топоре оказались пальцы ранее судимого за кражи из вагонов сцепщика Угольникова, по кличке Угорь. Он находился в числе задержанных за хулиганство. Накануне его видели с монтером пути Василием Саватеевым. Оба фигуранта поддерживали тесные отношения с Иваном Лаврентьевичем Пименовым, кому и принадлежал опознанный соседями топор. Савву и Лаврентича отыскали без всякого труда, последний признал только топор, который потерял поздно вечером в районе железнодорожных путей. Пальцы Угольникова и Саватеева обнаружились на стенках прорубленного контейнера, а пальцы Угольникова еще и внутри него.

Всех задержанных выпустили, а Саватеева с Угольниковым и, на всякий случай, Пименова закрыли на трое суток. Правда, через двенадцать часов Саватеев и Угольников признались в покушении на кражу и в один голос отмазали Пименова. На очных ставках он дал каждому из соучастников по затылку и сказал что-то типа: «Предупреждал же козлов!» Пояснить эти слова и действия он отказался и был отпущен восвояси.

Грузовую платформу с контейнерами отцепили от состава и загнали в депо, под охрану вооруженного часового. Товарняк с опозданием ушел по своему маршруту.

В таком состоянии находились дела, когда на место ЧП прибыли два особоуполномоченных Центра капитаны Малков и Ломов. Там их уже ожидали подполковник Кандалин с майором Масловым и представитель краевого УФСБ Борис Иванович, который, судя по манерам и начинающей грузнеть фигуре, относился к руководителям низового звена. Уполномоченные Министерства обороны были в военной форме, контрразведчик — в штатском.

Вместе они со всех сторон обошли злополучные контейнеры. Как ни вглядывались капитаны в гладкие, тесно подогнанные доски с многочисленными предупреждающими надписями, ничего подозрительного заметить не удалось. Ни щелей, ни аккуратно просверленных отверстий, ни дырки от выпавшего сучка.

— Отлично замаскировались, — комментировал Борис Иванович. — На фоне букв крохотные дырочки даже вплотную не увидишь!

— Вот, полюбуйтесь, что территориальная контрразведка обнаружила в аппаратуре! — Олег Станиславович Кандалин извлек из потертой папки несколько больших, четко проработанных фотографий. Малков быстро перебрал одну за другой, передавая напарнику.

Пятый, боевой, вагон БЖРК — вид сбоку, снимок не смазан, хотя суммарная скорость была приличной. Значит, особо чувствительная пленка и сверхмалая выдержка. Отличная резкость, различаются дефекты краски, просматривается ряд заклепок под съемной крышей, как раз по ребру жесткости.

Половина пятого и половина шестого вагонов, — хорошо виден переход между ними, заметна необычность герметичного гофрированного коридора и дополнительные сцепки между вагонами.

Шестой вагон, — на беглый взгляд тут ничего необычного: вагон как вагон. Но если присмотреться и знать, куда именно смотреть, то можно определить, что две вертикальные линии от пола до потолка — это следы сдвижной грузовой двери, открывающей доступ к содержимому технического вагона.

Половина шестого и половина седьмого вагона, — тоже

герметичный переход, дополнительные сцепки, а вот окружность заслонки огневой бойницы...

Седьмой вагон прикрытия — он действительно имеет самый обычный вид. Но если дать увеличение, можно будет рассмотреть заглушки бойниц.

Затем пошли пейзажи, заснятые справа и слева от полотна, потом другой изобразительный ряд: какие-то прижелезнодорожные пустыри, свалки, желтые вагоны с красными полосами и надписями «Лаборатория» или «Дефектоскопия». Последние фотографии капитаны просмотрели без интереса, Малков снова вернулся к снимкам БЖРК. Многозначительно посмотрел на представителей Минобороны. Это была полная расшифровка.

Провал.

— Хорошо, что они только пассажирский отсняли, — сказал Борис Иванович. — А могли военный эшелон сфотографировать или специальные перевозки...

Фээсбэшники не поняли, что является главным в собранной шпионами информации. Большинство их руководства считало, что самым убийственным является карта радиоактивных загрязнений окружающей среды, способная скомпрометировать Россию в глазах международного сообщества. Судя по всему, и Борис Иванович разделял эту точку зрения.

— Да, хорошо, — машинально повторил Малков, пристально рассматривая Кандалина.

Тот понуро опустил голову. За провал по головке не погладят. И в чем состоит именно его вина, разбираться никто не будет. Выгонят, к чертовой матери, на пенсию — и дело с концом. Или сошлют военпредом на секретный завод в сибирской глуши. Если только как-то не доказать свою нужность и полезность. А как это сделать в сложившейся ситуации?

— Спасибо, Борис Иванович! — сказал Малков с теми же интонациями, с какими накануне благодарил отставника-ветерана. — Мы вернемся в город с Олегом Станиславовичем.

— Рад быть полезным! — с профессиональной любезностью отозвался тот.

И проводил уходящих офицеров пристальным взглядом. Странно, представители Министерства обороны и центрального аппарата ФСБ совершенно не заинтересовались главным — картой радиоактивных загрязнений! Не вызвала их интереса и уникальная шпионская аппаратура. Тогда зачем они приезжали? Чтобы посмотреть снимки пассажирского поезда, попавшего в кадр явно по недоразумению? Но профессиональным качеством контрразведчика является и отсутствие ненужного любопытства, поэтому Борис Иванович вскоре выбросил странный визит из головы.

До Тиходонска по шоссе было около пятнадцати километров. В видавшей виды «Волге» их было четверо — Маслов сидел за рулем, Кандалин — рядом, Близнецы скрючились на заднем сиденье.

— Интересно, аппаратура передала информацию? — спросил Малков.

Кандалин покачал головой.

— Вряд ли. По первоначальным оценкам она работает в пассивном режиме — только накапливает данные. Экспертиза все точно покажет.

— Это логично, — согласился Ломов. — Пассивный режим обеспечивает скрытность и полную безопасность. Если бы не эти воры, контейнеры бы беспрепятственно пересекли границу...

— Кстати, Олег Станиславович, их бы надо поблагодарить, — сказал Влад.

— Кого и за что? — не понял Кандалин.

— Воров. За срыв операции иностранной разведки против государственных секретов России.

— Может, еще по медали им дать? — раздраженно спросил Уполномоченный, которого обуревали невеселые мысли о собственной судьбе.

— Медали не надо, это лишнее. А вот чтобы приговор условный вынесли — посодействовать надо. Никакого вреда их кража не принесла, только пользу, — настаивал Малков.

Кандалин вздохнул, извлек телефон, нехотя набрал номер.

— Борис Иванович, приветствую еще раз, Кандалин. У нас сформировалось мнение, что эти взломщики вагонов нам очень помогли. Да, совершенно точно, так бы и ушли. Вы аккуратненько похлопочите там, чтобы это было учтено. Не раскрывая, конечно, сути их заслуг. Мол, ущерба нет, люди раскаялись, признались... Будет несправедливо, если им закатят на всю катушку! Вот и хорошо. Как получите экспертизу, сразу отзвонитесь. Спасибо, до связи.

* * *

БЖРК готовился к очередному рейсу. Оксана собрала Кудасову небольшой чемоданчик, уложив три смены белья, пару форменных рубашек, спортивный костюм, электробритву, мыло, пасту, одеколон.

— Положи еще полотенца, — сказал Александр, заглянув в специальную памятку. — Два маленьких и большое.

— Так куда ты едешь? — в очередной раз спросила Оксана. — И когда вернешься?

Александр вздохнул.

— Я же тебе сто раз объяснял: я сам не знаю, куда я еду. И когда вернусь — тоже. Этого никто не знает!

— Как так может быть? Зачем же тогда ехать? Это только в сказке так: пойди туда, не знаю куда, принеси то, не знаю что!

— Это военная тайна.

Оксана умильно улыбнулась.

— Какие могут быть тайны от жены? Ведь другие жены офицеров наверняка в курсе дела!

— Вряд ли... Мы все даем подписки.

— Странно все это. Какой-то таинственный поезд, он ночью уходит, ночью приходит... Это что, специально?

— Не знаю.

— То его встречают, то его провожают, а куда он ездит и зачем — непонятно!

Кудасов засмеялся и подошел к жене вплотную.

— Кому надо, тем понятно. Иди, будем прощаться...

Он схватил ее за талию, плотно прижал к себе, недвусмысленно огладил бедра и ягодицы.

— Противный, сам не говоришь, а сам просишь, — Оксана шутливо выдиралась.

— Никаких отговорок, военная повинность, — Саша увлек жену в кровать...

Вышедший из особо охраняемого депо, поезд тщательно охранялся группой людей в камуфляжной форме и с автоматами наперевес. По два автоматчика у вагона, и так с каждой стороны состава. Группа внутреннего контроля обошла все вагоны с натасканной на взрывчатку овчаркой, рабочие и техники с помощью зеркал на длинных ручках и миноискателей проверили состав снизу. Затем по поезду прошла группа электронной безопасности.

В это же время патруль на дрезине проехал несколько километров от ворот базы до узловой станции. Вдоль рельсов на расстоянии прямой видимости были выставлены посты. На платформе в Кротове прогуливались неулыбчивые мужчины в штатской одежде, но с военной выправкой. Никаких бесед между собой они не вели, на перекуры не расслаблялись, да и вообще держались так, будто весь окружающий мир со своими красотами и соблазнами не имел для них никакого значения. Будто его не существовало вовсе. Но вся местная шпана знала:

сейчас не время лузгать на перроне семечки и петь под гитару, устраивать тусовки и затевать драки. Потому что любое нарушение порядка или даже намек на возможность такого нарушения будут пресечены мгновенно, эффективно и очень жестко.

У КПП в заборе из колючей проволоки Кудасов попрощался с Оксаной. Провожающие оставались здесь, на последнем рубеже доверия, а члены экипажа, словно авиационные пассажиры, проходили через подкову металлоискателя, просвечивали багаж, затем заходили в медпункт, дышали в трубочку, проходили поверхностный осмотр и, расписавшись в специальном журнале, допускались к поезду.

Кудасов жадно разглядывал БЖРК. Но и при встрече из предыдущего рейса, и сейчас, находясь в непосредственной близости от него, не мог заметить никаких отличий спецсостава от обычного пассажирского поезда. Может, потому, что стояла ночь, а электрическое освещение не позволяет выявлять скрытые подробности, а может, оттого, что таких отличий вообще не существовало. Разве что наглухо зашторенные окна — все, без исключения. Таких пассажирских составов ему видеть действительно не приходилось. Но вовсе не факт, что они не могут существовать.

Александр сразу направился к четвертому вагону. Никто из автоматчиков не предпринял попытки остановить его, что-то спросить, проверить документы. Никто даже головы не повернул. Поднимаясь в вагон, он обернулся. Но рассмотреть в сумерках стройную фигурку Оксаны в толпе провожающих он не смог и решительно шагнул внутрь.

Непривычный запах спертого воздуха ударил в нос. Он невольно поморщился, но мгновенно взял себя в руки, не желая показывать слабости перед сослуживцами.

И действительно, несколько человек уже были на месте, в их числе Игорь Шульгин, которому в незнакомой обстановке Саша обрадовался как родному.

— Заходи, располагайся, — Игорь с улыбкой пожал ему руку на пороге шестиместного купе. — Вещи положи на любую из верхних полок, а спать сможешь на средней — половина смены всегда на дежурстве.

Полки располагались как в плацкартном вагоне — по три с каждой стороны, только расстояние между ними было поменьше да непривычно свисали пристяжные ремни, наподобие самолетных.

Кудасов понял, что нижняя полка ему не положена как зеленому салаге. Действительно, у Игоря были капитанские погоны и у Петрова, пронизавшего новичка острым взглядом, тоже капитанские. Саша заподозрил, что окажется в смене запуска самым младшим по званию. Правда, такая возможность его совершенно не угнетала.

Положив вещи, он осмотрелся. Коридорчик с тремя купе переходил в большой зал с прикрепленными к полу столами и креслами — тоже с самолетными ремнями. На столах мониторы, электронные блоки аппаратуры запуска, калькуляторы, микрофоны дальней связи.

В глубине, у стены, знакомые очертания пульта запуска. Старший лейтенант подошел поближе. Да, вот прорези для двух предохранительных ключей, а вот черный откидывающийся колпачок, скрывающий ту самую кнопку. Все как в Красноярском полку МБР, только миниатюрней. Над пультом — огромная, очевидно, подсвечиваемая, карта земного шара с хаотично налепленными на стекло разноцветными шайбочками. Определить, по какому принципу эти отметки изначально распределяли на карте, Кудасов не смог. Справа на стене висел огромный телевизор. Приглядевшись, Александр понял, что это никакой не телевизор, а еще один монитор для общего пользования. Пока все экраны были выключены.

Петров и Шульгин копались у своих рабочих мест, подгоняя под себя высоту и наклон спинок кресел, удлиняя или подтягивая ремни, одним словом, готовили рабочие места для заступающей смены. Саша тоже сел за свободный стол, прикинул, удобно ли будет работать на клавиатуре. Сзади хлопнула дверь.

— Товарищи офицеры! — скомандовал Петров и вытянулся. Шульгин и Кудасов тоже стали по стойке «смирно».

В вагон вошел полковник Белов с небольшим чемоданчиком. Он не стал подавать никаких команд, а просто махнул рукой и прошел к себе, в отдельное купе.

— Товарищи офицеры! — перевел его жест Петров, и они вновь вернулись к своим делам.

Стремительно зашли еще два оператора, они быстро забросили вещи на полки и стали старательно изображать, что уже давно находятся на боевом посту.

— Без пяти минут двенадцать! — оповестил Петров, посмотрев на часы. — Задраиваемся!

Чуть не опоздавший старлей вышел в тамбур, захлопнул дверь и повернул герметизирующий штурвал. Потом вернулся и закрыл дверь в тамбур. Раздалось шипение, и Кудасову заложило уши.

— Это наддув, — пояснил Шульгин. — Зажми нос и сделай вот так...

Через некоторое время неприятное ощущение прошло.

Из своего купе вышел Белов.

— Смена, по местам! — приказал он и прошел к одному из столов. Кудасов обратил внимание, что на поясе у него висит пистолет. Оружие смены хранилось в стальном шкафу правее общего монитора. Ключ от шкафа находился у старшего дежурного оператора.

Старожилы проворно заняли свои места, Александр заколебался. Но никаких разъяснений не последовало, и он остался стоять там, где и стоял. Евгений Романович сел за стол, извлек откуда-то большого формата журнал и монотонно произнес:

— Смена заступает на боевое дежурство, что приравнивается к режиму боевой обстановки. Несоблюдение правил внутреннего распорядка — грубейший проступок, нарушение устава — преступление. Для поддержания дисциплины и порядка в боевой обстановке командир имеет право и обязан применять оружие. Прошу каждого расписаться в журнале о заступлении на боевое дежурство.

Операторы по одному поставили свои росписи. Когда очередь дошла до Кудасова, начальник смены как будто вспомнил что-то важное.

— С нами в рейсе — новый сотрудник, стажер Кудасов Александр Олегович. Он должен все время находиться при мне. Судя по характеристикам из училища, он обладает уникальными способностями расчетчика. Но их еще нужно проверить в практических условиях, приближенных к боевым. Поэтому уже в этом рейсе старший лейтенант Кудасов попытается произвести виртуальный учебно-боевой запуск. А мы все должны его объективно оценить.

От последней фразы повеяло угрозой. У Александра по спине пробежали мурашки.

Состав медленно тронулся с места и начал набирать скорость. Первый для старшего лейтенанта Кудасова рейс БЖРК начался.

Глава 5

ТРАЛ ПРОТИВ «СЕТИ»

— Они не могли вот так, наудачу, запустить эту контейнерную спарку, — размышлял вслух Малков. — Это все равно что стрелять с завязанными глазами навскидку!

Близнецы сидели в служебном помещении Уполномоченного Министерства обороны, на втором этаже старинного здания Управления железной дороги в Тиходонске. В той самой комнате, где некоторое время назад проходил тестирование кандидат в экипаж БЖРК Александр Кудасов. Сейчас, когда аппаратуру увезли, она имела унылый вид, характерный для любого необжитого помещения. На ближайшие несколько дней эта неуютная комнатенка стала резиденцией Близнецов.

— Но попали точно в яблочко! — возразил Ломов. — Может, у них была какая-то исходная информация...

— Ерунда! Маршрут каждый раз выбирается компьютером по методу случайных чисел за два часа до отправления в рейс! Заранее подготовить ничего невозможно. На этот раз сработал счастливый случай. Но они никак не могли на него полагаться! Никак! Плановый расчет успеха в любой операции должен превышать семьдесят процентов. Иначе ее просто нет смысла проводить.

— Значит...

— Значит, этот контейнерный блок — только один из элементов поисковой сети. Скорей всего, есть еще несколько, которые движутся по другим дорогам! И в совокупности они должны перекрывать большое пространство. Настолько большое, что вероятность встречи с объектом поиска повышается до семидесяти процентов!

Подчиняясь внезапно пришедшей мысли, капитан Малков вскочил на ноги.

— Пойдем к Кандалину, поработаем с картой...

Они прошли по коридору и заглянули в соседний кабинет. Олег Станиславович разговаривал с кем-то по телефону.

— Нет, нужен именно консервированный хлеб. Для выпечки на месте нет необходимых условий. Приобретать по ходу движения нецелесообразно. Это повышает уязвимость объекта и снижает уровень режима секретности...

Знаком он показал, что Близнецы могут проходить и располагаться в креслах, но они вместо этого подошли к огромной карте железных дорог.

— Большое пространство, тысячи километров...

Малков напряженно вглядывался в четкие черные линии, прошивающие всю страну, как вены, артерии и капилляры прошивают человеческое тело.

— Вот! Он должен идти так!

Указательный палец капитана, напоминающий взрыватель гранаты, провел по самой длинной железнодорожной артерии с востока на запад.

— Возможно, есть и еще, об их маршруте можно только гадать, но оставить без внимания Транссиб они не могли!

— Дата прибытия в Россию наверняка совпадает с датой разгрузки первого контейнера, — сказал Ломов. — Но в эти дни прибыли миллионы тонн грузов и тысячи точно таких же контейнеров... Не будешь же вскрывать все подряд...

— Их не надо вскрывать, их надо пропускать, — Малков возбужденно закружился на месте. — Мы должны засунуть им «дезу»!

Совершенно неожиданно в его голове родился целый план дерзкой оперативной комбинации.

— Но найти их мы обязаны! — он снова стал водить пальцем по карте.

— Пришли они или в Находку, или во Владивосток, или в Ванино, — лихорадочно рассуждал он. — И, конечно, не из Турции, а из Японии, больше неоткуда...

Закончивший свой разговор Кандалин с интересом наблюдал за ним и, наконец, решил вмешаться:

— Из Японии грузы на Ванино не идут, — со знанием дела сказал подполковник.

— Значит, одним портом меньше, — оживленно внес коррективы Малков. — Остаются два. Известен временной период поступления, что еще известно?

— Тип контейнера, — внес свою лепту Ломов. — И то, что их два...

Напарник покачал головой.

— Не факт, отнюдь не факт... Контейнер может быть другим... И потом, как среди тысяч одинаковых найти именно те, что нужно? Нет, надо идти по другому пути...

Малков задумался.

— Во! Человеческий фактор! У них он тоже работает на всю катушку!

Ломов посмотрел на карту, на Малкова, перевел взгляд на Кандалина и снова взглянул на напарника.

— Что ты имеешь в виду?

— Операцией руководили одни и те же люди. Они отправляли контейнеры и из Турции, и из Японии. Я думаю, что они мыслят стереотипно и не напрягают мозги без особой необходимости. Собственно, как и мы...

— Ну и что?

— В сопроводительных документах на турецкие контейнеры указано, что груз — керамические вазы. Так?

Кандалин кивнул.

— Я сам видел товарные накладные.

Малков торжественно поднял руку и упер свой твердый палец в линию Транссиба, куда-то между Читой и Иркутском.

— Не исключено, что так же назван груз и во втором контейнере!

Олег Станиславович Кандалин оживился.

— Товарные спецификации заводятся в компьютер, и по наименованию груза всегда можно установить его местоположение!

— Вот! — просиял Малков. — Что и требовалось доказать!

Он посмотрел на своего напарника.

— Что не такие уж мы идиоты...

Ломов усмехнулся.

— А если они тоже не идиоты и на этот раз написали: «Груз — видеомагнитофоны»? Или: «Снаряжение для кендо»? Или что-то еще? Что тогда?

Влад помрачнел.

— Тогда все мои логические построения летят псу под хвост. Мы оказываемся в пролете, и Смартов сможет назвать нас тем же самым словом, что и генерал Мезенцев! Но я надеюсь на человеческую природу...

— Короче, я по ВЧ-связи запрашиваю Владивосток о поступлении контейнеров с керамическими вазами. И об их местонахождении. Так? — спросил хозяин кабинета.

— Конечно, — кивнул Малков. — Мы ничего не теряем.

— А приобрести можем очень многое, — подхватил Ломов.

— И еще, Олег Станиславович, — обратился к Уполномоченному Малков. — Мы сможем получить для проведения контрразведывательной операции ядерную боеголовку? На время?

— Как ядерную боеголовку? — вскинулся Кандалин. — Настоящую?

Малков кивнул.

— Ну конечно, самую настоящую ядерную боеголовку. Желательно секционную.

Уполномоченный явно находился в замешательстве.

— Не знаю... Это особорежимные объекты... Специальная охрана, особый порядок перевозки... Решение должно приниматься на уровне министра. Не знаю... Можно, конечно, запросить, но...

— Пока не надо. Сейчас давайте поищем керамические вазы. А если их найдем, тогда обязательно потребуется ядерная боеголовка!

* * *

По изученным инструкциям и техническим описаниям Александр Кудасов достаточно подробно представлял конструкцию БЖРК.

Локомотив с дизелями повышенной мощности — вдвое против обычных. Обшивка бронированная, толщиной три миллиметра. Кабина и наиболее уязвимые места защищены броней в шесть и восемь миллиметров. Стекла пуленепробиваемые. Впереди — автоматически раскрывающаяся стальная сетка, предназначенная для того, чтобы перехватывать гранаты. Экипаж спецтепловоза подбирается из списанных по медицинским параметрам военных летчиков-истребителей. Искривление носовой перегородки или травма барабанной перепонки закрывает дорогу в небо, но ничуть не препятствует работе на земле.

Первый вагон — охраны. Взвод специально отобранных головорезов из морской пехоты, ВДВ, спецподразделений ГРУ. Тридцать пять человек. Каждый в бою стоит пятерых обычных солдат. На вооружении у них кроме обычного автоматического оружия — неуправляемые ракеты, тяжелые пулеметы, снайперские винтовки и огнеметы.

Плюс к этому — звено «черных автоматчиков». Черные они не по цвету кожи и не по стереотипному наименованию выходцев с Кавказа, просто у них черные автоматы. Правда, белых автоматов практически не бывает, но обычные «АК» и «АКМ» могут иметь ложа из светлой древесины или коричневые магазины из пластмассы, а неизвестные широкой общественности «АК-СГ» как будто окунули в черную краску — от мушки до основания приклада они отливают глубоко черным цветом безлунной и беззвездной ночи. Но главное их отличие не в этом, а в несколько усиленной конструкции, другом калибре и измененной форме патронника. Но и это не причина уникальности «АК-СГ», а следствие, потому что вся фишка в том, что они стреляют девятимиллиметровыми пулями, снаряженными гафниевыми зарядами. Не так давно было установлено, что этот тяжелый элемент высвобождает энергии в 60—70 раз больше той, что затрачивается на инициирование взрыва. Два грамма гафния эквивалентны ста килограммам тротила![1] В пуле его гораздо меньше: буквально крупинка, но при попадании в цель такая пуля производит эффект разорвавшегося артиллерийского фугаса калибра 200 миллиметров! Это уникальный и крайне дорогой боезапас, не вышедший из стадии опытных испытаний, поэтому на каждый «ствол» приходится всего по шестьдесят спецпатронов. От человека, использующего гафниевые пули, требуются особые психофизиологические качества и, в частности, чрезвычайно устойчивая психика, поэтому

---

[1] См.: «Комсомольская правда». 2004. 6 августа. С. 5.

«черные автоматчики» проходят особый отбор: из восьми кандидатов его выдерживает один. Держатся они уединенно и в контакты с другими военнослужащими практически не вступают, даже живут они в служебной зоне.

Вагон охраны имеет замаскированные бойницы для ведения огня, кроме того, сюда выведены приемники многочисленных телекамер, контролирующих пространство слева и справа, на крыше и под вагонами. Дежурная смена постоянно сидит за мониторами и может заметить севшую на антенну птичку или забравшуюся на колесную ось крысу. И не только заметить, но и мгновенно уничтожить нарушителя. Для этого на крышах и под днищем вагонов имеются крутящиеся колпаки со скрытыми внутри короткоствольными автоматами. Внешне они напоминают обычные вентиляционные вытяжки.

Второй вагон — столовая и медпункт. Здесь постоянно дежурит военврач широкого профиля: травматолог, хирург, психолог. Столь широкий спектр специализаций на гражданке неизвестен, да и здесь в основном применяются только первая и третья специальности. Помещение столовой может при необходимости быстро превращаться в операционную. Как минимум один такой случай в практике БЖРК имел место.

Третий вагон — штабной. Здесь располагается руководство поезда, радиостанции, купе особиста. Начальник поезда является старшим командиром до тех пор, пока не поступил боевой приказ. С этого мгновенья командование переходит к начальнику смены запуска, а начальник поезда оказывает ему всевозможное содействие в организационно-техническом обеспечении успешного пуска.

Четвертый вагон — смены запуска. Здесь находится стандартный пульт запуска, здесь круглосуточно дежурят операторы-ракетчики, оттачивающие свое мастерство в постоянном разрешении учебно-боевых ситуаций, поступающих на мониторы их компьютеров. Кроме того, через особую связь они могут глазами разведывательных спутников наблюдать состояние дел на потенциально опасных базах противника. В случае объявления боевой тревоги именно смена запуска направит на противника ядерную ракету.

Пятый вагон — боевой. Именно здесь, в специальном контейнере спит до поры до времени «Молния» — гиперзвуковая ракета нового поколения, с шестнадцатью разделяющимися боеголовками, способная уничтожить половину континента, а может, и целый континент, потому что экспериментов до настоящего времени, слава богу, никто не производил.

Шестой вагон — технический. Здесь имеется запас шпал,

ремонтный инструмент, включая портативный подъемный кран, и другая техника, позволяющая производить в пути необходимый ремонт. Кроме того, здесь находится компрессор, закачивающий в вагоны воздух под избыточным давлением. Воздух при этом проходит через очищающие фильтры и газоанализаторы.

Седьмой вагон — прикрытия. По своему содержанию и функциям он полностью дублирует вагон охраны, только предназначен для отражения нападения с хвоста поезда. В нем тоже готов к бою взвод суперсолдат и звено «черных автоматчиков».

Все вагоны располагаются на минно-защищенных бронированных основаниях и имеют круговую бронезащиту — два слоя с кевларовой прокладкой между ними и наклонные полосы толстой стали, заставляющие рикошетировать пулю, прорвавшуюся через первый слой. «Молния», кроме того, упакована в особо прочный контейнер, который при запуске выполняет роль направляющей.

Но теоретические знания — это одно, а реальный БЖРК — совсем другое. В сопровождении помощника начальника поезда майора Волобуева Кудасов совершил экскурсию от четвертого вагона до локомотива и обратно.

Почти все вагоны были похожи один на другой. Может, обнаженным металлом, спертым душноватым воздухом, запахом оружейной смазки, гуталина и человеческого пота... А может, общей скученностью, отсутствием свободного пространства, каким-то скрытым напряжением и угнетающим ощущением опасности. Или конструкцией: несколько купе, душ, туалеты и просторный зал на остальную часть вагона, в котором могли располагаться наблюдатели за периметром, как в первом вагоне, столовая — как во втором, штабное помещение — как в третьем или операторская запуска — как в четвертом.

— Переходы имеют бронированную защиту и герметичны, — пояснял Волобуев, когда они переходили из вагона в вагон. — В сочетании с фильтрацией воздуха и избыточным давлением это делает невозможным поражение личного состава отравляющими веществами.

Майор был немногословен. В основном он ненавязчиво повторял, чего делать не следует: что прямо запрещено, а что не приветствуется.

— Какие тут могут быть телефоны? — грозно спрашивал он, и старлей, неизвестно почему, чувствовал себя нарушителем. — Кому, спрашивается, звонить? Или приемник... На кой тебе приемник? Что слушать? Инструкции шпионские? Или брехню всяких корреспондентов? Это для морального духа вредно! Что надо, до тебя командиры доведут!

— Ясно, товарищ майор, — успокаивающе произнес Кудасов, но сопровождающий не останавливался.

— Или шляться из вагона в вагон... Оно, конечно, не запрещено, может, ты в столовую пошел, или в медпункт, или к товарищу Сомову... Но просто так — зачем? Какая польза? Никакой! Один вред!

Внезапно Волобуев остановился в первом тамбуре первого вагона, так что Александр уткнулся в широкую спину.

— Вот ты с кем тут дружишь? — требовательно спросил майор и впился в лицо стажера тяжелым взглядом.

— Да я не успел еще, — попытался оправдаться тот. Но оправдания, оказывается, не требовались.

— И молодец! — с натугой улыбнулся майор. — Пришел из рейса и дружи с кем хочешь... Но лучше из другого экипажа. А службу с дружбой здесь смешивать нельзя. Это тебе не пьянка-вечеринка! Это особо важный стратегический объект!

В отличие от обычных поездов первый вагон имел переход в тепловоз. Дверь перехода оказалась запертой, и Волобуев открыл ее своим ключом. Кудасову в переходах нравилось. Грохот колес и свист ветра за гофрированной резиной были приметами окружающего мира. Замкнутая обстановка поезда уже начинала его угнетать. Близкая воля проливала бальзам на его душу.

В локомотиве было еще шумнее и душнее, чем в вагонах. По узкому коридору они миновали крохотное купе за силовой установкой, в котором раскинулись на полках два голых, если не считать черных «семейных» трусов, человека. Забывшись тяжелым сном, они громко храпели в унисон пению машин.

Вдоль бронированной стенки Волобуев и Кудасов обошли грохочущие дизеля и, наконец, оказались в кабине. Машинист с помощником тоже были голыми по пояс, зато нижнюю часть тела прикрывали форменные брюки, хотя неуставные шлепанцы окончательно портили впечатление.

— У них тут вольница! — неодобрительно проговорил Волобуев. — Как хотят, так и одеваются, на построение не выходят, и их почти не проверяют... Курорт!

— Это вы зря, товарищ майор! — обиделся коротко стриженный машинист с густой проседью в черных волосах. — У меня налет на сверхзвуковиках почти тыща часов да два катапультирования... А поседел-то я здесь, а не там! Когда эти забастовщики на рельсах сидели, думаете, просто мне было инструкцию выполнять? Они-то, слава богу, разбежались, но в мыслях-то я их уже раздавил! То есть нервы пожег, а обратно их не восстановишь! Конечно, с одной стороны, греха на душе нет, а с другой — я его уже взял, когда мысленно их всех колесами порезал!

Волобуев нахмурился.

— Вот что, Андреев, ты мне тут антимоний не разводи! Ты зачем свою тыщу часов налетал? Для удовольствия? Нет, ты готовился жахнуть вниз, если приказ придет! А чего теперь святого разыгрываешь? Запомни, у нас здесь святых нету!

— Да не святой я, — поморщился машинист. — Просто там одно, а здесь другое! С высоты ничего не видать, по приборам работаешь! А здесь вот оно — все перед глазами...

И действительно, в отличие от всех остальных помещений спецпоезда из кабины машинистов открывался вид на окружающий мир. Мир этот, правда, на скорости надвигался спереди и размазанно скатывался по бокам локомотива. Но все равно можно было определить — ночь снаружи или день, солнечно или дождливо, можно было увидеть людей и животных, различить названия станций... Всего этого явно недоставало в вагонах.

— Красотища какая, — завороженно сказал Кудасов, и, оказалось, невпопад.

— Приходи, становись, — раздраженно сказал машинист. — Даже под обычный поезд знаешь сколько людей попадает? Если долго работаешь, то пятьдесят-шестьдесят человек на тот свет отправишь! Многие сами кидаются, многие по пьянке или по нерасчетливости... Кто слепой, кто глухой... А если еще не тормозить? Тогда сколько наберешь? Вот тебе и красота!

Кудасов не отвечал. Он любовался смазанными лесополосами, багрово-красным заходящим солнцем, промелькнувшей стеклянной струей речушкой и даже мысленно ощущал прохладный и свежий воздух.

— Ладно, хватит романтики! — бесцеремонно сказал майор. — Перейдем к тактико-техническим данным. Дизеля имеют двойной запас мощности, стекло пуленепробиваемое...

Он добросовестно пересказывал техническое описание, которое Кудасов уже неоднократно прочел. Теперь главное — увидеть, пощупать и понять то, о чем читал в толстых инструкциях. Вот, например, бронированное стекло имеет синий оттенок и задерживает часть света. Днем это даже хорошо, а в сумерках или ночью? И насколько оно защищает кабину? Выдержит ли пулю из «АК»? Или из крупнокалиберного «Утеса»?[1] А кумулятивную гранату из «РПГ-7»?

---

[1] «Утес» — пулемет калибра 12,7 мм.

— Тут есть технический сюрприз, — сказал Волобуев и попросил машиниста: — Ну-ка, включи!

Тот повернул рыжачок, и откуда-то снизу вылетела мелкоячеистая, довольно толстая сетка на П-образном каркасе, мигом заслонившая лобовое стекло. Между бронестеклом и проволочной сеткой оставалось чуть более метра. Все ясно — противогранатная защита. Благодаря ей взрыватель сработает до попадания в цель, и огненная струя не достанет до кабины. Грамотно!

— Грамотно, — повторил вслух Кудасов.

— Убирай!

Рычажок повернулся в обратную сторону, и сетка исчезла.

— Она и автоматически раскрывается, — пояснил Волобуев. — Если что-то крупное летит к стеклу.

— Один раз мотоциклиста подхватила, — вырвалось у Андреева.

— Думай, что говоришь! — холодно сказал помощник начальника поезда. Машинист осекся.

— Сейчас заправка, — виноватым тоном продолжил он. — Смотреть будете?

Волобуев расстегнул верхние пуговицы рубашки, вытер с лица пот.

— Давай посмотрим. Для стажера это полезно.

Но Александр понял, что тому просто не хочется возвращаться в железную коробку без окон.

Через несколько минут пейзаж изменился: лесополосы исчезли, впереди до самого горизонта лежала равнина. Кудасов обратил внимание, что полотно здесь было двухпутным. А впереди одинокий локомотив тянул одну-единственную цистерну. БЖРК уверенно догонял его.

— Семен, давай! — скомандовал машинист, и помощник вышел из кабины. В глубине тепловоза что-то лязгнуло, внутрь повеяло свежим ветром, атмосфера стала совсем другой.

БЖРК догнал цистерну, некоторое время локомотивы уравнивали скорости и наконец пошли как скакуны у финишной ленточки — ноздря в ноздрю. Снова что-то загремело, раздался лязг, на панели зажглась желтая лампочка.

— Есть контакт! — доложил Андреев неизвестно кому.

— Закачиваем!

Локомотив, тянувший цистерну, опережал локомотив БЖРК на полкорпуса. Скорость была прежней — около шестидесяти километров в час.

— Сейчас мы по шлангу топливо перекачиваем! — пояснил Волобуев. — Вот, видишь стрелку!

На одном из датчиков стрелка двигалась почти от нуля к середине шкалы. Медленно, но верно.

Кудасов представил, как несутся сцепленные шлангом поезда. Если впереди окажется какое-то препятствие...

Стрелка добралась до конца шкалы. Сзади лязгнуло, желтая лампочка загорелась зеленым цветом.

— Контакт завершен! — снова сказал машинист.

Александр подумал, что он докладывает Волобуеву, но тот никак не реагировал.

— Кому доклад-то, товарищ майор? — спросил старлей.

— Начальнику смены охраны, — ответил тот. — Думаешь, это так просто: встретились, закачались... Все под пулеметами, в повышенной готовности! Запомни, в наших рейсах ничего просто так не происходит!

Они вернулись в состав. Теперь Кудасов имел практическое представление о БЖРК. Точнее, о его большей половине: от локомотива до четвертого вагона. Правда, он подозревал, что это не главное.

— А пятый вагон тебе Белов покажет, — сказал на прощанье Волобуев. — Это его хозяйство.

В пятый Кудасов попал на следующий день. Белов подвел их с Шульгиным к запертой двери в межвагонный переход, отпер ее, потом отпер дверь, непосредственно ведущую в пятый вагон. Она была гораздо толще обычной. В пятом было прохладно: автоматика поддерживала определенную температуру и влажность. Когда дверь открылась, включились лампы дневного света. Освещение оказалось более ярким, чем в других вагонах. И выглядело здесь все совершенно иначе. Потому что свободного пространства было совсем немного: 2—3 квадратных метра. Три офицера едва-едва на нем умещались.

Контрольно-технические пульты у торцевой стены — слева и справа от двери, жгуты проводов и бронекабелей, уходящих в глубь вагона... Как-то нелепо и неестественно выглядел здесь красный пожарный стенд с топором, багром, щипцами и конической формы ведром. Все остальное пространство занимало огромное тускло-зеленое тело контейнера-направляющей. Округлая полусферическая крышка нависала над вошедшими, подавляя их своей внушительностью и мощью. Даже на вид твердая и толстая сталь, ряды заклепок по окружности... Снизу контейнер опирался на стальную дугу, а та соединялась с блестящими трубами гидравлических домкратов.

Кудасов задрал голову. Такие же трубы упирались в съемную крышу. По логике вещей, где-то здесь должно быть приспособление для ручного запуска. Хотя тот, кто к нему прибегнет, вряд ли сможет испытать иллюзии насчет собственного спасения.

— На потолке ничего не написано! — раздался скрипучий голос Белова. — Сюда смотрите!

Белов наклонился над циферблатами контрольного пульта. Из расстегнутого ворота форменной рубашки выскочило что-то, висящее на черном шнурке.

«Крестик?» — удивленно подумал Кудасов, потому что Белов совершенно не был похож на верующего человека. Но в следующую секунду понял, что ошибся. Это был маленький блестящий ключик, словно от дорогого почтового ящика. Второй такой ключ должен всегда находиться у начальника поезда. В час «Х» ключи одновременно повернутся в замках боевого пульта, соединяя кнопку пуска с электрической цепью системы зажигания. А вот внизу и кабель, по которому пойдет сигнал...

— Это контрольно-технический пульт, — продолжил начальник смены. — Вот приборы контроля систем и механизмов «изделия». Оно самотестируется каждый час, результаты выводятся вот сюда и дублируются на пульте дежурного оператора. Эти приборы помогают контролировать состояние и боеготовность «изделия». А вот пульт ручного запуска!

Полковник показал на агрегат по другую сторону двери.

— В случае крайней необходимости командир пуска посылает оператора и тот производит ручной запуск...

— А сам погибает, — тем же тоном продолжил Кудасов.

— Ничего подобного! — загремел Белов. — Система ручного запуска абсолютно безопасна! Мало того, что от пуска до старта проходит две минуты, за которые вполне можно вернуться в четвертый вагон, все выхлопы, огонь и газы остаются в направляющем контейнере и из него выходят только вверх! Настоящий ракетчик сможет произвести ручной запуск и не обосраться!

Александр понял, в чей огород брошен камень. Но входить в конфронтацию с командиром ему не хотелось, лучше переменить тему.

— А какой здесь уровень радиации? — невинно поинтересовался он.

— Совершенно безвредный! — более спокойным тоном продолжил полковник. — Можете даже трахаться на контейнере, это абсолютно безопасно!

Шульгин усмехнулся.

— Если правильно выбрать, с кем трахаться.

— Что? — не понял Белов.

— Только тогда безопасно, когда правильно выбрал партнера...

— А, вот ты о чем, — пробурчал Белов. — Ну, выбор тут невелик...

* * *

Максим Полонин был вообще-то непьющим. И сейчас выпил водки исключительно для храбрости. Но выпил немало. Около полутора бутылок. От этого стало еще больше себя жальче. На глаза все чаще наворачивались слезы.

— Мы с ней еще со школы встречались. Три, нет, четыре года. И я себе ничего и никогда не позволял, ни-ни... Даже в мыслях!

Язык во рту Максима ворочался уже с трудом, да и на ногах он стоял не слишком крепко и не слишком уверенно.

— А вот пить ты зря привыкаешь! Жизнь этим не изменишь, а себе навредишь! — с досадой сказал Усанов.

Ему на фиг не было нужно то, что сейчас происходило. Только профессиональный психолог способен правильно воспринять излияния человека, находящегося в стрессовом состоянии. А Усанов был машинистом шпалоукладчика и не проходил специальной подготовки по проникновению в потемки чужих душ.

— Чего особенного случилось-то? Девка с тобой гуляла, а другому дала? Самое обычное в жизни дело! А ты эту железяку взял, водки выпил и слюни распустил...

— Не, дядя Юра, я не слюни, — убежденно сказал Максим и вытер мокрое лицо. — Я гвозди заложил! Чтобы насмерть!

Машинист смотрел на молодого парня со смешанным чувством жалости и опаски. В глубине души он не верил, что пацан отважится на задуманное дело. Но когда еле стоишь на ногах и размахиваешь обрезом, то вполне можно пальнуть собеседнику в живот. Не со зла, а как бы нечаянно. А потом так же будет плакать и каяться: мол, не хотел, оно само получилось, по пьяни...

— Гвозди, значит? А ну, давай сюда эту штуку!

Усанов резко протянул руку, но Максим отпрыгнул назад и угрожающе поднял обрез.

— Не надо, дядя Юра! Я тут не шутки шучу!

Машинист выругался.

— Какого хрена ты вообще ко мне пришел?! Я твою Таньку знаю? Нет! Мишку твоего знаю? Опять нет! Я тебе отец? Обратно нет! Чего тебе от меня надо?!

Полонин опустил оружие.

— Я к вам по-хорошему, душу открыть, посоветоваться! По-человечески...

— Это по-хорошему ты мне в живот нацелился? И о чем советоваться? Как Мишку с Танькой убить? Чтобы я потом рядом с тобой сидел на скамейке? Вроде пособника? Нет уж! Вали отсюда, куда хочешь, только если «пушку» не отдашь, я тут же в милицию позвоню! Понял, нёт?

Только что Юрий Петрович Усанов сдал смену, помылся под холодным деповским душем и вышел в раздевалку в хорошем настроении, а тут приперся этот придурок, который проходил у него в учениках три месяца, ничему не выучился, уволился и, по его же словам, устроился на пассажирский автобус. Почему он вспомнил именно про него? Внутри, из темных глубин души поднималась отчаянная злость ни в чем не повинного человека, попавшего в дурацкую ситуацию. Хотя этого юнца тоже понять можно — дело молодое, кровь играет, а бабы стервы...

— Дурак ты, Максим, — сдерживая гнев, сказал он. — Иди лучше спать.

Но Максим снова покачал головой. Решение уже было принято, храбрости придавала водка, нужно было еще добавить решимости.

— Я, дядя Юра, Таньку стрелять не хочу, жалко ее... А этого гада...

Он взмахнул вооруженной рукой, и черные «стволы» с затаившимися на дне гвоздями опять перечеркнули живот Усанова снизу вверх и сверху вниз.

— Да что ты тут «пушкой» размахался, сучонок! — взревел машинист и, шагнув вперед, одной рукой схватился за обрез, а другой ударил Максима в ухо. Тот улетел под дверь.

Усанов переломил обрез, но патронов в нем не обнаружил. Он взял за «ствол» и с размаху ударил об пол — раз, другой, третий. Потом нашарил в шкафчике кувалду и двумя ударами сплющил «стволы», разбил спусковой механизм.

— Вот теперь иди, куда хочешь! — он бросил изуродованный обрез Максиму под ноги. Тот с непонятной гримасой поднял то, что оставалось от недавно грозного оружия, и провел дрожащей рукой по искореженному металлу.

— Это же Саньки Косого «ствол»! — с ужасом сказал он. — Что вы наделали, дядя Юра! Мне его вечером отдавать!

— Ну и клоун! — зло усмехнулся Усанов. — Как бы отдал, если б из него людей побил? Ты б за решеткой сидел, а твоему Косому яйца крутили как соучастнику!

Максим опустился на пол. Он обхватил руками голову, медленно раскачивался и выл.

— Ни в чем не везет! Никто не любит, никто не уважает, работы нет, тут еще Танька... Да я, может, их попугать хотел! У меня и патронов-то не было... А что я теперь Косому скажу?

— Пошел отсюда, щенок! — заорал машинист. — Ты не их пугать пошел, а мне в живот целиться! Это ты меня пугал! И мне тут мозги компостировал! Вон отсюда, а то я тебе и рожу отрихтую!

Поднявшись и спрятав покореженный обрез под рубашку, Максим пошатываясь вышел из депо, обогнул огромное здание и зашагал вдоль железнодорожного полотна. Блестящие рельсы уходили в туманную даль, туда, где не было проблем, не было предателя Мишки, изменщицы Таньки и страшного Косого. Полонин достал сигареты, закурил, глубоко затянулся. Он был большим и сильным, каждый шаг передвигал его на десять метров от станции, вон каким маленьким кажется только покинутое им депо...

Люди злы и неблагодарны, тот же дядя Юра: ну за что он так с ним поступил? Только за то, что он открыл ему душу? А кому пожаловаться на жизнь? Вечно пьяному отцу? Задавленной беспросветным житьем-бытьем матери? Да они просто посмеются над ним!

Впереди приглашающе горел зеленым светом магистральный светофор, во рту горько дымилась прикушенная за фильтр сигарета, и после каждой затяжки горячий и вредный табачный дым наполнял легкие.

Мелкие капельки дождя застучали по шпалам и по макушке Максима. Холодные струйки закатились за воротник, приятно охлаждая разгоряченное тело. Вдали раздался пронзительный гудок и тут же потонул в перестуке приближающихся колес. Полонин остановился и повернулся вполоборота. Сверкнула молния, состав стремительно приближался. Тепловоз тревожно прогудел: слишком близко стоял одинокий человек. Максим отошел на несколько метров. Но когда состав приблизился, он зажмурил глаза и прыгнул вперед, как прыгал в Дон с причальных мостков. Если бы он воспользовался трамплином, то, возможно, попал бы под спасительное воздействие защитной сетки. Но он упал низко, прямо под колеса.

Нечеловеческий удар многотонной махины смял щуплое тело, бешено вращающиеся колеса размолотили его вдребезги. Состав не тормозил. Не шипела пневматика, не прижимались к колесам тормозные колодки, не летели искры, могучие дизеля не сбавили оборотов. С прежней скоростью поезд промчался дальше. Минуты три спустя смолк и оглушительный стук колес. Состав скрылся из виду. Изуродованный обрез валялся по одну сторону полотна, изуродованное тело — по другую. Из неплотно сомкнутых мертвых губ медленно выходили остатки дыма.

Не было больше житейских проблем, не было Таньки, Мишки, Косого, не было целого мира, целой Вселенной. Не было ничего.

Мелкий моросящий дождь постепенно перешел в ливень.

* * *

Несущийся на крейсерской скорости БЖРК качнуло, как будто он переехал через какое-то малозначительное препятствие. Через несколько минут резкий звонок тревожного телефона раздался в каюте начальника поезда. Это была не общая тревога, когда включается оглушительный ревун, а сигнал того, что произошло какое-то отклонение от нормального функционирования частей и механизмов комплекса.

— Машинист Андреев после наезда на человека не может вести поезд, — доложил майор Волобуев. — Мною принято решение отстранить Андреева от управления, передав его помощнику машиниста капитану Сычеву. Прошу разрешения на подъем сменного экипажа тепловоза.

— Поднимайте! — распорядился подполковник Ефимов. — Обстоятельства и причины наезда?

— Самоубийца, — лаконично ответил Волобуев. — Сам прыгнул.

— Меняйте экипаж, доложите майору Сомову, пусть готовит сообщение о происшедшем. Андреева на психологическую реабилитацию к Булатовой, — распорядился Ефимов.

И, тяжело вздохнув, полез за бортовым журналом.

Старший лейтенант Кудасов проходил плановое психологическое тестирование. В каюте военврача он тщательно заполнил анкету, майор Булатова контролировала процесс с секундомером в руке.

— Вы дольше работали с тестом, чем в прошлый раз в Тиходонске, — сказала она, когда старлей доложил о готовности.

— Это ненормально? — спросил Александр.

Наталья Игоревна улыбнулась.

— Ну почему же. Есть разные степени нормы. Просто у вас идет процесс адаптации к новым, достаточно тяжелым условиям.

Александр сидел на откидывающемся сиденье, а доктор — на своей полке. Она была в форме, с наброшенным на плечи белым халатом. Вид достаточно официальный и строгий. Но босые ступни с педикюром, которые она аккуратно поставила на маленькую салфетку, перечеркивали официальный облик военврача. Кудасов непроизвольно представил, как она раздевается и ложится спать, как полка превращается в постель...

Собственно, делать ему здесь было уже нечего, но он продолжал сидеть и смотреть на доктора. И она сидела и смотрела на него. В официальную обстановку вплеталась новая, приятная и волнующая нотка. Но ее безжалостно разметал резкий телефонный звонок.

— Слушаю, Булатова, — она быстро сняла трубку. — Да, ясно. Пусть заходит ко мне.

Александр встал.

— Какой ужас, наезд! Мы раздавили человека! — под впечатлением услышанного сказала Наталья Игоревна. И тут же переключилась. — Я проверю ваш тест и завтра сообщу результат.

В коридоре Кудасов встретил уже знакомого машиниста. Он был бледен как мел и весь дрожал, помощник осторожно вел его под руку. Похоже, что он сам накликал то, что случилось. Хотя Александр вовсе не был в этом уверен. Есть еще судьба...

Он пошел к себе в вагон, а майор Булатова начала работать с получившим психическую травму машинистом. Накапала ему успокоительного, померила давление и пульс.

— Вы возбуждены и перенесли естественный для такой ситуации стресс. Да, произошло ужасное! Но вам не за что себя винить. Ведь этот человек сам бросился под поезд!

— Сам... Но я вел локомотив. И чувствовал, как его разорвали колеса, — бесцветным голосом отвечал машинист.

— Правильно. Но вашей вины тут нет. Гораздо больше виноват тепловоз. Это он прервал жизнь того человека. Ведь так?

— Так. Но железо ни за что не отвечает.

— И вам не надо ни за что отвечать. С вас никто ничего и не спрашивает... К тому же этот человек сам стремился к такому результату...

Андреев уже не был таким бледным, дрожь тоже прекратилась, сказывалось действие лекарств. Теперь следовало отдалить его от происшедшего, причем ни в коем случае не называя своими словами того, что произошло. Обтекаемые фразы, перевод конкретного чувства вины в абстрактную плоскость, включение механизмов самооправдания, свойственных каждому человеку... Военврач Булатова была хорошим специалистом и знала, как этого добиться.

Глава 6

ЛЕСБОС В ВОЕННОМ ГОРОДКЕ

На базе постоянного базирования БЖРК текла обычная повседневная жизнь. Проводившие офицеров жены, как правило, общались между собой на лавочках возле собственных домов. Матери выгуливали детей в жидкой рощице между жилым и служебным сектором.

Оксане такая жизнь была в тягость, она просто умирала от скуки. И обрадовалась приглашению в гости к Беловой. Первый дом был еще более ухоженным, чем второй. Подъезд выкрашен веселой блестящей краской, на подоконниках между этажами стоят живые цветы. Вот что значит жилище начальства!

В трехкомнатной квартире Беловых пахло печеным, Ирина Александровна встретила молодую соседку с распростертыми объятиями и сразу провела к накрытому столу. Такое внимание было лестно Оксане.

— Ирина Александровна, голубушка, я не выдержу в этой глуши! — сразу же начала жаловаться она. — Я не знаю, куда уехал Саша, зачем, насколько... Я вообще ничего не знаю! Я не могу так жить!

— Это начало, Оксана, вначале всегда тяжело, — полноватое лицо Ирины озарилось дружеской улыбкой, и взгляд ее голубых глаз встретился с зелеными глазами молодой супруги. — Честное слово, я понимаю твое состояние, как никто другой. Ведь у меня аналогичное положение. Женя пропадает на несколько недель в этом проклятом поезде, затем приезжает и ходит как в воду опущенный. Подавленный, весь в своих мыслях. Постепенно приходит в себя. И тут же уезжает в очередной рейс. А потом все повторяется по новому витку. Я спрашиваю: в чем дело, что с тобой происходит? Чем ты занимаешься? Он не разговаривает со мной на эту тему. Государственные секреты, видите ли...

Ирина Александровна порезала пирог, положила Оксане кусок, налила в рюмки коньяк.

— Ну хорошо, у тебя работа и секреты, а что делать мне? Сидеть безвылазно дома и помирать со скуки? Глажка, стирка, готовка. Разве из этого должна состоять жизнь?

Она прервала горестный монолог и бедово махнула рукой.

— Давай выпьем за нас, за офицерских жен, которым всегда труднее, чем нашим мужьям. Пьем по-офицерски — до дна!

Они выпили, закусили нарезанным лимоном. Каждый ломтик был посыпан наполовину сахаром, наполовину кофе.

Очень красиво, вкусно и ароматно. К тому же полностью нейтрализует вкус алкоголя. А может, даже и его действие. Оксана подумала, что надо научиться так делать. Тем более что это гораздо проще, чем печь пироги.

— И знаешь, — Белова понизила голос до шепота. — Я иногда благодарю бога за то, что он не послал нам с Женей детей. Грех, конечно, говорить так, но ты только представь себе, что бы я делала с этим несчастным ребенком? Мы всю жизнь таскаемся по полигонам, по отдаленным гарнизонам, у нас ничего нет за душой! Он не накопил даже на машину!

— А это не связано с его работой? — озабоченно спросила Оксана. — Я имею в виду то, что у вас нет детей?

Ирина Александровна развела руками.

— Не знаю. Но все эти химикаты, излучения, газы — они на пользу не идут. Это точно.

Она вновь наполнила рюмки.

— Давай за наших мужей. Потому что, хотя мы и не знаем, что они делают, я знаю точно — им приходится нелегко! А ну, по-офицерски!

Через час, когда бутылка коньяка заканчивалась, Ирина предложила перейти на «ты».

Наверняка ей хотелось чувствовать себя ровесницей Оксане. И та не стала возражать. Белова ей нравилась. Может, она и не такая красавица, как из себя воображает, но очень обаятельная. С ней было приятно общаться.

— На брудершафт! — скомандовала Ирина. — По-офицерски!

Выпив, она крепко поцеловала Оксану в губы.

— Тебе нравится мой наряд?

— Гм... Да... Но как-то очень торжественно...

Действительно, в честь прихода гостьи Белова надела бархатный зеленый костюм, состоящий из короткой юбки и приталенного двубортного пиджака. Под пиджаком была белоснежная блузка с глубоким декольте, значительно открывающим грудь. Закрытые туфли-лодочки и блестящие колготки завершали наряд.

— Потому что мы не должны давать быту себя засосать! В военном городке легко опуститься. Посмотри, в каком виде наши соседки выходят на улицу! Стыд и позор! А на тебя я сразу обратила внимание — ты такая аккуратная, нарядная, следишь за собой! Здесь это большая редкость...

— Ой, ну сегодня я оделась совершенно просто, я даже не подумала...

— Ничего, ничего... Тебе все к лицу. И такие замечательные босоножки? Наверное, муж подарил?

— Ну, почти...

Оксана звонко рассмеялась. Ей было весело, слегка кружилась голова, хотелось танцевать.

— Курить будешь? — спросила Ирина. — У меня хорошие дамские сигареты...

— Буду! — кивнула головой Оксана. — Вам не жарко в таком наряде?

— Ой, ты права! Не возражаешь, если я немного разоблачусь?

Они закурили. Ирина сняла и небрежно бросила на стул пиджак, сбросила туфли и, нисколько не стесняясь Оксаны, сняла колготки.

— Давай за дружбу! По-офицерски!

— Давай! — смеялась Оксана.

Она не жалела о своем приходе в дом полковника Белова. Похоже, в Ирине Александровне, Ире, она найдет замечательную подружку...

— Одной скучно, вдвоем веселее. Правда?

— Ну, конечно, — алкоголь уже ударил Оксане в голову, и она с блаженной улыбкой откинулась на спинку дивана. — Нужно держаться вместе.

— Да... Вместе... Мне стало совсем жарко.

Ирина сняла блузку и неожиданно сбросила лифчик. Внушительные груди упруго заколыхались.

— Видишь, несмотря на возраст, они упругие... Хочешь потрогать?

— Не знаю... А у меня маленькая грудь...

— А ну-ка, покажи...

Несмотря на легкое сопротивление Оксаны, Ирина то ли помогла ей снять кофточку, то ли сняла сама.

— Ну что ты! Вовсе она не маленькая, в самый раз! И хорошо стоит, ты вполне можешь не носить бюстгальтер...

Голос у Ирины был напряженным. Впрочем, она быстро взяла себя в руки и заботливо спросила:

— Как ты себя чувствуешь, Оксаночка?

Белова присела на диван рядом с девушкой.

— По-моему, тебе нехорошо...

— Да нет, все в порядке, — Оксана бессознательно взяла Ирину за руку и благодарно пожала ее пальцы. — Коньяк ударил в голову. Может, выйдем на воздух, прогуляемся?

Но Ирина перехватила руку девушки и сжала двумя ладонями. Губы пересохли от возбуждения, и она быстро пробежалась по ним языком.

— Какие гуляния, милая Оксана, — с придыханием в голосе молвила она. — Ты только покажись на глаза этих сплетниц, и завтра весь гарнизон будет болтать всякие гадости! Приляг лучше, отдохни.

Оксана с удовольствием вытянулась на диване и прикрыла глаза.

— Сними босоножки, — посоветовала Ирина, но, когда девушка попыталась вновь приподняться, она с улыбкой вернула ее в прежнее положение. — Впрочем, лежи, лежи. Я сама помогу тебе.

Белова приподняла ногу Оксаны и ловко расстегнула пряжку. Обувь упала на пол, а босая ступня оказалась перед лицом Ирины.

— У тебя такие ухоженные ноги, — сказала она, проводя пальцем по подошве. — Как ты этого достигаешь, Оксана?

— Ой, щекотно!

Девушка пьяно засмеялась и попыталась отдернуть ногу. Но Ирина не отпускала.

— Какие-нибудь кремы? — она возбужденно принюхивалась.

— Да нет, я ничего такого не делаю, — сонно проговорила Оксана.

— Поразительно. А у всех этих нерях мозоли и кожа как наждак...

Ирина коснулась губами девичьей подошвы. Один раз, затем второй, третий. Ее горячее дыхание буквально обжигало ступни.

— Что ты делаешь, Ира? — снова засмеялась Оксана. — Я уже засыпаю...

— Давай я тебя раздену и укрою, — Ирина стянула с нее юбку и с вожделением уставилась на крохотные трусики, состоящие из треугольного лоскутка и двух шнурков. — И такого белья никто здесь не носит!

Оксана не отвечала. Она спала. Белова быстро разделась догола и попыталась прилечь рядом, но узкий диван не позволял этого сделать. Тогда она подставила несколько стульев и все-таки пристроилась, прижимаясь к гладкому молодому телу. Она терлась об Оксану, и дыхание ее становилось все более тяжелым. Прапорщицы-телефонистки, хотя и позволяли достигнуть разрядки, никогда не доставляли ей такого удовольствия. Их даже нельзя ставить рядом с этой девочкой! Все равно что сравнивать тяжелое дурное опьянение денатуратом с кайфом от хорошего коньяка!

Ирина целовала гладкую кожу, трогала Оксаниной рукой свою промежность, потом осторожно спустила с нее трусики. И пришла в восторг: под ними все было чисто выбрито, ни одной волосинки, как у маленькой девочки! Теперь она целовала аккуратные складки между стройных ног, дышала в них, вставляла пальцы в горячее влажное нутро, распаляясь все больше и больше...

Оксане приснился Тиходонск, игрушечный пароходик, в крохотной каюте которого она занималась сексом с Суреном. Тот целовал ее в промежность, но когда она скосила вниз глаза, то почему-то увидела голову Ирины Александровны Беловой... Сон бессвязно и невразумительно плелся дальше, Сурен залез на нее, и оказалось, что на этот раз он окреп до невиданной ранее мужской силы, он таранил ее с таким рвением, что ни о каком ручном пуске и речи не могло быть, прилив сильного оргазма заставил ее тело напрячься, она застонала... Но Сурен не унимался и даже причинял ей боль, Оксана недовольно морщилась, обрывки сна растаяли. Она открыла глаза.

Жена полковника Белова, Ирина Александровна, или просто Ира, стояла на коленях у нее между ног и остервенело вторгалась в самое сокровенное место ручкой скалки, которой раскатывала тесто для пирогов! Лицо ее было искажено, глаза закатились.

— Что ты делаешь! — Оксана дернула ногой и угодила пяткой Ире в лоб. Она отшатнулась и уронила скалку, зато поймала ее ступню. Большой палец ноги скользнул в рот Беловой, и она начала страстно обсасывать его, плотно обхватывая губами и постанывая.

— Перестань немедленно! — опьянение отступило, Оксана была шокирована и испугана. — Эй, какого черта?

Она резко выдернула ногу и села на диване.

— Ничего, Оксаночка, ничего...

Ирина подалась вперед, и ее огромные, неестественно торчащие груди с возбужденно торчащими коричневыми сосками приблизились к груди Оксаны. Она отстранилась.

— Ты с ума сошла! Что ты делала?

— Это вагинальный массаж... Рефлексотерапия. Для расслабления и снятия стресса.

— Да ты мне там все разодрала! — зеленые кошачьи глаза Оксаны метали молнии. — Ты соображаешь, что делаешь?

— Извини, дорогая, я увлеклась и забыла смазать кремом,

поэтому немного натерла, это быстро пройдет... В следующий раз можно надеть презерватив...

— В следующий раз?!

— Я хотела доставить тебе удовольствие, и у меня это получилось. И я тоже получила удовольствие! Это же прекрасно!

Дыхание Беловой все еще было прерывистым, но она уже приходила в себя.

— Могу поспорить, что ты никогда не испытывала ничего подобного. Тебе понравилось?

Ее губы, сложившись в трубочку, потянулись к Оксаниной шее. Та порывисто поднялась с дивана.

— Нет, мне не понравилось, — жестко произнесла она. — Ты сошла с ума, Ира? Или?.. Или ты лесбиянка?

Девушка была откровенно поражена озарившей ее только сейчас догадкой.

— Значит, твоя дружба с телефонистками...

— А что в этом плохого? — Белова тоже встала и опять приблизила силиконовые груди к телу Оксаны. — На наших мужей в этом смысле надежды мало... Служба их обессиливает... Надо надеяться только на себя...

— Чушь! Твоего, может, и обессиливает, а моего Сашу нет! Это он меня обессиливает! — Оксана оттолкнула грузное тело несостоявшейся партнерши. Но та не собиралась сдаваться. Она многозначительно облизнула губы, очевидно, намереваясь вызвать вожделение.

— Милая, поверь моему опыту. Ни один мужчина не в состоянии доставить женщине того удовольствия, которое ей может доставить другая женщина. Потому что только женщина может знать, чего именно хочет такая, как она сама. Тебе будет хорошо со мной, Оксана. Очень хорошо. Как никогда!

Но Оксана уже не слушала ее. Вместо вожделения она испытывала только отвращение. Быстро натянула трусики, надела юбку, кофточку, проворно натянула босоножки. От ощущения того, что ее большой палец все еще был мокрым от слюны Ирины, Оксану передернуло.

— Ты просто свихнулась! — крикнула она в раскрасневшееся лицо Ирины Александровны. — Ты лесбиянка! И будь я проклята, если когда-нибудь стану такой же, как ты! Этого не будет! Понятно?

Она бросилась в прихожую. Голая Ирина побежала за ней.

— Оксаночка, только не устраивай скандала! Я тебя прошу, не надо! Извини, что я тебе натерла, я не хотела, оно само вышло...

Сильно хлопнула дверь.

Оксана сбежала по лестнице. Внизу на скамейке сидели две одинаковые девушки в форме прапорщиков. Они недоброжелательно посмотрели на Оксану, синхронно поднялись и вошли в подъезд. Но через несколько минут выбежали оттуда, как ошпаренные.

— Что это с Мамулей сегодня? Как взбесилась!

— Ее эта фифа расстроила... И нам весь кайф обломала. Теперь надо самим жрачку приготовить...

* * *

Капитан Владислав Малков оказался прав. Человеческий фактор, если называть так халатность и разгильдяйство, а в лучшем случае недостаточную дальновидность и прозорливость, в полной мере действует и в ЦРУ. Потому что проверка в информационном центре торгового порта Владивосток показала: в исследуемый период на втором терминале у четвертого причала с японского сухогруза «Кавасаки» были разгружены два грузовых контейнера с... керамическими вазами! Компьютер порта содержал информацию о номере товарного состава, которым их отправили. Был известен маршрут, график следования и даже номер грузовой платформы.

— Й-я-я! — в восторге воскликнул Малков и произвел национальный жест, выражающий глубокую уверенность в победе над противником: левой рукой ударил себя по локтевому сгибу правой, отчего та согнулась под углом в девяносто градусов, вскинув громадный кулак в боевое положение стартующей к горизонту тактической ракеты...

— Так где сейчас этот долбаный контейнер? — возбужденно воскликнул он. Это возбуждение вместе с боевым азартом передались не только Ломову, который достаточно давно занимался оперативной работой и боевыми единоборствами, но, как ни странно, и Кандалину, который ничем подобным никогда не занимался и которого Близнецы считали просто канцелярской крысой.

Олег Станиславович вскочил со своего места, подбежал к карте и ткнул остро отточенным карандашом почти в самый восточный ее край, ниже пятидесятой параллели.

— Вот он, голубчик, на подходе к Хабаровску!

Близнецы посмотрели на него с уважением. Кряжистый, мужиковатого вида подполковник знал железные дороги России не хуже, чем они знали шпионские места Москвы: где можно заложить контейнер, где обычно иностранные дипломаты отрываются от наружного наблюдения, где они проводят свободное время. А может, и лучше. Во всяком случае, так лихо, как Кандалин нашел контейнер, им еще не приходилось отыскивать шпиона. Хотя, конечно, разыскная версия принадлежала Владу.

— С меня бутылка! — сказал Ломов. Он еще не отличился в этой операции, но горел желанием внести в нее свою лепту. И бутылка была только первым и далеко не самым главным элементом.

— А сколько он будет идти... вот, скажем, досюда? — Малков неопределенно показал некую условную точку между Омском и Челябинском.

Олег Станиславович снял очки и потер переносицу.

— Дней пять-шесть. Но если потребуется, мы сможем несколько ускорить движение. Правда, ненамного. Или, наоборот, замедлить его на сутки-двое...

— Замедлить, дорогой товарищ Уполномоченный, конечно замедлить! — Малков подошел к нему вплотную, внушительно возвышаясь над подполковником. Обычно люди, к которым гигант подходил так близко, испытывали неуверенность и страх. Но сейчас у капитана был такой миролюбивый и дружелюбный вид, что казалось, он хочет поцеловать Олега Станиславовича в плешивую макушку. — Но это замедление должно быть правдоподобным и не выходить за пределы обычных опозданий! Чтобы комар носа не подточил! Чтобы все было чрезвычайно правдоподобно...

Капитан все-таки воздержался от поцелуя, и правильно сделал, потому что этот дружеский жест мог быть расценен как фамильярность, а то и нарушение служебно-уставной субординации. Он даже сделал шаг назад, чтобы не нависать каменной глыбой над старшим по званию.

— И теперь, Олег Станиславович, самое время добывать ядерную боеголовку! Самую настоящую, всамделишную, потому что мы должны впарить американосам очень правдоподобную «дезу»! А без настоящего боеприпаса ничего не получится!

— А, так вон ты что придумал...

Кандалин снова стал озабоченным и вернулся на свое место за столом.

— Это голый номер! За короткий срок такой вопрос никто не решит. Да и решать не будет. Положат документы под сукно, чтоб вылеживались...

— Ничего, — перебил его Влад. — Наше дело — поставить вопрос, чтобы нас потом не считали идиотами. А кто в идиотах останется, тот пусть сам за себя и отвечает!

Ломов удивленно покрутил головой.

— Слышь, Владислав, я не знал, что ты такой обидчивый!

В тот же день в адрес руководства Министерства обороны ушла шифротелеграмма Уполномоченного по Южному округу с обоснованием необходимости выделения одной единицы

СЯБ[1] для проведения контрразведывательной операции по обеспечению безопасности БЖРК. Такая же шифротелеграмма ушла от Близнецов руководству ФСБ.

Вопрос относился к категории сложных и, как почти любой сложный вопрос в наше время, с вероятностью девяносто восемь против двух, был бы безнадежно заволокичен и провален. Тут старый военный аппаратчик Олег Станиславович Кандалин был прав на все сто процентов. Но личный интерес Президента к БЖРК менял дело коренным образом. Сообщения с мест были приняты с полным пониманием, обросли разрешающими резолюциями и мгновенно исполнены.

Длинный товарный эшелон Т № 178, влекомый сразу двумя тепловозами, тяжело тащился по Транссибирской магистрали с востока на запад. На открытой грузовой платформе № 2067845 стояли два контейнера с надписями на английском и японском языках. По внешнему виду контейнеры были похожи на те, которые пытались ограбить на станции Кузяевка, что под Тиходонском. А аппаратура внутри вообще ничем не отличалась. Точно так же были направлены датчики детекторов низкой радиации и замаскированные фотоаппараты: один вправо от колеи, другой влево.

Навстречу товарняку новенький тепловоз резво тянул за собой странный состав: два грузовых вагона, два пассажирских, а между ними цельнометаллический вагон с явно подвижной крышей. Все пять вагонов имели достаточно затрапезный вид: покрасить их не успели, только-только привели в порядок ходовую часть, поэтому внешне они резко контрастировали со сверкающим локомотивом. Но главное было не в покраске.

В семидесяти километрах от Челябинска товарняк и странный состав встретились и разминулись, прогрохотав рядом на встречных маршрутах около минуты. Все было как обычно: короткие приветственные гудки встретившихся тепловозов, лязг колес, мелькание вагонов, и встреча закончилась — составы разошлись, каждый к своей цели.

Но теперь за этой встречей внимательно наблюдал капитан Ломов, недавно подсевший на тормозную площадку вагона, следующего за грузовой платформой № 2067845. Не менее внимательно фиксировал происходящее и капитан Малков, находившийся в пассажирском вагоне списанного БЖРК. Ни тот, ни другой, кроме самого факта встречи, ничего удостоверить не смогли. Внешне ничего не произошло.

Однако, когда мимо проходил цельнометаллический вагон, в темных чревах грузовых контейнеров из Японии ожили

---

[1]СЯБ — стратегический ядерный боеприпас.

чуткие детекторы низкой радиации, зафиксировавшие характерное излучение СЯБ. Маршрутный датчик зафиксировал местонахождение и направление движения БЖРК-ветерана, фотокамеры сделали по серии снимков. Одна сфотографировала цельнометаллический третий, четвертый и пятый пассажирские вагоны, засняла местность, открывшуюся после прохождения непонятного состава: два холма, сломанную ель, густой кустарник. Вторая фотокамера отсняла местность с другой стороны: опору высоковольтной линии, километровый столб, сложенные колодцем шпалы, приготовленные для ремонта пути. Главное, был установлен тип и точное местонахождение ядерного боезаряда: он располагался в странном цельнометаллическом вагоне и относился к категории стандартных боеприпасов для российских баллистических ракет.

Товарняк и списанный БЖРК разошлись навсегда. Грузовой состав неспешно шел по своему маршруту: миновал Челябинск, Киров, Котлас, Беломорск, Кандалакшу и прибыл в Мурманск. Здесь контейнеры с керамическими вазами из Японии перегрузили на сухогруз и отправили согласно товарно-транспортной накладной фирме-грузополучателю в Швецию.

Старый БЖРК остановился на ближайшей станции, локомотив отцепили от головы и прицепили к хвосту, после чего странный состав поехал в обратном направлении, только теперь впереди были два пассажирских вагона, а товарные шли в хвосте. И лишь раздвижной цельнометаллический вагон по-прежнему двигался в середине. Состав проследовал на Челябинский вагоноремонтный завод, где его должны были окончательно вернуть в строй.

А со станции Кузяевка Тиходонского края капитан Малков, от имени начальника отделения дороги, отправил телеграмму в Турцию, сообщив о прорубе контейнера с керамическими вазами. Как и положено в таких случаях, фирме-грузоотправителю предлагалось срочно прислать своего представителя для определения ущерба и урегулирования сопутствующих вопросов. Однако никакого ответа получено не было. Проверка через российские разведвозможности в Турции показала, что указанной в сопроводительных документах фирмы-отправителя не существует в природе. Надо сказать, что такой результат ни Малкова, ни Ломова, ни их руководителей не удивил.

Часть IV

БОЕВОЙ ЗАПУСК

This book belongs to

**Phoenix Medical Center
4147 Labyrinth Rd
Baltimore, MD 21215**

Глава 1

ВТОРОЙ ЗАБРОС «СЕТИ»

— Вот это и есть «Мобильный скорпион», господин Президент, — торжественно произнес Директор ЦРУ, выкладывая на широкую полированную ореховую столешницу несколько фотографий. — Это уже не логические выводы, не умозаключения и не предположения, это факты.

Фотографии были отличного качества, они прибыли с другого полушария, из глубины России, на них был изображен специальный состав поезда, составляющий один из наиболее тщательно охраняемых государственных секретов России. Директору разведывательного ведомства действительно было чем гордиться.

— Да, когда артефакт материализуется, это производит впечатление...

Президент медленно пересмотрел снимки, особенно задержавшись взглядом на раздвигающемся цельнометаллическом вагоне.

— Ракета с ядерным зарядом находится именно здесь, внутри, — дал компетентное и своевременное пояснение Директор.

Компетентность и своевременность ценятся любыми руководителями и в любой стране мира. В рациональной и хорошо организованной державе — особенно. Президент одобрительно кивнул. Уголки губ чуть приподнялись, будто готовились к улыбке, — это был знак расположенности к собеседнику.

— Да, да... А что, этот «Мобильный скорпион» — он действительно настолько опасен?

Глава разведывательного ведомства почтительно и со значением наклонил голову.

— Чрезвычайно опасен! Можно сказать, что это прямая и явная угроза национальной безопасности США!

Было бы трудно услышать от него другой ответ, после того как русским отделом затрачено столько времени, средств, нервов и сил! Даже если бы на фотографиях была изображена телега, запряженная усталой сивой кобылой, Директор сказал бы то же самое. Во всяком случае, попытался бы сказать.

Президент отложил фотографии. Выражение его лица начало меняться: исчезла заинтересованность, губы распрямились в нейтральную линию.

— Факт существования столь серьезной угрозы не может быть терпимым! — произнес он и посмотрел на часы.

Время, отведенное на аудиенцию, закончилось. В конце концов, для Президента великой державы «Мобильный скорпион» только один из множества частных вопросов, решать которые обязаны главы соответствующих департаментов. Его дело — определить лишь стратегию решения.

— Не может быть терпимым! — повторил он.

И выходя из Овального кабинета, и идя по аккуратной гаревой дорожке к ограде Белого дома, и сидя на кожаном сиденье огромного, как однокомнатная квартира, «Крайслера», Директор ЦРУ пытался понять: какое же указание он получил. Ясно было одно: «Мобильный скорпион» должен быть выведен из строя. А каким путем... Это пусть решают подчиненные, непосредственно отвечающие за данный участок работы.

Вернувшись к себе, Директор вызвал всех сотрудников, имеющих отношение к операции «Мобильный скорпион».

Ричард Фоук, Дэвид Барнс, Мэл Паркинсон и профессор Лоуренс Кольбан явились немедленно, но по лицу начальника русского отдела Директор понял, что произошла какая-то неприятная неожиданность.

— Только что я доложил Президенту о фиксации «Мобильного скорпиона», — начал он, не придавая значения деталям. — Я представил ему фотографии объекта...

Директор развернул снимки, как опытный картежник разворачивает колоду карт, и показал собравшимся изображения специального поезда русских. Непонятно, зачем он это сделал, ведь все присутствующие неоднократно видели плоды своих трудов.

— Это не «Мобильный скорпион», — обычным голосом и тоном сказал Кольбан.

— Что?! — у Директора перехватило дыхание.

— Это не «Мобильный скорпион», — прежним тоном повторил профессор.

— А что же это?!

— Не знаю, — пожал плечами Кольбан. — Этот вопрос выходит за пределы технических оценок, а следовательно, не входит в мою компетенцию.

— Что это значит, мистер Фоук? — тоном, не предвещающим ничего хорошего, спросил Директор.

Начальник русского отдела встал. Это было не принято и демонстрировало чрезвычайность происходящего.

— Профессор Кольбан считает, что это подстава русских. Муляж. Макет. Фальшивка...

Наступила зловещая тишина. Доложить Президенту о победе и узнать, что на самом деле за победу выдано поражение, — это значит подписать себе приговор. Речь может идти только о снижении наказания.

— Объясните подробно, Лоуренс! — приказал Директор. Голос у него был хриплым и напряженным. Он понимал, что вряд ли профессор ошибся.

Маленький человечек со сморщенным лицом подергал себя за мочку уха.

— Во-первых, меня насторожила реконструкция маршрута объекта. В пятнадцать часов ровно «Плутон» зафиксировал его движущимся от Челябинска на восток. Встреча с детектором произошла в шестнадцать десять. А в восемнадцать двадцать «С-126» обнаружил его возвращающимся в Челябинск. На снимках, сделанных другими спутниками — как за предыдущие сутки, так и за последующие, — никаких следов объекта не обнаружено. То есть его маршрут составил около ста восьмидесяти километров — девяносто в одну сторону и девяносто в другую.

— Значит...

— Таковы факты, цифры, явления, — занудливо произнес профессор. — Я не могу давать им оценку. Это дело аналитиков.

Начальник аналитического сектора Мэл Паркинсон заерзал на стуле. Переводить слова технического эксперта предстояло ему.

— Лоуренс считает, что объект специально подставили под наши детекторы. С учетом очень короткого маршрута можно предположить, что это была тщательно спланированная и подготовленная операция русских. Если учесть, что первый контейнер пропал, то такая версия может быть вполне реальной.

— А ядерная боеголовка, черт вас всех побери! — не сдержавшись, загремел Директор. — Вы доложили, что детекторы зафиксировали боевой заряд баллистической ракеты!

Начальник технического сектора Дэвид Барнс тихо откашлялся.

— Совершенно точно, сэр. Уровень излучения характерен

для стандартной ядерной боеголовки, стоящей на вооружении русских.

Маленький человечек поднял руку.

— С учетом странностей маршрута, я проанализировал запись детекторов низкой радиации, — уверенным тоном продолжил он. — И оказалось, что наибольший уровень излучения отмечен в середине раздвижного вагона. В середине. Не в конце, не в начале, а именно в середине. Насколько я знаю, ядерный боеприпас располагается в головной части ракеты. Тогда эта головная часть должна находится в начале вагона или в его конце, принципиального значения это не имеет. Если существуют ракеты, в которых ядерный заряд располагается в середине, тогда такой факт можно объяснить. Если таких ракет не существует, а я о них ничего не слышал, то остается предположить, что стандартная русская боеголовка просто стоит на полу вагона, без всякой ракеты. Что это означает — не мне судить. Для этого есть мощные умы аналитиков.

Лоуренс Кольбан замолчал. Никто не замечал за ним раньше склонности к шуткам, поэтому все им сказанное следовало воспринимать всерьез. В том числе и пассаж про мощный ум Мэла Паркинсона.

Паркинсон кивнул.

— Да, вполне может стоять на полу... Если они вскрыли первый контейнер и обнаружили счетчик Гейгера, то имитировали только уровень и характер излучения. Но не местонахождение заряда.

Директор крепко сцепил руки. Эталоны западной демократии и стереотипы служебного этикета не позволяли ему покрыть матом своих подчиненных. Только спросить...

— Почему же вы не сказали мне об этом ранее, до доклада Президенту?! — тон его был ледяным и ровным, но в нем чувствовалась скрытая ярость. Горящие глаза испепеляли Ричарда Фоука.

Начальник русского отдела таким же взором посмотрел на Барнса и Паркинсона. А те в свою очередь перевели взгляды на Кольбана. Профессор спокойно высморкался и ответил за всех:

— Вначале я не заметил ничего подозрительного. А потом, когда заподозрил неладное и все проверил, сразу же доложил по команде. Это случилось полтора часа назад. Точнее, час двадцать назад.

— Вы уже были у Президента, — тихо сказал Фоук. Его плоское лицо блестело от пота.

— И что же вы предлагаете теперь делать? — ужасным шепотом спросил Директор. Он ни к кому конкретно не обращался, но ясно, что отвечать должен был начальник русского отдела. Тот вытер платком лицо и выпрямился. Достоинство сотрудника состоит не только в том, чтобы не совершать ошибок, — это практически недостижимый идеал, сколько в том, чтобы уметь эффективно их исправлять.

— Я запрошу Бицжеральда обо всех нюансах сообщений Прометея. Даже истребую оригиналы, чтобы аналитики могли высосать из них всю информацию до последней капли...

— Мы сделаем все возможное! — уверенно кивнул Мэл Паркинсон, который тоже знал, в чем состоят достоинства сотрудника.

— Кроме того, я поручу Бицжеральду направить кого-то из русской агентурной сети к месту задержания первого контейнера. Пусть выяснит все, что с этим связано. Вплоть до того, насколько строго наказали злоумышленников, — продолжил Фоук. — И буду просить вашей санкции на направление в Россию офицера-нелегала для целевой работы по «Мобильному скорпиону».

— Действуйте! — хмуро кивнул Директор.

* * *

Ехать в купе спального вагона в отпуск или даже в плацкарте в командировку — это одно. Приятное расслабление, убаюкивающий стук колес, проносящиеся за окнами пейзажи — бесконечно меняющийся узор дорожного калейдоскопа, более или менее усердные проводники с их обязательным чаем, необременительная беседа с попутчиком или волнующий разговор с попутчицей и витающая в тесном пространстве возможность мимолетного романа, большие и маленькие станции, на которых можно выскочить на свежий воздух, размять ноги, купить крупных рассыпчатых яблок, ароматных слив, распаренную домашнюю картошку или малосольные огурчики... Можно читать газеты или книги, резаться в карты, просто валяться, бессмысленно глядя в потолок, или отсыпаться за прошлое и на будущее.

Находиться на боевом дежурстве в неизвестно куда несущемся БЖРК — совсем другое. Здесь нет расслабления, напротив — все постоянно напряжены в ожидании приказа начать Третью мировую войну или ответить на удар опередившего тебя агрессора. Замкнутое пространство, отсутствие окон, достаточно спертый воздух, избыточное давление, унылая стальная обшивка вокруг, гиподинамия, качка... Да, да, именно качка —

Кудасов, к своему удивлению, на восьмые сутки несколько раз ощутил приближение приступов морской болезни, он даже сходил к врачу, но майор Булатова успокоила: идет период адаптации, потом организм привыкнет и неприятные ощущения пройдут. Она дала какие-то таблетки, после которых все вошло в норму. Но спал он плохо, часто снились кошмары, однажды привиделся Степан Григорьевич, который с плетью в руках гнался за голой, растрепанной Оксаной. Сон был явно нехорошим, возможно, как-то связанным с тем, что происходило с женой в действительности. Но узнать это можно было только после возвращения на базу. Когда это произойдет, тоже никто не знал. Неизвестность, отсутствие новостей и каких-либо свежих зрительных ощущений угнетали больше всего. С психологической точки зрения все это было оправданно: резко повышалась роль командиров, которые были более осведомлены и лучше знали, что надо делать.

Кудасов, например, стал по-другому относиться к Белову. Более уважительно, что ли... Он даже почти забыл его оскорбительный тон в свой адрес и несколько раз пытался установить с командиром нормальные отношения.

Но Евгений Романович ничего не забыл, он односложно отвечал на вопросы, избегал встречаться взглядом, а если такое все же происходило, Александр отчетливо читал в глазах командира явное недоброжелательство. Да и вообще от Белова исходила волна животной злобы. Полковник явно ненавидел его. Дай только ему возможность — и он разорвет Кудасова прямо голыми руками.

На двенадцатый день Кудасов почувствовал, что силы на исходе. Один раз он чуть не заснул на ночном дежурстве, другой — ощутил недостаток воздуха и выскочил в тамбур, где воздуха было ничуть не больше. И все время он чувствовал, что полковник Белов пристально наблюдает за ним, выискивая любой повод, чтобы придраться. Допустить ошибку было нельзя, ибо Евгений Романович тут же использует ее в своих интересах.

И неспроста начальник смены отложил контрольное тестирование: от Булатовой старший лейтенант узнал, что в первых рейсах производительность труда резко снижается после десятого дня боевого дежурства. Да и другие операторы это подтверждали.

Отношения в смене были достаточно непростыми: капитаны Шульгин и Петров держались особняком, лейтенант Половников и старлей Козин вроде бы дружили, хотя старались это особенно не афишировать. Шульгин относился к новичку в целом доброжелательно, но Александр его побаивался и старался держать дистанцию.

— Сколько обычно длятся рейсы? — спросил как-то Кудасов у Половникова.

— По-разному, — ответил тот, зевая. Здесь многие и часто зевали: сказывался недостаток кислорода. — То пятнадцать дней, то три недели, однажды месяц...

Кудасов пришел в ужас. Месяц он точно не выдержит!

В конце второй недели полковник Белов объявил, что завтра стажеру предстоит пройти контрольное тестирование. Очевидно, он внимательно наблюдал за подчиненным и выбрал правильный момент: Кудасов ходил как сонная муха и едва держался на ногах. Работая над текущими программами, он стал часто допускать ошибки и, хотя вовремя их исправлял, в контрольное время вполне мог и не уложиться...

Александр ощутил неизвестное ранее чувство обреченности. Наверное, так чувствует себя чемпион по плаванию, которому перед стартом связали руки.

А ведь Белов знал, что делает: провал одного теста, потом другого, потом третьего — и молодой стажер будет признан непригодным для должности начальника смены.

Кудасов записался на прием к врачу и рассказал Булатовой все как есть. Она не удивилась или не показала виду. Открыла шкафчик с лекарствами и дала старлею две желтоватые таблетки.

— Это фенамин — препарат, активизирующий умственную деятельность и мобилизующий скрытые резервы организма, — сказала она. — Завтра выпьете одну с утра, вторую — непосредственно перед испытанием.

Александр печально кивнул:

— Спасибо...

— Что с вами? — военврач улыбнулась. — Я вижу, что поезд вас угнетает?

— Да, — кивнул Кудасов. И тут же спросил: — Это ненормально?

— Как раз вполне нормально. Меня он тоже угнетает. Но у молодых это быстро проходит! — она ободряюще положила руку на ладонь старшего лейтенанта. Рука у нее была прохладной и приятной.

Кудасов машинально опустил взгляд, но сегодня Наталья Игоревна была в туфлях. Она перехватила его взгляд и порозовела.

— Идите, товарищ старший лейтенант. Вам надо выспаться. За следующую ночь тоже — после фенамина бывает трудно заснуть... Но он вам поможет. Да и я постараюсь вам помочь...

Что означает последняя фраза, Александр не понял. Скорей всего, Булатова имела в виду медицинскую помощь.

Действительно, после первого утреннего приема фенамина голова сразу прояснилась. За час до испытания он принял вторую таблетку и вскоре почувствовал резкое обострение ума. Мысли молниями летали в голове, он воспринимал происходящее со всех сторон одновременно, различал шепот сидевших у дальней стены Козина и Половникова.

Наконец, по команде Белова, он сел за компьютер. Шульгин и Петров стояли у него за спиной, Половников и Козин наблюдали на параллельном экране. Белов с индифферентным видом прогуливался чуть в стороне.

— Учебно-боевая задача номер семь! — объявил начальник смены и включил хронометр. — Время пошло!

Александр привычно загрузил вводные данные и принялся сноровисто рассчитывать полетную траекторию. В этом деле он чувствовал себя как рыба в воде. Но что-то его смущало. Цифры, которые были правильными каждая сама по себе, соединяясь вместе, вызывали серьезные сомнения! Координаты БЖРК, координаты цели, запас и вид топлива, погода: ветер, влажность, облачность, грозовые разряды... Не очень сложный тест, но он чувствовал: стоит закончить расчеты обычным способом, и на экране монитора высветится позорная надпись: «Цель не поражена!»

Что-то было не так, выстроенная формула траектории ему не нравилась, хотя никакой другой он вывести не мог. Следовало нажимать клавишу «Enter», но он не мог этого сделать, как незадачливый ракетчик, скованный ступором старта.

И вдруг обостренным сознанием он понял: справочные величины, которые автоматически задаются в каждом тесте, на этот раз искажены! И уже нет времени искать правильные поправочные коэффициенты и углы наклона! Только на память надежда, на быстрые ловкие пальцы да на выработанные рефлексы...

Будто включился панорамный обзор, он видел одновременно и экран, и нужные страницы справочника по баллистике. Расхождения бросались в глаза, словно кто-то предупредительно обвел их красным карандашом. Пальцы летали над клавиатурой, сухо щелкали клавиши, картина менялась в лучшую сторону, наконец все цифры стали правильными, не только по отдельности, но и собранные вместе. Кудасов с облегчением нажал кнопку условного пуска.

— Старший лейтенант Кудасов контрольное тестирование завершил! — четко и громко доложил он.

— Да? — удивился начальник смены и выключил хронометр. Но к монитору не подходил, как будто точно знал, какой будет результат.

Александр вперился взглядом в экран. Несколько секунд, которые обычно отделяют условный пуск от его оценки, растянулись в минуты. Наконец появилась долгожданная надпись: «Цель поражена».

— Все! — выдохнул за спиной Шульгин.

— Что «все»? — встрепенулся Белов и подошел поближе. Кудасов уже все понял, он повернулся и рассматривал командира с нескрываемой улыбкой. Лицо у Белова было напряжено, губы шевелились. Он читал и перечитывал надпись, тщетно отыскивая затерявшуюся частицу «не». Но ее не было.

— Молодец, стажер! — сказал Шульгин.

— Молодец! — эхом повторил Петров, но без особой сердечности.

— Подождите хвалить, — холодно проговорил начальник смены. — Результат, конечно, положительный... Но вот время... Время просрочено!

— Разве? — Кудасов набрал комбинацию клавиш, и на экране появилось время исполнения теста: «15 минут 35 секунд».

— У меня все шестнадцать, — еще холодней проговорил Белов. — Ну, ладно, с компьютером спорить не будем!

Несмотря на попытку выглядеть объективным, в голосе полковника отчетливо проскальзывали неприязненные нотки.

— С первым тестированием вы справились, — продолжил Евгений Романович. — Но расчеты производились не с должной скоростью. Вы едва уложились в контрольное время! Вам следует устранять этот недостаток. И помните: теория — это одно, а практика — совсем другое! В результате сегодня вы демонстрируете совсем не тот результат, который можно ожидать на основе ваших блестящих характеристик! Работайте над собой!

— Так точно, товарищ полковник! Я знаю наизусть основные справочные вводные, наиболее часто используемые поправочные коэффициенты, но буду изучать и все остальные! — криво улыбаясь, ответил старший лейтенант, глядя прямо в глаза своему начальнику. — Я выучу все. Меня никто не собьет и не запутает!

Им обоим все было ясно. И в глазах старшего лейтенанта, и в глазах полковника отчетливо читалась неприкрытая ненависть.

* * *

— Ой, Сашенька, я так рада! — Оксана выбежала на звук вставляемого ключа и бросилась к мужу на шею. — Тебя не было почти двадцать дней! Точнее, восемнадцать!

— Ты считала дни, любимая?

Александр выпустил из рук чемодан и крепко обнял жену. Она только что вышла из ванной. Из-под намотанного на голову полотенца выбивались мокрые пряди волос. Обнаженное тело прикрывал только легкий домашний халатик, и сквозь тонкую ткань Саша ощущал гибкое влажное тело. Но... Естественной мужской реакции на близость любимой женщины не наблюдалось! Он слишком вымотался в рейсе и испытывал только усталость. А из желаний оставалось только одно: повалиться на мягкую постель и заснуть в тишине и покое. Еще хорошо бы выпить малость для расслабления... Раньше таких желаний у него не возникало. Но Шульгин и другие операторы подтвердили, что именно так ведет себя организм после рейса.

— Я даже часы считала! Мне было жутко одиноко! Я не знала, что делать, целыми днями слонялась по квартире... Почему ты не позвонил, не передал никакой весточки?

— Это исключено по условиям службы, — Кудасов отстранился и принялся раздеваться. — У нас нет телефонов, и мы не можем ничего передавать своим семьям. А почему ты меня не встретила? Всех встречают, тут такая традиция.

— Я вообще не хочу выходить из дома! Тут такая обстановка... Меня все ненавидят, они показывают пальцами и смеются...

— Думаю, ты ошибаешься. Это простая мнительность. Хотя к жизни в закрытом городке надо привыкнуть. Я ведь тебя предупреждал.

— Да, но я не думала, что это будет так ужасно, — босыми ногами девушка прошлепала по дощатому полу вслед за мужем в комнату и остановилась справа от него, когда Александр устало плюхнулся в кресло.

— Я не думала, что тебя не будет почти три недели, что ты даже не позвонишь ни разу...

— У меня не было возможность позвонить, Оксаночка, — повторил Кудасов, расстегивая форменную рубашку.

— Возможность всегда можно найти. На более-менее крупных станциях есть междугородние автоматы. Надо просто захотеть...

Александр досадливо поморщился.

— Мы даже носа не высовываем из этой чертовой железной коробки! Какие автоматы на станциях? Мы нигде не останавливаемся!

— Странно. Что же это за работа такая, Саша? Меня она начинает пугать!

Саша сорвал с потного тела рубаху и швырнул ее на пол.

— Меня тоже. Мы задавили человека и даже не остановились! Меня укачивало, накрывала депрессия, я находился на грани нервного срыва! Хорошо, майор Булатова помогла, она дала мне таблетки...

Оксана насторожилась:

— Эта врачиха? Она красивая... И что она тебе дала кроме таблеток?

— Перестань! Ты не представляешь себе, что за обстановка в этом поезде! Все на виду друг у друга, все за всеми следят, все на всех стучат...

— Зачем же ты пришел на такую работу? И зачем меня привез сюда? Чтобы я сидела в четырех стенах и тосковала? Я вообще не понимаю, зачем ты так хотел жениться на мне? Ведь ты вполне мог, вернувшись из своего рейса, навестить меня в Тиходонске и вновь отправиться в этот секретный рейс! Но в перерывах я была бы свободной. А ты запер меня, как птичку в клетке! Зачем тебе это нужно?

Оксана села напротив мужа за низенький журнальный столик, достала из кармана халата распечатанную пачку «Винстона». Ловким и непринужденным движением вставила в рот одну сигарету и, щелкнув зажигалкой, припалила кончик. Затянулась, округлив губки, красиво выпустила несколько колец дыма. Глаза Александра полезли на лоб от изумления. В первое мгновение он даже не знал, что сказать.

— Ты куришь? — Александр невольно поймал себя на том, что недовольно хмурит брови. С сигаретой в зубах и в непристойно задранном халате жена имела совершенно неприличный вид. Если отбросить словесные ухищрения, призванные маскировать и облагораживать суть вещей, то она была похожа на проститутку.

— А что мне остается делать? — фыркнула Оксана. — Ты совершенно не знаешь собственную жену, Саша. Я всегда курила. Но понемножку, из баловства, с подружками, чтобы никто не видел. А оставшись одна в этой дыре, я закурила в открытую. Это компенсация недостатка того, к чему я привыкла. Хоть и маленькая.

— Компенсация недостатка чего?

— Общения. Веселья. Приятной компании, в конце концов. Я ненавидела Тиходонск, и ты это прекрасно знаешь. Но сейчас я понимаю, что там было в сто... Нет, в тысячу раз лучше и приятнее, чем здесь. И меня ужасает сама мысль о том, что это только начало, — Оксана помолчала, глубоко затягиваясь едким табачным дымом. — Саша, назови мне хоть одну причину, по которой мы должны жить в Кротове и жертвовать радостями нормальной человеческой жизни?

— Моя работа, — Кудасов нервно сглотнул. — Я офицер, я распределен на новое место службы. Неплохое, с перспективой, я уже получил внеочередное звание. А через трудности быта и тяготы службы мы должны пройти вместе, от этого никуда не денешься. Если бы я был не ракетчиком, а барабанщиком в ресторане, то тогда веселья, общения и приятных компаний вокруг меня было бы в избытке. Хотя мужчины в этих компаниях могли оказаться женщинами, а женщины — мужчинами.

Александр говорил правильные слова, но испытал определенную неловкость. Потому что правильные слова — это одно, а реальные условия жизни, в которые он поставил Оксану, — совсем другое. Недовольство супруги имеет под собой почву. Он действительно привез ее в незнакомое место, к чужим людям и оставил совершенно одну на восемнадцать дней. Да тут кто угодно на стенку полезет. Не только курить, но и пить запоем начнешь! Женский алкоголизм — это бич военных городков, особенно там, где мужья оставляют жен на недели и месяцы...

— Твоя работа! — артистично повторила Оксана и выпустила очередное кольцо дыма. — Звучит очень пафосно. И что дальше? Я хочу знать, какие реальные перспективы она принесет нам. Тебе и мне! Чем ты занимаешься? Что это за поезд, в котором ты вынужден кататься, не высовывая носа наружу?

Кудасов заколебался. Сейчас он, как никогда прежде, разрывался между чувством долга, ответственности и любовью к самой прекрасной девушке на свете. Что ей сказать? Она, конечно, имеет право знать, ради чего терпит лишения и неудобства. Она — близкий человек, любимая женщина, российский гражданин, наконец! Но... Как говорил шеф гестапо Мюллер: «Знают двое — знает и свинья». Слово не воробей, вылетит — не поймаешь. И кто знает, куда оно залетит... Недаром столько раз предупреждали его особисты, недаром он дал столько подписок...

Чувство долга перевесило.

— Я не могу говорить о поезде, Оксана, — с трудом выдавил он. — Это государственная тайна.

— Даже от жены? — Оксана презрительно фыркнула.

— Даже, — Александр подался вперед и заглянул в изумрудные глаза. — То, что я делаю, — это секретное задание. Если я начну болтать о нем, меня просто уволят или...

— Или что? Неужели убьют?! — саркастически ужаснулась она.

— Ну, не то что убьют... А может, и... Всякое может быть, — буркнул новоиспеченный старший лейтенант. Среди ракетчиков ходили глухие слухи о несчастных случаях, происходивших с болтунами. Кто-то упал в шахту, кто-то попал под струю окислителя, кто-то отравился техническим спиртом. Были это случайности или закономерности — никто наверняка не знал. Но все знали одно: рот следует держать на замке.

Александр смотрел на Оксану и улыбался. Это было приятное зрелище. Тем более что короткий отдых сделал свое дело и он отчетливо представлял, как выглядит ее тело под халатом. Вновь проснувшийся интерес к женщине вмиг поднял ему настроение.

— Оксаночка, но ведь не все так плохо! Ты можешь найти себе круг общения... Вот, например, Ирина Александровна? Ведь вы, кажется, подружились?

Оксана горько усмехнулась.

— Даже больше чем подружились. Она меня... в общем, она меня отымела!

Саша подскочил в кресле.

— Что ты говоришь?! Как?!

— Ручкой от скалки, языком, в общем, по-разному. Она лесбиянка и извращенка!

— Да ты что?! — Александр взялся руками за голову. — Ну и семейка! А меня ее муженек пытался провалить на контрольном тестировании! И наверняка будет это делать в дальнейшем! Ой, извини, сейчас речь не обо мне... Как это все было?

Оксана закусила губу.

— Я пришла в гости, поговорили, выпили коньяку, я опьянела... А она раздела меня и...

Девушка поморщилась и обхватила горящее, как в огне, лицо двумя ладонями.

— Ты кому-нибудь рассказывала об этом?

— Напрямую — нет. Но в горячке я позвонила Ленке Карташовой. А девчонки на коммутаторе, видно, подслушали. Мне кажется, что все бабы гарнизона тычут в меня пальцами. А может, разболтали две телефонистки, они сидели у нее под подъездом и видели, как я от нее выходила...

Кудасов закусил губу. Значит, об этом факте уже известно командованию. Неужели этого псевдокомандира не снимут с поезда?

— А как ведет себя сама Ирина Александровна?

— Как сумасшедшая. Подстерегает меня возле дома, кидается наперерез в городке, извиняется, признается в любви... Сто раз в день звонит по телефону... Ужас!

— Кто бы мог подумать, — только и произнес шокирован-

ный Александр. — С виду такая приличная женщина, хозяйст-
венная...

— Сука! Но я ведь понимаю, что довело ее до жизни такой.
Постоянное отсутствие рядом мужчины. Неудовлетворенность. Страх одиночества. Я видела ее глаза, — голос Оксаны
задрожал, и Александр почувствовал, что она уже готова по-
детски беспомощно разреветься. — Это были безумные глаза
несчастной женщины, которая пытается найти в извращениях
хоть какую-то отдушину. И она умоляла меня принять ее такой, какая она есть. Стать частичкой ее жизни. Стать такой,
как она. Она потом приходила ко мне много раз, стучала в
дверь, подстерегала на улице... И я боюсь, что тоже могу превратиться в лесбиянку! Но я не хочу этого! Ты ведь не станешь
импотентом?

— Конечно, нет! С чего ты это взяла?

Оксана сцепила зубы, изо всех сил сдерживая слезы. Ей постепенно удалось совладать с собой.

— Говорят, что все ракетчики становятся импотентами!
Кто раньше, кто позже...

— Кто говорит? — насторожился Саша. В курилках ракетных частей болтают о чем угодно, только не об этом. Это запретная тема, табу! А гражданские вообще ничего не знают о
проблеме. — Кто тебе сказал?

Оксана не отвечала. Влажно блестели изумрудные глаза,
лениво дымилась сигарета.

— Милая, — молодой муж поднялся с кресла и шагнул к
собственной жене. Осторожно вынул из тонких пальцев сигарету и загасил в пепельнице. Нагнулся и нежно погладил тонкую шею. Ослабил импровизированную чалму, и полотенце
немедленно скатилось с мокрых волос, выпустив на свободу
ароматы абрикосового шампуня.

— Я понимаю тебя. Честное слово. Мне тоже приходится
нелегко, но деваться некуда. Нужно потерпеть. Мы должны
пройти через Кротово. А дальше будет легче!

Резким движением он сбросил с хрупких плеч халат и через
секунду нес хрупкое девичье тело к кровати...

Из всего экипажа БЖРК старший лейтенант Кудасов был
единственным, кто в ночь возвращения выполнил свой супружеский долг. Причем сделал это с явным удовольствием.

Потом, расслабленный и изнывающий от любви к Оксане,
терзаемый комплексом вины за невольно причиненные ей
страдания, придвинулся опять вплотную, поднес губы к ма-
ленькому твердому ушку и прошептал:

— В поезде — стратегическая ядерная ракета. Каждый

рейс — боевое дежурство. Если поступит приказ, мы должны нанести атомный удар. Ты понимаешь, что это значит. Поэтому никогда и никому не говори об этом. Это очень большой секрет. Я раскрыл его тебе, чтобы ты знала, в каком важном деле я участвую. Ради этого мы должны жить в Кротове несколько лет...

— А как же она помещается? — удивленным шепотом спросила Оксана. — Ракеты такие большие...

— Это специальная ракета. Самого нового поколения. От нее невозможно защититься. Но больше на эту тему ни слова. Договорились?

— Договорились...

Оксана прижалась к мужу и уютно засопела. И он сам тут же провалился в тяжелый сон без сновидений.

В затянувшемся поединке чувств долга и любви победила любовь. Потому что имеет в своем арсенале то, чего нет ни в уставах, ни в инструкциях, ни в текстах подписок о неразглашении. И чем не обладают особисты любого, даже самого высокого ранга.

Любовь размягчает мужчину, даже самого твердого, жесткого и опытного. На этой закономерности основан применяемый всеми разведками мира вербовочный метод «Медовая ловушка». Что уж осуждать молодого старшего лейтенанта, который разоткровенничался не в гостиничном номере перед подставленной прожженной «ласточкой», а в своей квартире перед собственной женой...

Но на следующее утро Александр Кудасов пожалел о своей откровенности, что его если и не оправдывает, то смягчает вину.

* * *

— Привет, Мачо! — голос Ричарда Фоука спутать с чьим-либо другим было невозможно. — Я хочу пригласить тебя на обед. Скажем, через часок, в конюшне.

Начальник русского отдела не спрашивал, а сообщал.

— Конечно, сэр, с удовольствием. Я сейчас выезжаю.

Билл Джефферсон опустил трубку радиотелефона на борт бассейна, оставляя в голубой воде белый бурлящий след, быстро проплыл двадцать ярдов до противоположной стенки и по никелированной лестнице пружинисто выбрался на мозаичные плиты площадки. Неторопливо растер полотенцем мускулистое атлетическое тело и несколько минут постоял на приятно пригревающем солнышке.

Биллу было едва за тридцать. Среднего роста, широкоплечий, стройный, он по всем параметрам подходил под эталон мужской красоты. Прямой нос, тонкие поджатые губы и глубоко посаженные карие глаза, излучающие проницательный взгляд. Короткие темные волосы уникально гармонировали с тонкой линией бородки, пролегающей вдоль массивных рельефно очерченных скул от одного виска до другого. Но бородку он носил только во время отдыха. «На холоде»[1] вовсе не нужны броские приметы.

В юношеские годы Джефферсон учился в Москве, потом много раз приезжал туда на стажировки. В русском отделе ЦРУ он имел оперативный псевдоним Мачо и одиннадцатилетний стаж службы в должности офицера по специальным поручениям. Все они были так или иначе связаны с Россией. В свое время Мачо вытащил из Москвы попавшего под подозрение агента, потом под видом русского журналиста работал в Хорватии, во время кризиса в Югославии изображал русского офицера. Все задания он проводил успешно, благодаря чему смог приобрести дом на четыре спальни, с бассейном и гаражом на три машины. Три спальни пустовали: до сих пор Билл не был женат и, увы, не обзавелся детьми. Это компенсировалось постоянным движением молодых девушек через постель хозяина, но ни одна из них надолго не задерживалась.

Пройдя в дом, Мачо натянул светлые джинсы, легкие теннисные туфли на веревочной подошве, набросил темно-синюю рубашку, застегнув ее так, чтобы была видна волосатая грудь. Вдел широкий кожаный пояс с массивной пряжкой, которую можно было в случае необходимости использовать как кистень. Сам пояс мог в нужную минуту послужить гарротой[2].

Через десять минут после звонка Фоука он уже сидел в уютном кожаном салоне двухсотсильного «Лексуса» и, едва заметно морщась, поворачивал ключ зажигания. Гримаса была непроизвольной и относилась к многократно повторенному чужому опыту, когда после такого поворота машина вместе с водителем взлетала на воздух. Впрочем, сейчас он не ждал ничего подобного. Ничего подобного и не произошло: двигатель тихо, но мощно заурчал, и «Лексус» тронулся в путь.

Мачо жил в Моксвилле — маленьком, ничем не примечательном городке, расположенном в шестидесяти милях от другого ничем не примечательного городка по названию Лэнгли.

---

[1] «Холод» — враждебная и опасная обстановка страны, где шпион выполняет задание.

[2] Гаррота — прибор для удушения, орудие казни в Испании в XIX—XX вв.

Последний, однако, приобрел широкую известность в связи с нахождением там штаб-квартиры ЦРУ.

«Конюшней» Фоук называл ресторан «Бизон», находящийся между Лэнгли и Моксвиллом. Слово «между» можно было использовать с большой долей условности, для обозначения равенства партнеров и их взаимного уважения. На самом деле «Бизон» располагался в десяти милях от Лэнгли и в пятидесяти от Моксвилла, а следовательно, равенство Фоука и Мачо определялось формулой «пять к одному». В действительности это соотношение носило еще более контрастный характер.

Но Мачо не обижался. Он знал, что обед — это только форма доведения до него очередного, хорошо оплачиваемого задания. Фоук выступал в роли щедрого работодателя. Кроме того, Мачо знал, что обед будет вкусным, а заплатит за него опять же Фоук. Поэтому он без всяких претензий был готов преодолеть не только пятьдесят, но и пятьсот миль.

Серая бетонная лента шоссе послушно бросалась под колеса «Лексуса». Крепкие ладони Мачо лежали на руле, большой палец играл кнопкой переключения радиоканалов, и салон наполняли то негритянский блюз, то рваные ритмы рока, то тяжелый рэп... Несмотря на жару за бортом, в салоне было прохладно и уютно. Стрелка спидометра спокойно лежала на цифре 180. Мачо включил круиз-контроль и расслабленно поплыл по музыкальным волнам.

На скорости сто восемьдесят километров, или сто двадцать миль, в час он несся к своему очередному заданию. Каждое из них могло стать последним. Но он ни о чем таком не думал. Он просто ехал к месту встречи. И через полчаса съехал с шоссе и подъехал к простому одноэтажному зданию с открытой верандой вокруг, на которой почти все столики были свободны. Это и был ресторан «Бизон».

Улыбающийся Фоук уже сидел на их обычном месте — с противоположной от входа стороны, откуда открывался прекрасный вид на окрестности.

— Я уже заказал стейки, дружище! — широкое лицо начальника русского отдела изображало самое искреннее расположение. Они пожали друг другу руки.

После этого улыбка исчезла. Фоук обычно сразу брал быка за рога.

— Вы слышали про «Мобильного скорпиона», Билл? — без каких-либо прелюдий сказал он.

— Нет.

— Это атомный поезд русских. Он разъезжает по всей стране с баллистической ракетой, нацеленной на Соединенные Штаты. А мы должны его поймать. Точнее, ловить будете вы.

— Конечная цель?

— Обнаружение и уничтожение объекта. Технические детали с вами обсудят специалисты.

— Исходные данные? — Мачо не проявлял эмоций.

— Эти фотографии, — Фоук положил на стол снимки обычного с виду товарного состава с цельнометаллическим вагоном странной формы. — Они говорят о внешнем виде объекта. Возможно, он таков, а возможно, и нет. Пятьдесят на пятьдесят. С этими снимками вышла темная история... В общем, один из наших экпертов высказал мнение, что это подстава... Дезинформация.

— Как обычно, — кивнул Мачо. В разведке никогда нет полной ясности, а он предпочитал не вдаваться в ненужные детали. — Еще что?

— Предположительно известно место базирования: Тиходонский край. Мы произвели аэрокосмическую съемку и пришли к выводу, что если база там, то она располагается на территории железнодорожной части в поселке Кротово. Вот, на карте он отмечен красным кружком.

Фоук выложил карту Тиходонского края и спутниковые фотографии. Но официант принес стейки с жареной картошкой, и он расчетливо прикрыл снимки. Однако для Мачо времени хватило.

Они принялись за еду. Мясо пахло грилем и таяло во рту.

— Как тебе прожарка? — поинтересовался Фоук. Его плоское лицо лоснилось от удовольствия.

— Отлично, — ответил Мачо. — В прошлый раз он был почти сырым.

— Твоя задача — отыскать «Мобильного скорпиона» и заложить в него радиомаяк. Это называется план «Бета». У нас на орбите болтается экспериментальный спутник по программе «Зевс-громовержец». Планировалось, чтобы он отбомбился на полигоне. Но жизнь вносит свои коррективы...

Мачо в изумлении положил вилку.

— Вы же не станете бросать ракеты и бомбы на территорию России?

Фоук чуть заметно улыбнулся.

— Конечно, не станем. Это же агрессия, повод к войне. Но причину никто не установит. «Мобильный скорпион» просто взорвется. Фу-ух! — и все!

Ну и ну! Ошарашенный Мачо вновь взялся за свой стейк. Ему неоднократно приходилось нарушать законы других государств, но он всегда действовал как частное лицо и при провале не мог рассчитывать на поддержку Фирмы. От него бы все отказались, потому что США не имеет ничего общего с преступниками. А бомбардировка «Мобильного скорпиона» чревата крупным международным скандалом! Впрочем, это проблема не его уровня, и он тут же выбросил ее из головы.

— Мне кажется, соус недостаточно острый, — озабоченно заметил начальник русского отдела.

— По-моему, вполне нормальный.

— У тебя остался контакт с «Аль-Каидой»? — тем же тоном спросил Фоук.

— Угу, — промычал Мачо с набитым ртом.

— Надо будет задействовать и их возможности для уничтожения «Мобильного скорпиона». Это резервный план «Зет». Тебе придется встретиться со своим человеком...

Мачо поморщился. Точно так, как когда поворачивал ключ зажигания.

— Мне бы не хотелось иметь дело с этим зверьем...

Фоук пожал плечами.

— Мы сами вырастили этих зверей. Мы и русские. Потом они сорвались с поводков и теперь доставляют беспокойство всему цивилизованному миру. Но было бы глупо не использовать их в своих интересах.

Мачо поморщился еще раз. Но ничего не сказал. Обед удался на славу. Через час они разъехались в разные стороны.

* * *

— Я вас внимательно слушаю, Евгений Романович, — лицо и тон командира части были менее доброжелательными, чем обычно. Полковник Булатов сидел прямо, смотрел строго официально и говорил холодно. Так он общался с проштрафившимися подчиненными.

Это усилило волнение Белова. Он и так тяжело дышал, лицо раскраснелось, будто он только что отмахал аттестационную стометровку.

— Я могу отказаться от стажера? — внезапно выпалил он. — Персонально — от старшего лейтенанта Кудасова?

Булатов ослабил жесткий воротник новой форменной рубашки.

— Чем вас не устраивает Кудасов?

— У нас несовместимость характеров, — промямлил Белов. — И вообще...

— Что «вообще»? — командир части повысил голос. — Какая несовместимость? Вы что, на бракоразводном процессе? Что за чушь?! Мы не предлагаем вам вступать со стажером в законный брак и заводить потомство. Поэтому совместимость ваших характеров, резус-факторов и всего такого прочего нас не интересует! Что за капризы? Вы ведь не гражданский человек, вы полковник!

— Вы меня не поняли, Андрей Андреевич, — Белов начал волноваться еще больше, чувствуя, что его просьба сразу принята в штыки. — Я знаю, что я полковник. Кроме того, я еще и начальник смены запуска. И мне в моей смене просто необходима нормальная здоровая обстановка...

— Насколько мне известно, именно вы сами в последнее время создаете ненормальную и нездоровую обстановку. Очень рекомендую вам заняться укреплением собственной нервной системы.

— Очевидно, вас неверно информировали, — неуверенно попытался оправдаться Белов. — У меня с нервами все в порядке...

— Как проявил себя стажер? — перебил его Булатов.

— Ну... Он удовлетворительно выполнил тест, хотя чуть не сорвал контрольное время.

— А что там за путаница с цифрами?

Начальник смены понял, что информация, которую он хотел бы сохранить в тайне, попала в каюту майора Сомова, от него перекочевала в кабинет к Кравинскому, а оттуда — легла на стол Булатову. Он уже пожалел, что полез к командиру со своей дурацкой просьбой.

— Не знаю. Вероятно, какой-то сбой программы...

— В боевом компьютере?!

Белов покраснел еще больше. Чем больше он говорил, тем больше запутывался в собственной глупости.

— Нет, компьютер в порядке, его много раз проверяли.

— Странно, — командир части покачал головой. — Ну а все же, в чем конкретно заключается эта ваша несовместимость со старшим лейтенантом Кудасовым?

Белов напряженно молчал. Он чувствовал себя сейчас полным идиотом. И зачем только он притащился сюда с претензиями? Булатов прав. Лучше заняться собственной нервной системой. Попить чего-нибудь успокоительного, немного взять себя в руки. Ясное дело, что это не спасет его от неминуемой отставки, но поможет относиться к проблеме более спокойно. Как говорится, чему быть, тому не миновать.

— Что же вы молчите, Белов? — окликнул его Булатов.

— Я не знаю, что сказать, — честно признался полковник. — Простите, Андрей Андреевич.

— Очень странно! Вы приходите с серьезным заявлением, никакой аргументации привести не можете и за это извиняетесь? Разве это нормальное поведение начальника смены операторов БЖРК?

Булатов нахмурился. Гнев и раздражение распирали его, как перегретый пар распирает котел паровоза при заклинившем клапане сброса. У Белова явный невроз. От него следует избавляться, и чем скорее, тем лучше. Но пока Кудасов не наберется опыта, этого сделать нельзя. Черт!

— Виноват, — потупившись, сказал Белов. — Я просто переутомился в рейсе.

Булатов еще раз попытался ослабить тугой воротник, но, не расстегнув пуговицы, это не удавалось. А нарушать форму при подчиненном он не хотел. Раздражение усиливалось.

— Ладно, этот вопрос мы закрыли. А что вы знаете о поведении вашей жены?

В этом кабинете такой вопрос прозвучал совершенно неожиданно. Белова будто кипятком ошпарили.

— Ирины Александровны? О каком поведении вы говорите?

— Вы знаете, что она лесбиянка?

— Что?! — теперь Белов рванул ворот рубашки, да так, что пуговица оторвалась и цокнула об пол.

— Она домогалась жены вашего стажера! — Булатов стукнул кулаком по столу. — У нас и раньше были сигналы, что она неравнодушна к молодым девушкам из узла связи, но мы ошибались в характере этого неравнодушия! А теперь все стало ясно...

— Гм... Да... То есть нет! Я ничего не знал... Этого не может быть...

И снова в голосе полковника Белова не было уверенности. Сейчас ему стали понятны многие странности в поведении супруги. Особенно неприкрытое отвращение к выполнению супружеских обязанностей.

— Может, Евгений Романович. К сожалению, может! Но вы должны исключить подобные проявления. Это извращения. И даже при нынешнем беспредельном разгуле анархии они не могут быть терпимы в особо режимной части!

— Я... Я... Я приму меры...

Шатаясь, как пьяный, Белов направился к двери. Полковник Булатов со скорбным выражением лица смотрел ему вслед.

— Ну и семейка, — тихо проговорил он, когда дверь закрылась.

А у Беловых в этот вечер разразился небывалый за всю их семейную жизнь скандал. Евгений Романович даже надавал супруге пощечин — впервые в жизни. Но успокоению его нервной системы это не способствовало. И улучшению семейного микроклимата тоже.

* * *

В Аммане термометр зашкаливал за сорок пять. Легкий ветерок из пустыни не улучшал самочувствия. Машину пришлось бросить у входа в старый город и идти пешком, но Мачо ощущал себя как всегда бодрым и сильным. Чего не скажешь о сопровождающем из посольства — молодом офицере резидентуры ЦРУ, работающем под «крышей» атташе по культуре. Вчера, когда «атташе» встретил его в аэропорту и разместил в гостинице, и потом, когда вечером они пили джин на широкой веранде отеля и он объяснял, что пить здесь, как и в Африке, надо не коньяк и не виски, а именно джин, прекрасно дезинфицирующий организм и надежно профилактирующий холеру, лихорадку и другие тропические хвори, этот парень выглядел куда бодрее. А узнав о цели визита коллеги, сразу скис. В случае осложнения ситуации толку от него будет немного, поэтому Мачо радовался, что настоял на эскорте из двух морских пехотинцев, входящих в охрану посольства. Крепкие парни с невозмутимыми лицами шли в пяти шагах сзади и хладнокровно жевали резинку. Под просторными рубахами на кожаных поясах висели «Кольты М-1911» калибра 11,43 мм.

Здесь все местные жители вооружены. Кривые национальные кинжалы на поясе халата, рукоятки револьверов, выглядывающие из складок одежды, автоматы Калашникова и винтовки «М-16» за спиной у кочевников — вполне обычное дело. Только туристы ходят без оружия, с удивлением глядя на всю эту экзотику.

Четверо американцев зашли в старые кварталы, которые есть в любом городе мира, даже самом молодом, отстроенном заново «с нуля». Здесь сохранялась туристская экзотика: узкие улочки, дребезжащая восточная музыка, дурманящие запахи кофе и анаши, сидящие на ковриках хозяева многочисленных лавчонок со сложенными под себя ногами, в блаженной прострации потягивающие кальян и перепоручившие дела многочисленным сыновьям и племянникам. Сотни больших и маленьких прилавков выставлены прямо на улицу, кое-где распахнутые окна превращены в витрины... Товар самый разный: пряности и острые приправы, ковры, лжеантиквариат и антиквариат настоящий, восточные сувениры — все эти верблюды, национальные маски, одежда, пояса... Много оружия: в Иордании оно продается совершенно свободно и без всяких ограничений.

По правилам конспирации следовало заходить в как можно большее число лавок и проверяться: нет ли «хвоста». Мачо это делал не по принуждению, а с удовольствием, причем выбирал именно оружейные магазинчики. Его не привлекали «Галиль», «Узи» и «Спрингфилды», как и любые стандартные «стволы», — он интересовался мелкосерийным карманным оружием с ручной отделкой. Здесь его было в изобилии: многочисленные кустари изготавливали никелированные, вороненые и золоченые пистолеты, золотом и серебром чеканили редкостные узоры, на рукоятки ставили перламутровые и костяные пластинки с витиеватой резьбой или рельефными картинками.

Эти уникальные изделия могли украсить коллекцию самого взыскательного оружейного гурмана, но Мачо был супергурманом, этаким ненасытным Гаргантюа. Он искал пистолеты, не просто скопированные с известных систем, например «браунинга» или «маузера», он искал причуды безвестных мастеров, иногда создающих неизвестный оружейному делу гибрид из нескольких моделей. А еще более ценным он считал оригинальное изобретение иорданских оружейников-самоучек, не похожее ни на что в мире оружия. Такое удавалось найти крайне редко, но зато это были настоящие раритеты, жемчужины его обширной коллекции.

Сейчас ничего уникального не попадалось, но Мачо все же приобрел интересный гибрид: крохотный пистолетик — смесь «Байяра» и «Юниона» нестандартного для этих систем калибра 9 миллиметров, богато изукрашенный золотой вязью, со щечками из слоновой кости, на которых опять же золотом была сделана замысловатая монограмма. Он попросил у хозяина лавки опробовать покупку, и тот без затей указал на стену. Оглушительно грохнул выстрел, пуля ударила в твердое дерево и глубоко ушла внутрь, оставив аккуратное круглое отверстие. На шум отреагировали только морские пехотинцы, тревожно подбежавшие к лавке.

— О'кей? — спросил молодой араб с быстрыми хитрыми глазами и лицом злодея.

— О'кей! — кивнул Мачо, похлопал его по плечу и привычно сунул оружие в задний карман.

Сопровождающий нахмурился.

— А вывозить его вы будете под нашим прикрытием? — неодобрительно спросил он. — Или засунете оружие в дипломатическую почту?

Мачо улыбнулся.

— Зачем же усложнять, Том? Вы проводите меня через таможню. Надеюсь, в аэропорту у вас твердые позиции? А эта штучка поможет нам выбраться отсюда в случае каких-либо осложнений. Ведь вы, как я понимаю, безоружны?

Услышав про возможные осложнения, Том помрачнел.

— Дипломат не имеет права носить оружие, — угрюмо ответил он.

— Но вы ведь не только дипломат? — подмигнул Мачо. — Расслабьтесь, вечером я угощу вас джином!

Через несколько кварталов Мачо остановился у узкой щели между двумя трехэтажными домами. Это тоже улица, но два человека в ней вряд ли смогли бы разминуться. Зато заколоть неверного кривым кинжалом очень легко из любого окна или двери.

— Погуляйте здесь, Том, — дружелюбно сказал он. — Если что — действуйте по обстановке. А вы, ребята, за мной.

Офицер для особых поручений нырнул в щель, морпехи последовали за ним, а «атташе по культуре» остался, не зная, что лучше: пробираться по щелеобразной улице с тремя вполне боеспособными спутниками или в одиночестве бродить в районе, где весьма велика вероятность стать жертвой похищения.

За узкой улочкой многие люди, хотя и выглядели как арабы, тем не менее говорили... по-русски! Это был чеченский квартал, и в последние годы местную диаспору сильно разбавили выходцы из Чечни.

Мачо подзабыл дорогу, ему пришлось спросить Салима, и чернявый мальчишка показал ему нужный дом, как сделал бы это в Гудермесе, Ножай-Юрте или Аргуне.

— Стойте по обе стороны двора, — проинструктировал Мачо спутников. — Будьте готовы к действию. Сигнал: выстрел, или крик, или шум. Или если я не выйду в течение сорока минут. Думаю, все обойдется.

Последнюю фразу он сказал для порядка. Когда имеешь дело с Салимом, никогда нельзя предполагать что-то наверняка.

На стук в глухую калитку вышел худощавый жилистый мужчина в просторных шароварах и с голым торсом, что в общем-то не принято в арабском мире. У него было непроницаемое лицо, крючковатый хищный нос и широкие, загибающиеся книзу черные усы. Он скользнул взглядом по неожиданному визитеру, выглянул на улицу и внимательно осмотрел его сопровождающих.

— Салам! — сказал Мачо и дружески улыбнулся.

— Салам! — ответил хозяин и, молча повернувшись, вошел во двор. Мачо последовал за ним и сам притворил за собой калитку. Осторожно, так чтобы язычок замка не защелкнулся.

Они уселись за стол посередине мощеного двора, под навесом, укрывающим от палящих солнечных лучей. Во дворе шумно играли трое мальчиков лет семи-десяти.

— Непривычно видеть тебя без рубашки, — начал ни к чему не обязывающий разговор Мачо. Обычно Салим ходил в просторной одежде, под которой скрывались несколько килограммов мощнейшей пластиковой взрывчатки «Г-9». Какие-то проводки были выведены в карманы, а иногда торчали из-под воротника. Поэтому общаться с ним всегда было крайне тревожно, чтобы не сказать страшно. Впрочем, и сейчас, без «Г-9», общение с ним удовольствия не доставляло.

— Я же дома... — пробурчал Салим.

Хозяин поднял руку, и через несколько минут закутанная в чадру женщина принесла пиалы, два чайника с терпким зеленым чаем и обязательные сладости. Обряд гостеприимства был выполнен, и теперь следовало переходить к делу.

— Давно не виделись, Салим! — сказал нейтральную фразу Мачо и улыбнулся обязательной и ничего не значащей улыбкой.

— Давно, — согласился тот, прихлебывая чай.

Происхождение Салима было окутано завесой тайны, но эта привычка выдавала в нем пришлого: коренные иорданцы предпочитают арабский кофе с кардамоном. Вторым демаскирующим фактором был хороший английский. По одной из версий аналитического отдела значительную часть жизни он прожил в Лондоне, неоднократно бывал в Чечне, много путешествовал по Европе. Салиму на вид было около сорока лет, но у арабов внешность обманчива — судя по возрасту детей, ему около тридцати.

— А ты все так же ходишь с охраной...

Тонкие губы под блестящими усами изогнулись в скверной улыбке.

— Наверное, человек двадцать привел?

Мачо развел руками.

— Зачем так много, Салим? Я ведь пришел к другу. Со мной только шестеро. И то потому, что без них меня не отпустили. В посольстве беспокоятся о приезжих земляках-журналистах...

Хозяин прекрасно знал, чем занимается гость, но опровергать его утверждение не стал. Так же он пропустил мимо ушей и преувеличенное число охранников.

— И что тебя привело к небогатому торговцу коврами? Хочешь написать о застое в торговле? Это чистая правда...

Может быть, Салим и торговал коврами. Но не в связи с этой работой он получил осколочные ранения груди и сильный ожог левой руки. Шрамы остались на всю жизнь, и сильный загар не мог их замаскировать. И не в связи с торговлей коврами он был известен всем спецслужбам развитых государств. И не в связи с торговлей коврами приехал к нему посланник ЦРУ США.

Мачо протянул руку и взял из небольшой фарфоровой вазочки кусочек рахат-лукума. На самом деле ему кусок не лез в горло, но принимать угощение — святой долг гостя. И к тому же подтверждение его спокойствия, характеризующего чистую совесть и благородство намерений.

— Нет, Салим. Сейчас меня не интересуют ковры. Может быть, в другой раз.

— Другого раза может и не быть, — хозяин тоже взял щепотку изюма, и потянувшийся было к сушеному инжиру Мачо оцепенел.

Здесь не принято пользоваться ложечками или вилками, сласти берут руками, но на руках Салима была кровь. Не в переносном, а в самом буквальном смысле. Один раз Мачо видел это своими глазами. Она стекала с пальцев и капала на белый кафельный пол крупными, разбивающимися в звездочки каплями. И теперь он не мог брать после него сладости из красивой фарфоровой вазочки.

— Почему? — нейтральным тоном спросил офицер. — Я думаю, мы еще не раз встретимся.

— Человек может только думать, лишь Аллах знает наверняка!

Салим что-то гортанно крикнул, и дети, свернув игру, забежали в дом. Это был очень плохой признак. Хотя Салим вполне мог начать бойню и без подобной предосторожности.

Мачо напрягся, машинально поправил ремень, незаметно тронув оттопыренный задний карман и убедившись, что пуговица клапана расстегнута. Патрон был в стволе, так что через три секунды пуля уже могла сидеть в мозговом веществе хозяина.

— Мне интересно, американец; неужели ты считаешь, что шестеро охранников обеспечат твою безопасность? — верхняя губа у Салима хищно задергалась, обнажая плохие, прокуренные зубы. — Даже если бы их было шестьдесят шесть и мы сидели не в моем квартале, а в твоем долбаном Нью-Йорке или твоем долбаном Вашингтоне?

Когда досужие журналисты начинают рассуждать о том, существует ли всемирная террористическая организация «Аль-Каида», или это плод преувеличений и чьего-то больного воображения, им надо показать скромного торговца коврами Салима. Потому что он и есть ответственный координатор «Аль-Каиды». Хотя знают об этом немногие. И конечно, ему бы хотелось, чтобы посвященных в тайну стало еще меньше.

— Я считаю, Салим, что никто не может обеспечить ничью безопасность, — Мачо перестал улыбаться. — И твоя жизнь каждую минуту висит на волоске, и моя. Мы привыкли рисковать. Но я скажу тебе еще, что я считаю!

Мачо наклонился вперед и встретился взглядом с нечеловеческими, почти без зрачков, глазами Салима.

— Я считаю, что я еще способен забрать с собой в ад двух-трех человек. А может, и больше! И каждый из моих людей тоже способен это сделать! Ты хорошо умножаешь, Салим?

Они несколько секунд буравили друг друга взглядами, излучаемая каждым ментальная энергия сталкивалась с равной по силе энергией противника, как будто сцепленные руки силачей застыли в схватке на столике для армреслинга. Атташе по культуре Том эту схватку наверняка бы проиграл и не вышел отсюда живым. Но Мачо отличался сильной ментальностью. Она не уступала жестокой ментальности Салима. К тому же офицер выразился достаточно прозрачно: сколько бы человек ни выскочило из соседних дворов, но часть их погибнет. И в первую очередь погибнет сам Салим. А координатор Аль-Каиды, несмотря на свою фанатичность и жестокость, все же хотел жить. Поэтому он первым отвел взгляд и отвернулся.

— Я просто так спросил. Для интереса.

Он снова отхлебнул чай и взял себе инжир, на который нацеливался Мачо.

— Я слушаю твое дело, уважаемый гость, — голос по-прежнему был совершенно спокоен.

Мачо перевел дух.

— Я знаю, где можно взять атомную бомбу.

Невозмутимость будто стерли с лица Салима мокрой губкой.

— Где?! — жадно выдохнул он.

— Даже не бомбу, ракету, — поправился Мачо. — В России. Во время перевозки на поезде.

— Охрана?!

— Сколько может быть охранников в поезде? Ну двадцать, ну сорок...

— Хоть сто сорок! Что от меня требуется за это?

— Только честное слово.

— Какое?

— Что она не будет использована против моей страны!

Салим, не задумываясь, кивнул:

— Клянусь!

Клятва, данная неверному, ничего не стоит. Но Мачо изобразил полное удовлетворение.

— Я еду в Россию. Мне нужен канал, по которому я могу с тобой связаться.

Салим ненадолго задумался, потом со значением наклонил голову.

— Слушай внимательно, американец...

Теперь в слово «американец» он вложил совсем другой оттенок, чем несколько минут назад.

Мачо вышел на улицу через тридцать пять минут. Морские пехотинцы уже были на взводе. По их лицам офицер понял: воскресить его они бы не смогли, но отомстить — сумели.

— Расслабьтесь, орлы! — улыбнулся он. — Сегодня выпивка за мой счет!

Ту же фразу он повторил и Тому, слово в слово. Но «атташе» проявил интерес к упоминанию о выпивке, только когда они вышли из старого города и сели в машину.

* * *

На станции Кузяевка скорые поезда не останавливаются, а пассажирские тормозят на три минуты. Из них почти никто не выходит: местные добираются из Тиходонска электричками, рейсовыми автобусами или на попутных машинах. Но из утреннего тамбовского пружинисто выпрыгнул невысокий мужичок с потрепанной черной сумкой через плечо, подмигнул проводнице, махнул рукой попутчикам и быстро пошел по неказистому перрону. Направлялся он, почему-то не к выходу на привокзальную площадь, а вдоль путей и, когда платформа закончилась, спрыгнул на шпалы, быстро приноровившись шагать с одной на другую. Без привычки к этому приспособиться трудно, такая походка выдает опытного железнодорожника или человека, умеющего быстро адаптироваться к любой ситуации. Через несколько минут он подошел к депо и по-свойски обратился к перекуривающим у входа монтерам пути:

— Здорово, мужики! Какие курите?

— Свои, — недружелюбно ответил заросший густой щетиной путеец, а двое других угрюмо уставились на чужака.

— Это хорошо! — широко улыбнулся тот. У него было простецкое лицо и быстрые плутоватые глаза, обычная простая одежда, манеры человека с улицы. Как ни таращились настороженно работяги, как ни выискивали что-то подозрительное, но никакого подвоха не усматривали: по всему выходило, что он свой в доску.

Он действительно был русским человеком, или, как стало модно говорить в последние годы, россиянином, никогда не выделяющимся из толпы и ни при каких обстоятельствах не привлекающим к себе внимания. Отражая это качество, московская резидентура ЦРУ присвоила ему псевдоним Иванов, с учетом последнего обстоятельства признавать его «своим» следовало очень осмотрительно.

«Иванов» обладал авантюрным складом характера, умением быстро приспосабливаться к ситуации и сходиться с людьми. Отличался природными способностями: умом, острой интуицией, смелостью, умением быстро принимать решения. Пройдя очень сжатый курс подготовки, он самостоятельно повышал квалификацию, в частности, тщательно изучал психологию. У него были хорошие показатели в работе, причем использовался он «вслепую»: предполагалось, что он не знает, чьи задания выполняет. И действительно, он никогда в жизни не видел Бицжеральда или других посольских разведчиков, имея дело с посредником, таким же россиянином, как и он сам. Петр Васильевич познакомился с ним случайно, несколько лет назад, попросив за приличное вознаграждение проверить, живет ли по рязанскому адресу один человек. Дело оказалось плевым, а полученная за него сумма изрядной. Так и пошло... Поручения, как правило, были необременительными и на редкость хорошо оплачиваемыми. Правда, когда пришлось брать пробы земли и воды в разных районах и областях, определенные подозрения у «Иванова» появились, но он предпочел их не развивать. Его вполне устраивала хорошая оплата услуг, которые можно при желании считать обычными услугами частного детектива. Полная ясность здесь и не нужна.

— А вот давайте мои попробуем, — по-прежнему улыбаясь, чужак протянул пачку «Мальборо».

После некоторого замешательства путейцы экономно притушили свои сигареты и приняли угощение.

— Меня Василием зовут, я сам-то из Тиходонска, сейчас в Москве живу, — сообщил «Иванов». — А этой роскошью меня шеф угостил, когда я два пропавших вагона нашел. Там как раз «Мальборо» и везли. Только мне не нравятся. Форсу много, а не забирает. Сладкие какие-то.

Фраза была тщательно продумана. И могла вызвать только положительную реакцию.

— Это точно, — кивнул заросший, а его молчаливые коллеги оживились и согласно заулыбались.

— А ты чего, вагоны ищешь?

— Я все ищу. Про частных детективов слыхали?

— У нас они не водятся, — вмешался другой монтер с острым, как у Буратино, носом. — А в кино видали.

— В кино одно вранье показывают, — сплюнул Василий. — А не выпить ли нам водочки? У меня с собой, и закусь имеется.

Работяги переглянулись. Предложение было дельным и характеризовало нового знакомого исключительно с положительной стороны.

— Это можно... Дело все равно к обеду идет. Надо только мастера предупредить...

Консенсус был достигнут. Компания расположилась в полуразвалившейся беседке за растущим вокруг депо кустарником, Василий достал из своей сумки две бутылки водки, шмат сала, черный хлеб и две луковицы. Монтеры одобрительно переглянулись. Приезжий действительно оказался простым, хорошим мужиком, которому и помочь не грех. А в том, что помощь ему понадобится, никто и не сомневался: не будет же он ни с того ни с сего поить незнакомых людей! Отношения складывались ясные и незамысловатые: мы у тебя угощения не просили, сможем — поможем, нет — извини!

Выпили за знакомство, за железнодорожников, за родителей.

— А ведь у меня дело есть, мужики, вы-год-но-е! — сказал Василий, когда первая бутылка подошла к концу. — На этом деле мы все хорошо заработать можем...

Сотрапезники кивнули, хотя понимали, что ничего, кроме нескольких бутылок водки, они не заработают, сколь бы выгодным ни было предлагаемое дело.

— Я сейчас на одну фирму работаю. А у нее вагон обокрали. На десять миллионов! Если поможете — пятьсот тысяч наши. Поделим на четверых! Ну, извините, не поровну: триста мне, двести вам. Годится?

Зарплата монтера пути составляет две тысячи триста рублей в месяц. Суммы, о которых говорил Василий, на этом фоне представлялись совершенно нереальными и интереса для дальнейшего обсуждения не представляли. Но вторая бутылка водки была вполне реальной, она стояла на застеленном газеткой столе и представляла несомненный интерес.

— А где разбомбили-то вагон? — поинтересовался похожий на Буратино.

Василий пожал плечами.

— Кто знает... Из Москвы вышел целый, а в Новороссийск

пришел прорубленный... В составе охрана была, говорят, где-то в вашем районе...

Монтеры покачали головами.

— Может, у нас, а может, и не у нас. Что взяли-то?

— Алмазные буровые коронки, — сказал Василий. — Они никому не нужны, там другие алмазы, технические... Короче, обычному человеку без пользы. А когда бурить надо, через каменную породу пробираться, тогда им цены нет! Потому и дорогие! Их в Турцию по контракту отправляли.

При слове «Турция» небритый оживился.

— У нас недавно турецкий контейнер прорубили. Угря с Саввой сцапали, да Лаврентьича с ними, только Лаврентьича потом выпустили. Он рассказывал: предупреждал, мол, дураков, на иностранное не лезть! А они позарились! Вот и сидят теперь!

— Да ну?! — вскинулся Василий. — А сколько им дали-то?

— Пока нисколько. Суд только завтра начнется.

— Так, может, это они и наш вагон заломали? — озабоченно насупил брови Василий и начал разливать вторую бутылку.

— Вряд ли. Куда бы они эти бурильные головки дели?

— Все равно, спросить надо, — не согласился Василий.

— Как же ты спросишь, если они в тюрьме сидят?

— Так, может, условно дадут! И сразу выпустят!

Востроносый с сомнением хмыкнул.

— Савве, может, и дадут условно. А Угорь уже сидел, ему на полную катушку вкатят...

— Тогда у этого, Лаврентьича, надо спрашивать! Познакомите с ним, мужики?

Небритый со скрипом потер щетину.

— Познакомить не познакомим, это ведь дело щепетильное... А показать его со стороны покажем. А там ты уже сам подходи да выспрашивай. Нам в эти дела встревать негоже...

— Ладно, мужики, разве я не понимаю? Я ведь тоже раньше на заводе пахал... Давайте выпьем, что ли?

Через полтора часа Василий так же по-свойски беседовал за кружкой пива с Иваном Лаврентьичем Пименовым. Теперь они стояли за высоким столиком в привокзальной пивной, грызли сухую тарашку, время от времени опрокидывали по сто граммов водочки и запивали почти прозрачным «жигулевским».

— Так кто предложил на турецкий-то контейнер идти? — в очередной раз спрашивал он, изображая полное непонимание столь опасной глупости. И Лаврентьич с ним полностью соглашался.

— Говорю же — козлы! Или Савка предложил, или Угорь, точно и не упомню. А я им сказал: нельзя на иностранный груз замахиваться, могут матку вывернуть!

Испитое лицо Лаврентьича раскраснелось, глаза воинственно блестели.

— А они в ответ: не боись, сейчас все можно... Вот тебе и можно! Всю станцию раком поставили, и меня в кутузку посадили, хорошо, скоро выпустили! Коз-злы!

— Может, подсказал им кто? Или подводку дал? — продолжал выпытывать Василий.

— Да какое там! За полчаса у них и мысли такой не было! А потом увидели товарняк с турецкими вагонами, вот и стрельнуло в заднице!

— Ладно, а как насчет моего вагона? Может, его тоже они прорубили?

Лаврентьич прищурился и доверительно приблизил лицо к уху собеседника.

— Я тебе точно говорю: никакого вагона с алмазами у нас не рубили...

— Да он не с алмазами! С буровыми коронками, а в них алмазы, — это совсем другое дело!

Пименов зажмурился и замотал головой так, что она могла оторваться от морщинистой шеи.

— Все одно. Говорю — не трогали твоего вагона! Ищи свои алмазы в другом месте!

— Да это не настоящие алмазы, они просто так называются!

«Иванов» нарочно зацикливал собеседника на мифических буровых коронках. И это у него получалось. Лаврентьич с пеной у рта доказывал, что никакого другого вагона его друзья не грабили. Все остальные расспросы Василия отошли на задний план и забылись. Допив водку и пиво, новые знакомые расстались.

— Завтра в суд вызывают, — кряхтел Лаврентьич. — Хошь не хошь, а надо идти, деваться некуда...

— Я тоже приду, — пообещал Василий. — А потом треснем по маленькой. Где тут у вас суд-то?

За пятьсот рублей «Иванов» переночевал в комнате отдыха машинистов. Перед тем как заснуть, подвел промежуточные итоги. Свою миссию он почти выполнил. Кража имела место в действительности, ее план возник внезапно и не был кем-то подсказан, воры арестованы. Концы с концами сходятся.

Конечно, можно предположить, что все это правдоподобная имитация. Петр Васильевич ориентировал его именно на такую возможность. Теперь важно узнать, как накажут воров.

Если чисто символически, значит, действительно кража могла быть имитированной. Если наказание окажется суровым, это подтвердит первоначальный вывод. Можно усложнить рассуждения и предположить, что, несмотря на суровость наказания, воров тайно освободят, сделают пластическую операцию и, снабдив новыми документами, переселят в отдаленную местность. Но это версия для голливудского фильма, а не для простецкой российской действительности. И «Иванов» спокойно заснул как человек, честно выполнивший свой долг.

Процесс о взломе контейнера был рядовым, но народу в зале суда собралось довольно много: железнодорожников дело очень волновало. Подсудимые отказались от сделанных ранее признаний, отпечатков пальцев и показаний Лаврентьича, настаивая на своей полной невиновности и требуя оправдательного приговора. Это было обычное поведение преступников в эру поголовной невиновности.

Объявив перерыв, судья Давыдов зашел к председателю суда и доложил обстановку.

— Это те, за которых из ФСБ просили? — наморщил лоб начальник. — Они больше не звонили?

— Да нет, — покачал головой Давыдов.

— Ну, тогда смотрите сами. Времена теперь другие. Мы независимы и никому не подчиняемся.

— Но там этот заграничный контейнер... В общем-то, дело мутное, шпионажем пахнет...

Давыдову уже стукнуло пятьдесят девять, как человек старой закалки он с пиететом относился к госбезопасности. Но председателю было всего тридцать семь, и он принадлежал к новой формации, в которой уважают только того, кто может поставить на должность или отстранить от нее.

— Это нас не касается. Есть уголовное дело, его надо разрешить по существу. Вот и разрешайте.

Наглое поведение подсудимых сыграло свою роль. Давыдов приговорил Саватеева и Угольникова к пяти годам лишения свободы каждого. Как говорится, на полную катушку.

Выйдя из суда, «Иванов» наткнулся на поджидающего его Лаврентьича. Тот был явно расстроен.

— Пойдем выпьем, — предложил он. — Вишь, козлы, что удумали, теперь выходит, что это я их посадил!

«Иванов» покачал головой:

— Не могу, батя. Мой вагон, кажется, нашелся. Поеду разбираться...

На следующий день подробный отчет «Иванова» получил неприметный российский гражданин Петр Васильевич Потапов, известный в московской резидентуре ЦРУ под псевдонимом Слон. Суть отчета он, зайдя в интернет-кафе, сбросил в виде криминального репортажа на безобидный е-мейл, один из сотен тысяч в мировой компьютерной сети. А еще через несколько часов отчет прочел Ричард Фоук и окончательно убедился, что провал одного звена операции «Сеть» является случайностью.

* * *

Через несколько дней после возвращения из рейса Александр получил первую зарплату. Со всеми надбавками она оказалась в два с лишним раза больше, чем у обычного ракетчика. Распираемый гордостью, он пришел домой и развернул перед Оксаной веером хрустящие купюры. Супруга вначале обрадовалась, но тут же потухла.

— Тут и потратить не на что... Разве что отложить до лучших времен...

— Зачем откладывать, — возразил Александр. — Это событие нужно отметить. Давай выедем в Кротово, Шульгин сказал, что там есть неплохой ресторанчик.

Оксана снова повеселела.

— Ой, как здорово! Я уже забыла про развлечения!

Они выбрались вчетвером: Кудасовы и Шульгин с подругой — грудастой буфетчицей Светой. Для конспирации все вышли из части порознь и топали пешком метров пятьсот, а за лесополосой их поджидал убитый «Москвич» одного из местных жителей, с которым Шульгин поддерживал приятельские отношения. Оксана надела свой красный сарафан, босоножки на шпильках и жемчужные украшения, когда она ковыляла по пыльному проселку мимо бурьяна и лопухов, казалось, что это какая-то кинозвезда, спрыгнувшая из нездешней экранной жизни в сельскую глубинку Тиходонского края. Идти было неудобно, ноги и босоножки запылились, приподнятое настроение сменилось раздражением.

— Давай быстрее, подруга! — с хохотом подбадривала ее Света. Она надела короткое ярко-голубое платье в блестках и кроссовки, которые уже в машине сменила на черные «лодочки». Кавалеры в гражданских костюмах с галстуками выглядели вполне цивильно, только водитель — веселый увалень Толян был в военном камуфляже с закатанными рукавами. Кудасов подумал было, что он тоже военный, но по разговору быстро понял, что к армии тот не имеет ни малейшего отношения.

— На пилораме работы стало — невпроворот! — радостно сообщил тот. — Как консервный завод тиходонские выкупили, так и строят все, так и ремонтируют. Говорят, скоро на полную мощность запустят... Но рабочих в основном привозных наймут. Наших брать не хотят: пьянь — говорят. Да оно и правильно. Только и приезжие пить будут, без этого не обойдется.

Взяв у Александра платок, Оксана вытерла ноги, отряхнула босоножки.

— Неужели, чтобы куда-то выйти, надо всей перемазаться? Что же это за место такое? — пожаловалась она неизвестно кому.

— Э-э-э, девушка, это ты еще не перемазалась! — радостно захохотал Толян. — Погоди, вот осень придет, так ты по нашей грязи в сапогах не пройдешь!

— Не подливай масла, Толян! — осадил водителя Шульгин.

— Не пройдет, клянусь не пройдет! Сапоги в грязи останутся. Разве что босой... Тогда можно... Кстати, про сапоги... Ты, Игорь, форму-то получил? Отдал бы мне ватник и сапоги, а то я те сносил уже...

В Кротове за прошедшие полтора месяца произошли заметные изменения. Заброшенное общежитие консервного завода полным ходом ремонтировалось, на площади появились две торговые палатки и красочный, похожий на цирк шапито шатер пивной, изрисованный логотипами «Балтика». Из «цирка» круглосуточно доносилась громкая музыка, но почти все места оставались свободными: аборигенов отпугивала не роль дрессированных животных, а несуразные цены — кружка слабого пенистого напитка стоила столько же, сколько бутылка забористого самогона. А если цена одна, то зачем покупать слабое вместо крепкого? Этот нехитрый принцип практичные селяне исповедовали задолго до того, как навязчивая реклама попыталась сделать из него откровение. Поэтому наиболее посещаемым злачным местом оставалась поселковая чайная, на которую привесили фанерную вывеску «Ресторан», с незатейливым ассортиментом блюд и развлечений: антрекот с жареной картошкой, гуляш и отдельно мясо из гуляша, которое в сочетании опять-таки с жареной картошкой называлось уже красиво и непонятно — «бефстроганов».

Шульгин расторопно сделал заказ, полная неулыбчивая официантка быстро принесла салаты, графинчик с коньяком и шампанское.

Небольшой зал был полон. Судя по лицам посетителей, здесь собралась не самая порядочная и интеллигентная публика. За двумя сдвинутыми столиками сидели явно приезжие кавказцы, наверное, строители. Они то и дело приглашали трех вульгарных крашеных блондинок, веселившихся в чисто женской компании. Из дальнего угла за происходящим угрюмо наблюдали четыре молодых крепких парня специфической блатной внешности.

По плебейской традиции старания музыкантов многократно усиливались мощной аппаратурой: с советских времен отдых принято связывать с музыкой, и чем музыка громче, тем отдых лучше.

— Ну, за первую офицерскую получку! — прокричал Шульгин, однако сквозь грохот динамиков разобрать слова можно было только по губам. Впрочем, все и так было ясно.

Офицеры с дамами пили и закусывали, девушки отдавали предпочтение шампанскому, молодые люди — более крепкому напитку. Как-то очень быстро все оказалось выпито, и Шульгин повторил заказ.

— А патруль сюда не зайдет?! — наклонившись к самому уху товарища, крикнул Кудасов.

Тот помотал головой.

— Нет! Внутри редко проверяют! И график заранее составляют, тогда мы узнаем и сюда не ходим!

— А если в поселке засветимся?! — продолжал беспокоиться Кудасов.

Он чувствовал себя нарушителем и от этого испытывал дискомфорт. Стоя на пороге ответственной должности нельзя попадаться на нарушениях приказов. А еще лучше совсем не допускать этих нарушений. По натуре Александр был человеком дисциплинированным и сегодняшний проступок совершил только ради Оксаны.

— Смотря кто в патруле будет! Офицеров обычно не трогают! Если не сильно пьяный! — прокричал Шульгин. — Пойдем лучше потанцуем!

Офицеры подхватили Оксану со Светой и принялись кружиться по залу. Алкоголь сделал свое дело: настроение улучшилось, музыка уже не казалась навязчиво-громкой, блондинки — вульгарными, а хмурые парни — приблатненными. Было весело, наступило расслабление и отдохновение души. Оксана раскраснелась и заливисто смеялась, в этом шалмане она была, несомненно, самой красивой девушкой.

Время пролетело быстро, Шульгин посмотрел на часы: Толян должен был забрать их в девять тридцать. Оставалось еще сорок минут.

Внезапно к столику подошел небритый кавказец лет тридцати, он был сильно пьян и заметно покачивался. Начав что-то говорить Оксане и не сумев перекричать оркестр, он схватил девушку за руку и стал поднимать со стула.

— Эй, эй, ты чего! — Кудасов вскочил и оттолкнул наглеца.

Тот отлетел в сторону и с трудом удержался на ногах. Музыка смолкла.

— Ты кого толкаешь?! — ощерился кавказец, обнажая золотые зубы. — Пойдем выйдем!

— Сам выходи! Спать иди! — зло сказал Кудасов, внимательно следя за руками противника.

— Ну ладно, раз так — жалеть будешь! — процедил золотозубый и неверной походкой вернулся к землякам. Те недобро уставились на офицеров. Их было человек десять.

— Надо уходить, пока они не опомнились, — сказал Шульгин, подзывая официантку. Лицо у него было озабоченным.

Но Александр чувствовал, что без драки не обойдется. Причем драка будет не киношной, в которой два офицера сноровисто разбрасывают кучу негодяев, а реальной, и десятеро легко изобьют двоих. Потому что офицеров хотя и учили рукопашному бою, но попутно, а в основном их обучали инженерным расчетам и массе сложных военно-технических дисциплин, которые сейчас никак не могли помочь. Помочь мог бы положенный офицеру табельный «ПМ», но он стоит в оружейной пирамиде... А у этих наверняка в карманах ножи...

У Александра взмокли ладони и засосало под ложечкой. Он положил на стол деньги. Может, Толян уже подъехал и они успеют вскочить в машину... До части несколько минут езды, а там часовые... Хотя возвращаться следует осторожно, не поднимая шума, но сейчас этим придется пренебречь...

— Пошли, — обитатели военного городка встали и направились к выходу. Кавказцы провожали их недобрыми взглядами и о чем-то спорили, сильно размахивая руками.

— Мне надо в туалет, — сказала вдруг Оксана, когда они вышли в вестибюль.

Черт, как не вовремя! Но что можно на это возразить?

— Давай, только быстро!

Шульгин взял Свету под локоть.

— Мы выйдем, поищем Толяна...

— Давайте, — пожал плечами Кудасов, хотя это ему не понравилось.

Он остался один в маленьком замызганном вестибюле, в маленьком замызганном поселке, один на один с опасностью... Почему они не выходят? Это обстоятельство не успокаивало, а настораживало еще больше. Трудно предположить, что эта публика откажется от мести... Если бы золотозубый пошел следом, это бы означало, что они удовольствуются обычным мордобитием. Но если они выйдут позже, конспиративно, значит, собираются учинить что-нибудь похуже... Кудасов испытывал сильное волнение, грозящее перерасти в страх. И ему было стыдно своих чувств. Старший лейтенант российской армии, будущий командир пуска... Разве может он бояться какой-то шантрапы?! Ему предстоит запускать ракеты, уничтожающие целые города и страны! Но... Если сейчас его искалечат, то ничего запускать не придется и вся российская армия ему не поможет...

Из зала снова загремела музыка. В проеме двери мелькнула хищная мордочка с редкими черными усиками и тут же скрылась. Где же Оксана?!

Жена появилась через несколько минут с улыбкой на лице.

— А где Игорь со Светой? Они вернулись танцевать?

— Быстро, пошли отсюда! — схватив Оксану под локоть, Александр потащил ее к выходу.

Уже стемнело, дул прохладный ветерок. Фонари, как и следовало ожидать, не горели. Ни Толяна с его «Москвичом», ни Шульгина со Светланой видно не было. В отдалении, на фоне освещенной площади, колыхались какие-то силуэты.

— Туда! Быстро!

— Да куда ты так спешишь? — удивлялась Оксана. — Где наши друзья?

Сейчас она предельно раздражала Кудасова.

— Не знаю, — сквозь зубы процедил он. — Надеюсь, они ждут нас на площади.

На самом деле у него появилась неприятная мысль, что сослуживец просто-напросто сбежал. Смотался. «Сделал ноги».

Они прошли метров пятьдесят, когда сзади послышался шум вывалившей из «чайной» компании. Раздался протяжный свист.

— Вот они! А ну стойте!

— Беги! — Кудасов толкнул жену в спину.

— Не могу, я же на каблуках...

— Так сними их, к чертовой матери! — рявкнул он.

— Стой! Я из тебя шашлык сделаю! — гортанно крикнул кто-то.

Сзади раздался топот ног. Во дворах всполошенно лаяли собаки. Александр нагнулся, пошарил по земле, но ни камня, ни палки под руку не попадалось. Если бы с ним были два-три «черных автоматчика»! Эти парни и черту голову скрутят...

Оксана побежала, зажав босоножки в руках. Кудасов помчался за ней. Он вполне мог бы убежать, но Оксана бежала медленно, то и дело спотыкаясь. Преследователи догоняли. Их было меньше, чем за столом, — человека четыре. Вполне понятно: пить, кушать, отдыхать — это одно, а драться — совсем другое.

У них тоже очко играет... Если показать им ствол пистолета, они мгновенно слиняют... Но пистолета нет!

Когда расстояние сократилось до нескольких метров, Кудасов остановился и повернулся к врагам лицом. Над ними ржаво скрипел фонарь, желтый круг света раскачивался из стороны в сторону. Впереди, тяжело дыша, бежал золотозубый. Александр размахнулся, метя в челюсть, но сильного удара не получилось — так, тычок, вскользь по жесткой щетине.

— Глохот куным! — выругался тот и повис у Кудасова на шее, ногами пытаясь сделать подножку. Сильно воняло потом, перегаром и табаком. Схватив жилистую руку, Александр вывернул кисть, — это было почти все, что он помнил из курса рукопашного боя. Но прием помог освободиться, резко повернувшись, он бросил противника на землю. Но тут набежали остальные, со всех сторон посыпались удары. Некоторые были несильными, некоторые тяжелыми, грозящими сбить с ног. Кудасов уворачивался и отбивался, но было ясно, что долго он не продержится.

— Что вы делаете! Милиция! На помощь! — изо всех сил кричала Оксана.

Собаки продолжали лаять, но было ясно, что никто не выйдет на темную улицу.

— Дайте мине эту суку! — золотозубый поднялся на ноги, в руке у него что-то блестело.

— Помогите, убивают! — надрывалась Оксана.

Раздался скрип тормозов, Кудасову почудилось, что на выручку пришел патруль милиции. Но это оказался огромный белый джип, милиция на таких не ездит, скорей всего — подоспели дружки нападающих. В отчаянии он с маху ударил кого-то в ухо и попал хорошо: тот отлетел в сторону и привалился к забору.

Из джипа вылезла огромная фигура и влезла в самую гущу драки.

Бац! Золотозубый побежал спиной вперед и, с утробным стоном, опрокинулся навзничь. Бац! Согнулся и рухнул ничком его приятель. Бац! Растянулся на пыльной дороге третий...

Все закончилось в один миг. Кудасов не мог поверить в столь чудесное спасение. Оксана по инерции продолжала визжать.

— Успокойся, Барби! — раздался уверенный баритон из джипа. — Уже все в порядке. Дядя Сурен подоспел вовремя!

Оглянувшись, Кудасов узнал сомнительного доброго дядюшку, устроившего им свадьбу. Вот дела, откуда он здесь взялся?

— Как ты здесь оказалась, Барби? — спросил Степан Григорьевич.

— Ой, Алик! Суренчик! — радостно закричала Оксана и тут же поправилась:

— Здравствуйте, Степан Григорьевич! Мы же здесь живем! Не прямо здесь, а в военном городке! Сашу сюда распределили!

— А, так ты с законным супругом! Я молодого мужа и не узнал...

— А вы что здесь делаете? — спросил Кудасов. Он вновь испытывал двойственные чувства: с одной стороны, Степан Григорьевич их спас, с другой — этот человек был ему неприятен. В значительной мере теми непонятными отношениями, которые связывали его с Оксаной.

— А я поднимаю на ноги российскую глубинку, — засмеялся тот. — Купил консервный завод, скоро запущу его на полную мощность... Ну, давайте, лезьте в машину, поговорим в более приятном месте.

Распластанные фигуры начали шевелиться. В тусклом свете желтого фонаря на земле блестели какие-то камешки. Присмотревшись, Александр понял, что это золотые зубы.

Подсадив Оксану на высокую подножку, он залез в просторное кожаное нутро «Лендкрузера». Это был оазис уюта, комфорта и безопасности. Здесь приятно пахло, аппаратура климат-контроля поддерживала нужную температуру и влажность воздуха, — показалось даже, что пахнет морем. Алик, отряхнув руки, занял место водителя. Ровно заурчал мотор. Поверженные противники ошалело поднимались на ноги. Один, наклонившись, чиркал спичками и рассматривал что-то на земле. Он искал свои зубы.

— Поехали, — приказал Степан Григорьевич.

«Более приятным местом» оказалась все та же самая переименованная в ресторан чайная. Белый джип остановился у крыльца.

— Там друзья этих, — испуганно сказала Оксана. — Ну этих...

— С которыми я дрался, — прояснил вопрос Александр.

— Вот и хорошо, — засмеялся Степан Григорьевич. — Сейчас за беспокойство получим!

Он бодро выпрыгнул из джипа, галантно подал руку Оксане и пошел впереди, но почти сразу его обогнал Алик. Александр с женой отставали на два шага. В таком порядке все четверо и вошли в гремящий музыкой зал. Там почти ничего не изменилось, только веселья поубавилось — наиболее активные весельчаки приводили себя в порядок на улице, поэтому у блондинок не было партнеров, и площадка для танцев пустовала.

Оставшиеся за столом кавказцы то и дело поглядывали на дверь, явно ожидая возвращения соплеменников. Увидев Степана Григорьевича и его спутников, они пришли в замешательство. Хмурые парни в углу приподнялись и почтительно его приветствовали. Навстречу выбежала полная официантка, которая теперь лучилась радушием.

— Добрый вечер, Степан Григорьевич! Вы в зал или в кабинетик?

— Здесь сядем, с народом, — покровительственно отозвался тот.

— Сейчас, я только скатерточку свежую застелю!

— И звук убавь, вы что тут, все глухие? Инвалиды мне не нужны — всех уволю!

Через пару минут Степан Григорьевич и Кудасовы сидели за накрытым хрустящей скатертью столом, а Алик развернул стул и устроился чуть в стороне, внимательно оглядывая зал. Навязчивая музыка смолкла. Можно было спокойно разговаривать.

— Эта чайная тоже ваша? — спросил Александр.

Степан Григорьевич кивнул:

— Тоже. Я здесь все куплю. Или почти все. Надо нормальную жизнь налаживать, а все связано: завод заработает — без складов хороших не обойтись, потом хочу железнодорожную ветку провести, чтобы вагонами, а не машинами продукцию вывозить. А о человеческом факторе помнить надо? Надо! Карнеги говорил, что для успеха дела заниматься им должны довольные люди. Общежитие для рабочих сделаю, гостиницу для приезжих построю, ресторан в нормальный вид приведу, баню поставлю... А потом думаю в мэры избраться! Как считаешь, Оксана, из меня выйдет хороший мэр?

Сияющая официантка принесла красиво нарезанный арбуз, коробку конфет, бутылку шампанского и пузатую бутылку коньяка. Но это были совсем не те шампанское и коньяк, которые пили офицеры час назад. «Дом Периньон» и «Корвуазье» — французские изыски, на зарплату ракетчика, даже со всеми надбавками, такие не купишь.

— Откуда здесь такие напитки? — судя по тону, Оксана тоже верно оценила угощение. — На столах ничего подобного не видно...

— Мои личные запасы. Гостям их не подают. Да здесь и спроса на такие вещи нет. Но это уже не мои проблемы!

Официантка наполнила бокалы до краев: Оксане — шампанским, мужчинам — коньяком. Очевидно, такая у Степана Григорьевича была мода.

— Давайте выпьем за встречу! — будущий мэр Кротова залпом осушил свой бокал. Его бледное лицо покраснело.

Изысканно и тихо заиграл оркестр. Диссонансом новой музыке явились четверо ввалившихся в зал людей. В грязной помятой одежде, они еле держались на ногах. Но не от выпитого. На лицах ссадины и кровоподтеки, у одного вдребезги разбиты губы. Они подошли к притихшим землякам и, размахивая руками, стали что-то гортанно кричать, перемежая родной язык густым русским матом. Но тут же вновь наступила тишина. Все четверо опасливо оглянулись на Алика, после чего застыли как соляные столпы.

Один из хмурых парней подошел к Степану Григорьевичу.

— Может, поставить черножопых на перья? Они совсем обнаглели!

Тот покачал головой:

— Не надо пока. Просто объясни им порядок. И пришли ко мне старшего.

Подбежавшая официантка быстро наполнила бокалы. Александр лишь немного отпил из своего, и Степан Григорьевич недовольно спросил:

— Разве я угощаю плохим коньяком?

— Нет, просто это слишком большая порция...

— Разве чудесное спасение не стоит, чтобы за него выпить? При другом раскладе ты бы лежал на улице с разбитым черепом и переломанными костями. А сейчас сидишь за хорошим столом, живой и невредимый. Так что пей!

Александру не понравился этот тон, но он все же выпил бокал до дна. Сразу в голове зашумело.

— Извините нас, это недоразумение, — к столику подошел невысокий полный кавказец с округлым животом и узенькими седыми усиками. Он был похож на колобка. На его лице застыло почтительное выражение вежливого внимания. — Ребята горячие, Оганес хотел пригласить девушку, только и всего...

— С ним будет особый разговор, — безразличным тоном произнес Степан Григорьевич. — А ты собери со своих друзей по пятьсот баксов. Вас сколько, десять? Перемножь по-быстрому...

— Но...,

Смуглое лицо побледнело.

— Дрались только трое...

— А остальные их не остановили! Значит, все виноваты! Даю тебе пять минут.

Колобок заметно растерялся.

— У нас и не наберется столько...

Степан Григорьевич безразлично махнул рукой.

— Это не мой вопрос. Пять минут. А потом... Сам знаешь: счетчик и все такое... И пусть подойдет этот, как там его... Оганес.

Губы Оганеса напоминали сырой бифштекс.

— Ишвините, — прошепелявил он и протянул раскрытую ладонь, на которой лежали три выбитых зуба как доказательство искупления вины.

— Ты мою племянницу обидел, гнида! — будущий мэр Кротова приподнялся из-за стола. — Извиняйся как положено, сука! На колени!

— Што?.. — Оганес попятился.

— Быстро! На колени!

Тот затряс головой и понизил голос.

— При семляках не могу... Потом стану...

— Алик!

Телохранитель подошел вплотную и коротко ударил Оганеса в живот. Ноги у него подогнулись, и он упал на колени. Золотые зубы вновь рассыпались, на этот раз по потертому деревянному полу.

— Теперь извиняйся!

— Ишвините...

— Лучше извиняйся, искренней!

— Ишвините, я больфе не буду... Ишвините...

Такого в кротовской чайной еще не видели. Посторонние посетители начали поспешно расплачиваться и расходиться. На друзей Оганеса эта сцена тоже произвела впечатление. Колобок бочком скользнул к столу и положил что-то завернутое в салфетку.

— Здесь две тысячи и часы. Швейцарские, золотые... Больше нету...

— Ладно, черт с вами! — Степан Григорьевич самолично наполнил бокалы. — Пошли отсюда! И имей в виду, я никому не позволю делать здесь погоду! Давайте за справедливость, — он поднял свой бокал.

— И за тех людей, которые умеют ее устанавливать! — Оксана весело рассмеялась и первой чокнулась с будущим мэром. — Саша, что же ты?

Александр тоже выпил. И тут же почувствовал, что эта порция была лишней. Она отделяла просто выпившего человека от пьяного.

— Я открою тебе один секрет, — продолжала смеяться изрядно охмелевшая Оксана. — Это Степан Григорьевич оставил тебя в Тиходонске. Ну, в смысле здесь, недалеко...

Степан Григорьевич поморщился.

— Не надо об этом...

— Как не надо? Как раз надо! Но зачем ты... зачем вы посадили его на этот дурацкий поезд?

Несмотря на свое состояние, Александр ударил жену по ноге. Она вздрогнула, но по инерции закончила фразу:

— Теперь я его месяцами не вижу дома...

Александр пнул ее еще раз.

— Перестань болтать!

— Ой, что ты делаешь! У меня будут синяки!

Ресторанный зал опустел, но оркестр оставался на месте.

— Давайте вальс! — приказал Степан Григорьевич. И протянув Оксане руку, не то спросил, не то скомандовал: — Позвольте вас пригласить, прекрасная дама!

— Ой... Саша, ты не возражаешь?

— Нам пора ехать, — с трудом вымолвил он.

— Да, конечно... Я быстро...

У Саши кружилась голова, и он понял, что сейчас будет блевать.

В пустом зале Степан Григорьевич картинно танцевал с Оксаной, Алик о чем-то беседовал с официанткой. Стараясь не привлекать внимания, Саша встал и, с трудом удерживаясь на ногах, двинулся в сторону вестибюля. Пол качался, как палуба корабля в шторм. Горло душила какая-то петля. Он распустил ее и бросил галстук под ноги. Едва он с трудом добрался до туалета, как его вывернуло наизнанку. Это повторялось несколько раз, в перерывах он, навалившись на подоконник, прижимался пылающим лбом к прохладному матовому стеклу.

Потом доброжелательно сюсюкающая официантка привела его в какую-то комнату и уложила на диван.

— Где... где Оксана? — спросил он.

— Они поехали за врачом. Сейчас вам окажут помощь.

Александр провалился в тяжелый и беспокойный сон. Прыгая с вагона на вагон, он бежал по крышам БЖРК, за ним гнались кавказцы во главе с Беловым и Степаном Григорьевичем, к счастью, при нем был пистолет, но спуск не поддавался, тогда он вскочил в маленькую дрезину и помчался по маскировочным рельсам, опасаясь, что они вот-вот закончатся и он упадет под колеса... Но рельсы не кончались, и он несся вперед и вперед, не имея возможности оглянуться на преследователей...

Резкий запах нашатыря вывел Сашу из забытья: перепуганная Оксана держала у него под носом остро пахнущую мокрую ватку.

— Что с тобой, Саша? Ты же раньше никогда так не напивался!

— Мне... Уже... Лучше...

— Вот, рассольчику выпей, будешь как новенький! — улыбалась официантка, протягивая стакан с мутноватой жидкостью.

И успокоила Оксану.

— У мужиков такое бывает, особенно по молодости. Еще привыкнешь...

После рассола Саше действительно полегчало, он осмотрелся. Обитые дубовыми панелями стены, большой офисный стол, кресло, модные светильники... Сам он в одежде и обуви лежал на дорогом кожаном диване.

— Где я? — он сел, для страховки поддерживая голову. Но с ней все было более-менее в порядке.

— В кабинете Степана Григорьевича, — услужливо объяснила официантка.

— А сам он где?

— Дома, наверное, — пожала плечами она. — Где же еще...

— А ты где была? — спросил он у жены.

— Да здесь и была, — они с официанткой переглянулись. — Поехали за врачом, а его нет. Вот и ждала, пока ты проснешься.

Кудасов посмотрел на часы. Пять тридцать. Ничего себе!

— Получается, уже утро?!

— Получается так, — согласилась Оксана. — Пойдем, нас Андрей ждет. Пора возвращаться домой.

— Какой такой Андрей? — не понял Саша.

— Пойдем, увидишь! Держись за меня...

Но Кудасов самостоятельно вышел на улицу. Тело слушалось его, только голову будто опилками набили. Солнце уже взошло. Прохладный воздух оказывал на него живительное действие, он глубоко дышал.

Вместо белого «Лендкрузера» у ресторана-чайной стояла вишневая «девятка». За рулем сидел... бывший сокурсник и бывший генеральский сын Андрей Коротков.

— Фу, ну и ну! — Саша протер глаза, сжал ладонями виски. Андрей не исчезал и не превращался в Алика. Напротив, он приветливо улыбался.

— Здорово, Сашок! Как дела?

— Как ты здесь? — с трудом проговорил Кудасов, заваливаясь на переднее сиденье. Оксана предупредительно закрыла за ним дверь.

— Так я работаю у Степана Григорьевича, — весело ответил

Андрей. — Он знаешь какой молодец! Настоящий капиталист: все строит, все налаживает, все поднимает... И людям дает работу. А у тебя как?

— Неплохо, — Александр потер себе уши. Он чувствовал, что выглядит менее преуспевающим, чем недавний сокурсник. — Старшего лейтенанта получил. Зарплата — девять тысяч в месяц. «Чистыми»!

— А мне Степан Григорьевич двадцать платит! Машину дал, обещал квартиру купить, — широко улыбался Коротков. — Я не жалею, что ушел со службы. Здесь вольница: сам себе хозяин, заработок — как у замминистра! Вот, держи визитку, позвонишь при случае!

— Наверное, я тоже попрошусь к Степану Григорьевичу! — с сарказмом сказал Саша. — Как считаешь, Оксана?

Жена промолчала, а Андрей юмора не понял.

— Конечно, просись, он возьмет!

В шесть часов «девятка» остановилась у КПП. Собрав волю в кулак, Кудасов походкой трезвого человека прошел мимо часовых и дошел до дома. Только в квартире он отрубился второй раз и проспал до середины дня.

Вечером забрел Шульгин.

— Куда вы вчера пропали? — как ни в чем не бывало спросил он. — А что у тебя за синяк на скуле?

— Дрался. Один против четверых, — скупо ответил Кудасов. — Смотрел по сторонам, искал товарища, а его и след простыл!

— Перестань, Сашок! Думаешь, я нарочно сбежал? Так получилось... Эта скотина Толян не приехал, мы ночью по степи пешком шли, по лесополосе. Светка страху натерпелась, чуть не умерла, да и мне не по себе было... А ты как же?

— Да очень просто... Переколотил засранцев — и все дела. Одному золотые зубы вышиб...

— Да, ты лихой парень... Жалко меня там не было, мы бы им дали!

— Жалко, — кивнул Кудасов. Он знал, что на дружбе с Шульгиным поставлен крест.

* * *

В наши дни иностранному разведчику нет необходимости проползать под колючей проволокой пограничной полосы или прыгать из стратосферы с парашютом. Комфортабельный паром доставил американского туриста Тома Мэйсона из финского порта Ханко в эстонский порт Таллин. Он добросовестно осмотрел старый город, знаменитый Вышгород, погулял в Кадриорге и даже искупался в холодных водах Финского залива. Затем он сел в самолет и отправился в Россию. Эстонские пограничники зафиксировали официальный выезд иностранного гостя, а в аэропорту Москвы он предъявил российский паспорт на имя Василия Столярова и по «зеленому коридору» беспрепятственно вышел в город. Так, мирно и вполне успешно, прошла инфильтрация Билла Джефферсона-Мачо на российскую территорию.

В Москве Билл бывал много раз, последний — четыре года назад, да и то это была ужасно нервная и рискованная поездка, связанная с выполнением «острой акции» — вывозом агента ЦРУ из числа высокопоставленных российских граждан, который попал под колпак контрразведки. Провал грозил тюрьмой, действовал он полуконспиративно, и ему не привелось плотно ознакомиться с изменениями в российской жизни.

Теперь он отчасти это компенсировал: поселился в западном секторе гостиницы «Россия» и три дня по утрам и вечерам любовался через широкое окно многочисленными куполами Кремля, собором Василия Блаженного и храмом Христа Спасителя. Дни он проводил в метро, магазинах, музеях, закусочных и других местах, притягивающих обычно приезжих с периферии. Это было своеобразное самотестирование: Мачо терся среди людей, заговаривал с ними, изучал, насколько изменились их привычки за последние годы.

Изменений было много. Москва полностью утратила облик советской эпохи: теперь это был европейский город, только без европейского порядка, обязательности и безопасности. В обилии иностранного — плакатах, рекламах, бутиках, автомобилях, ресторанах — полностью растворилась российская самобытность. Народ стал грубее и развязнее, то и дело слышалась нецензурная брань, летели под ноги плевки и окурки. Молодые люди на улицах, площадях, в парках и метро залихватски и совершенно открыто пили пиво, бросая бутылки где придется. В Соединенных Штатах за такое арестовывали. Стражей порядка было много, к их вооружению прибавились автоматы, но рвения к службе явно стало меньше. Он видел, как два постовых медленно и с явной неохотой шли к дерущимся бомжам у Белорусского вокзала, на их лицах отчетливо читалась надежда, что те разбегутся и вопрос будет исчерпан сам собой.

Как-то вечером, в переулке рядом с Красной площадью, на Мачо напали три грабителя. Не опустившаяся пьянь, а прилично одетые молодые люди, крепко сбитые, трезвые и уверенные в себе. Один схватился за кожаный портфель, второй наставил нож, третий привычно принялся обшаривать карманы. Поразило то, что делали они это совершенно спокойно и ничего не опасаясь. Поскольку самым опасным был парень с ножом, Мачо начал с него. Прямой удар кулаком в сердце, и нож звякнул об асфальт, потом и его обладатель с треском упал на колени и бездыханно завалился на бок. Пример товарища — самое убедительное, что есть на свете, двое других уже не хотели ни грабить, ни мстить — только убежать, как можно дальше и по возможности быстрее. Но такой возможности у них не было, потому что Мачо, уронив портфель, схватил одного за запястье, а второго ударил локтем так, что хрустнули ребра и глаза вылезли из орбит. Жадно хватая ртом воздух, тот тоже опустился на мостовую. Мачо повернулся к третьему, который тщетно трепыхался, пытаясь освободить захваченную руку. Так отчаянно вырывается из холодной стали капкана матерый травленый волк, и шансы на освобождение у них обоих минимальны.

— Что вам надо? — спросил Мачо на чистом русском языке, внимательно глядя в глаза пойманного грабителя.

— Нет, ничего, мы ошиблись, — горячечно забормотал тот, парализованный нечеловеческим спокойствием оказавшейся не по зубам жертвы.

— В чем ошиблись? — продолжал расспросы Мачо, надеясь выяснить, почему с таким хладнокровием эти трое напали на незнакомого прохожего. Самое вероятное объяснение, что это провокация местной контрразведки. Но он еще не сделал ничего такого, что могло бы привлечь к нему внимание... Разве что его сдал Фоук или еще кто-то из высшего руководства Фирмы. Предательство в разведке — обычное дело.

— В чем ошиблись? Кого вы искали? Что обо мне знаете? — методично спрашивал он, надламывая зажатую кисть.

Лицо парня покрылось потом, губы скривились в болезненной гримасе.

— Никого не искали, просто нужны были деньги... Совсем немного... И я ничего не сделал, только стоял... Извините...

От недавнего хладнокровия ничего не осталось, грабитель был в ужасе. Опытному агенту стало ясно, что к спецслужбам эти типы не имеют никакого отношения. Обычные уголовники, только привыкшие к безнаказанности. В цивилизованном обществе преступник должен всегда бояться закона.

«Наверное, наркоманы!» — решил Мачо и коротким крюком в челюсть уложил грабителя рядом с товарищами. Судя по позам, ему повезло больше первого, но меньше второго.

— Никогда больше так не делайте, — назидательно сказал

Мачо и не торопясь пошел к гостинице. Милицейских свистков и автомобильных сирен он за спиной так и не услышал.

В конце концов он подвел итоги: произошедшие изменения для него к лучшему, кроме того, его манеры, язык и внешний вид не привлекают внимания и не вызывают никакого подозрения. Ему удалось слиться с российским населением и раствориться в нем. Это главная составляющая успеха в предстоящей работе.

Убедившись в своей незаметности, он нарисовал в условном месте сигнал готовности и на следующий день с двенадцати часов наблюдал за обычной металлической урной под Крымским мостом. Ровно в тринадцать пятнадцать неряшливо одетый человек с мороженым в правой руке левой выбросил в нее растрепанный газетный сверток. В тринадцать двадцать Мачо, в отсутствие явных очевидцев, выудил этот сверток из урны и, обливаясь холодным потом, неторопливо пошел к набережной.

Это был очень опасный момент, ибо именно сейчас он проявил себя как участник тайниковой операции. И именно сейчас его следовало брать с поличным, пока он не осмотрелся и не сбросил уликовые материалы. Но никто не хватал его за руки и не сбивал с ног. Содрав и выбросив замызганную газету, он сунул в карман мобильный телефон Nokia.

Точнее, предмет, в точности копирующий мобильный телефон Nokia. На самом деле это был мощный радиомаяк, включающийся по кодированному радиосигналу и передающий ответный импульс, позволяющий произвести пеленгацию с точностью до одного метра.

Потом он долго петлял по городу, ездил в метро, пересаживаясь из поезда в поезд, неожиданно выходил из вагона перед тем, как двери закроются, и так же неожиданно заходил в другой вагон. Старые, как мир шпионажа, но по-прежнему действенные методы не выявили слежку, и он убедился, что на этот раз все прошло успешно.

Вечером Мачо сел в фирменный поезд «Москва—Тиходонск» и отправился к месту проведения очередной операции. В купе спального вагона он оказался в одиночестве и почти всю дорогу смотрел в окно, надеясь встретить «Мобильного скорпиона» с показанной шефом фотографии. Вероятность случайной встречи была ничтожно мала, и ничего удивительного в том, что она не случилась.

Тиходонск встретил его мелким накрапывающим дождиком. Воздух здесь был значительно легче и чище, нежели в Москве, людская толчея не такая густая, машин тоже поменьше, да и сам город гораздо компактней.

Уже через час Столяров заселился в гостиницу «Сапфир» — высотное здание в самом центре города. Судя по рекламным щитам, здесь имелись казино и несколько ресторанов. Приняв душ, он переоделся и вышел в город. Теперь на нем были светлые брюки и просторная черная рубашка с двумя расстегнутыми верхними пуговицами. На фоне волосатой груди болтался серебряный талисман в виде кольца с двумя треугольниками по бокам. Мачо верил в то, что именно он всегда приносит ему удачу.

Из первого же таксофона он сделал звонок по выученному наизусть номеру, назвал условную фразу и договорился о встрече. Место было определено заранее.

Глава 2

ПРАВИТЕЛЬСТВЕННОЕ ЗАДАНИЕ

Присутствовать на совещаниях у Президента для высшей номенклатуры весьма почетно. И чем уже круг приглашенных, тем престижней туда попасть. На этот раз, кроме хозяина главного кремлевского кабинета, в совещании участвовали Премьер-министр, министры иностранных дел и обороны, начальник Генерального штаба и начальник ГРУ, Директор ФСБ и начальник Службы внешней разведки. На повестке дня стоял один вопрос: «Геополитическое положение России», а следовательно, основным докладчиком должен быть глава внешнеполитического ведомства.

Министр иностранных дел добросовестно подготовился к выступлению: на объединенных в локальную сеть ноутбуках участников высвечивались то таблицы, то диаграммы, то графики, подтверждающие то, о чем он говорил в данный момент. А говорил он в соответствии со стандартами новейшего времени: констатация общеизвестных фактов, осуждение традиционных противников, похвала традиционных союзников, чуть-чуть критики и немного самокритики, общий вывод об улучшении положения и закреплении позитивных изменений. Ложка дегтя не должна портить бочку меда, поэтому деготь уже давно не в ходу. Доклад заканчивается на мажорной ноте, все присутствующие чувствуют себя молодцами и в обсуждении строго придерживаются установленной рецептуры: добавлять в мед только другой мед, может быть, для объективности и конструктивизма менее сладкий.

Лишь один человек может отойти от шаблонов и все-таки капнуть дегтя — это хозяин кабинета.

— Ну, в целом с основными выводами доклада можно согласиться, — чуть отрывисто, в своей обычной манере, начал Президент. — Вместе с тем нельзя закрывать глаза на то, что НАТО приблизилось вплотную к нашим границам, Соединенные Штаты хозяйничают во всем мире и теперь готовятся, в нарушение Договора о противоракетной обороне, вывести боевые спутники на космические орбиты. Все это резко повышает уязвимость нашей страны...

Семеро высших чиновников скорбно кивали головами, соглашаясь с Президентом и демонстрируя немедленную готовность приступить к исправлению столь ненормального положения.

— Нам необходимо предпринять какую-нибудь акцию, которая бы продемонстрировала военную мощь России всему миру и охладила головы потенциальным агрессорам, — продолжил глава государства. — Я жду от вас конструктивных предложений.

Он обвел сидящих за круглым столом людей внимательным взглядом, но все они прятали глаза, делая вид, что конспектируют высказывания Верховного Главнокомандующего.

— Кто желает высказаться?

Позы не изменились. Потому что легко и просто высказываться в поддержку Президента, но очень опасно вылазить с самодеятельной инициативой, когда не знаешь, чего от тебя ждут. Да вдобавок не знаешь, что сказать. За отсутствие инициативы еще никого не разжаловали... За излишнюю инициативу тоже, но по той простой причине, что ее давно немодно проявлять.

— Ну, я думаю, что такой акцией должны стать широкомасштабные военные учения или испытание нового вида оружия, — подсказал Президент. — Или что-нибудь в этом роде.

Получив подсказку, семеро мужчин ожили и подняли головы. Когда знаешь, чего от тебя ждут, очень легко быть умным и прозорливым. Очень легко произвести хорошее впечатление.

— Товарищ Президент, я думаю, что целесообразно провести совместные учения сухопутных войск, авиации и военно-морских сил, — встал министр обороны, честно и прямо глядя в глаза руководителю страны. — Слаженные действия видов вооруженных сил произведут впечатление на мировую общественность и заставят призадуматься потенциального противника!

Президент поморщился.

— Это требует очень больших расходов и длительной подготовки.

— Конечно, этот вариант не годится! — подтвердил премьер-министр.

— И надлежащего резонанса такие учения не вызовут! — высказался министр иностранных дел.

— А если провести испытание новой гиперзвуковой ракеты «Молния»? — осторожно предложил начальник Генерального штаба. — Да еще запустить ее с БЖРК?

Наступила полная тишина. Все смотрели на Президента. Тот улыбнулся.

— Дельное предложение! Этим достигается сразу двойной эффект: мы демонстрируем возможности суперсовременной ракеты и суперсовременного, мобильного железнодорожного комплекса! Думаю, подготовка не займет много времени и не повлечет особых затрат. Ведь плановые пуски необходимы в любом случае!

— Да, это совсем другое дело! — сказал премьер.

— Это произведет необходимое впечатление на Запад! — подтвердил министр иностранных дел.

Кабинет наполнился одобрительным гулом. Все наперебой поддерживали предложение начальника Генштаба. Министр обороны покрылся красными пятнами. Ему любой ценой надо было реабилитироваться.

— Товарищ Президент, — встал он, и шум сразу стих — у многих мелькнула фантастическая мысль, что он подает в отставку. Но все осталось в рамках повседневной реальности. — Товарищ Президент, для усиления эффекта я предлагаю запустить ракету с ядерной боеголовкой!

Тишина стала мертвой, как будто ядерная боеголовка уже взорвалась.

Даже Президент несколько растерялся.

— С ядерной?

— Так точно. Именно с ядерной! — твердо повторил министр. Отступать ему было некуда.

— Но как же... Ведь есть Договор о запрете открытых ядерных взрывов!

— Я все продумал, товарищ Президент! — отчаянно отчеканил министр. — Под полигоном на Новой Земле есть огромная подземная полость от подземных взрывов атомных бомб. И кратер как в вулкане. Мы направим ракету в кратер, и взрыв произойдет под землей. Конвенция будет соблюдена.

Это был полный бред, годящийся только для сценария фантастического фильма. Но в устах чиновника такого уровня любой бред выглядит продуманным государственным решением.

Президент встал и прошелся вдоль стены с государственным флагом Российской Федерации.

— Это интересно... Каков диаметр кратера?

Кратер никто и никогда не мерил. Но признаваться в этом было нельзя.

— От трехсот до четырехсот метров, товарищ Президент! — доложил министр.

— Попадете? — доброжелательно прищурился Президент.

— Так точно! — лихо отчеканил министр. На лицах других военных обозначилось явно выраженное сомнение.

— Что ж, действуйте! — еще раз улыбнулся Президент. — Надеюсь на вас. Желаю успеха!

Совещание закрылось, участники довольные расходились. Министр обороны смотрел на коллег свысока. Мало того, что он полностью реабилитировался, — он стал героем сегодняшнего дня, заткнув за пояс этого выскочку начальника Генштаба! Правда, оставалось еще с нескольких тысяч километров попасть ракетой в четырехсотметровый кратер, но это уже не его рук дело. Он сделал главное, а безымянные исполнители обязаны довести боевую работу до конца. Или ответить за неудачу.

* * *

Атлетически сложенный мужчина неспешно шел по Тиходонску. С удовольствием рассматривал симпатичных девушек, переходил улицы только на зеленый свет, иногда заглядывал в витрины многочисленных магазинов. Он был одет в светлые спортивные брюки с широким ремнем, черную рубашку с расстегнутым воротом и кроссовки. Прогулочным шагом он прошелся по Магистральному проспекту, свернул на Богатяновский спуск, миновал доживающие свой век кварталы старинных трущоб и оказался на набережной, возле пивного ресторана «Богатяновский».

В отличие от коренных жителей он не знал, что именно из-за этого ресторана спорили между собой Тиходонск и Одесса. Тиходонцы пели известную блатную песню со словами: «На Богатяновке открылась пивная», а одесситы считали, что пивная открылась все-таки на Дерибасовской. Впрочем, это было давно, а сейчас такие мелочи никого не интересуют.

Не зная тонкостей, Столяров тем не менее прекрасно знал местонахождение «Богатяновского» и нашел его, ни разу не спросив дорогу. Это была несомненная заслуга натаскивавшего его эксперта, который сорок лет прожил в Тиходонске, а потом эмигрировал в США и поселился на Брайтон-Бич. Его использовали «втемную»: он думал, что помогает писателю, готовящему с выездом на место книгу о казачьих краях.

Столяров сел у окна. По реке неторопливо плыли баржи и пассажирские теплоходы. Но он любовался стройными ножками официантки в форменном темно-синем костюме. В жизни его всегда интересовали только две вещи: красивые женщины и оружие. Причем он не мог наверняка сказать — что интересовало его больше. Наверное, все зависело от конкретного момента.

— Нефильтрованный «Пауланер» — большую кружку, картошечку, рыбчик и... пожалуй, хороший кусок свинины, — он обворожительно улыбнулся, рассматривая миловидное лицо девушки с темно-каштановыми, стриженными под каре волосами. Та улыбнулась в ответ.

— Сейчас все будет. Водочки не желаете?

— Да, пожалуй. Сто граммов. «Кристалловскую», пожалуйста.

Мачо был доволен собой. Он не только правильно говорил, но и умело применял местные термины. Рыба называется «рыбец», однако коренные тиходонцы используют ласковое «рыбчик». И обозначение сорта водки повышает достоверность поведения. Он не выделялся из толпы, а следовательно, оставался невидимым для контрразведки.

Когда он заканчивал обед, в ресторан зашел узкоплечий приземистый мужчина лет сорока. В руке у него был черный «дипломат». Мачо привычно «срисовал» облик связника. Ему с равной долей вероятности можно было дать как тридцать, так и сорок лет. На самом деле Мусе Хархоеву было двадцать восемь. Крючковатый нос, поджатые губы, смуглый цвет лица и жгуче-черные волосы. Лицо хотя и выбрито, но уже снова покрыто прорастающей щетиной. «Когда кавказец добривает правую щеку, левая успевает зарасти, поэтому они ходят небритыми», — вспомнил он фразу другого эксперта, специалиста по Кавказу, и принялся поглаживать себя по голове, поправляя прическу. Это был условный сигнал, «маяк». Связник молча повернулся и вышел. Мачо не торопясь допил кофе и расплатился. Потом, так же неторопливо, вышел на набережную.

Черноволосый мужчина сидел метрах в ста на чугунном кнехте, держа «дипломат» на коленях. Это было неправильно.

Ему следовало пройтись взад-вперед, проверяя, нет ли «хвоста».

— Привет от Салима, — негромко сказал Мачо, подойдя вплотную.

Не проявляя никаких эмоций, тот кивнул и, оглянувшись, открыл «дипломат». Там лежали два пистолета — «ПМ» и «ТТ», граната и две пачки денег. Универсальный набор. Самое необходимое, по мнению кавказских друзей Салима.

— Спасибо, — кивнул Мачо. — Мне ничего этого не надо. По крайней мере, пока.

Так же безразлично черноволосый закрыл чемоданчик. По его поведению можно было понять, что это не рядовой курьер, но и не большой начальник. Скорей командир среднего звена. На Мачо ему наплевать, он даже не знает, кто это такой. Но команда оказывать содействие пришла с высшего уровня, и он вынужден ей подчиняться.

— Мне нужна машина с подлинными документами. Не привлекающая внимания, но хорошая, — сказал Мачо.

Связник кивнул. Он все время смотрел в сторону, как будто не хотел встречаться с ним глазами.

— Мобильный телефон, приобретенный без привязки к конкретным людям и оплаченный на месяц вперед.

Снова кивок.

«Ты что, немой?» — хотел спросить Мачо, но вовремя сдержался.

Он вспомнил слова второго эксперта: «С ними надо быть очень сдержанными. Если ему покажется, что вы его обидели, он забудет про общие дела и при первом удобном случае всадит вам нож в спину. Конечно, если вы не взяли его на крючок личной заинтересованности. Или личного страха».

— И еще мне нужно знать, кто обладает реальными возможностями в Кротове. Бизнес, криминал, власть — мне все равно. Мне нужно познакомиться с этим человеком. Это самое главное.

Некоторое время черноволосый сидел неподвижно. Наконец кивнул в четвертый раз.

* * *

Совещание в Кремле аукнулось в Кротове правительственной шифротелеграммой. Булатов ознакомился с ней, почесал затылок и вызвал своего заместителя по БЖРК майора Маслова, начальника второго экипажа БЖРК полковника Бодрова и начальника отдела контрразведки подполковника Кравинского. Первый экипаж находился в рейсе, и от него присутствовать на совещании никто не мог.

— Ознакомьтесь! — он положил перед офицерами телеграмму и дождался, пока каждый из них ее прочтет.

— Да, дела... — сказал Маслов. — У нас допустимое отклонение: плюс-минус восемьсот метров. Как ее загнать в этот кратер?

— Кому поручим? — не тратя время на ненужные эмоции, перешел к сути Кравинский.

— Первый экипаж более подготовлен, — сказал Бодров, пряча глаза. — Лучше несколько минут позора, чем провал учебно-боевого пуска.

— С этим я согласен, — Маслов все еще держал телеграмму в руках. — Конечно, если в край попадет, то соскользнет вниз, а если нет...

— Ваше мнение, Николай Тимофеевич? — полковник Булатов перевел требовательный взгляд на начальника отдела КР.

— Первый экипаж предпочтительней, — кивнул тот.

Булатов повернулся к командиру второго экипажа:

— Спасибо, вы свободны!

— Есть! — Бодров радостно вскочил и выбежал из кабинета, как будто опасался, что командир части передумает.

— Значит, первый экипаж, — задумчиво проговорил Булатов и достал толстую папку. — Командир пуска полковник Белов...

— У меня есть сомнения, — проговорил Маслов.

— Белов не потянет, — одновременно с ним сказал Кравинский.

Булатов перебирал листки в папке.

— Результативность Белова в виртуальных пусках в полтора раза ниже результативности Кудасова. Но Кудасов всего лишь стажер.

Маслов и Кравинский молчали. Не им принимать решение, не им за него отвечать. Это компетенция Булатова. Вот пусть и думает, пусть решает.

— Что скажете, майор Маслов? — командир части посмотрел на майора тяжелым, давящим взглядом. — Кудасов отобран вами. Что скажете?

— Совершенно правильно, товарищ полковник. Кудасов рекомендован руководством Красноярского полка МБР, он прошел все виды тестирования, его личное дело безупречно.

— Не перекладывайте решение на чужие плечи! Ваше собственное мнение?

Майор помолчал. Но бесконечно молчать в такой ситуации было нельзя.

— Если бы решение принимал я, то поставил бы на старт Кудасова. Сравнение его показателей с показателями Белова говорит само за себя.

— А вы, Николай Тимофеевич, что скажете?

Тот задумчиво постукивал карандашом по столу.

— У отдела КР претензий к Кудасову нет. А к Белову есть. Объективно Кудасов сильнее Белова. Хотя и стажер. Если пуск пройдет удачно, можно ускорить решение вопроса о его назначении начальником смены.

Теперь задумался Булатов. Наталья Игоревна очень хорошо характеризовала Кудасова. И вообще, выбирать приходилось из одного. Но все же ставить к кнопке стажера нельзя! В случае промаха с командира шкуру спустят! Впрочем, в случае промаха шкуру спустят и так и так...

Пауза затягивалась. Маслов и Кравинский терпеливо ждали. Наконец, Булатов принял соломоново решение.

— Я представлю парня на должность старшего оператора. За высокие показатели в учебно-боевой работе. А старшего оператора ставить к кнопке вполне допустимо!

— Согласен! — вполне искренне сказал Маслов.

— Нет возражений! — в унисон с ним произнес Кравинский.

Они действительно так думали. И, выйдя из кабинета Булатова, обменялись мнениями:

— А шеф — голова!

— Да, умница. И дипломат, каких мало!

* * *

Иса Хархоев жил в Тиходонске вполне легально: он имел прописку, квартиру и бизнес. Торговля нефтепродуктами — престижный бизнес: вполне легальный и приносящий хороший доход. Бензин и солярку брали на родине почти даром, там этим занимался старший брат — Али Хархоев, перевезти стоило недорого — цистерны выделял двоюродный брат отца Хархоевых, он же цеплял их к товарным составам федеральных войск. С федералами приходилось делиться, но те довольствовались крохами со стола Хархоевых. Не много денег уходило на взятки и в Тиходонске — в основном за контроль качества да в налоговую инспекцию. За вычетом всех расходов доход составлял 200 процентов. Примерно треть, как и положено, отстегивалось братьям по крови на войну, — это святая обязанность всех, кто делает бизнес за пределами республики. Остальное делилось между своими пропорционально вкладу каждого и степени уважения.

Правда, иногда какая-нибудь заправка затевалась отказываться от хархоевского топлива: не устраивало качество, да и цена казалась завышенной. Для борьбы с такой болезнью была отработана эффективная схема: младший брат Муса брал с собой Магомеда Тепкоева, того самого, чей дядя когда-то «держал» всю Москву, Магомед брал Абу Хамзатова с двумя друзьями. Дружной компанией на двух-трех машинах они приезжали к отступнику, это сразу производило впечатление и настраивало на нужный лад. Ребята начинали ходить по территории, заглядывать во все помещения, бить кассовые аппараты, разливать бензин. Для завязки разговора Абу железной трубой перебивал хозяину или тому, кто подвернется, ногу или руку. Магомед показывал гранату и спрашивал, хочет ли негодяй, чтобы его заправку подняли на воздух, вместе с ним и его родственниками. Ни одного случая, чтобы кто-то этого захотел, не было. Тогда на отступника налагался приличный штраф и сотрудничество продолжалось.

Но в последнее время отработанная схема стала давать сбои. Однажды, когда Муса с друзьями приехал на очередную заправку, их встретили тиходонские бандиты, битой сломали руку Абу, пробили голову Чермену — хорошему парнишке, студенту, отобрали оружие, машину и пригрозили утопить всех в Дону. В другой раз выскочил спецназ в масках, Мусе выбили зубы, Магомеду автоматом сломали ребра, остальных отпинали ногами до потери сознания и в наручниках отвезли в тюрьму. Выкупать их пришлось долго и трудно, обошлось это очень дорого. Пришлось привлекать правозащитников, организовывать статьи про геноцид чеченского народа, что потребовало дополнительных расходов. Наконец, дело удалось замять. Но охота работать по старой схеме у ребят пропала, а Чермен вообще уехал в свой Ножай-Юрт, даже институт бросил. Его отец позвонил Исе и пожаловался: я тебе сына под надзор послал, а ты его не уберег, кровь мальчика пролилась, институт пропал, а там большие деньги были заплачены... Неприятно, конечно. Отец Чермена из уважаемого рода, по матерям они дальние родственники, лицо краснеет такие упреки слушать...

А тут еще к самому Исе Хархоеву прямо в офис завалились пятеро коротко стриженных, здоровенных парней, показали ему гранаты, спросили то, что он сам привык спрашивать: мол, хочет ли Иса с родней отправиться к Аллаху? Иса ответил то, что обычно отвечали те, кого он спрашивал: нет, не хочу, а в чем дело?

А дело в том, сказали ему, что на рынок нефтепродуктов пришли московские деньги, поэтому все остальные должны с этого рынка «линять» и под ногами не путаться. И спросили: хорошо ли он понял, что ему сказали, или для лучшего понимания ему надо прострелить почку? Иса ответил, что он все понял хорошо и дополнительно убеждать его ни в чем не надо, про рынок нефтепродуктов он уже забыл, тем более что давно собирался изменить направленность бизнеса.

Парни ушли, а Иса позвонил в Грозный и сказал Али, что подготовленные цистерны отправлять не надо, так как сбывать их негде. Старший брат этим озаботился и спросил, не надо ли выслать на подмогу десяток-другой родственников и друзей. Он в России никогда не жил и здешней специфики до конца не представлял. Но думал, раз русские не могут открывать в Чечне свой бизнес, а чеченцы могут зарабатывать в России большие деньги да использовать эти деньги для войны с Россией, то, значит, чеченцы сильнее и могут делать там что хотят. О том, что Чечня и есть часть России, Али Хархоев даже и не подозревал.

Иса успокоил старшего брата и сказал, что пока никого высылать не надо, есть более важные дела. И они действительно были. Высунувшись в коридор, где теперь всегда сидели три охранника, правда, почти без оружия, только с пистолетами, Иса позвал младшего брата.

Муса появился через три минуты. Черноволосый, с крючковатым носом и поджатыми губами, он всегда держался гордо и независимо.

— Ты с ним встретился? — спросил Иса. — Почему не рассказываешь?

— А-а-а... — протянул младший. — Чего тут особенно рассказывать? Не понравился он мне. Денег не захотел, оружия не захотел. Машина ему нужна, уже купили, да мобильник — тоже купили. Да еще хочет познакомиться с кем-то, кто шишку держит в этом, как его... Кротове. Зачем нормальному человеку эта дыра?

Иса даже подскочил.

— Ты что, совсем ничего не соображаешь?! Ты знаешь, от кого он приехал?! Я же тебе сказал: он оттуда, с самого верха! — разгоряченный Иса поднял руку, как будто хотел выстрелить в потолок, как делают на свадьбах, только вверх нацелился не ствол пистолета, а его указательный палец, и направлен он был не просто в потолок, а гораздо выше: в небо, а может, и еще выше — на трон самого Аллаха.

— Зачем шумишь, да? — обиделся Муса. — Я же сказал: все купили, сегодня отдам. И с Магомедом переговорил, чтобы он ему нашел крупняка из Кротова! Зачем недоволен?

— Зачем, зачем... Понимать надо, с кем говоришь. Не понравился он тебе! Да если ты ему не понравишься, а тот, кто его прислал, об этом узнает, нам всем головы отрежут! И мне первому!

У Мусы от изумления даже челюсть отпала.

— Да ты что?! Кто ж его послал? Неужели сам Шамиль?!

— Шамиль! — Иса махнул рукой. — Да Шамиль перед тем, кто его послал, сам будет в струнку стоять!

— Вах! Откуда я знал?!

— Слушать надо внимательно и все запоминать! А насчет того, кто в Кротове шишку держит, Магомед ничего не узнает. Не его уровень. Сейчас я позвоню людям посолиднее...

Известный в Тиходонске торговец нефтепродуктами Иса Хархоев был знаком со многими местными предпринимателями. А в силу особенностей российского бизнеса почти все они стояли одной ногой в деловой сфере, а второй — в криминальной. Благодаря этому их знания и кругозор были вдвое шире, чем у бизнесменов Германии, Франции или Испании. Он извлек из стола записную книжку, придвинул телефон и набрал номер Виктора Пармезана, своего банкира, у которого по-честному, без кидняка, брал кредиты, а когда тому понадобилась помощь — быстро прислал бригаду Мусы, которая вмиг уладила один очень неприятный для Пармезана конфликт.

— В Кротово? — переспросил банкир и на миг задумался. Иса предусмотрительно листал свою книжку.

— Так Сурен Бабиян купил там консервный завод, ресторан, несколько домов! — вспомнил Пармезан. — Знаешь Сурена?

— Это Змей, что ли?

— Точно!

Иса поморщился.

Змей был человеком ушлым, тертым и опасным. К тому же он не терпел ни дагестанцев, ни чеченцев, ни ингушей.

— Послушай, Витя, ты меня сколько лет знаешь? — спросил он с наигранной кавказской доверительностью.

— Да уже... — Пармезан замялся. Особой длительностью знакомства они похвастать не могли. — Года три знаю...

— Мне прислали человека, он сам из Москвы...

В провинции уважают и побаиваются москвичей, а с тех пор, как в Тиходонск хлынул столичный капитал, их появление в городе никого не удивляет.

— У него очень солидные рекомендации. Его надо познакомить со Змеем. Я тебя прошу это сделать. Я ведь к Змею подходить не могу, он нас не любит...

— А что ему надо? — осторожно спросил банкир.

— Хочет делать там бизнес. У него какие-то подвязки в Кротове. Ни тебя, ни меня это не интересует. Наше дело — их познакомить. Никаких гарантий, никаких обязательств. Свели, а дальше их дело, как договорятся.

— Ну, если так, — с облегчением проговорил банкир. — Пусть сегодня приходит в «Золотой круг» после восьми.

— Только ты имей в виду: за него перед тобой я в ответе. Я, Иса Хархоев, солидный человек? Ты мне доверяешь?

— Ну, — начал Пармезан, однако тут же вспомнил кавказские правила! — Конечно, доверяю, дорогой, какие могут быть разговоры!

— Змей должен знать, как себя вести с этим человеком. Поэтому я прошу тебя: представь его как полагается. Не так: это Петя, это Ваня. Надо обставить все солидно, уважительно. Так и скажи: за ним уважаемые люди. Богатые люди. Влиятельные люди. Горячие люди!

Банкир на другом конце провода вздохнул.

— Сомневаешься, брат? — уловил чуткий Иса. — Что тебе не нравится? Чего боишься?

Банкир вздохнул еще раз.

— А вдруг между ними что получится? Ну представь, непонятка какая-то вышла... Начнутся разборы: кто их свел? Пармезан! Как бы я крайним не оказался! Ты не обижайся, я с тобой откровенно говорю. Или Сурен меня спросит: какие такие люди за ним? Кто за него слово скажет?

— Не волнуйся, брат! Тогда так прямо и скажешь, что тебя я просил, Иса Хархоев! Змей прекрасно знает, кто я такой! Любит, не любит — другое дело, а знать — знает!

— Ну, хорошо, — сдался банкир. — Пусть подъезжает. Только туда с оружием нельзя...

Около двадцати одного часа Мачо на семилетнем черном «БМВ» пятой модели подъехал к элитному клубному ресторану «Золотой круг». Теперь он был в строгом сером костюме, бледно-голубой сорочке с синим галстуком, на ногах элегантные черные туфли. Он был хорошим психологом и, увидев, какие автомобили стоят у входа в ресторан, отогнал своего подержанного «бумера» подальше.

Охраннику у входа он назвал фамилию Пармезана и через рамку металлоискателя был пропущен внутрь, где имелись игорный зал, ресторан и кабинеты для деловых переговоров. В один из кабинетов его и провели, а через несколько минут туда вошли два человека: плотный коренастый брюнет неопределенного возраста в черном костюме и «бабочке» и пожилой мужчина, то ли загорелый, то ли смуглый от природы, с большой лысиной и седыми волосами. Он был в легком светлом костюме, который, несомненно, сбрасывал ему пару-тройку лет.

Коренастый улыбнулся ему как хорошему знакомому и первым протянул руку. Мачо ограничился щадящим рукопожатием. Вообще-то он вполне мог раздавить чужую кисть словно тисками.

— Знакомьтесь: Василий Федорович, а это Степан Григорьевич, — теперь он улыбнулся обоим.

— Василия мне рекомендовали очень серьезные люди, — добросовестно воспроизводил Пармезан заданный текст. — Влиятельные, богатые, солидные, очень ответственные. Он деловой человек и хочет вести свои дела в тех местах, где сильны ваши интересы. Ему можно полностью доверять. Ну а Степан Григорьевич — известнейший в Тиходонске бизнесмен, его представлять не нужно...

Теперь Мачо и Змей обменялись рукопожатиями.

— Я вас оставляю и возвращаюсь к рулетке, — облегченно выдохнул Пармезан. — Надеюсь, я не понадоблюсь...

Оставшись наедине, Василий Федорович и Степан Григорьевич обменялись прощупывающими взглядами. У Змея были холодные и безжалостные глаза, вполне оправдывающие прозвище. Мачо пригасил свою внутреннюю силу, которая обязательно читается в зрачках, и постарался изобразить из себя невинного простачка. Но сам почувствовал, что это плохо удалось.

— Я бы предложил поужинать в каком-нибудь ресторанчике попроще, — сказал Мачо.

— А здесь вам не нравится? — усмехнулся Змей.

— Нет. Очень душно, — Мачо выразительно обвел рукой стены и потолок. В местах, где собираются богатые и влиятельные люди, обязательно должны быть микрофоны. Кто их установил — уже другой вопрос, который в данном случае значения не имел.

— Что ж, согласен, — многозначительно кивнул Змей.

На своем опыте он неоднократно убеждался, что первое впечатление о новом знакомом оказывается самым верным. «Василий Федорович» показался ему человеком серьезным. Сильным, напористым, с неукротимой волей и умением добиваться поставленной цели. Скрываемая, но проскальзываемая в деталях поведения властность показывала, что за ним действительно стоят очень серьезные структуры и он располагает немалыми возможностями. Красноречивым было и опасение микрофонов. Многие из посетителей «Золотого круга» подозревали, что их могут подслушивать, но никого это особенно не пугало. Потому что дела и занятия каждого были и так хорошо известны собирающимся здесь людям. Чтобы отказаться от ужина из-за такой ерунды — это и в голову никому не приходило! Новому знакомому явно было что скрывать. Интуция подсказывала, что, возможно, и имя у него вымышленное...

«Ну и проходимец этот Пармезан! — подумал Сурен Гаригинович. — Темного парня он мне подсунул, очень темного...»

Когда Змей увидел подержанный «БМВ», его подозрения усилились. Машина специально подобрана, чтобы не привлекать внимания. И вместе с тем чтобы можно было догнать кого-нибудь или самому уйти от погони.

На двух машинах они приехали в «Белого медведя» и сели на веранде, хотя апрельский вечер был достаточно прохладным и не располагал к ужину на свежем воздухе. Это тоже была мера предосторожности, и исходила она от нового знакомого.

Василий Федорович умело сделал заказ, причем очень тщательно подбирал вина к блюдам: вызвал сомелье и обсуждал с ним преимущества чилийского «Каберне Санрайз» 1997 года перед французским «Малезан Бордо» 2000-го. Сурен никогда так не делал: он знал, что престижно брать французское, причем положено красное — к мясу, белое — к рыбе. Об иных тонкостях он и не подозревал, так же, как никогда не пил виски до еды. Понятное дело — за обедом накатить стаканчик-другой, а чтобы смаковать «для аппетита» несколько капель, плещущиеся на дне стакана вперемешку со льдом, — такого в его круге общения заведено не было.

«Столичные выделки», — подумал он, но делал вид, что ничего необычного в происходящем не видит.

— Мы с вами только познакомились, вы меня не знаете, но я не сомневаюсь, что мы сойдемся поближе, станем друзьями и будем друг другу полезны, — начал разговор Василий Федорович.

Этой учтивой и любезной формуле он научился у итальянцев, когда работал с руководителями сицилийской мафии. При всей своей приятности на слух, она ровно ничего не значит. Такие слова, чтобы отвести формальные подозрения, часто принародно говорят тому, кого в ближайшее время собираются убить. И вместе с тем это вежливость, выражение уважения к собеседнику.

— У меня широкие связи в деловых кругах многих государств, если вам вдруг понадобится помощь в делах, буду счастлив ее оказать...

— Ловлю на слове! — Сурен улыбнулся и поднял палец. — У меня проблема в Штатах. Банк заморозил крупный перевод, подозревают отмывание денег... Я уже полгода не могу пользоваться счетом...

Мачо радостно улыбнулся. Вот это везение! Фирма действительно может решать вопросы в разных странах, ну а на родине-то это вообще проще простого!

Он достал телефон.

— Какой банк? Где он расположен?

Сурен перестал улыбаться и чуть замешкался с ответом. Он думал, что это чистой воды понты.

— В Нью-Йорке. Второй американский коммерческий банк.

— На Манхэттене? — вырвалось у Мачо. Он был готов откусить себе язык за такой непрофессионализм.

— Не знаю, — удивился Сурен. — Я лично там никогда не был. Пока.

— Я тоже не был, — как можно небрежней ответил Василий Федорович. — Но мои управляющие бывали там много раз. Говорят — скопище небоскребов, посмотришь вверх, аж голова кружится! Как они там живут!

Он широко улыбнулся, развел руками и набрал номер связи с Фоуком. Это был номер обычного телефона в обычной государственной корпорации. Но все сказанное записывалось на пленку и передавалось начальнику русского отдела немедленно.

— У них там два часа, рабочий день в разгаре, — сообщил Василий Федорович Сурену, пока устанавливалось соединение. Трубку сняли после второго гудка. — Здравствуйте, это Василий Столяров из России, — громко сказал он. — Речь идет о моем деловом партнере... У него заморозили перевод во втором коммерческом в Манхэттене... Да, подозревают грязные деньги. Но я за него ручаюсь и прошу освободить счет. Да, сейчас он сам скажет, включайте запись... — Василий Федорович протянул сотрапезнику трубку: — Назовите все реквизиты счета и данные того, на кого он оформлен.

Чувствуя себя полным идиотом, Сурен Гаригинович начал диктовать. Все это походило на беззастенчивую лоховскую постановку, обычный развод на деньги, которыми так богата современная российская действительность. Единственное, что успокаивало, что он не дал этому темному типу ни копейки и не намерен давать их в дальнейшем. Больше того, даже за этот ужин пусть сам платит!

Закончив диктовать, Сурен вернул аппарат.

— Я ничего не слышал, — выразительно сказал он. — Ни одного слова. Ни по-русски, ни по-английски, ни даже по-армянски!

Василий Федорович не заметил сарказма. Или сделал вид, что не заметил.

— Конечно, там шла запись. У вас есть доверенные лица в Нью-Йорке?

Сурен хмуро кивнул. Все понятно. Запись, автоответчик, отключенные телефоны. Знакомое дело: тот, кто хочет взыскать долг — легко тебя находит, кто собирается отдать — никак не дозванивается и не застает дома. Нашел лоха!

— Два адвоката занимаются этим делом. Сумма немаленькая, Василий. Полтора миллиона!

— Они вам сообщат об успехе уже в ближайшее время.

— Если дозвонятся...

Сурен был настроен скептически. Но Василий Федорович ободряюще улыбнулся.

— Обязательно дозвонятся!

Подтянутый официант принес жаренную с луком куриную печень, фаршированную раковыми шейками. Они выпили за знакомство и приступили к еде. Вкусная пища и хорошее вино сделали свое дело: Сурен несколько смягчился.

— Так какой у вас ко мне вопрос?

— Очень простой! — Василий Федорович указал рукой на бутылку, и тут же появившийся официант вновь наполнил бокалы. — В Кротове находится воинская часть. Мне надо познакомиться с кем-нибудь из командиров. На худой конец — с любым офицером. Давайте выпьем, вино мне нравится. А вам?

Сурен сидел с отвисшей челюстью.

После неожиданной встречи с Оксаной и ее мужем, встречи, из которой, надо признаться, он извлек большое удовольствие, он вдруг задумался: а что, собственно, выпускник ракетного училища Кудасов может делать в такой дыре, как Кротово? Ведь железнодорожная часть никакого отношения к его специальности не имеет! Сурен Гаригинович задал этот вопрос своему помощнику Андрюшке Короткову, а тот и выложил, что есть специальные поезда, которые возят замаскированную атомную ракету! И сразу стало ясно, про какой ночной поезд болтают в поселке и что лейтенант-ракетчик делает в Кротове...

Он тогда очень удивился. Вот тебе на! Никогда бы не подумал, что под боком творятся такие серьезные дела! А теперь его знакомят с мутным-премутным типом, и тот с места в карьер начинает искать подходы к этой якобы железнодорожной части! Ну и ну!

Его прошиб холодный пот.

Сурен Гаригинович родился в прошлом веке. В одна тысяча девятьсот тридцать восьмом году. Он еще помнил, как обходились со шпионами и их пособниками. Да и родственниками тех и других до седьмого колена! Ну и сука этот Пармезан!

— Так как вино? — весело переспросил Василий Федорович. — Вам нравится?

— Хорошее, — хрипло ответил Сурен Гаригинович и отхлебнул из бокала.

Сейчас, конечно, не те времена, сейчас все можно. Раньше, если бы он в американский банк хоть три рубля перевел, заживо бы шкуру сняли! Другие времена. Вон, по телевизору показывают — и шпионов оправдывают! Только за атомные секреты и сейчас сошлют на Колыму, а имущество конфискуют, все прахом пойдет!

— А зачем вам эти военные? — так же хрипло спросил он. — Часть эта уж больно серьезная...

Сотрапезник небрежно махнул рукой.

— Мне их серьезность не нужна. Мне канал поставки товара нужен.

Василий Федорович понизил голос и доверительно наклонился вперед.

— Особый товар. Очень хороший навар приносит. Но перевозить его трудно стало. Сейчас везде террористов ищут: машины проверяют, поезда перетряхивают... Откупаться — никаких денег не хватает! Поэтому мне нужен поезд, который никто проверять и досматривать не будет!

«Наркотики», — облегченно вздохнул Сурен. Разговор переходил в обыденную и привычную сферу. У каждого свой бизнес!

Официант принес запеченную в тандыре[1] утку с яблоками, здесь же, у столика, умело ее разделал и красиво выложил куски на блюдо, обложил распаренными, сморщенными яблоками.

Василий Федорович забраковал несколько соусов, наконец остановился на кисло-сладком, китайском. Они допили бутылку чилийского «Каберне», и он заказал вторую, точно такую же. Единственное, чем он был озабочен, — качеством обе-

---

[1] Т а н д ы р — подземная печь, где блюда готовятся на углях в условиях ограниченного доступа воздуха.

да. Остальное его мало интересовало. Во всяком случае, повторно он вопросов не задавал.

— С этим поездом у вас ничего не выйдет, — наконец продолжил разговор Сурен. — Там все очень строго. Он нигде не останавливается, подойти к нему нельзя, погрузка и разгрузка постороннего товара исключены.

— А вы прекрасно осведомлены, Степан Григорьевич! Могу поспорить, что у вас есть источник информации! — остро глянул Мачо, но тут же притупил взгляд. — Какое рассыпчатое мясо! Я вам скажу — ничуть не хуже утки по-пекински! Конечно, очень важно правильно подобрать соус... И вкус яблок очень важен, он придает законченность...

Сурен не мог понять — о чем он говорит. Есть голод, есть еда, чтобы этот голод утолить, есть хорошая дорогая еда, которую может себе позволить обеспеченный человек. Но накручивать столько сложностей вокруг простых вещей — это просто дурь какая-то! Видно, все москвичи с придурью...

В кармане у Степана Григорьевича переливистой трелью зашелся мобильник. Он достал аппарат, нажал кнопку приема.

— Да! Да, я! Здравствуй, дорогой!

Он непроизвольно бросил быстрый взгляд на Василия Федоровича, который был полностью поглощен уткой и яблоками.

— Сами позвонили? Да ты что... Все вопросы решены? Странно, пару дней назад говорили о полной конфискации... Я понимаю, дорогой, конечно, это твоя заслуга... Вернешься домой, я тебя отблагодарю по полной программе... Будь здоров, дорогой!

Он спрятал телефон и теперь смотрел на своего собеседника с совершенно новым выражением.

— Полтора миллиона... По одному звонку... За два часа... Кто же вы, Василий Федорович?

Тот сосредоточенно поливал коричневым соусом золотистую корочку.

— Ваш друг! — Мачо вскинул голову и впился в глаза Сурену своим обычным, неистовым и подавляющим чужую волю взглядом. — Этого вполне достаточно. Только что вы убедились в моих возможностях, а больше вас ничто не должно интересовать!

Его облик резко изменился. Как в фильме ужасов, когда герой снимает маску и вместо обычного человеческого лица обнажает жуткую харю вампира или инопланетного пришельца.

Второй раз за вечер Сурена пробил холодный пот. По всем законам бизнеса, по уголовному обычаю и по бандитским понятиям он был обязан новому знакомому на полтора миллиона долларов. И он вдруг ясно понял, что если сидящий напротив человек захочет его убить, то не поможет ни дежурящий у входа Алик, ни милиция, ни прокуратура — никто не поможет! И еще он понял, что с ним лучше не ссориться. И еще понял, что всю жизнь жрал как свинья, ничего не понимая в еде, а теперь и учиться поздно... Этим последним открытием всемогущий Сурен Гаригинович Бабиян по прозвищу Змей, по существу, признал превосходство чужака.

— Да, у меня есть источник информации, — медленно произнес он. — Хотя и довольно слабенький. Жена офицера с этого поезда. Могу познакомить. Она очень миленькая.

Василий Федорович вернул маску на место и вновь превратился в гастрономического гурмана, обходительного знакомого и общительного собеседника.

— Спасибо, Степан Григорьевич! Это прекрасный вариант! Буду очень признателен! А что мы возьмем на десерт?

* * *

Первый экипаж прибыл из очередного рейса. На этот раз Оксана встретила Александра прямо у поезда, как было принято среди добропорядочных жен специального гарнизона.

— Как прошло дежурство? Ты сильно устал? — она обняла его за шею и прижалась всем телом.

Только ощутив сквозь одежду желанное тепло жены, старший лейтенант понял, что боевое дежурство закончилось. Владевшее им напряжение сразу стало ослабевать. Зато навалилась усталость, которую до поры до времени сдерживали напряженные нервы.

— Да нет, ничего... Нормально...

Вокруг встречали офицеров другие женщины. Некоторые пришли с детьми. Объятия, поцелуи, радостные возгласы... Одни пары не стеснялись проявления чувств, другие сдерживались. К их числу относились супруги Булатовы. Наталья Игоревна протянула мужу руку, тот пожал ее, забрал маленький чемодан, и они медленно пошли рядом, не касаясь друг друга, как случайные знакомые.

— Мы поедем в Тиходонск? — задала Оксана второй вопрос. — Ты мне обещал!

— Конечно, поедем! — кивнул Александр.

Он глубоко вдыхал чистый холодный воздух. Хотя апрель заканчивался, но обычного для этой местности тепла в атмосфере не чувствовалось.

— Я подписал рапорт на выезд у Белова, Кравинский и Булатов тоже возражать не будут...

Начальник смены шел впереди в одиночестве, казалось, что его чемодан набит кирпичами. Ирина Александровна никогда не встречала супруга и, судя по всему, не собиралась изменять свои привычки.

«А Оксана поняла, как надо вести себя преданной офицерской жене, — машинально подумал Кудасов. — Наверное, начинает привыкать...»

— Как здорово! — обрадовалась Оксана. — Я так соскучилась по родителям, по городу! Давай завтра с утра пораньше и выедем!

— Дорогая, дай мне хоть один раз выспаться по-человечески! — возразил Александр. — Я еле держусь на ногах и хочу часов пятнадцать поспать в нормальной мягкой постели, без тряски и лязга колес!

— Хорошо, Сашенька, давай поедем завтра вечером! А сегодня ты думаешь заниматься чем-нибудь кроме сна? — Оксана многозначительно улыбнулась.

— Не знаю. Я тебе сказал: еле ноги волочу...

В последнее время Оксана раздражала его все чаще и чаще. Сейчас это произошло в очередной раз, и хорошее настроение вмиг испортилось.

— К тому же вечером выезжать за четыреста километров просто глупо! — грубо произнес он. — Если все будет нормально, поедем послезавтра утром!

Оксана обиженно замолчала. Александр ощутил угрызения совести. Быстрая смена настроения — это ненормально. Психологический срыв есть проявление синдрома усталости. Значит, он вымещает нервные перегрузки на жене! Это неправильно...

«Ладно, придем домой — попытаюсь загладить свою грубость», — подумал он. Но сил для заглаживания не хватило, и, добравшись до постели, он сразу заснул, еще успев подумать, что слухи про импотенцию ракетчиков начинают оправдываться.

Александр проспал двенадцать часов и спал бы еще, но его разбудила Оксана.

— Только что звонил Маслов, тебя срочно вызывают в штаб! — недовольно сказала она. — Ты же только приехал, у тебя законный отдых! Как мне все это надоело...

— Ну и сказала бы это все Маслову! — буркнул Александр. — Ко мне-то у тебя какие претензии? Я бы с удовольствием проспал до вечера!

Придя в штаб, старший лейтенант сразу понял, что случилось нечто необычное. В приемной ожидали начальник первого экипажа БЖРК подполковник Ефимов, его помощник майор Волобуев, особист майор Сомов, почти сразу вслед за ним пришел полковник Белов. Командиры с недоумением поглядывали на старшего лейтенанта, которому явно нечего было делать в такой компании. Но, с другой стороны, случайные люди сюда не попадали. Через несколько минут собравшихся пригласили в кабинет к командиру части.

Кроме самого Булатова, там собралось все начальство: специально прибывший из Тиходонска подполковник Кандалин, майор Маслов, подполковник Кравинский... Они сидели во главе стола для совещаний со строгими и значительными лицами, словно члены военного трибунала, готовые огласить суровый приговор.

Членов первого экипажа посадили на противоположный конец стола.

— Вначале хочу объявить приказ по личному составу, — поздоровавшись, начал Булатов. — За высокие показатели в службе и достигнутые успехи в служебно-боевой подготовке стажер Кудасов назначен старшим оператором смены запуска...

Командиры удивленно переглянулись. Не такое уж это событие, чтобы собирать руководящий состав БЖРК!

— Я на него представления не подписывал! — резко сказал Белов. — К тому же назначение старшим оператором, минуя должность оператора, это нарушение...

— Я знаю, кто подписал представление! — перебил его командир части. — Майор Маслов сделал это! И на какую должность кого назначать, знаю тоже я! Так же, как кого и когда освобождать от должности!

Намек был достаточно прозрачным. Белов замолчал. Булатов продолжал смотреть на него в упор, до тех пор, пока полковник не опустил голову.

— Но я...

Булатов взглянул на Кандалина и поправился:

— Но **мы** собрали вас не для объявления этого приказа. Точнее, не только для объявления этого приказа...

Собравшиеся насторожились. Дело шло к главному.

— Решением высшего командования нашему комплексу приказано произвести учебно-боевой пуск с использованием ракеты, оснащенной ядерной боеголовкой!

— Настоящей?! — изумленно выдохнул Ефимов.

— Повторяю: учебно-боевой пуск ядерной ракеты, — холодно отчеканил командир особого дивизиона. — Это имеет исключительное военно-политическое значение, а следовательно, перед нами поставлена задача чрезвычайной важности и от ее успеха очень многое зависит. Для каждого из нас. В том числе, не буду скрывать, и для меня... Выполнение важного задания есть высокая честь и огромная ответственность...

Среди собравшихся прошел легкий шумок, но тут же смолк. Руководство первого экипажа уже поняло, кому доверена высокая честь. И кто понесет огромную ответственность. Каждый переваривал новость. Но было видно, что никого она не обрадовала. А полковник Белов стал белым как полотно.

— Выполнение задачи поручено первому экипажу БЖРК, то есть вам, — методично продолжал Булатов. — Исключительная сложность задачи, о которой я скажу позднее, заставила нас принять решение о назначении командиром пуска...

Кудасов все понял. Кровь прилила к лицу. Поймав короткий взгляд бледного как смерть Белова, он догадался, что и тот понял тоже. И даже испытал облегчение, что чудовищную ответственность сняли с его плеч.

— Старшего оператора смены запуска, старшего лейтенанта Кудасова!

Среди командиров БЖРК снова прокатилась волна оживления.

— У него более высокие показатели в виртуальных пусках, лучше результаты контрольных тестирований, что позволило принять данное решение...

— Я отстранен? — хрипло спросил Белов. Судя по выражению лица, он испытывал смешанные чувства: радости и обиды.

Булатов развел руками.

— Разве кто-нибудь говорил о вашем отстранении? Просто в этом рейсе командовать запуском будет старший лейтенант Кудасов. Еще вопросы есть?

У Белова вопросов не было. Зато у всех других были.

— Когда запланирован запуск? — спросил Ефимов.

— В настоящее время комплекс готовится к новому рейсу. Уже произведена замена секционной боеголовки на цельную, гораздо меньшей мощности. Сегодня ночью вы отправитесь в рейс. Запуск состоится по команде в период боевого дежурства.

«Уже сегодня!» — тревожно подумал Кудасов.

— Сбор на инструктаж через два часа! Подполковнику Ефимову и старшему лейтенанту Кудасову получить ключи запуска!

Расписавшись в журнале, Александр впервые взял спусковой крючок ядерной ракеты — небольшой блестящий ключ на потертом шнурке. Инструкции не предусматривали, как его носить, но все, кому такие штуки доверялись, носили их на шее. Кудасов тоже надел шнурок на шею, заправил кусочек металла под рубашку, чувствуя, как исходящая от него мощь наполняет силой все его существо.

— Все свободны! — прозвучала последняя команда, и собравшиеся стали расходиться.

Кудасов радостно направился к выходу. Он был окрылен и горд. Вообще, в нем что-то изменилось. Оказанное доверие распирало молодого человека, он ощущал, что выходит из кабинета Булатова уже не тем зеленым новичком, которым туда входил. Он получил признание как классный ракетчик! И от этого его переполняла гордость. В отличие от Белова и остальных он не боялся предстоящего испытания и был уверен, что выстрелит успешно.

И отношение окружающих к нему изменилось. Ефимов, который обычно холодно кивал ему в переходах поезда, а то и молча проходил мимо, сейчас дружески положил руку на плечо:

— Значит, сработаем вместе, старший лейтенант? Ты уж постарайся, от этого многое зависит!

— Не сомневайтесь, товарищ подполковник! Я попаду точно в цель!

— Дай бог нашему теляти волка поймати! — буркнул проходящий мимо Белов. Лицо у него было кислым.

— Поймает, поймает! — ободрил Волобуев. — Если попадет в цель, то и очередную звездочку поймает. А может, и орден!

— Не за ордена служим! — молодцевато сказал Кудасов.

Домой он влетел, как на крыльях. Оксана хлопотала на кухне. По телевизору показывали какой-то старый концерт.

«Мечты сбываются и не сбываются!» — неслось с экрана. Динамики были включены на полную мощность. Оксана вообще любила громкую музыку.

— Это ты, дорогой? — молодая супруга вышла навстречу. На ней был очень миленький клетчатый фартук. Саша любил, когда она занимается хозяйством.

— Оксанка, мне доверили боевой запуск! — выпалил он и осекся, сообразив, что выбалтывает военную тайну. — Быстро сложи мне вещи!

— Что?!

Лицо жены вытянулось. Ладно, ей можно доверять, к тому же она и так знает о его работе...

— Сегодня мы уходим в рейс для боевого запуска! Вне очереди, потому что наш экипаж лучше подготовлен! И запуск буду проводить я! Он очень сложный, но я справлюсь, у меня все получится. И тогда... Что с тобой?!

Зеленые глаза наполнились слезами, тонкие пальцы прижались к вискам.

— Как в рейс?! Ты же только прибыл из рейса?! Мы же едем завтра в Тиходонск!

«Любовь приходит к нам, порой не та-а-а!..»

Кудасова захлестнула волна раздражения. Он резко убавил звук.

— Ты что, не поняла меня? Ты слышала, что я сказал? Получено правительственное задание, мы уходим вне графика! В Тиходонск поедем, когда я вернусь!

— Я больше не могу так жить, ты понимаешь, не мо-гу! Ты только вернулся, наобещал всего, а сам опять уезжаешь! У меня просто нет сил! Я не могу сидеть здесь одна! Эта Ирина преследует меня, она все время звонит, поджидает на улице, однажды начала целовать мне руки! Ты хочешь, чтобы я тоже превратилась в лесбиянку?!

Сорвав фартук, она тяжело опустилась на стул. Ничем не сдерживаемые слезы покатись по щекам девушки тонкими струйками, и несколько капелек упали на красную в желтый цветочек клеенку. Вскоре от потекшей туши струйки из бесцветных превратились в грязно-серые. Оксана, может быть, впервые в жизни не задумываясь о своем внешнем виде, размазывала их руками по всему лицу. Хрупкие девичьи плечи слегка подрагивали, а голова склонялась все ниже и ниже над столом.

Волна раздражения схлынула. Александру стало искренне жаль ее. Он наклонился и нежно поцеловал Оксану в макушку. Провел пальцами по тонкой лебединой шее, затем по плечам, по рукам. Девушка продолжала плакать. Александр присел рядом с ней на корточки и попытался заглянуть в глаза. Она отвернулась.

— Оксаночка, — слова давались Кудасову с огромным трудом. — Ты преувеличиваешь. Ты никогда не станешь такой, как Ирина. Я этого не допущу. Мы изменим жизнь, обещаю — я буду посвящать тебе каждую свободную минуту. Мы будем ходить куда-нибудь вместе...

— Куда? — всхлипнула супруга. — Куда здесь ходить, Саша? Или в клуб на танцы? Или выезжать в Кротово в чайную, где тебя чуть не убили?

— Мы могли бы ходить на природу, — неуверенно сказал Александр.

— Собирать грибы среди коровьих лепешек?

— Ну, не обязательно грибы, милая, — Александр улыбнулся. — Забраться в лесок, в безлюдье...

Он представил себе окрестные «лески». Горы мусора, хлам, дрянь и те самые коровьи лепешки... Но он отогнал эту мысль и выстроил другую.

«Но все хорошее не забывается», — невпопад пел телевизор.

— Костерок разведем, картошечку испечем, шашлык пожарим... Свежий воздух опять-таки. Но главное, мы будем вместе. Ты и я.

«А все хорошее и есть мечта-а-а-а...»

Оксана наконец оторвала ладони от лица и пристально посмотрела в глаза натужно улыбающемуся супругу. Шмыгнула носом и грустно покачала головой.

— А мне это надо, Саша? — холодно спросила она, и Кудасов вздрогнул, как от неожиданной пощечины. — Это и есть вершина того, что ты мне можешь предложить? Почти месяц я сижу одна в четырех стенах, а потом пеку картошку на костре в засранном лесу?

— Других предложений у меня нет, — так же холодно ответил оскорбленный в своих лучших чувствах Александр. — Я офицер и прохожу службу. У меня нет возможности переделать окружающий мир под твои капризы.

— Прекрасно! — Оксана вытерла слезы и вскинула голову. — А у меня нет сил гнить в этой дыре. Поэтому решаем так: ты отправляешься в свой чертовый рейс, а я домой. К родителям. В Тиходонск.

Это был первый в их семейной жизни ультиматум. Причем нешуточный. По выражению лица супруги Саша понимал, что она не шутит. Но он никак не мог пойти ей навстречу. Особенно сейчас.

— Потерпи еще немного, милая! — он с беспокойством взглянул на часы. — Пройдет время, и все наладится, а потом мы уедем отсюда.

— Я уже не могу терпеть, — сурово произнесла девушка. — Тебе придется сделать выбор. Или я, или этот твой дурацкий сверхсекретный поезд!

— Оксаночка, я прошу тебя. Давай вернемся к этому разговору через пару недель. У меня сейчас очень ответственный рейс!

Кудасов буквально разрывался между любовью и служебным долгом. Он опять посмотрел на часы. Скоро на инструктаж, а вещи не собраны. Да и не готовы: их ведь надо выстирать, погладить...

— Я должен ехать, я не могу ничего сделать...

— Вот то-то и оно, — горько усмехнулась Оксана. — Ты торопишься в рейс. А до меня тебе нет никакого дела. Я — второстепенный вопрос...

Александр не слушал. На фоне того, что ему предстояло, причитания жены ничего не значили. Они только напрягали его нервную систему и подрывали боевой дух. Он нервно подбежал к шифоньеру, нашел несколько пар чистых носков, неглаженое белье, бросил в чемодан мятую форменную рубашку.

— Извини, до свиданья, я правда опаздываю!

Старший лейтенант Кудасов выбежал из квартиры, хлопнув дверью немного сильней, чем следовало. Но это вышло непроизвольно.

Оксана тоже стала собираться: проворно побросала в чемодан все свои пожитки, затянула боковые ремни, взглянула напоследок в зеркало. Оттуда смотрела несколько взвинченная, но вполне симпатичная и привлекательная молодая женщина, которая сможет выйти замуж ровно столько раз, сколько захочет. На Кудасове свет клином не сошелся. На свете есть и другие мужчины! Например, Сурен!

С момента их последней встречи в Кротове, она ему не звонила. Впрочем, ту встречу нельзя было назвать мимолетной. Когда Александр «отрубился», Степан Григорьевич добился-таки своего. Под предлогом поисков врача привез ее в свой новый комфортабельный дом, где никакого врача не было, и они нашли то, чего и следовало ожидать. Оксана считала, что виноват в этом Кудасов. Надо следить за женой и не напиваться как свинья! Тем более она тоже была выпившей и проявила слабость... Это была ее первая супружеская измена. Не считая случая с Ириной. Но тогда она спала и ничего не осознавала... Да и потом, можно ли случай с Ириной считать супружеской изменой?

Она подошла к телефону и набрала номер мобильного телефона Сурена.

— Здравствуйте, Степан Григорьевич! — официальным тоном начала она, зная, что уж чей-чей, а ее звонок телефонистки узла связи прослушают с особым вниманием. — Я собралась в Тиходонск к родителям, вы мне не поможете с транспортом?

— Какие вопросы, Оксана Федоровна! — так же официально ответил Сурен. — Я в Москве, но сейчас позвоню в Кротово, и через полчаса вас будет ждать машина. Прямо у проходной.

— Большое вам спасибо!

— Не за что. Завтра я возвращаюсь в Тиходонск, если понадобится транспорт на обратную дорогу — звоните.

«Какой молодец Суренчик! Умница, сразу все понял, все устроил и организовал...»

Оксана подхватила с пола тяжелый чемодан и быстро направилась к выходу. В отличие от супруга она намеренно хлопнула дверью опостылевшей ей квартиры.

Глава 3

ЗА СБЫЧУ МЕЧТ!

БЖРК несся по стальным рельсам, привычно заглатывая километр за километром. Но отличие этого рейса от всех предыдущих заключалось в том, что на этот раз «Молния» будет запущена! И от результатов этого запуска будет многое зависеть, как для руководящего состава поезда, так и для всего экипажа. В большей степени для смены запуска. А особенно — для старшего лейтенанта Кудасова, который должен был явиться ключевой фигурой этого пуска. Если он не обосрется и не сорвет запуск. Белов намекал на такую возможность при каждом удобном случае.

На третий день рейса Кудасов зашел в столовую и, увидев за столом военврача Булатову, замер как соляной столп. С одной стороны, ему хотелось подойти и заговорить, с другой — весь организм этому противился. Можно было поступить как проще — сесть за любой другой столик, но он пересилил себя и подошел, поздоровался, спросил разрешения присесть.

— Конечно, садитесь, старший лейтенант, места свободны, — женщина разрезала сосиску и подцепила на вилку пюре.

За соседним столиком мрачно жевал пищу старший лейтенант Гамалиев. Несколько минут назад он просился за столик к военврачу, но получил отказ.

Александр подошел к раздаче и тоже получил свой завтрак: три сосиски с пюре, чай, хлеб и кусочек полурастаявшего масла. Продпаек на БЖРК мало отличался от стандартного питания в любой воинской части, хотя, с учетом отсутствия рядовых срочной службы, все же отличался — сосиски в Красноярском полку МБР не подавались даже в офицерской столовой. Чайных ложечек и ножей там тоже не было, а здесь были, причем не алюминиевые, а из нержавейки.

Он присел за столик военврача и стал думать, что сказать. Хотелось завязать разговор, причем не с какими-то далекоидущими целями, а просто так, для общения. Но в голову ничего не приходило. Гамалиев бросал на него злые взгляды.

— Наталья Игоревна, а что такое ступор запуска? — неожиданно для самого себя брякнул он и принялся ковыряться в сером пюре.

— Его называют по-разному. Ступор пуска, ступор старта... Это разновидность хорошо известного психологического синдрома, когда человек не может совершить определенный волевой акт, — Наталья Игоревна доела сосиску и придвинула к себе стакан желтоватого чая. Взяв ложечку, она принялась зачем-то помешивать светлую жидкость, гоняя по кругу несколько чаинок. — Например, не все могут прыгнуть с парашютом. Человек впадает в панику, хватается за створки люка, упирается, дерется... Если его не выбросят — он больше никогда в жизни не сядет в самолет...

— А если выбросят? — Кудасов только что уже преодолел один ступор, заставив себя сесть за столик военврача.

— Тогда ступор навсегда исчезнет. Но согласитесь, в ракетных войсках за спиной у командира пуска не стоит опытный и физически сильный инструктор.

— Но у первого номера есть пистолет, чтобы принудить смену к повиновению, — вспомнил Кудасов давнюю фразу майора Попова.

Военврач выудила чаинку и положила на край тарелки.

— А кто принудит его самого? Ведь именно он должен нажать кнопку! И предполагается, что в нужный момент он ее нажмет. Но это теоретическое предположение. Оно основано на результатах тестирований, служебных аттестаций и других документов. Они, конечно, отражают характеристики личности, но только в вероятностном плане. Как поведет себя человек в реальной боевой ситуации — точно не предскажет никто.

Наталья Игоревна стала пить остывший и наверняка невкусный чай. Кудасов украдкой рассматривал ее красивое лицо. А ведь эта женщина ничуть не менее привлекательна, чем Оксана! К тому же жена командира! И она болтается в душной стальной коробке рядом с атомной ракетой, ест солдатскую пищу, пьет эту бурду и не жалуется на жизнь! Что же творится у нее на душе? Вот бы заглянуть туда...

Такая мысль появилась у него впервые. Даже жене он не хотел заглядывать в душу. Может быть, потому, что боялся неприятных открытий.

— А почему вас вдруг заинтересовала эта тема? — спросила Булатова, отставив стакан. Стучали колеса, набравший скорость поезд подрагивал на стыках рельсов, чай плескался в стакане.

Старлей замешкался.

— Да потому, что в этом рейсе мне предстоит произвести боевой запуск...

— И вы боитесь, что не сможете нажать кнопку?

Кудасов кивнул:

— Да. Мой начальник полковник Белов говорит, что он уже производил пуски, а потому уверен в своих силах. А в мой адрес отпускает намеки, что я могу... В общем, что я не справлюсь...

Саша неожиданно поймал себя на мысли, что не спускает глаз с Булатовой. Он будто ощупывал взглядом ее лицо, руки, плечи... Ему стало неловко, и он отвел взгляд, рассматривая мордастого прапорщика из взвода обслуживания, который убирал со стола грязную посуду. Тот, в свою очередь, недовольно зыркнул на старшего лейтенанта и пошел в посудомоечный закуток.

— Я не должна вам этого говорить, но скажу, — тихо произнесла военврач, дождавшись, когда прапорщик отойдет. — Белов не производил запусков, хотя и участвовал в них. Но только в качестве второго номера. Сам он никогда не нажимал ту кнопку.

— Да?! Значит...

— Вот именно. К тому же психофизиологические показатели Белова оставляют желать лучшего. Вы превосходите его по многим характеристикам...

Наступила пауза. Военврач подняла голубые глаза на Александра. Парень был симпатичным. Далеко не красавец, конечно, но в нем имелась какая-то изюминка, некий мужской шарм. Или это ей кажется, потому что он напоминает ей прошлое, того, первого Сашу?

— Иными словами, вы успешно справитесь с запуском!

Старлей выдохнул воздух и откинулся на спинку железного стула.

— Знаете, я так нервничал и переживал... А сейчас вы сказали — и я успокоился... Наверное, потому, что вы доктор...

Булатова засмеялась. Стажер был очень непосредственным и милым молодым человеком. То, как он вел себя с ней, как разговаривал, отличало его от всех других мужчин поезда. Она даже почувствовала, что между ними установилась некая доверительная связь, пока еще не тесная, но позволяющая быть с ним откровенной.

— А вы очень похожи на одного человека из моего прошлого, — медленно сказала она. — Из моей молодости.

Это были первые личные слова, которые она произнесла на борту БЖРК. И на сердце стало легко от мысли, что окружающая ее скорлупа казенных отношений, уставных слов, сплошной конспирации, настороженности и одиночества дала трещину.

— А где он сейчас?

— Это было давно. Сейчас его уже нет.

— Он умер?

Александр так и не притронулся к своей еде, ему было неудобно есть в этот момент.

— Почему сразу умер? — ее чистые голубые глаза чуть прищурились. — Он мог просто пойти по жизни своей дорогой. Бросить меня... Мало ли в жизни таких примеров?

— Нет, — молодой человек не сразу нашелся с ответом. — Мне кажется, что таких женщин, как вы, не бросают.

— Каких «таких»? — в прищуре появилась лукавость.

— Ну... красивых, обаятельных, самостоятельных.

Наталья Игоревна печально улыбнулась.

— Спасибо, Александр, я давно не слышала таких теплых слов. Но вы ошибаетесь, всяких бросают. И в жизни есть много подтверждений этому. Хотя и не в моем случае. Он действительно погиб. Разбился на мотоцикле. Он был похож на вас. И звали его тоже Саша...

Наталья Игоревна не могла поверить в реальность происходящего. Неужели она и впрямь обсуждает глубоко личную тему с фактически незнакомым мальчишкой? Тему, на которую она и сама с собой-то в последний раз разговаривала очень давно. Но неловкости по-прежнему не было. Этот мальчишка, этот старший лейтенант-стажер, как-то само собой располагал к откровенности. Как будто перед ней сидела близкая подружка. Но близких подружек у нее не было.

«Дефицит дружеского общения», — поставила она диагноз сама себе.

— А почему вы не кушаете, товарищ старший лейтенант? — сменила она тему.

— Да как-то неудобно, — старлей покраснел. — Мы же разговариваем.

— Тогда я пойду. Приятного аппетита. Перед запуском я дам вам фенамин. Все пройдет хорошо.

Стажер проводил взглядом стройную фигурку военврача и принялся за холодные сосиски.

Гамалиев тоже закончил трапезу, но, выходя, задержался у его столика.

— Как дела, новичок? — свысока спросил он. — Осваиваешься?

— Конечно, — спокойно ответил Александр, который догадался, чем вызваны его гневные взгляды.

— По-моему, даже слишком резво! Соблюдай устав и субординацию, — вот мой тебе совет!

Александр отложил недоеденную сосиску и встал. Они оказались лицом к лицу.

— А я вам советую мне не советовать, коллега! — процедил он.

Старшие лейтенанты несколько секунд испепеляли друг друга взглядами.

— Еще увидимся! — многозначительно сказал Гамалиев на прощанье и вышел в коридор.

Александр вернулся к своему завтраку.

* * *

Мачо любил поспать, поэтому выехал из Тиходонска только в десять часов. До Кротова — триста восемьдесят километров, на мощной машине он рассчитывал преодолеть это расстояние за два с половиной часа. Но оказалось, что опытный разведчик, действующий на российском направлении, не представлял в полной мере состояния местных магистралей. Их можно было сравнить только с афганскими или африканскими дорогами. Поэтому до цели своего путешествия он добрался лишь к половине третьего, причем чувствовал себя как выжатый лимон.

Сурен встретил его на въезде: знакомый белый «Лендкрузер» перегородил дорогу, молодой парень в строгом костюме вышел навстречу с подносом, на котором стояли бутылка шампанского, бутылка коньяка и бокалы.

— С приездом вас на Северный Кавказ! — добродушно захохотал Сурен, тяжеловато выбираясь из джипа. — Давай за встречу!

По отработанности ритуала Мачо понял, что это русский обычай, и взял его на заметку, потому что читать про такие встречи ему нигде не приходилось.

— О, французские! — вежливо удивился он, осматривая бутылки. — Небось дорогие!

— Ладно, ладно, ты сиротой не прикидывайся! Знаем, что ты пьешь и как ты ешь!

После обмена такими комплиментами Мачо и Сурен выпили на брудершафт и отправились в поселок. Сурен показал гостю выкупленный завод, на котором полным ходом шла реконструкция, потом накормил его обедом в отдельном кабинете своего ресторана. У него было хорошее настроение, он много пил и беспрерывно хвастался.

— Я здесь все куплю! Это, считай, моя земля! А через год-два пойду на выборы и изберусь мэром! Тогда вообще все будет у меня в кармане!

Мачо слушал и удивлялся. Он совершенно не представлял,

как можно приехать в Моксвилл, все там скупить и через два
года избраться мэром.

— Ты видел парнишку, который нам коньяк подавал? —
спросил Сурен. — Это не просто какая-то «шестерка»! Это генеральский сын! Учился в ракетном училище, закончил его, а
тут — бац! Оказалось, что папашка-то — американский шпион!
За ним чекисты пришли, только он в окно выпрыгнул. А сынка
сразу из училища выгнали, хорошо — я его к себе взял. Так что
в помощниках у меня ходит ракетчик, почти лейтенант!

«Выходит, это сын Прометея! — подумал Мачо. — Вот совпадение!»

Фоук предупреждал его, что, возможно, придется проводить операцию по спасению оказавшегося на грани провала генерала. Но московская резидентура сработала нечетко, и операция запоздала. Мачо тогда с облегчением перевел дух: не
пришлось лишний раз совать голову в пасть ко льву. И вот теперь сын погибшего агента подает ему выпивку!

Мачо не был сентиментален, не был склонен к рефлекси-
ям, жалости оставшегося без помощи Прометея, а тем более к
угрызениям совести. Напротив, он был очень рационален и
прагматичен.

«А ведь этот парень знает много полезного, наверняка и
про «Мобильного скорпиона» знает!»

— Может, он про этот поезд что-нибудь слышал? — безразличным тоном спросил Мачо.

— Не «может», а точно слышал! — кивнул Сурен. — Он друг
офицера, про которого я говорил. Этого... Кудасова. Давай его
и расспросим!

Он вызвал Короткова, налил ему коньяку и заставил выпить два бокала подряд. Когда молодой человек захмелел, он
перешел к делу:

— Слушай сюда, Андрей, мой друг занимается бизнесом,
ему нужно возить товар. Деликатный товар, он досмотров и
проверок не терпит. Друг хочет с поездом договориться. Как
думаешь, получится?

— Каким поездом?

— Ну этим, здешним, военным. Его же не досматривают!

Коротков тряхнул головой.

— Что-то я не пойму... Каким поездом?

Сурен досадливо поморщился.

— Ты помнишь, что мне про этот поезд рассказывал? Так
вот все это моего друга не интересует. Его интересует товар возить!

Коротков выпрямился.

— Извините, Степан Григорьевич, я вам ничего ни про какой поезд не рассказывал! Я ничего ни про какие поезда не знаю! Потому что я не железнодорожник, а ваш помощник! А вы — директор консервного завода! Но я и про консервы ничего не знаю! Вот так, господа!

Он надменно и вызывающе осматривал то Сурена, то Мачо. Во взгляде читалось превосходство.

Мачо и Сурен переглянулись. Мачо понял, что Сурен допустил ошибку. Нельзя идти в лобовую атаку, нужно готовить почву, учитывать психологию... Пацан решил, что раз он сын предателя, то от него ждут, что он такой же предатель. И оскорбился, и попер наперекор: вот вам, выкусите! И он не забудет этого разговора... А к чему это приведет, неизвестно: уязвленное самолюбие — очень опасная вещь!

Сурен тоже все понял и даже протрезвел. Они вновь переглянулись.

— Ну, не знаешь, и не надо, — Сурен махнул рукой. — Давай еще по одной выпьем, а потом Алик тебя отвезет домой...

Через полчаса Алик потащил пьяного в лоскуты Короткова к машине.

— Сын за отца не отвечает, — бормотал Андрей. — Отец одно, а я — совсем другое! Мудаки!

Сурен вышел их проводить и быстро вернулся. Он на глазах протрезвел.

В это время зазвонил телефон, Сурен взял трубку. Лицо его сразу оживилось.

— Здравствуйте, Оксана Федоровна!

Хотя говорил он официальным тоном, чувствовалось, что собеседница ему хорошо знакома. Он почему-то сказал, что находится в Москве, и пообещал прислать куда-то машину.

Отключившись, он возбужденно вытаращил глаза.

— На ловца и зверь бежит! Это жена того ракетчика, Оксанка! Отвезешь ее в Тиходонск, вот и познакомитесь!

— А этот твой парень? — на всякий случай спросил Мачо.

— Не беспокойся, я уже распорядился, — нехотя ответил Змей, глядя в сторону.

* * *

Средства проведения досуга на БЖРК отсутствуют. Боевое дежурство предусматривает только службу и сон. Если бы полковник Булатов, подполковник Кандалин или главный контрразведчик Кравинский узнали, что кто-то из членов экипажа вместо восстановления сил гадает на картах, они были бы крайне недовольны. А если бы им сказали, кто именно этим занимается, то начальники бы вдобавок и удивились. Особенно командир части, который ничего не знал об увлечениях своей жены.

Военврач Булатова раскладывала карты на свою судьбу. Точнее, на ближайшее будущее. Глянцевые прямоугольники с треском выскакивали из новенькой колоды. Трефовый король, как по заказу, лег рядышком с дамой бубен.

«Карты редко говорят напрямую, — утверждала баба Лиза — гадалка со стажем, которая и обучила Наталью Игоревну этому занятию. — Чаще они только подают знак, который надо разгадать. Толкование и есть главное в нашем искусстве».

Однако как раз сейчас и выдался редкий случай крайней откровенности. Будто сам дьявол-искуситель заставлял карты ложиться так, чтобы у Натальи Игоревны не возникало никаких сомнений насчет своей судьбы.

Третьей выпала пиковая шестерка, при любом раскладе обозначавшая дальнюю дорогу, на сто процентов применимую к вечно курсирующему по российским просторам атомному поезду. А стало быть, дополнительное предзнаменование и подтверждение правильности гадания.

Не открытой оставалась последняя карта, до сих пор лежавшая на столе рубашкой вверх. Тонкие длинные пальцы с коротко остриженными ногтями осторожно перевернули ее. Девятка пик. При виде ее баба Лиза скабрезно улыбалась и потирала руки. Интимная близость.

Наташа поспешно смешала карты и быстро оглянулась через плечо, как будто проверяя, не стоит ли за спиной строгий супруг. Но в каюте, естественно, никого не было, к тому же полковник Булатов, хотя и разбирается во многих вещах, вряд ли был способен определить, что означает данный расклад.

Монотонно стучали колеса, вагон раскачивался и подскакивал на стыках рельсов. Щеки Булатовой пылали. Наташа приложила к лицу холодные пальцы. Неужели это она, мужняя жена, военврач стратегического ракетного комплекса, майор российской армии, сидела сейчас с картами в руках и гадала на судьбу, как какая-нибудь глупенькая школьница? Смешно! Смешно и нелепо.

«Что с тобой, Наташа? — строго обратилась она сама к себе. Точнее, к той своей половине, которую томила непонятная страсть. — Такого не должно более повторяться... Ты ведь не девочка, чтобы так увлекаться. К тому же этот так называемый король треф значительно младше тебя, он любит свою жену, да и вообще... Выбрось из головы эти глупости!»

Булатова извлекла из ящичка маленькое зеркало, заглянула в него.

Нет. Она не убедила свою вторую половину. Не убедила саму себя.

* * *

Сурен вывез его на дорогу к воинской части, и они распрощались.

— Не проболтайся, что я здесь! — напомнил он напоследок. — Я в Москве, возвращаюсь завтра!

Мачо проехал около километра и увидел зеленые ворота с красными звездами, рядом — бетонную будку КПП, входной турникет и часового с автоматом, который любезничал со стройной девушкой в коротком красном платье и босоножках на высокой шпильке. Рядом с ней стоял большой, перехваченный ремнями чемодан.

Разогнавшись, Мачо вывернул руль, нажал на тормоз, машина с визгом развернулась и замерла в сантиметре от чемодана.

— Здравствуйте, Оксана!

Девушка кокетливо улыбнулась. Чувствовалось, что она привыкла к мужскому вниманию и умеет на него отвечать.

— Откуда вы знаете, что я Оксана?

Мачо забросил чемодан в багажник, предупредительно распахнул дверцу.

— Степан Григорьевич попросил отвезти в Тиходонск Оксану Кудасову. Трудно представить, что по случайному совпадению здесь стоит с чемоданом Вера Иванова.

Оксана засмеялась и села на переднее сиденье. Мачо тронулся с места, бросив назад цепкий взгляд. Автоматчик с завистью смотрел вслед автомобилю. Второй выглядывал из зарешеченного окошка.

— А меня зовут Василий, фамилия — Столяров.

— Очень приятно, Василий. Через час весь гарнизон будет знать, что я уехала на классной машине с мужчиной! — веселилась Оксана. — Как будто меня похитили!

— Я вижу, похитить вас не так-то легко. Вон какая охрана!

— Это еще что! Там внутри и лента с шипами, и доты с пулеметами, и мины, — хохотнула девушка. У нее было прекрасное настроение. Осточертевший военный городок оставался позади, удобное кожаное сиденье податливо принимало форму тела, тихо играла музыка, климат-контроль поддерживал комфортную температуру, мощный мотор вез ее в новую жизнь. А за рулем сидел красивый сильный мужчина, который не просто так форсил рискованным торможением. Значит, она ему понравилась.

— Так вы все время рисковали подорваться? — спросил Мачо, не отрывая взгляда от дороги.

— Почему? — удивилась девушка.

— Я про мины.

— А-а-а... Они в запретной зоне, мы туда не ходили.

Мачо прибавил газу. Они ехали вдоль железнодорожного полотна, огороженного несколькими рядами колючей проволоки. По рельсам медленно двигалась дрезина, два автоматчика пристально всматривались в прилегающие окрестности.

Даже того, что он узнал за пять минут, было достаточно, чтобы сделать вывод: база «Мобильного скорпиона» охранялась очень хорошо. К тому же наверняка предусмотрено быстрое прибытие подкрепления, даже установлен какой-то норматив... Наверное, пятнадцать-двадцать минут...

Молчание затягивалось. Это недопустимо. На первом этапе знакомства очень важен плотный вербальный контакт. Если пауза длится более минуты, девушки разочаровываются в кавалерах. А когда люди мало знакомы, лучше всего говорить о мудреных, но интересных для собеседницы вещах: о чувствах, о потаенных уголках души либо о ней самой. Мачо проходил специальную психологическую подготовку, набрал большой опыт и мог бы написать на эту тему целый трактат. Или руководство для начинающих донжуанов. Впрочем, кто такой Дон Жуан? Совсем недавно Мачо с удивлением узнал, что громкую славу тот снискал, соблазнив 24 женщины! За всю жизнь! Во время отдыха где-нибудь на Гавайях ему самому доводилось достигать такого количества за месяц...

Дорога послушно ложилась под колеса, солнце садилось, уступая место сумеркам, от этого в салоне «БМВ» было особенно уютно.

— Мне бы хотелось, чтобы эта неповторимая поездка не заканчивалась никогда, — Мачо посмотрел на высоко открытые ноги спутницы. Кожа на коленках блестела, как будто подсвечивалась изнутри.

— Неповторимая? — завороженно переспросила Оксана.

— Да. Все в жизни неповторимо. Ведь жизнь — это театр. И никогда нельзя сыграть одну и ту же сцену одинаково. Один и тот же спектакль, одна и та же сцена, одни и те же актеры, одинаковый текст. Но все равно каждый раз это будет другая сцена.

Сейчас Мачо делал сразу три дела: вел машину, поддерживал разговор и тестировал свою попутчицу. К концу поездки он должен составить полное впечатление об ее внутреннем мире, характере, психологии. От этого очень многое зависело.

— Почему? — Кудасова с неподдельным интересом слушала своего спутника. До сих пор мужчины никогда не говорили с ней на столь возвышенные темы. Смысл произносимых слов, тембр голоса, интонации обволакивали ее, расслабляли и успокаивали. Она испытывала полное умиротворение.

— Все в мире постоянно меняется, — Мачо опустил правую руку на подлокотник и будто невзначай коснулся ладони девушки. Она не убрала ее. — Изменяется температура воздуха, влажность, давление, настроение актеров, их самочувствие, энергетика организма, да и сам организм меняется: обновляются клетки, растут ногти, волосы...

— Я никогда не чувствовала этого. А может, просто не задумывалась. И я не чувствую в себе никакой энергетики. Я же не электродвигатель и не трансформатор...

Теперь наступила очередь Мачо улыбаться.

— Сейчас я вам кое-что покажу, — таинственно пообещал он. — Расстегните мне карман рубашки, пожалуйста. Вот этот, нагрудный, справа.

Он вполне мог и сам это сделать, но изобразил, что как раз не может, даже положил руку обратно на руль. Но Оксану просьба не смутила. Ловкие пальчики быстро расстегнули пуговицу.

— Там деньги, достаньте одну купюру.

— Зачем?

— Увидите.

— Как интересно...

В кармане лежала солидная пачка новеньких стодолларовых купюр. Чтобы отделить одну, девушке пришлось вынуть всю пачку, оценив ее вес и толщину. Это полностью входило в планы Мачо.

— Вот она! — хрустящая бумажка была зажата в тонких наманикюренных пальцах.

— Теперь распрямите ее, разгладьте, пусть будет совершенно ровной, вот так, так... Готово? Теперь кладите мне на руку...

Мачо снова снял правую руку с рулевого колеса, подставил ладонь, и купюра мягко легла, куда следовало.

— Теперь смотрите внимательно...

Не отрывая взгляда от дороги, он слегка напрягся, представляя, как энергия организма начинает истекать в пространство именно через поверхность ладони. Прошло пять секунд, десять, пятнадцать...

— Ой, она движется! — изумленно вскрикнула Оксана.

Углы вощеного казначейского билета начали приподниматься: сначала медленно, потом быстрее... Еще через пару секунд стали загибаться края — все выше, выше, и на глазах изумленной Оксаны купюра свернулась в трубочку.

— Как здорово! Это фокус?

Мачо снисходительно улыбнулся.

— Какой же фокус? Фокус — это обман, а я все сделал на ваших глазах, без всякого обмана. Это и есть проявление энергетики организма.

— А у меня так получится?

— Вполне возможно. Попробуйте.

Оксана разгладила купюру и положила на свою узкую ладошку. Пристально уставилась, будто гипнотизируя. Время шло.

— Ну, что?

— Не получается. Края немного приподнялись — и все. Возьмите.

Девушка протянула купюру обратно.

— Оставьте себе. Для тренировок.

— Ой, это же неудобно!

— Напротив, очень удобно. Это мой маленький подарок в честь нашего знакомства.

— Спасибо...

Мачо положил руку на теплое колено.

— И знаете что? Когда мы приедем в Тиходонск, я приглашаю вас в ресторан. Только вы выберете сами, самый лучший.

Оксана захлопала в ладоши.

— Как здорово! Я сто лет не была в приличных местах! Тогда давайте пойдем в «Маленький Париж». Только там все очень дорого...

Мачо сунул руку в карман, извлек пригоршню мелочи и сделал вид, что считает.

— По-моему, должно хватить!

Оксана засмеялась. Мачо тоже довольно улыбнулся. Психологический портрет спутницы был готов. Детская непосредственность, легкая инфантильность, чувственность, готовность идти на контакт с мужчиной, определенная расчетливость, простота в общении...

На горизонте показались огни Тиходонска.

* * *

Рассеянный зеленоватый свет крохотных плафонов создавал в общем зале ресторана «Маленький Париж» интимную обстановку. Большие кожаные диваны, расположенные полукругом вокруг столиков, образовывали подобие отдельных кабинок, создающие если не уединение, то его иллюзию. Народу в зале было немного, в поле зрения Оксаны — вообще никого, поэтому создавалось впечатление, что они с Василием здесь одни.

— Устрицы будем? — спросил новый знакомый.

— Ой, они же мерзкие: скользкие и пищат! — сморщилась Оксана и продолжила посасывать через трубочку джин с тоником.

Спутник усмехнулся.

— Кто это вам сказал?

Сказал это Сурен, в тот единственный раз, когда приводил ее сюда.

— Ой, я не помню... Кто-то из знакомых.

— Тогда надо убедиться, что это ерунда...

Василий оторвался от меню и поднял требовательный взгляд на официанта.

— Когда выловлены устрицы?

Парень в отутюженной белой рубашке, отутюженных черных брюках и блестящих черных туфлях сам производил впечатление вышедшего из-под утюга. Он стоял навытяжку, держал руки по швам и явно собирался запоминать заказ наизусть. На груди у него висел бейджик «Александр». На миг Оксана вспомнила своего мужа. Сейчас он несся неизвестно куда в своем дурацком поезде.

— У нас прямые поставки, доставлены самолетом из Парижа вчера, думаю, что выловлены дня три-четыре назад.

— Что ж, свежее в этих краях не найти. Давай нам по полдюжины, номер ноль. И бутылку шампанского... Сейчас, сейчас...

Василий открыл карту вин.

— Неси «Вдову Клико»! А дорада мороженая?

— Никак нет, охлажденная, на льду...

— Две порции и бутылку «Шабли». Десерт закажем потом...

Оксана пребывала в состоянии восторга. Казалось, что она во французском фильме с Бельмондо в главной роли. Она всегда мечтала о том, что когда-нибудь, подобно киногероине, будет вот так сидеть в уютном зале ресторана с красивым мужчиной и наслаждаться вкусными блюдами, изысканными напитками и оказываемым ей вниманием. Но жизнь ее этим не баловала. На определенном этапе она даже пришла к печальной мысли, что мужчины в наш век явно измельчали. Или ей просто не везло. Торопливые сверстники норовили побыстрее залезть под юбку, даже Александр никогда не водил ее в приличные места по причине безденежья. Кудасов, как теперь поняла девушка, даже ухаживать толком не умел. Она уже пришла к мысли, что принца на белом коне все равно не дождешься. Все девушки мечтают о нем, но в итоге получают только коня, да и то не белого — драную замызганную клячу...

Только Сурен показал ей красивую жизнь, и то украдкой. Вечно занятый и куда-то спешащий, он ненадолго приподнимал занавес, показывая шикарно сервированные столы, уважение окружающих, роскошные наряды, — и тут же вновь опускал. К тому же «Виагра», бесконечные «ручные запуски»... На принца Степан Григорьевич явно не походил по всем параметрам. Он даже на белого коня не тянул... Особенно ясно это стало сейчас, когда она получила возможность сравнивать. Сурен по-купечески швырялся деньгами, заставлял стол бадейками икры и батареями спиртного, но и представления не имел о тех кулинарных тонкостях, которыми владел новый знакомый. И его «шикарные» столы были просто дорогими и сытными, но далекими от тонкости и изыска, как и он сам.

Но сейчас давние мечты сбывались! Она сидела в кабинке с красивым и щедрым мужчиной, который был гораздо моложе Сурена и явно превосходил его в утонченности и галантности манер. Стоило ей допить джин, как обходительный спутник тут же заказал новую порцию. Значит, заметил, что горьковатый напиток с необычным привкусом ей понравился.

— Как жизнь семейная? — участливо поинтересовался Василий. — Мне кажется, тут у вас не все в порядке...

— Это точно, — Оксане хотелось, чтобы ее пожалели. — Разве это жизнь, когда я вижу мужа несколько дней в месяц! А остальные дни сижу дома одна. Однажды даже попала в лапы лесбиянки...

— Да ну? — изумился Василий.

Две порции джина на голодный желудок сделали свое дело — девушка незаметно опьянела. Не очень сильно, но движения стали размашистыми, а голос — громким.

— Представьте себе! Жена командира моего мужа, между прочим! Ну, я, конечно, ничего ей не позволила и убежала, но все же сам факт...

— Факт безобразный! — согласился кавалер. — Но знаете, Оксаночка, это говорит о том, что вы неотразимы не только для мужчин, но и для женщин! Как же муж рискует вас так надолго оставлять?

— Спросите лучше у него, — обиженно бросила девушка. — Он помешан на своем поезде. Он живет им, дышит им, готов всем пожертвовать ради него. Сегодня я поставила его перед выбором: я или этот поезд! И что, вы думаете, он выбрал?

— Конечно, вас! — неискренне сказал Мачо, но Оксана не заметила ошибки в интонации.

— А вот и нет! Он выбрал свой поезд! И уехал. Сейчас трясется неизвестно куда...

— Так он проводник?

— Какой там проводник! Он офицер, ракетчик!

— Просто поразительно! А что ж это за поезд?

— Это...

Оксана вовремя сдержалась. То, что рассказал ей Александр, — военная тайна. Хоть она и пьяна, но не настолько, чтобы выбалтывать военные тайны малознакомому человеку.

— Этого я не знаю. Муж и раньше говорливым не был, а сейчас вообще ничего не рассказывает.

Мачо понимающе наклонил голову.

Александр принес устрицы и шампанское, наполнил специальные фужеры, плоские, как вазочки для мороженого. Оксана с опаской смотрела на половинки шипастых раковин, в которых скользко отсвечивали тела моллюсков. Сурен говорил, что это гадость. Что они живые и пищат, когда их поедают.

— Они правда живые?

— Конечно! — уверенно кивнул Мачо. — Иначе есть их было бы нельзя. Устрицы едят только живыми.

— И они правда пищат?

— Нет. Пищать им просто нечем. Вот, поддевайте этой вилочкой, вот так, полейте лимонным соком, вот этим уксусом и — раз! И сразу запейте шампанским...

Оксана сделала так, как ей советовали.

— Ой, как вкусно!

— Можно будет повторить! — пожал плечами Василий. — Причем легко. А пока...

Повинуясь его знаку, бдительный Александр мгновенно освежил бокалы.

— Давайте выпьем за вас, Оксаночка!

— Ой, почему за меня?

— Потому что мужчины обязаны пить за женщин. А вы здесь самая красивая. Глупо пить за стеклянную безделушку, когда есть прекрасный бриллиант.

Комплимент пришелся девушке по вкусу, и они выпили. Шампанское закончилось очень быстро, Александр принес очень вкусную отварную рыбу с начиненными креветками авокадо, заменил шампанницы на высокие узкие бокалы и налил ароматного белого вина. Оксана хмелела все сильнее. Но это было замечательно: по всему телу разлилось тепло и приятная истома. Хлопая длинными ресницами, она неотрывно смотрела на своего кавалера.

— Вы актер, Василий?

— Почему? — удивился тот.

— Вы так говорили про театр, про спектакли...

— Ах, это... Играл когда-то в студенческом театре. И много читал. Но... За искусство ведь много не платят. И я, как все, ушел в бизнес.

— А... А вы женаты?

Сердце Оксаны екнуло. Сегодняшний вечер был сказочным, необыкновенно прекрасным. Но в жизни нет ничего идеального. На каждую бочку меда находится даже не ложка, а приличное ведро дегтя. Место на белом коне рядом с принцем обычно бывает занятым.

— Нет. До сегодняшнего вечера я слишком ценил свободу. Но вы, к сожалению, замужем.

— Можно считать, что нет. Я ушла от мужа и собираюсь с ним развестись. Причем в самое ближайшее время.

— Что ж, возможно, это судьба, — неопределенно сказал Василий. — Я предлагаю выпить на брудершафт...

Оксана, как и подобает скромной девушке, потупилась и выдержала паузу. Но не слишком долгую.

— Нет возражений! — просияла она.

Они переплели руки, выпили, потом слились в долгом поцелуе.

Деликатный Александр, зорко следивший за потребностями гостей, в это время куда-то исчез. Но когда поцелуй закончился, тут же появился и разлил по бокалам остатки «Шабли».

— А знаешь, Оксана, у меня есть предложение, — Мачо накрыл горячей рукой ладошку девушки и устремил на нее прямой взгляд. — Не надо тебе так поздно возвращаться домой. Поедем ко мне в гостиницу. У меня снят номер, тебя я поселю в соседнем...

Их глаза встретились.

— Я не возражаю... Но... Вдруг не будет свободных комнат?

— Об этом не беспокойся. Меня там все знают и любят. Горничные стирают мне рубашки, гладят брюки. И с администраторами прекрасные отношения. А в крайнем случае — я живу в люксе, у меня две комнаты, диван. Разместимся!

Оксана медленно наклонила голову. Она оценила безукоризненность манер нового принца.

— За что выпьем? — Василий с явным нетерпением поднял бокал.

— За сбычу мечт! — счастливо засмеялась Оксана.

— За что? Я не понял...

— За мечты, — ласково пояснила Оксана. — Чтобы они сбывались.

— Но ведь так не говорят, — Василий непонимающе выпятил нижнюю губу. — Фраза неправильная. Ошибка в этих, падежах...

— Ты что, американец? — укорила Оксана, и Мачо вздрогнул. — Не будь таким нудным! У нас же все так говорят...

Когда принц и принцесса приехали в «Сапфир», об отдельном номере уже никто не вспоминал. Они начали целоваться еще в холле люкса.

— Я хочу музыку, — прошептала Оксана. — Помнишь песню: «Мечты сбываются и не сбываются...»

Она сказала это просто так, чтобы что-нибудь сказать. И была готова к стандартному ответу: «Зайка, где я тебе в полночь возьму музыку? Пойдем быстро в постель!» Во всяком случае, Саша и даже всемогущий Сурен отреагировали бы именно так. Но принц есть принц.

— Иди, купайся и ложись, — сказал он. — Я сейчас...

Оксана отправилась в ванную.

А Мачо спустился в гостиничный ресторан, где музыканты зачехляли инструменты.

— Есть работа на пять минут, — объявил он. — Каждому сотню долларов!

— Что за работа? — заинтересовался скрипач с творчески растрепанной шевелюрой.

— Сыграть у меня в номере и спеть песню: «Мечты сбываются и не сбываются»...

— Это можно, — оживился флейтист. — Людмила еще не ушла, надо ее позвать...

Оксана, голая и накупанная, лежала в постели, укрытая только простыней. Приятно кружилась голова, все проблемы и заботы были забыты, никакого поселка Кротово не существовало в природе, военный городок и его обитатели напрочь стерлись из памяти, она находилась в сказочном хрустальном замке, куда ее привез принц на белом коне.

— Мечты сбываются и не сбываются, — в блаженной прострации мурлыкала она.

И как бывает в сказках, в соседней комнате проникновенно откликнулась этой мелодией флейта, ее поддержала скрипка, и низкий чувственный голос запел:

— Мечты сбываются и не сбываются...

В спальню, сбрасывая на ходу одежду, не вошел, а ворвался

Василий, он сорвал простыню, обнажая хрупкое стройное тело Оксаны, и набросился на нее, как лев на трепещущую лань.

Следом зашла певица в расшитом золотыми блестками длинном платье, лохматый скрипач и неприметный флейтист. Спальню наполнили трогающая за душу музыка и живая песня:

— Любовь приходит к нам порой не та...

В сказках и в снах самые невероятные вещи воспринимаются как совершенно повседневные и обычные. Оксана никогда не занималась любовью на глазах у играющего оркестра, но сейчас она не обращала на посторонних людей никакого внимания. Были только она с прекрасным принцем, острое чувственное наслаждение, музыка и обволакивающий, напоенный эротикой низкий голос:

— Мечты сбываются и не сбываются...

Ее мечты начинали сбываться, она закрыла глаза и поплыла по волнам сказочной и прекрасной эйфории.

* * *

В этом рейсе обстановка была особенно напряженной. Все ждали пуска и точно знали, что он состоится. Все знали и то, что успех или неудача учений зависят от зеленого старлея, вчерашнего стажера. В то время как весь личный состав был нацелен на предстоящую учебно-боевую задачу, сам Кудасов погряз в тягучих и томительных размышлениях о личной жизни.

Сейчас ему было совершенно ясно, что с этим то ли Степаном Григорьевичем, то ли Суреном дело нечисто. Почему Оксана, забываясь, называет его на «ты»? Как племянница? Но какой он, к черту, дядя? Похоже, что родители Оксаны на свадьбе увидели его в первый раз. Но почему он тогда оплатил свадьбу? Да и эти разговоры про Карнеги, эта безапелляционная фраза «не мой вопрос»... Сто процентов, что Оксана заимствовала их именно из лексикона Сурена! Значит, они давно и хорошо знакомы! Неужели? Да нет, не может быть! И все-таки... Этот старик никак не похож на родственника, а кто он такой и почему так швырялся деньгами на свадьбе, Оксана так и не объяснила. «Откуда я знаю? Спроси у него, если хочешь!» — вот и весь ответ. Что ж, можно и спросить!

На мониторе появилась красная отметка: над ними завис очередной спутник. «Плутон» или «МХ-100» или черт его знает какой... Кудасов автоматически сделал запись в журнале дежурств. Мысли его были далеки от происков американской разведки. Он думал совсем о другом.

Этот Сурен, конечно, спас его от избиения, но куда они с

Оксаной пропали потом? Он ведь умышленно заставлял его пить, и тон у него был надменный и высокомерный. Он показывал себя хозяином Кротова. И... как бы хозяином Оксаны... Саше стало плохо около двадцати трех часов, а Оксана появилась в пять тридцать. Где она провела всю ночь? Сидела на стуле и беседовала с официанткой? Не похоже, ох не похоже...

Старший лейтенант являлся дежурным оператором и нес ночную вахту. Четвертый вагон был погружен в синий полумрак, только мониторы мерцали как обычно да на светящейся карте мира время от времени отслеживались плановые запуски и прохождение искусственных спутников, космических зондов, испытательные пуски ракет-носителей и другие глобальные проявления человеческой деятельности, которая в целях безопасности подвергалась постоянному контролю. Каждая вахта на боевом дежурстве — дело очень ответственное и важное. Оператор должен быть спокоен, внимателен, собран и не отвлекаться ни на что постороннее.

Оператор Кудасов прокручивал в голове последнюю семейную сцену. Он не мог ничего сделать. Ни задержаться, ни отказаться от рейса, ни бросить службу. Неужели она этого не понимает? Похоже, так... Скорее даже — не хочет понимать! Когда жена не понимает мужа-офицера, тем более стратегического ракетчика, то семья не может существовать.

Оксана уехала. Он в этом не сомневался. Сейчас, в эту минуту, она наверняка уже находится в Тиходонске... С кем? С родителями? С подругами? Или с кем-то еще? Как ни странно, ему было почти все равно. В отношениях, которые связывали его с красавицей Моначковой, что-то лопнуло. Как лопается канат под нагрузкой, если по нему полоснуть бритвой. «Барби»! «Сурен»! — вот она, эта бритва...

Ноги затекли, давили стальные стены, спертый воздух не мог насытить кислородом кровь. Надо было размяться. Сегодня такая возможность у него была.

Дежурный оператор атомного поезда переключил сигнальную систему на боевой вагон, неторопливо встал, вышел в тамбур, особым ключом отпер дверь перехода, набрал сегодняшний код второй двери и прошел в пятый вагон. Автоматически включилось дрожащее неоновое освещение, какая-то из ламп противно дребезжала. Округлый колпак пускового контейнера возвышался над вошедшим, будто разглядывал свысока его — крохотного и слабого. Что значат семьдесят килограммов молодых мышц и крепких костей по сравнению с сотнями тысяч мегатонн спрессованной энергии, способной вмиг снести с лица земли полтора десятка крупных городов!

Александр потрогал холодную броню, слегка похлопал ладонью, как будто успокаивал прирученного, но опасного зверя.

— Спокойней, дружище, спокойней! Это я завтра отправлю тебя к цели! И не зазнавайся, сейчас у тебя не шестнадцать зарядов, а только один!

Исходящее от ракеты высокомерие поубавилось. Похоже, она распознала в неожиданном визитере хозяина.

Александр положил обе руки на округлый лоб прирученного монстра.

— Завтра иди точно в цель, постарайся не отклониться, не поддавайся ветру и центробежной силе не поддавайся! Я рассчитаю твой путь до последнего метра, и ты должна точно пройти по нему! Сделаешь?

Тишина боевого вагона нарушалась только дребезжанием лампы дневного света. Кудасов поднял голову и по неровному мерцанию определил, что это вторая справа.

— Сделаешь?! — он требовательно хлопнул по бронированному лбу — так строгий дрессировщик призывает к порядку закапризничавшего тигра или медведя.

И совершенно отчетливо услышал металлическое:

— Да!

У него даже мороз прошел по коже. Что же это? Ведь ракеты не могут разговаривать! Может, так отозвался металл на хлопок ладони?

Он снова поднес руку, но внезапно остановился: какое-то шестое чувство подсказывало, что больше с ракетой фамильярничать не стоит.

Наступила полная тишина, даже лампа перестала дребезжать. Александр молча смотрел на ракету, а ракета, в свою очередь, смотрела на него. Они понимали друг друга. Ракета признавала в нем повелителя и готова была подчиняться приказам. А он чувствовал ее частью своего тела, может быть, пальцем, который, если надо, протянется через тысячи километров и ткнет в нужную точку. И снова, как когда-то в Красноярском полку, появилось ощущение могущества и ничем не ограниченной силы.

Сзади скрипнула дверь, и он почувствовал биоволны другого человека. Резко развернувшись, он бросил руку к кобуре, сорвал тугую петельку застежки и оцепенел.

Перед ним стояла майор Булатова. В форме, с напряженно застывшим лицом. Дефектное освещение сделало ей свой макияж: огромные, лихорадочно блестящие глаза, острые скулы, запавшие щеки, плотно сжатые губы.

— Наталья Игоревна?! — изумление было неподдельным.

— Да... Я... Видите ли, я принесла вам таблетки... А вас на месте не оказалось... Вот я и пришла сюда...

Женщина была явно не в своей тарелке. Ее взгляд перебегал с лица старшего лейтенанта на непробиваемый лоб атомного монстра, причем чувствовалось, что на сферическую сталь ей смотреть гораздо проще.

— Какие таблетки? — тихо спросил дежурный оператор.

— Фенамин. Для завтрашнего запуска, — так же тихо ответила военврач.

Все это было сущей ерундой. Таблетки вполне можно отдать завтра, вызвав младшего по званию офицера к себе в медчасть, а не носить самой по спящему поезду. Очевидно, Наталья Игоревна это понимала, потому что даже в мертвенно-белом «дневном» свете было заметно, что она покраснела и в очередной раз отвела взгляд.

— Ой, я еще никогда здесь не была...

В боевом вагоне очень мало места, они стояли почти вплотную друг к другу.

— Тогда проходите, — сказал Кудасов. Что говорить дальше и куда тут можно пройти, он не знал. Но ощущение силы и всемогущества не исчезло, поэтому он обнял женщину за плечи, привлек к себе и крепко поцеловал в губы, которые немедленно раскрылись навстречу.

Боевой вагон атомного поезда — не место для долгих свиданий. Александр захлопнул тяжелую дверь, резко развернул легкую фигурку к себе спиной и поднял форменную юбку почти до талии. Трусики у Натальи Игоревны были не такими блядскими, как у Оксаны, а самыми обычными, не рассчитанными на то, чтобы производить впечатление на мужчин. Но спустились они так же беспрепятственно: съехали до колен и теперь ничему не мешали. Белые ягодицы и перечеркнутые легким шелком женские ноги подействовали на молодого ракетчика так же, как действует команда «На старт!» на тактические ракеты мобильного базирования: они поднимаются под углом пятьдесят градусов к горизонту...

Такого в боевом вагоне БЖРК еще не происходило. Майор Булатова слегка наклонилась, упираясь растопыренными ладонями в сферический лоб баллистической ядерной ракеты «Молния», а старший лейтенант Кудасов пристроился сзади и, продев руки ей под мышки, вцепился в майорские погоны, прикрывающие хрупкие плечи. Нижней частью тела он наносил сильные короткие удары, каждый из которых достигал цели. Наташа «заводилась» все больше, она начала стонать и тоже задвигалась в противофазе напору старлея.

Это была чудесная схватка, особую остроту которой придавало то обстоятельство, что телевизионная камера под потолком добросовестно транслировала происходящее в боевом вагоне на монитор дежурного оператора смены. Саша знал это и торопился изо всех сил. Оставалось надеяться, что ни Белов, ни Петров, ни Шульгин не вышли в операторскую и не подошли к надоевшему экрану, не сели на свободное место, чтобы полюбоваться редким зрелищем. В конце концов, сейчас ночь, и необычная картинка не привлечет постороннего внимания.

В своих надеждах Саша был прав. Но он не учитывал, что майор Сомов отнюдь не посторонний, а напротив — человек, призванный вникать во все дела поезда, особенно необычные и скрытые от постороннего глаза. С этой целью все телекамеры БЖРК дублируют передаваемое изображение на монитор в его каюте.

Особист, как всегда, засиделся допоздна, потом спрятал в сейф документы и для порядка пощелкал тумблером, осматривая боевые посты. Рутинная и надоевшая проверка, которую можно и не делать, потому что до сих пор никакой интересной информации она не приносила. Но на этот раз картинка происходящего в боевом вагоне заставила его подскочить и несколько раз протереть глаза.

— Да что это! Кто такие?! Гомики?!

Он увеличил изображение и присвистнул, хотя на борту спецпоезда это категорически запрещалось.

— Ничего себе... Докторша! Етить переетить! Вот тебе и скромница! А с ней-то кто? Стажер! Ну и ну! Своей бабы мало! Вот жеребец! Тут после рейса ни у кого не стоит, а он прямо на маршруте вдувает! Да еще прямо на бомбе!

Ну и ну!

Сомов вертелся, как карась на сковородке. Его сжигала необычность происходящего и двойственность своего положения. Что делать? Он с удовольствием записал бы сцены в боевом вагоне, но это не было предусмотрено техническими возможностями системы. Бежать в боевой вагон самому? А что дальше? Государственной измены нет, шпионажа нет, диверсии нет... Супружеская измена в наличии, да еще с участием жены командира части. Можно, конечно, раскрутить большой скандал, но не выигрышный для него лично и для отдела КР в целом. Недоброжелатели скажут, что особисты совсем закопались в грязном белье, вместо того чтобы обеспечивать безопасность стратегического объекта. А Булатов — мужик крутой, запросто может надавать по морде. А то и пристрелит сдуру: когда глубинные чувства задеваешь, люди на крайность готовы...

В конце концов он придумал, что ему можно сделать. Не отрывая жадного взгляда от экрана, он оделся по всей форме, нацепил даже галстук и надел фуражку, приоткрыл дверь каюты и стал ждать.

Схватка в боевом вагоне подошла к концу, майор и старлей разъединились и, не глядя друг на друга, привели одежду в порядок.

— Ой, я сама не знаю, как это получилось, — сказала Наталья Игоревна, глядя в сторону,

— Извините, это я виноват, — одновременно произнес Кудасов.

Наступила неловкая пауза. Сверху на них смотрела одна из мощнейших ядерных ракет в мире. Такого ей никогда раньше видеть не приходилось. И майору Сомову, впрочем, тоже.

— Я пойду. Да... Вот ваши таблетки. Желаю успеха...

Майор Булатова с трудом приотворила тяжелую дверь боевого вагона и выскользнула в грохочущее межвагонное пространство. Дверь в тамбур четвертого вагона открылась легче. В операторской никого не было. На мониторе дежурного оператора высвечивалось изображение боевого вагона: выпуклый лоб ракеты и обессиленно прислонившийся к ней Кудасов. Ее пальцы еще помнили холодную выпуклость брони, а в сокровенной части тела теплела часть Кудасова. Она представила, что было видно на этом экране несколько минут назад, и пришла в ужас. Пройдя еще один тамбур и межвагонный переход, она оказалась в полутемном штабном вагоне. За пультом, в круге света, сидел оперативный дежурный, который никак не отреагировал на ее шаги. А в конце вагона на ее пути вдруг вырос майор Сомов. Несмотря на ночное время, он был одет по полной форме: с галстуком и в фуражке.

— Здравствуйте, Наталья Игоревна! — особист взял под козырек. — Не спится?

У него был внимательный многозначительный взгляд, который пронизывал ее насквозь. Женщина ощутила себя голой. Она почувствовала, что майор обратил внимание на ее растрепанную прическу, чуть сдвинутую в сторону юбку и даже рассмотрел мокрые трусы. Кровь прилила к лицу.

— Нет, я еще работаю, — ровным голосом ответила военврач и прошла мимо. Но успела заметить легкую, понимающую улыбку на лице особиста.

Кудасов выждал несколько минут, чтобы их с Натальей не увидели вместе. Он опять погладил тугоплавкий металл, впитывая в себя энергетику ракеты. Снаружи отчетливо доносился шум проливного дождя. Бойкие капельки отстукивали по корпусу вагона свой хаотичный ритм, и эта природная музыка, прорвавшись в злой техногенный мир ракетного комплекса, вернула его к прежним мыслям. А любила ли его Оксана когда-нибудь?

Или вышла замуж просто потому, что так положено, чтобы не отстать от подруг?

Сейчас, впрочем, все это его не очень занимало. Хандра прошла. Он чувствовал необычайную легкость, ощущение свободы, безграничности пространства, единства со всей вселенной, наконец. Эх, выскочить бы сейчас под дождь, побегать голым под упругими струями, глотая чистый, насыщенный озоном воздух! Прежде у него таких желаний не возникало... И все это вызвано впечатлениями от того, что произошло несколько минут назад. Это было так неожиданно! И... приятно... Недоступная военврач оказалась замечательной женщиной! Это благодаря ей исчезла горечь, разъедающая душу после разговора с Оксаной. И пришла уверенность, что завтра он успешно запустит ракету и попадет точно в цель.

— Ты ведь не подведешь, малышка? — он снова похлопал по холодной стали. И снова отчетливо услышал:

— Нет.

Как эхо хлопка по металлу.

Кудасов запер боевой вагон и вернулся на свое место. В мире ничего экстраординарного, требующего внимания дежурного оператора БЖРК не произошло. Он достал вахтенный журнал и, как положено, записал: «В 01 час 30 минут посетил боевой вагон с целью непосредственного контроля боевых систем и механизмов. Все системы работают нормально. В 02 часа 10 минут вернулся на место дежурного».

Сзади послышались шаги. Он поднял голову. Вагон смены запуска посетил особист майор Сомов.

— Как служба, сынок? — с отеческими интонациями спросил он, хотя на отца явно не тянул, даже по возрасту.

— Нормально, товарищ майор. Работаю.

Особист понимающе кивнул.

— Дай-ка мне журнал. Раз уж зашел, то сделаю отметочку для порядка...

Похвалив себя за скрупулезность и предусмотрительность, Кудасов протянул журнал.

— Даже в боевой вагон выходил? — удивился Сомов. — Ну, ты молодец. Добросовестно службу несешь, на совесть!

— Как учили, товарищ майор.

Уже когда особист ушел, появилось впечатление, что он не столько хвалил его, сколько издевался. Но Кудасову и на это было сейчас наплевать.

* * *

— Что там творится в Кротове, прямо у вас под носом, товарищ майор?

Официальный тон и обращение на «вы» показывали, что подполковник Кандалин не в духе. За год тесного сотрудничества с Уполномоченным Министерства обороны Маслов научился улавливать любые нюансы его настроения. Сейчас Олег Станиславович, сцепив пальцы в замок, положил тяжелые кисти на несколько листков с грифом «секретно», которые, очевидно, и послужили поводом к настоящему разговору.

— Вот копия рапорта Кравинского. Он не соизволил информировать меня и послал его сразу в Центр. А там — целый букет... Нездоровая обстановка в отдельном дивизионе и на борту БЖРК: пьянки, интриги, лесбиянство!

При последнем слове Маслов заинтересованно вскинул голову.

— Да, да, лесбиянство! Жена полковника Белова соблазняет телефонисток и даже жену офицера! Вам было известно обо всем этом?

Майор пожал плечами.

— На уровне слухов. Ни одного факта, зафиксированного в приказе...

— Приказов ждете? Там уже расчетные цифры фальсифицируются! Мы отвечаем за боеготовность стратегического комплекса! И можем потерять голову без всяких приказов! — Кандалин стукнул кулаком по столу. — А вы все чего-то ждете!

— До потери головы не дойдет, — буркнул Маслов. — Времена не те. И потом, прямую ответственность за все происходящее в части несет Булатов, а не мы.

Кандалин стукнул кулаком еще раз.

— Если они завтра промахнутся, достанется всем нам!

— Не промахнутся. У Кудасова отличные показатели. А Белова нужно убирать, Олег Станиславович. Когда мы его заменим, большинство проблем рассосется само собой. И с лесбиянством в том числе.

Подполковник почесал в затылке.

— И наступит тишь, гладь и божья благодать? Да? Но ведь у Кудасова тоже проблемы? От него ушла жена и вернулась сюда, в Тиходонск, под родительское крылышко. Дело попахивает разводом. Почему я узнаю об этом не от тебя?

— Развод не обязателен. Сегодня поссорились, завтра помирились, — деликатно заметил Константин. — И потом, разве можно сравнивать Кудасова с Беловым? Сдал полковник. Откровенно сдал. Весь на нервах. Лишнего стал закладывать за воротник. По лицу видно, Олег Станиславович. А что касается Александра Кудасова...

Маслов пожал плечами.

— Парень он выдержанный, неконфликтный. И это не только я так считаю...

— И тем не менее, — Кандалин резко оборвал подчиненного на полуслове. — Я хочу, чтобы при следующей встрече с Кудасовым ты поговорил с ним, Костя.

— О чем?

— О моральном облике будущего начальника смены.

Маслов снова пожал плечами. Таким разговорам грош цена. Но переубеждать Кандалина было бесполезно. Это человек старой закалки, и он свято верит во всевозможные беседы и проработки.

— Есть, товарищ подполковник, — произнес он после небольшой паузы.

Но разговор еще не был закончен.

— И еще, — продолжил подполковник. — Нам тоже надо подстраховаться. Целенаправленный интерес к БЖРК со стороны ЦРУ требует адекватных защитных действий. Чтобы никто не смог упрекнуть нас в халатности.

— Какие еще действия мы можем предпринять? — недоуменно спросил Маслов.

— Усилить охрану объекта и активизировать контрразведывательные мероприятия. Я запросил Центр, и они прикомандировали к нам пару оперативников из Москвы. Помнишь двух здоровых парней, похожих, как близнецы?

Маслов кивнул.

— Они прибудут в Кротово сегодня к вечеру. Работать будут под твоим началом, не замыкаясь на Кравинского. Задействуй их на полную мощность. Это опытные контрразведчики и могут принести нам немалую пользу.

Маслов кивнул еще раз:

— Я вас понял, товарищ подполковник.

* * *

БЖРК приближался к точке пуска. Она была выбрана с таким расчетом, чтобы на сотни километров вокруг не было людей, даже случайных свидетелей. И время рассчитывалось специально: чтобы в небе не было американских спутников-шпионов. Место и время «Ч» сойдутся вместе через два часа и сто двадцать километров.

Мощные турбины крутили колеса локомотива, он стремительно тащил вперед состав стратегического ракетного комплекса. В четвертом вагоне царило особое напряжение. Нервничали операторы смены запуска, даже начальник поезда, который заходил сюда каждые полчаса, был явно не в своей тарелке.

Старший лейтенант Кудасов сидел за боевым пультом, вглядываясь в монитор перед собой. Десятки служб и сотни человек готовили успех запуска. Техническая разведка отслеживала спутники противника, агентурная разведка выясняла, какие опасности могут угрожать БЖРК, метеорологическая служба контролировала погоду на трассе, космическая разведка готова была предупредить о зарождающемся смерче или урагане, повышении солнечной активности или других внезапных факторах, способных повлиять на конечный результат. На Новой Земле интенсивно готовят полигон к приему «карандаша»: выставлено оцепление, принимаются меры по обеспечению радиационной безопасности, личный состав укрыт в подземных убежищах. Неспокойно и в Москве. В усиленном режиме работает руководство РВСН, дежурный в Генеральном штабе ждет исхода учений, чтобы немедленно доложить министру, а министр готовит доклад самому Президенту.

Но на вершине всей этой гигантской пирамиды находится он — вчерашний курсант Кудасов. Именно ему предстоит рассчитать траекторию, нажать кнопку и направить ракету в цель. Дело осложняется тем, что если стационарные МБР стартуют из известной точки по стандартному маршруту, то для «Молнии» практически весь курс придется прокладывать заново, в соответствии с координатами комплекса в момент старта. Это очень серьезная задача для расчетчика. Сегодня это старший лейтенант Кудасов. Поэтому он так напряженно вглядывается в экран монитора, на который выводятся все исходные данные.

На своих местах находятся и все операторы. Не только дежурные — Кудасов, Половников и Козин, свободные от дежурства Шульгин и Петров тоже пришли в отсек запуска. Поскольку сидячих мест на всех не хватает, Шульгин с Петровым стоят в коридоре, прислонившись к стальной стене. Что ж, боевой запуск настолько редкое событие, что пропустить его невозможно.

Начальник смены запуска сегодня не командир пуска. Заложив руки за спину и совершенно не обращая внимания на окружающих, Белов энергично мерил шагами свободное пространство. Но его было немного, он то и дело натыкался на не успевшего отскочить подчиненного.

— Что-то случилось, товарищ полковник? — не выдержал наконец Виктор Половников. — Изменения по запуску?

Евгений Романович резко остановился, будто наткнулся лицом на твердую невидимую преграду.

— С чего вы взяли эту чушь? — грубо спросил он.

Виктор пожал плечами и с надеждой посмотрел по сторонам, как будто надеясь, что коллеги подтвердят обоснованность его предположения. Однако все прятали глаза.

— Ну, не знаю, — неопределенно ответил Половников. — Просто мне показалось, что вы чем-то взволнованы. Если это не связано с запуском, то, может, дома неприятности...

Испепеляющий взгляд Белова пригвоздил оператора к креслу. Виктор заерзал на месте, проклиная себя за излишнее любопытство.

— У меня все в порядке и дома и на службе, — желчно процедил сквозь зубы Евгений Романович. — Я трижды запускал тактические ракеты и один раз МБР. Так что мне волноваться не с чего! А вот вам я рекомендую заниматься своими делами, а не совать нос в чужие. Все ясно?

— Так точно, товарищ полковник, — Половников наклонился к планшету с картой.

Белов вновь зашагал взад-вперед, но тут же понял, что таким образом выдает свое нервозное состояние, и остановился, делая вид, что рассматривает обстановку на большой карте земного шара. Он был дважды унижен. Во-первых, за боевым пультом сидит не он, полковник Белов, многолетний командир пуска и ветеран ракетных войск, а сопливый мальчишка, недавний выпускник училища, у которого молоко на губах не обсохло! А во-вторых, про эту дуру Ирину знает уже весь гарнизон. К тому же она связалась с этой куклой — женой сопляка! От одной мысли, что старший лейтенант Кудасов в курсе его семейной драмы, Евгений Романович приходил в бешенство. Куда ни кинь — всюду клин, как говорится. А вернее, всюду этот сопляк!

Полковник бросил взгляд на наручные часы. Время стремительно приближалось к часу «Ч». По лицу сопляка не скажешь, что он волнуется... То, что его посадили на запуск, еще можно пережить: в случае неудачи его карьере конец. Но то, что он смакует семейные неурядицы командира, — этого простить нельзя!

— Внимание, смена! — вдруг громко скомандовал Кудасов и прильнул к экрану. — Поступил боевой приказ! Всем пристегнуться!

На мониторе бежали буквы боевого приказа и координаты

поезда и цели. Одновременно такой же текст поступил на компьютеры начальника поезда и контрразведчика. Через минуту подполковник Ефимов и майор Сомов появились в вагоне запуска.

С этого момента штаб перемещался из третьего вагона в четвертый, а командование переходило от подполковника Ефимова к старшему лейтенанту Кудасову. Тот надеялся на поддержку опытного наставника, но полковник Белов демонстративно отошел к свободным от дежурства операторам, обозначая себя в качестве зрителя.

— Надо остановить поезд, товарищ подполковник, — не приказал, а попросил Кудасов. Запуск его не волновал, он чувствовал ракету как часть своего тела и не сомневался, что ткнет ею в цель с такой же легкостью, как может ткнуть пальцем в любую из кнопок пульта. Но командовать старшими по должности и званию он не умел. И времени научиться не было.

— Есть! — четко ответил Ефимов. Белов подумал, что подполковник издевается над сопливым выскочкой, и даже хотел улыбнуться. Но Ефимов и не думал издеваться. Он был дисциплинированным офицером и выполнял свои служебные обязанности в сложных условиях боевого пуска.

Начальник поезда слегка отстранил дежурного оператора Половникова и повернул к себе микрофон внутренней связи.

— Внимание, говорит начальник поезда! — властно сказал он. — Получен боевой приказ запуска. Приказываю остановить поезд. Подразделению охраны выставить оцепление! Объявляется боевая тревога! Запрет на пользование средствами связи снимается! Командование переходит к командиру пуска старшему лейтенанту Кудасову!

Оцепеневший от напряжения Кудасов не понял, что начальник поезда отдал за него три важных приказа. А Белов понял. Внезапно до него дошло, что за пультом сидит не сопливый, обреченный на неудачу юнец, а офицер, с которым все окружающие связывают выполнение особо важного задания. Сейчас на него работает весь экипаж БЖРК, да и несколько сот военнослужащих из других подразделений. И если он оправдает надежды, то приобретет совершенно другой социальный статус. Настолько серьезный, что окажется не по зубам полковнику Белову.

Включились тормоза, застопорившиеся колеса, высекая искры, скрежетали о рельсы, сила инерции бросила всех вперед. Дежурных операторов удержали привязные ремни, Петров отлетел вдоль стены в сторону и упал, Шульгин успел ухватиться за кронштейн, его развернуло и ударило о стену. Остальные предусмотрительно вцепились в закрепленные столы и стулья, благодаря чему удержались на ногах.

Торможение закончилось, состав замер. Из первого и последнего вагона пружинисто выпрыгнули бойцы подразделения охраны, они привычно развернулись в цепь и, подчиняясь команде старшего лейтенанта Гамалиева, принялись разбегаться, расширяя кольцо вокруг остановившегося БЖРК. В ста метрах от поезда они залегли, ощерившись автоматами и пулеметами во все стороны света. Гамалиев поднес к лицу рацию.

— Товарищ старший лейтенант, оцепление установлено, докладывает старший лейтенант Гамалиев! — четко доложил он.

Чуть заметно улыбнувшись, Кудасов нажал рычажок на пульте, и из-под пятого вагона выдвинулись шесть громадных лап гидравлических домкратов.

— Шульгин и Петров, проверить опоры домкратов!

Свободным от дежурства операторам не удалось остаться зрителями. Схватив рации, офицеры бросились в тамбур, выхватили из специальных зажимов по лому, отдраили наружную дверь и выскочили наружу. Все шесть лап должны надежно упереться в землю, а они обязаны помочь этому. На этот раз много работать не пришлось: только в одном месте круглая опора неловко легла на край насыпи, Петров поддел ее ломом и как рычагом поставил в более удобное положение.

— Опоры в норме! — доложил по рации Шульгин.

Кудасов нажал кнопку гидравлики. Лапы сильно уперлись в землю, принимая на себя тяжесть боевого вагона и находящейся в нем ракеты. Рессоры несколько распрямились, пятый вагон приподнялся на несколько сантиметров, специальные шарнирные соединения переходов изменили угол наклона.

— Вес на домкратах! — подтвердил Петров.

— Проследите сброс крыши! — скомандовал Кудасов и нажал следующую кнопку.

Старший лейтенант уже вошел в роль. Ефимов, Белов и Сомов отмечали, что он держится уверенно, а что еще более важно — все делает правильно. Сомов держал в руках хронометр и следил, укладывается ли новичок в норматив. Пока он шел с опережением графика.

Снаружи раздался треск, крыша пятого вагона сдвинулась с места и начала приподниматься. С одной стороны она поднималась выше, чем с другой, и в конце концов со звоном упала на насыпь и скатилась вниз, словно огромные салазки.

— Крыша сброшена! — доложил Шульгин.

— Отследить выход направляющей! — приказал Кудасов, поворачивая тумблер в красном секторе пульта.

Из обескрышенного вагона стала подниматься толстенная стальная труба со сферической головкой. Через несколько минут она выпрямилась и нацелилась в зенит. Для случайного наблюдателя столь откровенная трансформация вагона обычного с виду поезда оказалась бы столь же шокирующей и циничной, как зрелище высунутого из ширинки в общественном месте полового члена. Но случайных наблюдателей не было на сто километров в округе.

— Направляющая вышла и заняла стартовое положение! — отрапортовал в очередной раз Шульгин.

— В укрытие! — приказал Кудасов.

Укрытием считался сам БЖРК. По многократным конструкторским расчетам, огненная стрела стартующей «Молнии» оставалась в цилиндрическом контейнере и из него выбивалась вверх. На всякий случай крыша четвертого вагона была дополнительно покрыта тугоплавким жароотражающим сплавом. Шестой, технический, вагон дополнительно не защищался, ибо личного состава в нем не было.

Кудасов вывел на экран координаты БЖРК, координаты цели и все сопутствующие цифры поступивших вводных, быстро защелкал компьютерным калькулятором.

— Стартовая широта... стартовая долгота... широта точки попадания... долгота точки попадания, — тихо повторял он, как бы контролируя собственные действия.

Условия на трассе полета были в целом благоприятными, поправок приходилось вводить немного. Сменяющиеся в уголке экрана цифры времени подгоняли дебютанта, он с трудом сдерживал позывы торопливости.

«Главное, ничего не забыть!» — билась в голове тревожная мысль.

Но он уже забыл. В череде жестко регламентированных по последовательности операций он забыл сбросить крышку контейнера-направляющей. Не особо искушенный во всех процедурах пуска Ефимов этого просто не заметил, майор Сомов еще меньше разбирался в сложностях запуска, операторы Половников и Козин тоже пропустили просчет. И только полковник Белов зафиксировал ошибку. Но промолчал.

Теоретически запуск ракеты при закрытой крышке контейнера мог привести к обычному, неядерному — тепловому взрыву с разрушением направляющей, а возможно, и всего боевого вагона. Практически такой исход исключался, потому что автоматика просто-напросто блокирует в подобном случае систему зажигания. В итоге — срыв запуска или нарушение нормативного времени. Здесь совершенно очевидно соотношение причины и следствия, на поверхности лежит вопрос о виновных, причем сама по себе ситуация не связана с угрозой для жизни и здоровья личного состава. Как говорится, о лучшем и мечтать нельзя! Полковник Белов с жадным любопытством наблюдал за действиями ненавистного ему старшего лейтенанта.

В вагоне царила непривычная тишина, слышалось только щелканье клавиатуры и монотонное бормотание Кудасова:

— Поправка на ветер — ноль один, на вращение земли — ноль две сотых, гравитационный коэффициент — ноль ноль одна...

На пульте горели, мигали и меняли цвета зеленые, желтые и красные лампочки. Каждая что-то обозначала: степень готовности системы, исправность агрегата, правильность функционирования основных блоков, точность прохождения сигналов и т. д. и т. п. Всего более ста параметров. На учебно-тренировочных занятиях Александр успешно разбирался в этой мозаике, но сейчас мигающая красная лампочка в левом нижнем углу пульта сбивала его с толку. На этой стадии подготовки к запуску она не должна мигать. И не должна гореть зеленым цветом. Она должна быть выключенной! Почему она мигает, он не знал, да и времени думать об этом не было. Нормативные двадцать минут заканчивались: 18.30 угрожающе светилось на экране.

— Товарищ полковник! — позвал Кудасов. — Евгений Романович! Что за лампочка мигает? Вот здесь, красная...

Отказать в помощи ненавидимому сопляку при учебно-боевом запуске невозможно. Слишком многое поставлено на карту, личные счеты тут неуместны. Дать неправильный ответ рискованно: слишком много свидетелей. Белов сделал вид, что не расслышал.

— Ты ключ вставляй, ключ! — подсказал Ефимов. Он давно стоял рядом с пультом, держа стартовый ключ на изготовку.

— Ах да...

Кудасов сорвал с шеи ключ запуска, вставил его в правое гнездо. Одновременно Ефимов воткнул свой в левое.

— Поворот! — скомандовал старший лейтенант, и ключи синхронно повернулись.

Тут же со щелчком отскочила заглушка пусковой кнопки. Самой обычной кнопки, даже не красной, а черной, как на электрораспределительном щитке в авторемонтной мастерской. 18.55.

— Романыч, ты что, оглох?! — рявкнул Ефимов. — Что за лампочка мигает?!

— Какая лампочка? — Белов будто вышел из спячки. — Где, я же не вижу...

Он сделал вид, что направляется к пульту, но оператор Козин его опередил. Уже при первом вопросе он отстегнул страховочный ремень и прыгнул к пульту, заглядывая Кудасову через плечо.

— Сброс крышки контейнера! — тонким голосом закричал он. — Быстро! Вот этот тумблер!

У него чесались руки самому сделать переключение, но это стало бы воинским преступлением.

Впрочем, Кудасов сориентировался быстро. Он щелкнул тумблером, захваты освободили сферическую крышку, и она с грохотом упала в вагон. Лампочка погасла. 19.25.

— Пуск! — скомандовал Кудасов сам себе и нажал кнопку. Она поддалась очень легко, замыкая серебряные — чтобы не окислялись контакты. Но ничего не произошло.

Кудасов похолодел. Неужели разомкнута цепь? Или неисправность системы зажигания? Не может быть! Контрольные лампочки свидетельствовали, что все в порядке...

Со стороны боевого вагона послышался нарастающий грохот. Включились стартовые двигатели, реактивная струя ударила из сопла, огонь бился в тесной трубе, рвался вверх, обтекая корпус ракеты, но «Молния» уже сдвинулась с места и стала медленно подниматься: на сантиметр, пять сантиметров, десять, двадцать, полметра, метр... Зеленый обтекатель боевой части неспешно выглянул из окутанной дымом трубы, но подъемная сила нарастала, и скорость подъема увеличивалась: уже через секунду покрытое копотью зеленое тело «Молнии» поднялось на огненном хвосте из направляющего контейнера и по изогнутой траектории помчалось вверх. Оглушительный прерывистый гром, словно грохот гигантского отбойного молотка, ударил по ушам бойцов оцепления и, несколько приглушенный, ворвался в каюты и отсеки БЖРК. Пятый вагон трясся и раскачивался, четвертый и шестой тоже заметно вибрировали.

В вагоне запуска все находились в оцепенении. Старт боевой атомной ракеты забирает энергию и душевные силы у людей, к этому причастных. К тому же никто наверняка не знал, чем он закончится: не упадет ли многотонная громада на вагон, сплющивая сталь и человеческую плоть в кровавое месиво железа и органики, не прожжет ли реактивная струя крышу вагона, сжигая все и вся, находящееся в нем, не произойдет ли вопреки надежнейшим предохранителям воздушный ядерный взрыв, испепеляя все в радиусе нескольких километров...

Но конструкторы не подвели: БЖРК действительно оказался надежным укрытием. Рев, вибрация, тряска, кратковременный громовой раскат — и все кончилось. 19.55 — застыла на мониторе цифра контрольного времени. Старший лейтенант Кудасов уложился в норматив.

Сам он сидел с закрытыми глазами, откинувшись на спинку жесткого кресла. Перед глазами мелькали уходящие вниз облака, кожей обшивки он чувствовал все холодеющий с высотой воздух, ощутимо проявлялось разрежение атмосферы: обтекатель все легче продавливал пространство перед собой... Крутящий момент, вызванный вращением Земли, попытался изменить траекторию, но поправочный коэффициент нейтрализовал эту попытку. Бесшумно выключился первый — электромагнитный — предохранитель ядерного заряда. Потом вокруг стало темнеть, отчетливо засияли звезды, косматое солнце протягивало свои жаркие лучи, посылая в космическое пространство мириады корпускулярных частиц — протоны и электроны со скоростью четыреста километров в секунду били в зеленые борта и снесли бы «Молнию» с курса к чертовой матери, если бы не были столь разрежены: всего несколько десятков на кубический сантиметр... Но и этого бы хватило, чтобы испортить выстрел, — хорошо, что воздействие «солнечного ветра» тоже было учтено в расчетах Кудасова...

Далеко внизу крутился обернутый облаками шарик планеты. При боевом пуске следовало нырять через Северный полюс в другое полушарие, но сейчас пуск учебно-боевой, и целью служит полигон острова Новая Земля — вот он, хотя и в высоких широтах, но ниже полюса... Тяжелое тело ракеты изменило положение: задранный к звездам обтекатель опустился, направив свой заостренный конец вниз, в направлении Новой Земли. Щелкнул, выключаясь, второй — механический — предохранитель. Многотонная махина, разгоняемая маршевым двигателем, неуклонно и неотвратимо шла на цель. Снова уплотнялся воздух, становились теплей солнечные лучи, прогревая замороженную космическим холодом «Молнию». Навигационные механизмы чуть двигали рули, уточняя наводку. По мере приближения к Земле поочередно выключились третий и четвертый предохранители. Когда до цели оставалось пятьдесят километров, выключился пятый, последний. Скрытый под обтекателем ядерный заряд изготовился к взрыву.

Многотонная ракета с гулом и свистом ломилась сквозь плотные слои атмосферы. Нарастающий шум, вперемешку с волнами спрессованного воздуха, долетал до земной поверхности, проникал через акустические системы в бетонированные коробки подземных убежищ, в которых укрылись обитатели полигона. Офицеры и солдаты слышали этот смертоносный звук и сжимались в беззащитные комки мягкой полужидкой плоти, затянутой в военную форму со знаками различия, которые не могли защитить в случае промаха расчетчика.

Кудасов видел надвигающуюся землю, огороженное колючей проволокой огромное пространство испытательного полигона, на периферии которого ржавели с незапамятных времен радиоактивные останки танков, самолетов и бронетранспортеров. В центре чернело какое-то пятно, очевидно, та самая воронка, в которую должна войти ракета, как входит в игольное ушко наслюнявленная нитка. Но «Молния» шла чуть-чуть левее, в пределах допустимого отклонения, но все же не прямо в «яблочко». Когда стреляешь с расстояния нескольких тысяч километров, учесть стометровый радиус рассеивания и избежать его практически невозможно. Но в данном случае это было необходимо сделать. Кудасов не мог точно сказать: то ли он видит все происходящее оптикой ракеты, то ли он сам является ракетой... Но сделанное им усилие дало результат: направление падения изменилось на крохотную долю градуса, на толщину той нитки, которая должна попасть в иголку. И «Молния» влетела в воронку!

Скалистая почва давно отвыкшего от испытаний полигона содрогнулась, в подземной полости забурлило адское пламя ядерного взрыва, многотонная масса скальной породы обрушилась, полость захлопнулась. Вместо классического атомного гриба вверх, подобно гейзерной струе, взлетела смесь скального грунта и клубы пара вскипевших льдов вечной мерзлоты. Характерные сейсмические волны прошли под земной корой, отражаясь на самописцах сейсмографов во всем мире.

— Эй, старлей, ты живой? — командир БЖРК Ефимов тряс Александра за плечо. — Ты что отрубился? Плохо стало?

Вокруг стояли и смотрели на него операторы смены: Виктор Половников, Лешка Козин, Игорь Шульгин и Олег Петров. В их взглядах читалось уважение и сочувствие. Очевидно, каждый представлял себя на его месте... Внимательно всматривался в бледное лицо Александра подполковник Ефимов. Он тоже понимал, что пришлось пережить молодому человеку. Особый взгляд был у майора Сомова: изучающий, пытливый, пронизывающий насквозь. Белова видно не было.

— Нет, хорошо, — расслабленно произнес Александр. Он действительно испытывал блаженный покой, как человек, успешно выполнивший тяжелую и важную работу. — Я попал.

Прямо в «яблочко». В кратер. Причем очень удачно: земля обрушилась, и взрыв получился подземным. Очень удачно!

Он улыбнулся. Но никто вокруг не улыбался в ответ.

— Что ты такое говоришь, парень! Еще подтверждения не пришло, даже ракета еще не долетела, а ты уже результат объявляешь! — недоуменно покрутил головой Ефимов. — Тебе надо к врачу — переутомление, стресс... Посиди, сейчас вызовем майора Булатову...

— Да, это будет полезно! — чуть заметно улыбнулся особист.

— Не надо. Я сам схожу. Я в полном порядке! — Кудасов встал и потянулся.

Он чувствовал себя совсем другим человеком. Повзрослевшим, что ли, возмужавшим, опытным... И еще он ощущал себя настоящим ракетчиком и готов был потягаться со старшими коллегами.

— В подтверждении будет то же самое, что я сказал! — настойчиво повторил он.

Спорить с принявшим боевое крещение молодым офицером никто не стал.

— Внимание, учебно-боевой пуск произведен успешно! Принимаю командование на себя! — взглянув на часы, сказал Ефимов в микрофон внутренней связи. — Ввожу запрет на пользование радиопереговорными устройствами. Объявляю аврал по подготовке к дальнейшему движению. Технической группе прибыть к пятому вагону! Майору Булатовой прибыть в четвертый вагон.

Отключив связь, начальник комплекса строго оглядел операторов.

— Спутник пойдет через сорок минут. Всем, кроме Кудасова, принять участие в авральных работах! Половникову убрать контейнер и домкраты!

Александр вышел наружу вместе со всеми. Стоящий в пустынной местности БЖРК сам по себе выглядел необычно. Если добавить к этому приподнятый на шести железных лапах боевой вагон — без крыши, с торчащей в небо обожженной трубой, то впечатление получалось очень сильным.

Офицеры и прапорщики стягивались к боевому вагону. Только взвод охраны по-прежнему держал оцепление.

— Козин, Петров, осмотрите пятый внутри! — приказал Ефимов.

Кудасов пошел с товарищами. В боевом вагоне было непривычно светло. Плафоны верхнего света разбиты, очевидно, без этого крышу сбросить невозможно. На полу валялась полусферическая крышка контейнера, из-за которой запуск чуть не провалился. Александру показалось, что на выпуклой стали выделяются отпечатки маленьких ладошек Наташи.

— Давайте сдвинем ее в сторону, чтобы не мешала контейнеру, — предложил Лешка.

Крышка оказалась тяжелой, втроем ее с трудом оттащили к стенке вагона.

— Отойдите, я скажу Виктору, чтобы опускал эту елду, — Олег быстро нырнул в переход.

Через несколько минут труба стала медленно опускаться и беспрепятственно легла в углубление стартового стола. Тем временем два прапорщика выдвинули из технического вагона стрелу подъемного крана, зацепили стропами лежащую на земле крышу, подняли ее и с помощью трех офицеров из технической группы установили на место. Потом Половников снял давление в гидравлической системе и убрал домкраты в ниши под вагоном. Вдавленные следы от круглых опор уничтожили лопатами.

— По местам, отправление через десять минут! — скомандовал Ефимов.

Точно в обозначенное время БЖРК тронулся в путь. На месте его остановки ничего не напоминало о происшедших событиях. И вышедший на рабочую орбиту разведывательный спутник США «Плутон» не смог зафиксировать ничего подозрительного и пролить свет на таинственный запуск. Специалисты ЦРУ пребывали в недоумении: все российские базы МБР, все подводные ракетоносцы находились под контролем. Откуда же выпущена ядерная ракета? И что значит этот запуск? Чем он чреват? Однако МИД России уже через час распространил заявление о плановом проведении подземного ядерного взрыва, осуществленного в связи с сугубо мирными исследованиями физики атомного ядра. Это объяснение не могло никого обмануть, да и не ставило такой цели: важно было соблюсти политическую этику. Но вопроса о том, откуда был выпущен заряд, оно не снимало.

— Это «Мобильный скорпион», будь я проклят! — сказал Мэл Паркинсон, и Ричард Фоук с ним согласился. Соответствующий доклад поступил от Директора ЦРУ Президенту США.

— Это прямая и явная угроза Соединенным Штатам, — вновь повторил Президент. — И ваша непосредственная задача — ее устранить в самое ближайшее время!

БЖРК быстро набрал крейсерскую скорость. Через полчаса пришло сообщение, что «Молния» попала точно в цель и в связи с обрушением скальных пород взрыв можно отнести к разряду подземных.

Весь состав, а особенно группу запуска, захлестнула волна радостной эйфории. Операторы порывались качать Кудасова, поздравляли его и друг друга, удивлялись необычной прозорливости старшего лейтенанта. Только начальник смены Белов в этом не участвовал: сказавшись больным, он закрылся в своей каюте. Тем более что дежурство в смене запуска было аннулировано: впервые за всю свою историю БЖРК шел «пустым», без начинки. У «Мобильного скорпиона» временно не было ядовитого жала!

* * *

А у товарного состава со странным цельнометаллическим вагоном, который ночью пришел на базу в Кротове и по документам именовался БЖРК-дубль, ракеты не было и ее наличие не планировалось. Старый списанный комплекс должен был отвлекать внимание иностранных разведок и возможных диверсантов, одним словом, запутывать следы, оставляя настоящему БЖРК полную свободу маневра.

Утром к воротам дивизиона подкатил бронетранспортер с крупнокалиберным пулеметом в башне и ПКТ[1] с электрическим приводом на внешней турели. Кроме механика-водителя, в бэтээре оказались десять бойцов, которыми командовали два атлетически сложенных молодых человека со светлыми волосами. Даже не переодев камуфляжные костюмы, они отправились к полковнику Булатову и предъявили предписание, подписанное заместителем министра обороны, о временном прикреплении капитанов службы безопасности Малкова и Ломова к Кротовскому специальному дивизиону для обеспечения безопасности последнего. Командир тут же вызвал Кравинского, который с напряженным интересом изучил документ.

— То есть вы к нам прикомандированы? — спросил начальник отдела КР.

— Нет, — покачал головой Ломов. — Мы подчиняемся только Центру. А у вас будем просто работать. Для начала хотелось бы посмотреть планы контрразведывательных мероприятий по обеспечению безопасности части и мобильного ракетного комплекса. Пойдемте к вам, товарищ подполковник, там будет удобнее.

Николай Тимофеевич печально кивнул. Его самые худшие

---

[1]ПКТ — пулемет Калашникова танковый.

ожидания начинали сбываться. Но в реальности они оказались еще хуже, чем в предположениях.

— Это обычный текущий план профилактических мероприятий, — просмотрев документы, сказал Ломов. — Но ведь обстановка-то необычная! Отмечена активизация интереса иностранных спецслужб к БЖРК. В переводе на армейские мерки — противник пошел в атаку. А вы живете по прежнему расписанию!

Капитан повысил голос и чуть не стукнул кулаком по столу, но сдержался: все-таки перед ним сидел подполковник.

— Где дополнительное прикрытие объекта? Где усиление режима? Где отработка версии, что в дивизионе действует предатель? Где дополнительные проверки личного состава? Где контроль их связей, где фильтрация людей, вхожих на территорию части или проживающих на прилегающей территории? Где поиск подозрительных телефонных разговоров, где проверка нарушений дисциплины и пропускного режима? Где связь с Тиходонским УФСБ, где взаимодействие с Уполномоченным Министерства обороны по БРЖК?

Каждым вопросом «где?» Ломов будто вбивал гвозди молотком. И судя по реакции Кравинского, каждый гвоздь входил ему в голову. Она вздрагивала и опускалась все ниже и ниже.

— На такой объем работы у нас нет ни сил, ни возможностей! — глядя в крышку стола, глухо сказал начальник контрразведывательного отдела.

— А на легендирование дубля БЖРК тоже нужны большие силы и возможности? — спросил молчащий до сего времени Малков. — Нужно просто желание!

Кравинский не отвечал. Перед подчиненными ты всегда самый умный и всезнающий, последнее слово всегда за тобой, и делаешь ты все толково и правильно. В отдельном, повышенной секретности дивизионе он привык быть именно таким. Ведь отчитываться особенно и не перед кем...

Ломов встал и направился к выходу, напарник последовал за ним. В дверях Близнецы остановились.

— Попрошу составить новый план и начать его отработку, — пристально глядя в лицо старшему по званию, сказал Ломов. — К прибытию БЖРК перестроить систему обеспечения безопасности.

* * *

БЖРК на всех парах мчался домой. Таких рейсов у комплекса еще не было. В стальных отсеках царили радость и веселье. Только что по внутренней трансляции огласили приветственную телеграмму министра обороны, поздравлявшего экипаж с выполнением важной боевой задачи. Затем прозвучали поздравления Уполномоченного МО Кандалина и командира дивизиона Булатова. В связи с отсутствием главной составляющей атомного поезда — ракеты «Молния» ряд подразделений был снят с дежурства, в других численность нарядов сокращена вдвое. Свободные бойцы ходили из вагона в вагон, обнимались с товарищами, пели песни и смеялись. Многие шли в вагон запуска и обнимали совершенно ошалевшего от такого внимания Кудасова. Некоторые даже целовали его, как целуют благодетеля или спасителя. Разгул веселья был каким-то неестественным, болезненным, с истерическими нотками. Иногда визгливый беспричинный смех переходил вдруг в столь же беспричинные рыдания.

Военврач Булатова понимала, что это постстрессовый синдром. Люди сознательно или подсознательно боялись запуска атомной ракеты, и, когда пресс психотравмирующей ситуации свалился с плеч, чувства рвались наружу, и их проявления принимали разные, в том числе и патологические, формы. Сейчас всем было бы полезно выпить успокаивающего... Но когда люди считают, что им хорошо, их не заставишь пить лекарства, а универсальный российский транквилизатор на борту отсутствовал. Точнее, почти отсутствовал.

Майор Волобуев извлек из хозяйственных запасов двухлитровую канистру спирта, предназначенного для протирания оптики и паяных соединений в особо важных электрических цепях. И хотя в России отродясь чистый ректификат не переводили на такие низменные цели, в посрамление всех инструкций успешно заменяя его ацетоном, в БЖРК инструкции до последнего времени соблюдались. Правда, до последнего времени не случалось и боевых пусков.

Принявший командование Ефимов собрал в штабном вагоне всю смену запуска, пригласил особиста. Волобуев быстро организовал нехитрый стол, поручил Шульгину развести спирт водой.

— Ну, с боевым крещением всех! — сказал он, глядя почему-то на Кудасова. — Дай бог, чтобы только учебно-боевые пускать!

Все выпили с явным удовольствием, только Александр с отвращением: организм еще помнил алкогольное отравление в кротовской чайной. Однако спирт согрел не только тело, но и душу. Сразу стало спокойней и веселей, владевшее им напряжение стало отпускать. Разносолов на столе не было, закусывали надоевшими сосисками и пюре, однако предусмотрительный Волобуев припас банку с солеными помидорами, которые очень скрасили выпивку.

— А теперь персонально за старшего лейтенанта Кудасова! — объявил Ефимов. Александр встал. Это большая честь, когда командир поднимает за тебя тост. — С сегодняшнего дня ты, Саша, не салага и не новичок, а классный ракетчик, — продолжил Ефимов. — Сделать такой выстрел не каждый сможет!

— Это вы на меня намекаете? — отставив стакан и глядя исподлобья, спросил Белов. Похоже, его уже развезло.

Все замолчали.

— Пей, Евгений Романович! — с нажимом сказал Ефимов. — Хорошую смену себе вырастил, пей и радуйся!

— Меня сменять еще рано! — раздраженно буркнул полковник. — Хотя все этого ждут. Я столько пусков провел...

— А что за пуски, Евгений Романович? — спросил Кудасов и улыбнулся. — Расскажите, нам всем будет интересно!

— Рано вам еще про то слушать. Не доросли...

Но Александр завелся.

— Почему рано? Вот я сегодня провел учебно-боевой пуск с использованием ядерного заряда. Все здесь сидящие этому свидетели. Данный факт занесут в мое личное дело. Правда, товарищ майор? — обратился он к Сомову.

— Даже не сомневайся, — кивнул особист. — Все занесем.

Кудасов вновь повернулся к своему командиру:

— А вы, товарищ полковник, когда, где и какие запуски производили?

Ефимов и Сомов читали личное дело Белова и наверняка знали, что запусков на его личном счету нет. Врать в их присутствии Евгений Романович не мог. Поэтому он молча поднял свой стакан и вылил спирт в рот, не закусывая. Потом, забывшись, достал сигарету и, зажав ее зубами, принялся искать зажигалку.

Начальник поезда смотрел на него, как на невесть откуда выпрыгнувшую на стол шелудивую кошку.

— Тава-а-арищ палковник, — ерническим голосом произнес Ефимов. — Осмелюсь напомнить, что курить на борту запрещено!

— Так ведь праздник празднуем, — невнятно произнес он. — Пить на борту ведь тоже запрещено! А мы пьем!

— Кто пьет? — удивился Ефимов. — Я не пью, Волобуев и Сомов тоже и Кудасов не пьет. Потому мы все трезвые. Один ты, Евгений Романович, пьешь. Потому заканчивай это дело, иди к себе в каюту и отдыхай. А оружие мне сдай. На всякий случай!

Дрожащей рукой Белов расстегнул кобуру и положил оружие на стол.

— А почему вы мне про сброс крышки не подсказали, а? — мстительно спросил опьяневший Кудасов.

— Какой крышки? Я ничего не видел...

Белов тяжело поднялся и, пошатываясь, пошел в свой вагон.

— Все он видел! — сказал Кудасов. — Просто был бы рад, если бы я пуск сорвал!

Он встал.

— Спасибо, товарищ подполковник. Готов всегда попадать в цель!

Кудасов вышел из штабного салона, но направился не в четвертый вагон, а в третий. Из каюты военврача как раз выходил последний пациент, который получил успокоительную пилюлю и постепенно приходил в себя.

Коротко постучав, Александр зашел в каюту.

— Товарищ майор медицинской службы, старший лейтенант Кудасов представляется по случаю успешного поражения цели! — доложил он по всей форме.

Наталья Игоревна сидела на своем обычном месте в белом халате. Она улыбнулась.

— Фенамин опять помог?

— Фенамин?

Старлей растерянно пошарил по карманам и, вытащив несколько забытых таблеток, удивленно уставился на них.

— Вот они... Я совсем забыл...

Он обратил внимание, что Наташа подобрала волосы в пучок на затылке. Новый облик очень украшал ее.

— Как себя чувствовали при запуске? — доброжелательно спросила майор Булатова. Ему вдруг показалось, что вчера в боевом вагоне ничего не происходило, это просто плод его воображения, как и разговоры с ракетой.

— Совершенно нормально. Только... Я разговаривал с «Молнией» и она мне отвечала!

— С кем разговаривали?!

— Ну с этой, ракетой! И летел вместе с ней. Правда летел. Видел землю, видел, как она попала в цель, даже немного поправил. И взрыв видел. Я рассказал всем, каким именно получилось попадание. А потом пришло подтверждение, и все совпало!

Глаза военврача округлились. В них плескалось сочувствие и боль.

— Бедный мальчик! Это нервные перегрузки, недостаток воздуха и пространства... Беги с этого поезда! Он привезет тебя только в психушку!

Она встала, и в тесной каюте они оказались лицом к лицу, как на крохотном пятачке свободного пространства в боевом вагоне. И вдруг Саша понял, что вчерашние воспоминания — вовсе не игра фантазии, потому что зажатые в руке таблетки фенамина вполне материальны. Значит, вполне реально то, что происходило вчера. Он понял это еще до того, как Наталья Игоревна заперла дверь на задвижку.

Под халатом у нее было только белье. Александр запомнил белый живот с густой растительностью внизу — яркий контраст с выбритой везде Оксаной. Узкая неудобная полка, стук колес, тугое бьющееся тело и требовательный стук в дверь...

— Кто это рвется? — спросил он, когда они вынырнули из горячих влажных волн страсти.

— Не... знаю... — тяжело дыша, вымолвила женщина. И тут же добавила: — Подожди, не выходи...

Она постепенно пришла в себя и, прижавшись ухом к двери, вслушалась в происходящее снаружи.

— Кажется, никого нет... Иди, только осторожно...

Кудасов вынырнул в коридор и закрыл за собой дверь. В метре от него стоял старший лейтенант Гамалиев.

— Ты что делал у докторши?! — зло спросил он.

Кудасову показалось, что соперник нетрезв.

— Какое твое дело? Давление измерял!

— А почему запирались?!

— Кто запирался? У тебя, видно, крыша едет...

Гамалиев шагнул вперед и ударил его в лицо. Но реакции повелителя ракет гораздо быстрее, чем у простого смертного. Кудасов пригнулся, и кулак противника со стуком въехал в стальную переборку. Раздался приглушенный вскрик. Инцидент можно было считать исчерпанным. Но остановить ракету с включенным зажиганием уже нельзя. Ответный удар, подпитанный силой атомного пуска, сбил Гамалиева на пол.

— Что тут происходит? — Наталья выглянула в коридор.

— Вот, человеку плохо стало, — ответил Александр. Стараясь не смотреть по сторонам, чтобы не привлекать к себе внимания, он прошел второй вагон, миновал третий и, наконец, добрался до четвертого. Везде по-прежнему шло веселье, и стало заметно, что без алкоголя не обошелся почти никто. Александр подумал, что в качестве универсального транквилизатора наверняка используется одеколон, входящий в комплект рейсового чемоданчика каждого офицера.

В вагоне группы запуска Половников, Козин и Петров конспиративно допивали спирт.

— Иди к нам, Александр! — коллеги замахали руками. — Ты где был?

— Давление поднялось, — обтекаемо ответил Кудасов. — Принял снотворное, ложусь спать.

Он зашел в свою каюту, лег на неудобную полку и мгновенно заснул.

Во втором вагоне военврач Булатова оказывала медицинскую помощь Гамалиеву. Вначале с использованием нашатыря она привела его в чувство, потом осмотрела припухшую челюсть. Она не спрашивала, что случилось, все было и так ясно. Оттого, что офицеры подрались из-за нее, как второклассники на перемене, она испытывала смешанное чувство гордости и досады.

— Все в порядке, перелома нет! — весело сказала она. — Можете возвращаться к несению службы...

Старлей угрюмо смотрел в сторону. Ни улыбок, ни обычных комплиментов. Он вообще старался не встречаться с ней глазами. Даже не поблагодарив, оскорбленный в лучших чувствах Гамалиев ушел.

Вскоре в дверь военврача опять постучали. Это оказался майор Сомов. Он разрозовелся, глаза масляно блестели, на губах блуждала многозначительная улыбка. Особист был пьян.

— Можно, Наталья Игоревна?

Не дожидаясь ответа, он ввалился в каюту и сел на полку рядом с удивленной женщиной. Она подумала, что Сомов пришел из-за драки Кудасова с Гамалиевым. Но в таком состоянии... Она никогда его таким не видела.

— Я по делу, очень щекотливому, между прочим, — майор попытался взять ее за руку, но Наталья отстранилась. — Ко мне в каюту транслируется то, что происходит в разных местах поезда. Понимаете, да? — особист многозначительно поднял палец. — В том числе и то, что происходит в боевом вагоне. Понимаете, да?

Женщина напряглась.

— Вчера я видел то, что никому видеть не положено. Но мне все положено по долгу службы. Понимаете, да? — он еле ворочал языком. — Любому факту можно дать разную оценку... Да, совершенно разную...

Короткопалая, волосатая ладонь легла на колено военврача, отодвинула халат и горячим потом обожгла нежную кожу. Наталья Игоревна двумя пальцами брезгливо сняла пятерню особиста, как снимают запрыгнувшую на кровать лягушку.

— Режим секретности запрещает фиксировать что-либо, происходящее на борту, — строгим, официальным тоном произнесла она. — За нарушение — трибунал!

На лице Сомова отразилось замешательство. Это говорила не военврач поезда, а жена командира части. Он начал трезветь.

— Я ничего не фиксировал, я просто увидел...

Хлоп! — звонкий шлепок пощечины на миг перекрыл стук колес. Наталья Игоревна вскочила. С искаженным лицом она напоминала разъяренную фурию. Хлоп! Хлоп!

И без того красная физиономия особиста стала багровой.

— Я же еще ничего не сказал, — он поднял руку, защищаясь.

— Пошел вон, мерзавец! — вцепившись двумя руками в воротник и плечо форменной рубашки, Булатова сдернула грузное тело майора с полки, да так, что он чуть не упал. С треском оторвался майорский погон.

— Пьяница! Я должна выслушивать про твои галлюцинации!

Дверь распахнулась, и, получив коленом под зад, Сомов вылетел в коридор. Проклиная себя за глупость и прилаживая на плече сползающий погон, он вдоль стенки вернулся в штаб и закрылся в своей каюте. А через несколько минут через штабной вагон пробежала строго одетая по форме военврач Булатова. Не соблюдая никаких правил конспирации, она ворвалась в каюту, где в одиночестве спал Кудасов, и бесцеремонно разбудила его.

— Это было последний раз! — возбужденно выпалила она.

— Что?! — спросонок молодой человек ничего не понял.

— Больше такого не будет, вот что! — Наташа тяжело дышала. До него стало доходить, о чем идет речь.

— Но почему?! Что случилось?!

— Потому, что я не блядь. Это слабость, дань прошлому — и только!

— А я?

— Ты получил, что хотел, должен радоваться. Хватит. Забудь все. И так неизвестно, чем все кончится.

— А чем может кончиться?

— Не знаю. Приходил Сомов, хотел меня трахнуть. Потому что видел, как это делаешь ты в боевом вагоне. Почему он это видел? Ты не должен был этого допускать!

Она выскочила из каюты и так же, не таясь, пошла к себе. Отбой прошел, выключили дневное освещение, но в отсеках продолжали гулять.

— В тот овраг, где мы скопом стоим, артиллерия бьет по своим, — жалостливо выводил молодой голос. — Это наша разведка, наверно, ориентир указала неверно...

Трудно было представить, что все это происходит на одном из самых режимных военных объектов России.

— Недолет, перелет, недолет... По своим артиллерия бьет!

Оскорбленная женщина добралась до своей каюты и повалилась лицом в подушку. Лицо ее было мокрым от слез.

«Надо списываться в поезда, — с горечью подумала она. — Еще один рейс, чтобы Андрей ничего не заподозрил... И все, хватит... Сама виновата, дура!»

Лишенный основной своей составляющей — супергрозной «Молнии», а вместе с ней потерявший железную дисциплину и уставной порядок, БЖРК стремительно несся через ночные степи средней полосы. Казалось, поезду не терпится получить новую атомную начинку.

* * *

На этот раз БЖРК встречали как вернувшийся с орбиты космический корабль: яркие прожектора, приветственные транспаранты, родственников пропустили прямо на перрон, где и провели торжественный митинг.

Встречающих сегодня было особенно много, не пришли только Оксана и Ирина Александровна Белова. В отличие от своего командира. Кудасов к такому отношению не привык и чувствовал себя сиротой. Тем более что Наталья Игоревна стояла рядом с мужем возле трибуны и нежно держала его под руку.

Митинг был коротким: командование поздравило экипаж с выполнением важного правительственного задания, пообещало поощрения и награды, после чего все разошлись по домам.

В квартире звенела непривычная пустота. Александр проголодался, но когда открыл холодильник, то обнаружил лишь заплесневелый кусочек сыра. Сейчас бы навернуть материнских котлет... В хлебнице нашлась четвертушка в камень зачерствевшего батона, на балконе — одна-единственная луковица... Он счистил ножом плесень с сыра, намочил и разогрел в духовке хлеб, нарезал лук... На праздничный ужин было, конечно, не похоже. Хотелось выпить, но спиртного в доме не было.

Через несколько дней в клубе состоялось торжественное собрание. Ефимов и Кудасов получили грамоты и именные часы от Министра обороны. Грамоты и денежные премии вручили всем командирам подразделений и дежурным операторам смены запуска. Полковник Белов никаким поощрением отмечен не был. Очевидно, эпизод с контейнерной крышкой своевременно довели до сведения командования.

Он выходил из зала мрачнее тучи и в столовую, где были накрыты праздничные столы, не пошел. У Кудасова тоже не было никакого настроения веселиться, но, как герой дня, он не мог уклониться.

Ради столь торжественного случая «сухой закон» был отменен: на столах стояла водка — из расчета бутылка на троих мужчин; и шампанское — бутылка на трех женщин.

Булатов поднял тост за героев, успешно выполнивших боевую задачу, персонально выделил Ефимова и Кудасова, а потом особо — Кудасова, который точно направил ракету и поразил цель в самое «яблочко».

— Это хорошо, что мы вырастили молодых, но зрелых офицеров, которые могут успешно заменить отслуживших свой срок ветеранов! — сказал он, и все поняли, что командир имеет в виду.

Потом заиграла музыка, супружеские пары вышли танцевать. На правах героя дня Кудасов пригласил Наталью Игоревну, но она холодно отказала. Вскоре он ушел домой, в пустую холодную квартиру.

На следующий день, не выдержав, Саша позвонил в Тиходонск родителям Оксаны. Однако Ирина Владимировна сказала, что Оксана в отчем доме не появлялась.

Ничего себе! Где же она находится столько времени? Может, эта старая обезьяна Степан Григорьевич укатил с ней куда-нибудь? Если он в отъезде, то все станет ясно! Кудасов нашел визитную карточку Короткова. Андрей должен знать, где его хозяин...

Он набрал номер, через несколько гудков ответил молодой голос:

— Алло!

— Здорово, Андрей!

Наступила короткая пауза.

— Это Сергей. Теперь я вместо Андрея.

— Подожди, а где Коротков?

Снова пауза.

— А кто его спрашивает?

Саша почувствовал какое-то беспокойство.

— Это старший лейтенант Александр Кудасов, мы с ним вместе в училище учились!

— Так он это... Пьяный в гараж заехал, заснул... Короче, газом отравился...

— Насмерть?! — ахнул Александр.

— Ну а как... Мотор-то не выключил...

Кудасов медленно положил трубку. Царствие небесное! Когда-то многие завидовали Андрею, — как же, генеральский сын! А оно вон как обернулось... У каждого своя судьба...

Он до вечера ходил по квартире, словно тигр по клетке. Наконец принял решение. Надо ехать в Тиходонск, там разбираться проще. Может, она сидит дома, а мать научила отвечать, что ее нет. Может, еще что... Короче, на месте виднее!

Часть V

ОБЛАВА НА «СКОРПИОНА»

This book belongs to

Phoenix Medical Center
4147 Labyrinth Rd
Baltimore, MD 21215

Глава 1

ВНУТРЕННИЙ ВРАГ

Носить военную форму вне гарнизона экипажам БЖРК не рекомендовалось. Не столько из соображений конспирации, сколько из-за участившихся в последнее время террористических актов. Но прямого запрета не было, да и не могло быть, ибо это стало бы признанием капитуляции армии перед бандитами. Офицеры и так избегали обозначать свою принадлежность к армии. Но для старшего лейтенанта Кудасова соблазн похвастать досрочно полученной звездочкой был слишком велик.

В рейсовом автобусе он трясся в парадной форме с золотыми погонами. За окном шел дождь, который делал еще более унылыми расстилающиеся вокруг пейзажи.

До боли родной Тиходонск, от которого Александр немного отвык и по которому сильно соскучился, встретил молодого офицера пробившимися из-за облаков солнечными лучами и яркой радугой. Значит, город тоже обрадовался его приезду.

Забросив на плечо спортивную сумку, он выпрыгнул на серый, покрытый лужами и местами потрескавшийся асфальт. Прежде чем пускаться на поиски супруги, он решил заглянуть в училище и зайти домой.

Через сорок минут он зашел во двор родного училища. Он покинул его всего десять месяцев назад, но казалось, что прошло десять лет. Атомный поезд быстро делает человека взрослее.

Вначале он заглянул к подполковнику Волкову. Бывший курсовой офицер обрадованно протянул руку, но тут же улыбка уступила место изумлению.

— Ты уже старлей?!

— Уже девять месяцев, — скромно кивнул Александр.

— Как это получилось? Первый случай на моей памяти!

— Командованию видней, — сдержанно улыбнулся Кудасов.

— Подожди, а что ты здесь делаешь? Мы получили уведом-

ление, что ты прибыл в Красноярский полк. А для отпуска еще
рано...

— Семейные обстоятельства. А от ребят какие-то вести
есть?

Волков покачал головой:

— Все прибыли к месту службы, а к нам еще никто не появлялся. Ты первая ласточка. Ну, как служба?

— Да, у меня, в общем, нормально. А вот Андрей Коротков
погиб. Несчастный случай.

Волков прицокнул языком.

— Видно, так на роду было написано. Сложись по-другому,
может, и он бы уже старшим лейтенантом ходил...

Они поговорили минут десять, потом Кудасов прошелся по
учебному корпусу. В перерыве его окружили знакомые млад-
шекурсники, они восхищались новой звездочкой и откровенно
ему завидовали. Многие расспрашивали о службе, но он укло-
нялся от ответов, ссылаясь на секретность.

Когда он собрался уходить, то в коридоре столкнулся с
майором Котельниковым. Особист пожал ему руку и заговорщически подмигнул.

— А ты оказался не таким простым парнем, как представ-
лялся...

— В смысле? — спросил Александр.

— Из особого отдела Красноярского полка должен был поступить запрос на твое личное дело по нашей линии. Вместо
этого его истребовал Уполномоченный Министерства.

— И что это значит?

— Что, что... Сам знаешь. Наверное, поступил в разведку...
Или еще в какую-то хитрую структуру. Но я не спрашиваю, куда именно. Потолок-то нормальный?

— Полковничья должность, двойной оклад! — сказал Александр и попрощался.

Котельников проводил его долгим взглядом. Саша заметил, что особист утратил свою обычную важность и многозна-
чительность.

Оказавшись на улице, Александр попал в совершенно
иную атмосферу. Много народа, много автомобилей, много
красивых женщин. Они освободились от зимней одежды, сняли тяжелые пальто и сапоги, многие сняли и колготки, выставляя напоказ белые незагорелые ноги. Просто глаза разбега-
лись. В кротовском гарнизоне и в замкнутом пространстве
БЖРК он отвык от всего этого. Никому из тысяч идущих по
своим делам людей не было дела до него и его службы, и всем
было наплевать на его звездочку. Эти ценности могли оценить
только в училище. Да еще в родительском доме...

Он медленно шел по улице, то и дело оборачиваясь вслед

тиходонским красавицам. Но девушки более стройной или
красивой, чем Оксана, ему не попадалось. Появилась мысль
сразу поехать к ее родителям, потом в институт, к подружкам,
словом, развернуть свой собственный розыск. Но, здраво по-
думав, решил вначале заглянуть к себе домой. Поздороваться с
родителями, принять душ с дороги, переодеться в штатское...

Ключей у него не было, пришлось звонить в родную дверь,
как постороннему человеку.

— Саша! — мать радостно бросилась ему на шею. — Что же
ты не предупредил? Я бы приготовила что-нибудь вкуснень-
кое, пирогов напекла...

На лишнюю звездочку она никакого внимания не обратила.

— Зачем? — Александр улыбнулся. — Я отвык от разносолов.

— Ты в отпуск? Надолго?

— Да, вроде этого. Думаю, на недельку. Может, немного за-
держусь.

— А где Оксаночка?

— Она не заходила к вам и не звонила?

Мать удивилась.

— Разве она в Тиходонске?

— Может быть, — уклончиво ответил Александр и поспешил сменить тему разговора. — А где отец?

— В гараже, — мать прямиком проводила его на кухню и
чуть ли не насильно усадила за стол. — Опять возится со своей
колымагой. Она все время ломается, отец больше в гараже тор-
чит, чем ездит. Да и бензин сколько стоит... Уж говорю, говорю: давно бы лучше продал!

Татьяна Федоровна вышла на балкон и принялась громко
звать мужа:

— Олег! Олег! Иди, Саша приехал! Ты слышишь, Саша
приехал!

Через несколько минут запыхавшийся Олег Иванович, вы-
тирая на ходу руки, вбежал в квартиру.

— Здравствуй, сыночек! О, да ты уже старший лейтенант!
Ты видела, мать? Как быстро продвигается наш парень!

— Да я и не заметила, — обескураженно сказала Татьяна
Федоровна, доставая из холодильника красную эмалирован-
ную миску, заполненную мясным фаршем. — А мне и все равно... Он мой сыночек, был бы жив-здоров да счастлив, тогда и
мне хорошо! А лейтенант или генерал — какая разница!

Она вернулась к плите, полила гладкое дно сковородки
подсолнечным маслом. Кухня наполнилась чуть подгорелым
запахом семечек. Заскворчали быстро вылепленные котлеты.
Это были запахи и звуки детства. Кажется, когда он ходил в

школу, мать жарила котлеты на этой же сковороде, а фарш держала в этой же миске... Ничего не изменилось. Только не вернешь детства...

Саша снял мундир. Больше удивлять погонами никого не хотелось. Он ощутил удивительное спокойствие и умиротворение, которого не испытывал уже давно. А ведь ничего особенного не произошло. Просто он вернулся в свой дом, в обстановку дружелюбия и любви. Но в душе опасно трепетала какая-то горькая нота, и он не хотел определять, к чему она относится.

— Выпить есть что-нибудь? — неожиданно спросил он.

Отец встрепенулся, хотел что-то сказать, но не стал, а молча принес припасенную для компрессов бутылку перцовки и две рюмки.

После обеда он никуда не пошел. Лег на свой диван, заснул и проспал почти сутки, до следующего утра.

* * *

Левый берег Дона, или, на местном сленге, Левбердон, издавна слыл местом отдыха во всех его проявлениях. В советские времена, когда санатории, не говоря уже о заграничных круизах, были доступны только партийно-комсомольской элите и другим руководящим товарищам, обычные трудящиеся — члены профсоюза за скромные деньги могли купить путевку на одну из многочисленных баз отдыха, чтобы с друзьями и семьей провести здесь выходные или даже недлинный отпуск. Скромная цена определяла и качество отдыха: убоговатые летние домики, «удобства» и душ во дворе, только холодная вода, одна общая кухня... Но воздух, рыбалка, уха-шашлык, вино-водка и песни у реки вполне компенсировали все неудобства неизбалованной, а потому и нетребовательной публике. Сюда приезжали и за другими удовольствиями: измученные «квартирным вопросом» граждане привозили на базы подруг, и сторож, по определенной таксе, предоставлял парочкам место для любовных утех.

В последние годы капитал стал приходить и сюда. Выкупалась земля, фанерные времянки сносились, на их месте строились двух-трехэтажные особняки с комфортабельными гостиничными номерами, обставленными хорошей мебелью. Среди сотен кафе и ресторанов некоторые, идя навстречу пожеланиям гостей, строили собственные гостиницы, в которых можно было снять номер на два часа, на ночь или на сутки.

Оксана и Мачо побили все рекорды: они жили на самой шикарной базе, под красноречивым названием «Рай», уже две

недели. Катались по окрестностям, обедали в райском ресторане или окружающих шашлычных, но большую часть времени
занимались сексом.

— Это было великолепно, — Мачо, как подстреленный,
рухнул на подушку. — Ты самая лучшая!

Оксана лежала молча, полузакрыв глаза, и чуть заметно
улыбалась. Принц оказался принцем во всех отношениях,
больше того, в себе он воплощал одновременно и белого же-
ребца!

— Конечно, у меня было не очень много женщин, — цело-
мудренно соврал он. — Но ты лучше всех.

А это была чистая правда: искушенный в любовных похож-
дениях шпион действительно так думал.

— Лучше француженок, итальянок, лучше черной, как
ночь, пантеры, которая была у меня в Зимбабве!

Оксана собрала последние силы и перекатилась на живот.

— Ты что, объездил весь мир и перетрахал женщин всех на-
циональностей?

Так оно и было. Но подобная оговорка непростительна даже новичку. А он попадает впросак уже второй раз. Значит, Оксана всерьез кружит ему голову!

— В мечтах — да. А в действительности девочки были наши, а видеопленки — ихние. При известном воображении
можно было представить и африканку, и китаянку.

— Но я действительно лучше всех? — лукаво спросила Оксана.

— Лучше, — подтвердил Мачо.

— И ты на мне женишься?

— Конечно! — с привычной искренностью сказал шпион,
как говорил уже десятки раз в своей жизни.

Но самое удивительное, что на этот раз ему не приходилось
делать над собой усилий или прибегать к актерским способностям. Слова шли от души. Он действительно с удовольствием
представлял Оксану в своем доме в Моксвилле... В спальне, в
бассейне, в кожаном салоне «Лексуса»... Она действительно
может наполнить и украсить его жизнь... А с какой детской непосредственностью она бы радовалась всему тому, что для него
привычно и обыденно! А замечательный секс!

Мачо вздохнул. Это, конечно, глупости. Причем совершенно неосуществимые.

— Я завтра же подам на развод! — счастливо сказала девушка.

— Лучше не завтра, — сказал Мачо. — Лучше через месяц.

— Почему через месяц? — зеленые глаза широко раскрылись. — Почему через месяц? — в ее голосе слышалась тревога.

Мачо обнял могучей рукой хрупкие плечи.

— Мне нужна твоя помощь. Вернее, твоего мужа.

— Моего мужа?! — Оксана высвободилась и села, обхватив колени. — Как он может тебе помочь?

Мачо тоже сел и привлек девушку к себе.

— Очень просто. Раз он все время ездит на военном поезде, то может перевезти партию очень ценного груза. Это тайваньские микросхемы для мобильных телефонов. Они крохотные, вот такие...

Он ограничил пальцами квадратик со стороной в полтора сантиметра.

— Причем очень тонкие и легкие. В обычный «дипломат» помещается несколько тысяч. А каждая приносит прибыль в сто долларов. Представляешь?

Оксана сосредоточилась.

— Так это получается... Сотни тысяч долларов?!

— Вот именно. Только обычным путем их возить нельзя: отберут...

— Это что, контрабанда?

— Не совсем... Просто товар, с которого пошлины не уплачены полностью. «Серый» товар, — ты, наверное, читала в газетах.

— Читала. Но пошлины ведь можно уплатить! И везти все легально!

— Можно. Тогда доход станет в десять раз меньше...

Оксана покачала головой:

— Ничего не получится...

— Почему? Твой муж сделает две-три перевозки, и мы с тобой разбогатеем! И ему я хорошо заплачу! А после этого ты и подашь на развод!

Девушка покачала головой еще раз:

— Саша не такой. Он правильный и не станет за деньги нарушать инструкции.

— Да какое это нарушение? Положить в чемодан лишних триста граммов?

— Как ты не понимаешь! Это не простой поезд! Он возит атомную ракету, и Саша ее запускает! Когда мы поссорились, он как раз уезжал на запуск! Это очень серьезно, поезд даже нигде не останавливается! Как он перевезет твои схемы?

Мачо чувствовал себя как ищейка, напавшая на верный след.

— Да выбросит в указанном месте, и все! Я ему позвоню, и он бросит пакетик в окно!

Оксана вздохнула.

— Какой ты непонятливый! У них нет окон. И позвонить ему нельзя, у нас даже в городке не работают сотовые телефоны! Тем более в поезде!

«Система «Купол», — лихорадочно подумал Мачо. — Значит, и радиовзрыватели не сработают, и индивидуальная связь невозможна! А если «Купол» установлен и в поезде, то пеленгатор окажется бесполезным! Тогда весь план «Бета» летит к черту... Но, может, поезд не прикрыт «Куполом»? Все-таки аппаратура глушения сложна и громоздка, она мало приспособлена к транспортировке... Нет, рисковать нельзя, успех должен быть гарантированным! Хочешь не хочешь, а надо задействовать вариант «Зет», спускать с цепи Салима и его зверей... Пусть «Бета» и «Зет» развиваются параллельно!»

— Ну, если ты не хочешь мне помочь...

Мачо лег и обиженно отвернулся.

— А я возлагал на этот проект большие надежды. Основной бизнес идет все хуже — конкуренция, налоги... Придется продать машину, возможно, и квартиру... А я собирался заработать на шикарную свадьбу и замечательное свадебное путешествие. В Венецию, например...

— Послушай, Васенька, но это правда невозможно! Ты просто не знаешь Александра! Он очень упертый!

Теперь Оксана прижалась к любовнику и принялась нежно гладить его волосы.

— Ну, хорошо. Не надо сразу брать быка за рога. Давай его приручим постепенно. И начнем вот с чего...

Мачо вскочил и голый прошел к шкафу, порылся в своей сумке.

— Ты подаришь ему мобильник. Вот этот.

Мачо протянул Оксане мобильный телефон Nokia.

— Пусть возьмет в рейс, чтобы созваниваться с любимой женой. Даже если он не станет звонить, все равно начнет привыкать, что можно чуть-чуть отойти от своих дурацких инструкций! А потом — видно будет! В конце концов, все хотят заработать.

— Ну ладно, — с сомнением произнесла Оксана. — Давай попробуем. Только знаешь что...

— Что, дорогая? — с готовностью отозвался Мачо.

— Никому не говори про поезд. Ну, про то, что я тебе наболтала. Это военная тайна. Я не должна была тебе рассказывать такие подробности.

Мужчина укоризненно развел руками.

— Ну что ты, любимая! Ведь мы близкие люди, почти родственники. Конечно, я буду молчать!

Он поцеловал девушку в лоб, глаза, губы. Но сомнения не оставляли Оксану. Она повертела в руке подаренный мобильник.

— Можно я позвоню?

— Конечно, звони сколько хочешь, там заплачено за два месяца вперед.

Она набрала домашний номер.

— Алло, мама? Как дела?

— Куда ты пропала? — закричала Ирина Владимировна. — Приехал Саша, он тебя везде ищет! А я даже не знаю, где ты и с кем!

— Ох, мамочка, я никуда не пропала. Просто с подружками поехали на море немного отдохнуть.

— Какое море, сейчас май месяц!

— Там было очень тепло. Но сейчас я уже еду домой. Подъезжаю к Тиходонску, скоро буду!

— На машине, что ли? — подозрительно спросила Ирина Владимировна.

— На машине.

— А кто за рулем?

— Ох, мама... Приеду, все расскажу!

Она отключилась.

Мачо слышал весь разговор, хотя делал вид, что бреется в ванной.

«А девочка с ее милой непосредственностью и виртуозным сексом не такая уж простушка! — подумал он. — Она проверила аппарат, хотя профессионалка не делала бы этого у меня на глазах... Хорошо, что радиомаяк выполняет и функцию телефона, но ухо с ней надо держать востро!»

Открытие озаботило шпиона. Но когда он вышел из ванной, на его лице по-прежнему было выражение искренней влюбленности.

И Оксана, катаясь по постели, улыбнулась мускулистому красавцу.

— Как прекрасно мы провели время, — промурлыкала она. — Я просто счастлива! Когда Саша уйдет в следующий рейс, ты заберешь меня из этого проклятого Кротова? Я буду свободна около двух недель!

— Обязательно заберу, дорогая! У нас опять будет медовый месяц! И я буду ждать его с нетепением!

— Как приятно это слышать!

— А мне приятно говорить. Ты только позвони мне, когда муж соберется, назови дату отъезда. Чтобы я мог спланировать дела.

— Обязательно, дорогой, — Оксана продолжала обворожительно улыбаться.

* * *

Ночью, когда солнце уходит за горизонт и тьма вступает в свои права, когда солдаты прячутся в сложенные из бетонных блоков посты, с зыбкой надеждой дожить до утра, когда «мир-

ный житель», подобно оборотню, превращается в кровожадного
боевика, когда не действует ни один закон, кроме священного
закона кровной мести, несколько оборудованных крупнокали-
берными пулеметами джипов заехали в Шали и выстроились
полукругом у ворот дома местного имама. Из откинутых задних дверц в черноту ночи уставились черные бездны «стволов»
калибра 12,7 мм.

Дом был крепким и новым, в три этажа, выложенных из ка-
чественного красного кирпича. В нем был надежный подвал с
двумя выходами, в котором вели неторопливую, как и положено на Кавказе, беседу хозяин и гость.

— Ты слышал когда-нибудь про Салима?

В устах имама Али Арханова редко звучало такое почтение,
с которым он назвал это имя. Однако Лечи Исмаилов, уже
много лет считавшийся одним из самых ярых и непримиримых
полевых командиров, никак на это не отреагировал. Его смуглое суровое лицо, будто высеченное из горного камня, продол-
жало оставаться хмурым и сосредоточенным. Ледяной непод-
вижный взгляд Лечи открыто буравил влажный от пота лоб собеседника, словно стремясь просверлить в кости отверстие и
заглянуть в мозг. Черные с проседью волосы были старательно
зализаны назад, но аккуратная прическа совершенно не гармо-
нировала с его небритыми щеками.

Практически все, кто был знаком с Исмаиловым, включая
и имама Арханова, считали его законченным фанатиком, свих-
нувшимся на почве ваххабизма. Друзей и родственников у Лечи не было. Он всегда был сам по себе, потому что ненавидел
всех вокруг, только некоторых терпел, а некоторых — нет, и
они переставали жить. Арханова он тоже ненавидел, но пока
терпел.

— Нет, не слыхал. Кто это? — Исмаилов вставил в рот сигарету и щелкнул зажигалкой.

Али недовольно поморщился. Грузный чеченец пятидесяти трех лет, с тяжелыми набухшими веками и не в меру широкой челюстью не переваривал табачного дыма и запрещал любому курить в его присутствии. Любому, но не Лечи Исмаилову. Арханов самому себе не мог признаться в том, что в глубине
души побаивается этого безжалостного человека.

— Это один из руководителей нашего движения.

— Я никогда не видел его. Я никогда не слышал его речей.
Я не знаю, чем он помог нашей борьбе. Какой он руководитель? И зачем мне его знать?

— Салим живет в Иордании, или в Катаре, или в Саудов-
ской Аравии. Он все время переезжает, поэтому никто точно
не знает, где он живет. Его мало кто видел, и еще меньше тех,

кто после этого остался в живых. Но те деньги, которые ты получаешь от меня, поступают от Салима...

Лечи холодно усмехнулся.

— Откупиться деньгами легче, чем самому участвовать в борьбе. Как это делаю я и мои люди. И ты, — после короткой заминки добавил он.

— Так вот, Салим скоро прибудет к нам. Он будет руководить одной чрезвычайно важной операцией. Пожалуй, самой важной для нашего дела.

Полевой командир усмехнулся еще раз. Представления о важности разные у штабных крыс и у человека, за спиной которого отряд готовых на все головорезов.

— Что же даст эта важная операция? — с едва заметной издевкой спросил он.

Имам Арханов торжественно поднял руку, будто собирался клясться на Коране.

— Атомную бомбу!

— Что?! — Исмаилов поперхнулся дымом. Для столь сдержанного воина, как он, это был признак особого волнения.

— Атомную бомбу, Лечи! — повторил Али Арханов. — Ты представляешь, что это значит для нашей борьбы?

Полевой командир поискал взглядом пепельницу, не нашел и затушил сигарету о ребристую подошву американского армейского ботинка. Потом снова осмотрелся, прикидывая, куда выкинуть окурок. Подвал не выглядел как подвал — хорошая мебель, полки со священными книгами, ковры... Имам напряженно наблюдал за бесплодными поисками Лечи. Бросить окурок на пол — значит серьезно оскорбить хозяина. Убедившись в том, что подходящего места нет, гость сунул окурок в один из многочисленных карманов своего камуфляжа. Али Арханов расслабился.

— Что это значит? — вопросом на вопрос ответил Исмаилов. — Может, много значит. А может — ничего. Ни я, ни мои люди не сможем ее использовать.

— У нас найдутся специалисты, — кивнул имам. — Думаю, что Салим знает, как с ней обращаться. Надо только захватить ее. И это мы хотим поручить тебе и твоему отряду.

— Где эта бомба?

Полевой командир не мигая взирал на имама. Это был гипнотический, нечеловеческий взгляд. Арханов никогда не видел, чтобы глаза Лечи моргали. И сейчас тяжелые веки с густыми черными ресницами оставались неподвижными. Это было противоестественно и внушало страх.

— Она в поезде. Бомбу возит особый поезд, про него известно очень мало. Он никогда не стоит на месте. Постоянно гоняет по всей России. Тебе придется отследить его. Как считаешь, это возможно?

— В жизни нет ничего невозможного, Али, — обращаясь к имаму как к равному, степенно произнес полевой командир. — Только зачем нам гоняться за поездом по всей России? Надо действовать поблизости от нашей границы, это раз! Найти железнодорожника из наших братьев по вере, это два. Он расскажет, когда будет проходить этот поезд, и мы устроим засаду, это три! Конечно, надо продумать все детали... Большой стрельбы быть не должно, чтобы не повредить бомбу и самим не взлететь на воздух. Я думаю применить газ. Мы отравим кафиров и возьмем бомбу совершенно целой!

Арханов внимательно изучал говорившего из-под полуприкрытых век. На его взгляд, в Исмаилове, безусловно, было что-то демоническое. Что-то несвойственное простому человеку. То ли его холодные глаза, то ли металлический голос, то ли величавая посадка головы, то ли умение мгновенно разработать план сложной операции. Когда Лечи умолк, в комнате некоторое время еще сохранялась гнетущая тишина. Арханову казалось, что эхо сказанного все еще носится между стен, не в силах отыскать выхода из замкнутого пространства подземного этажа.

— Хороший план, Лечи. Очень хороший.

Исмаилов никак не отреагировал на лесть.

— В каких местах надо искать этот поезд?

Имам пожал плечами.

— Маршрута его мы не знаем, тем более его все время меняют. Но одно известно точно. Он всегда выходит из Тиходонска и всегда возвращается в Тиходонск. А там у нас есть надежные люди. Про Ису Хархоева слышал?

* * *

Елисеевская — небольшая станция в шестистах километрах севернее Тиходонска и в двадцати от районного центра Ахтырска. Работают здесь всего пять человек: начальник Ибрагим Османов, его жена Вера — она же железнодорожный кассир, стрелочник дядя Миша, путевой обходчик Николай и электрик Сергей Павловский. Немногочисленный персонал вполне справлялся с текущими делами, ибо в Елисеевской ежедневно останавливались на одну-две минуты всего четыре поезда, остальные проносились мимо и даже не притормаживали.

По расположению она не совсем отвечала планам Исмаилова, но зато начальником здесь был земляк, и это сыграло решающую роль. Правда, Ибрагим был аварцем, он родился в горном селе, граничащем с Чечней, еще в то время, когда Кавказ не знал ни национальных, ни религиозных распрей. Но понятие землячества в этих краях может быть очень широким. Если ты служишь в армии где-нибудь в Волгограде, то твоими земляками будут и чеченец, и ингуш, и черкес, и кабардинец — любой выходец с Кавказа, имеющий корни в его каменистых горах. Когда ты живешь в Махачкале, то земляками считаются и лакцы, и даргинцы, и кумыки, а может, даже и не похожие на дагестанские народы ногайцы, с их раскосыми, как у калмыков, глазами. Чем дальше от больших городов, где нации перемешаны как ингредиенты коктейля, тем больше сужается понятие земляка. В родном селе: в дагестанском Гунибе или в чеченском Аргуне земляк — это, соответственно, аварец или чеченец.

Кавказцы — люди особого менталитета. Вне рода они не могут существовать, как не выживает муравей, не сумевший вернуться в родной муравейник. Если даже кавказец уехал из родных краев и живет в России, на родине остается отчий дом, остаются братья, сестры, дядья, племянники, их дети и дети их детей. Под закат жизни многие возвращаются в родовое гнездо, где тебя все знают и где ты всех знаешь, где тебя поддержат, помогут, окажут уважение и внимание.

Очередная кавказская война нарушила привычный уклад, спугнула и разбросала людей по разным местам. Но место жительства не меняет законов крови. Если к тебе за помощью пришли земляки, ты должен им эту помощь оказать. Даже вопреки своему желанию, своим должностным обязанностям и служебным предписаниям.

Но начальник станции Елисеевская Ибрагим Османов, которого Муса Хархоев посчитал земляком, повел себя совсем не так, как требуют обычаи предков. Хотя он расхаживал по перрону в тщательно отутюженной форме железнодорожника и в высокой, специально пошитой фуражке, то есть отдавал дань объединяющей все кавказские нации любви к любой униформе, отвечать на вопросы земляков негодяй отказался.

— Как тебе не стыдно? — Лечи Исмаилов принудил себя разговаривать по-хорошему. — Ты же наш единоверец, у нас общая кровь! Наши народы всегда куначествовали, брали друг у друга невест, мы помогали друг другу в трудную минуту! А ты не хочешь нам сказать про гяурский поезд!

Османов сидел на стуле в своем кабинете. Китель у него был разорван, фуражка валялась на полу, под глазом начинал отчетливо проявляться кровоподтек.

— Да я же объясняю — это вам не билеты без очереди взять, не в вагон без билета посадить! — хрипло сказал он. — Это литерный поезд! О нем вообще говорить нельзя! А когда он пойдет, я не знаю. И знал бы, не сказал!

Исмаилов кивнул. Стоящий за спиной начальника станции Галинбаев коротко замахнулся и резко ударил ладонью по уху. Османов упал на пол, на него тут же обрушился град ударов. Галинбаев пинал его ногами, несколько раз ударил стулом.

— Я не знаю, когда он пойдет, — прохрипел Ибрагим. — У него же нет графика! Вон, посмотрите в столе!

Глаза железнодорожника закатились.

— Дать ему еще, амир? — спросил Галинбаев. Он любил такую работу и выполнял ее с удовольствием.

Но командир покачал головой:

— Обожди...

Исмаилов порылся в ящиках стола и нашел графики прохождения поездов через Елисеевскую. Зимнее расписание, летнее... Конечно, никакого литерного там не было. Но такие поезда никто и не станет записывать в график!

Амир осмотрелся. На Елисеевскую он прибыл с тремя соратниками: своей правой рукой Исрапилом Галинбаевым и земляками из Тиходонска: Мусой Хархоевым и Магомедом Тепкоевым. Собственно, Муса и вывел их на Елисеевскую: когда-то у него здесь лопнула ось цистерны с бензином и Османов, на свою беду, помог ее заварить.

Галинбаев недавно спустился с гор, это был крепкий, приземистый парень, невысокого роста, в черной, распахнутой до груди рубашке. Он переступил через тело «земляка», поскреб грязными, давно не стриженными ногтями густую поросль на груди, прямо из графина напился воды. Бороду он сбрил недавно, и если присмотреться, то менее загорелая кожа выдавала ее бывшие контуры.

Муса и Магомед были городскими, они имели более цивильный вид и потому стояли на перроне у входа, чтобы не пустить, в случае чего, нежелательных свидетелей. Внутрь они не заглядывали: переговаривались негромко о своих делах, не обращая внимания на звуки ударов и сдавленные стоны.

Неблагодарный единоверец валялся в крови. Он или был без сознания, или притворялся. Поскольку присутствующие в кабинете бандиты были знатоками кавказского менталитета, они с большей долей вероятности могли предположить второй вариант. Так оно и было. Османов лежал и думал, как вырваться из наброшенной на него петли. Он проклинал тот день и час, когда познакомился с Мусой. Он был уверен, что чеченцы обращаются с ним так, потому что он им не настоящий земляк. Он думал, что если бы начальником станции был чеченец, то его бы они не избивали так жестоко. Но он ошибался. Национальность тут никакой роли не играла. Если бы о прохождении литерного поезда знал чеченец и этот чеченец попытался исполнить свой служебный долг, то он точно так же лежал окровавленный на потертом полу давно не ремонтированного кабинета.

— Ладно, Исрапил, он ничего не понял, — сказал Исмаилов. — Делать нечего. Отрежь ему голову. Мы выставим ее на перроне для устрашения неверных. А потом займемся его семьей и теми родственниками, кто остался на родине. Они все должны ответить за предателя!

Рука Галинбаева скользнула за спину и выудила из-за широкого кожаного ремня остро отточенный нож, которым уже было отрезано несколько голов.

— Не надо, — простонал Османов и чуть пошевелился. — Я действительно никогда не знаю заранее! Они сообщают за два часа. Иногда — за час!

— И очень хорошо! — кивнул амир Исмаилов. — Ты будешь нам помогать?

— Да, буду, — обессиленно произнес избитый аварец.

— Когда примерно пойдет этот литерный? — Лечи Исмаилов нагнулся и впился в глаза лежащего тяжелым, давящим взглядом.

— Обычно... Три раза в месяц... Значит, дня через три, может, пять...

— Отлично, — Исмаилов потянулся, разминая кости. — Мы у тебя тут поселимся. Будут спрашивать, скажи — родственники в гости приехали. Один никуда не отходи, будь все время на виду. Закончим дело, я тебе заплачу как положено, жалеть не будешь. И не вздумай дурака валять! И тебя зарежем, как барана, и всю семью вырежем!

Османов обессиленно закрыл глаза.

* * *

БЖРК готовился в очередной рейс. Первый экипаж привычно укладывал чемоданы. На этот раз старшему лейтенанту Кудасову вещи собирала жена. Примирение у супругов состоялось еще в Тиходонске: вначале на квартире Оксаны в присутствии нервничающей Ирины Владимировны и вялого, как снулая рыба, Федора Степановича, потом в доме Кудасовых. Родители Александра так старались, что вышла вторая свадьба в миниатюре, только что «горько» не кричали.

Внешне у супругов все было нормально. Оксана вела себя как и положено офицерской жене: перестирала и выгладила одежду, даже приготовила прощальный ужин. Но Александр чувствовал, что трещина в отношениях осталась. Где пропадала супруга столько времени, с кем... Рассказы про поездку в Туапсе были неубедительными, концы с концами в них не сходились. Правда, он тоже чувствовал за собой вину, поэтому не очень-то старался докопаться до истины.

— Счастливо съездить, Саша, — сказала Оксана, когда ужин был окончен. — Я буду тебя ждать. Возможно, мне придется навестить родителей. Но ты мне сможешь всегда позвонить...

— Как позвонить? — удивился Александр. — Я же тебе объяснял, мы нигде не останавливаемся...

— Я все помню, дорогой. Просто я приготовила тебе подарок...

Оксана положила на стол мобильный телефон.

— Это здорово, — Саша расплылся в улыбке. Он давно хотел такую штучку. — Только из поезда звонить нельзя, да и здесь он работать не будет. Но когда в следующий раз выберемся в Тиходонск или куда-нибудь еще, он очень пригодится...

— Ты положи его в чемодан, и пусть лежит. Можешь даже не включать. А если захочешь и будет возможность — позвонишь мне, — ласково улыбнулась Оксана.

— Ну что ж... Если будет возможность, позвоню!

Александр спрятал аппарат под запасную форменную рубашку. Возможность контролировать Оксану казалась очень привлекательной, вот только удастся ли ее использовать... Не исключено, что в поезде есть аппаратура, пеленгующая излучение, или связь гасится, как в гарнизоне... Но это все можно незаметно выяснить у связистов. А пока пусть лежит, есть ведь он не просит.

В это же время полковник Белов тоже собирался в рейс. Последний свой рейс — представление на его увольнение уже лежало на подписи у командира дивизиона. Поэтому настроение у начальника смены было соответственное. Последние две недели он беспробудно пил. И даже сегодня с утра принял стакан водки, понадеявшись, что командный состав, как обычно, не заставят проходить предрейсовый медосмотр.

— Где моя чистая рубашка?! — рявкнул он.

— А ты ее стирал? — с издевкой спросила Ирина, не отрываясь от телевизора.

Глаза Евгения Романовича налились кровью.

— Хватит того, что я зарабатываю деньги! Горбачусь на этом долбаном поезде, облучаюсь, психую! А ты целые дни валяешься на диване!

— Невеликие у тебя заработки, дружок! И ты уже две недели пьянствуешь. Вполне мог постирать себе рубашку и носки.

— У меня для этого есть жена!

Ирина Александровна рассмеялась.

— У нормальных мужиков жены для другого! Спроси у своего Кудасова, для чего ему жена! И поучись у него!

Удар попал в самое уязвимое место.

— Что?! — Белов заревел, как раненый зверь. — Ты издеваешься надо мной?! Сука, лесбиянка! Мало того, что ты не даешь мне, мало, что опозорила меня перед командованием и всем гарнизоном, выставила на посмешище перед этим сопляком, так еще ставишь мне его в пример?!

— Конечно! Он хотя и молодой, но умнее и талантливее тебя. Он блестяще выполнил правительственное задание, а ты только благодаря мне и Валечке проходил контрольные тестирования...

— Ну, все!

Взбешенный до предела Василий Романович подскочил к жене, рванул за плечо, разворачивая к себе лицом, и с маху ударил в лицо — раз, другой, третий!

Ирина опрокинулась на пол, из расквашенного носа хлынула кровь, кровь сочилась из рассеченной губы, лицо побледнело, глаза расширились от ужаса.

— Сука, сука, сука!

Белов изо всей силы пинал жену ногами, нагибаясь, колотил кулаками по голове и лицу. Его рассудок полностью помутился, как будто началась белая горячка.

Под градом ударов женщина каталась по полу, из горла вырывались всхлипы и крики. Она прижала к лицу руки, сквозь короткие пухлые пальцы сочилась кровь.

— Получила? Получила, сука?!

Он вцепился ей в волосы и принялся колотить головой об пол.

— Вот тебе, вот! За то, что мучила меня всю жизнь!

— Отпусти, сволочь! Я сейчас позвоню в штаб! Вместо рейса под трибунал...

— Ах так! Звони, сука, заявляй!

Руки Евгения Романовича сошлись на горле супруги.

— Иди звони! Что ж ты не звонишь?

Ирина хрипела, тело ее конвульсивно выгибалось.

— Ты мне всю жизнь испортила! Я бы уже генералом был!

Через некоторое время супруга затихла. Она была мертва.

— Ну что, довольна? Получила? — как заведенный повторял Белов. — Вы у меня все получите! Все, по полной программе!

Вскочив, он принялся ходить взад-вперед, отряхивая ладони, будто счищая налипший на них песок.

— Вы все запомните полковника Белова! Весь мир запомнит! Я вам покажу боевой пуск!

Затащив бездыханное тело супруги под кровать, он полотенцем вытер с пола кровь и расчетливо убрал видимые следы преступления.

Потом долго принимал душ, чистил зубы, причесывался, стремясь, чтобы то новое, что поселилось в нем, не было видно окружающим. Для окончательной подстраховки он даже собственноручно выгладил форму, начистил ботинки и наодеколонился «Шипром». В назначенное время он отправился на борт БЖРК.

А старший лейтенант Кудасов пришел даже раньше времени. Он прошел предрейсовый медосмотр и прогуливался вдоль путей, ожидая, пока подадут поезд. Одновременно он размышлял о подаренном Оксаной телефоне. Сейчас он понимал, что здесь много странностей. Раньше она никогда не делала ему подарков — это раз! Телефон без коробки, без инструкции, без гарантийного талона, без чека — только трубка и зарядное устройство. Выглядят они совершенно новыми, но на купленный в магазине подарок не похожи. Это два! Проносить на борт БЖРК любые средства связи запрещено, и она это знает. Но посоветовала положить его в чемодан. Вот третья странность!

Что за этими странными фактами стоит? Не иностранная же разведка! Так бывает только в кино, да и Оксана, при всем своем легкомыслии, не шпионка, уж это он точно знает! Скорей всего, за этим не стоит ничего. Кроме его собственной мнительности, основанной на каждодневных призывах к бдительности со стороны особистов и командиров. Но...

Сейчас ситуация не казалась такой безобидной, как дома час назад. Совершенно очевидно, что проносить сотовый телефон на борт секретного стратегического объекта нельзя. Чем бы ни мотивировался такой пронос, но это будет первым шагом за ту черту, через которую переступать недопустимо! Надо было оставить этот чертов прибор дома! А теперь куда его девать? Если выбросить, то обязательно найдут и поднимется тревога... Сдать майору Сомову? Но только в благостных книжках чекисты по-отечески помогают попавшим в неприятную ситуацию честным гражданам. А в жизни будет так: его отстранят от рейса, начнут дознание, будут допрашивать его и Оксану попеременно, проводить очные ставки, вытягивать душу, а в конечном счете выгонят его из армии, отчитавшись, что спрофилактировали попытку... Чего? Хрен его знает! Но это они придумают, чтобы показать свою бдительность и высокоэффективную работу. Выгнали же неизвестно за что бедного Андрюху Короткова...

Коротко свистнул тепловоз, загудели рельсы, на выходе из депо вспыхнул прожектор. Сегодня в первый раз отправляли дублера БЖРК — старый, давно списанный и теперь лишь внешне обновленный состав. Покрасили, подлатали, но внутри нет ничего. Ни имитатора ракеты, ни сидений и столов, ни кухни, ни даже переборок... Обычный товарный состав, только совершенно пустой. Не считая, конечно, машиниста с помощником. Александр очень сомневался, что дублер собьет с толку американцев. Хотя, может, и отвлечет какую-то часть внимания на себя. Начальству, как говорится, видней.

Тепловоз приближался. И вдруг ему пришла в голову спасительная мысль. Саша быстро огляделся. Он отошел достаточно далеко от КПП, вокруг темно и никого нет. Очень удачно. Он открыл чемодан, вытащил злополучный телефон, протер гладкий корпус и клавиатуру платком. Когда состав грохотал мимо, он коротким движением забросил аппарат на площадку товарного вагона. Вот и все! За время рейса он вполне может выпасть или его украдут, а даже если Nokia вернется обратно, установить владельца будет нельзя. Может, воры выбросили в проходящий состав, да мало ли как можно будет объяснить такую находку! Александр испытал громадное облегчение, даже дышать стало легче!

Он неспешно побрел обратно. И вовремя: из депо выкатывался настоящий БЖРК. Началась посадка.

Кудасов сразу заступил на дежурство с Шульгиным и Петровым. Проводивший инструктаж Белов старательно избегал смотреть ему в глаза. Чувствовалось, что начальник смены только-только вышел из запоя. Сегодня он был еще более злым и раздражительным, чем всегда. В исходивших от него привычных волнах неприязни и ненависти Кудасов разобрал новую нотку: от полковника веяло реальной угрозой! Как сигналы тревоги, от него исходили биоволны смертельной опасности! Похоже, что он был готов на все!

«Хрен с ним, перетерплю, — подумал Кудасов. — Пусть покуражится в своем последнем рейсе!»

Но он не знал, что этот рейс может стать последним для всего человечества.

— Задраить двери! Включить наддув! — раздались обычные стартовые команды. Но потом подполковник Ефимов вышел за пределы официальных команд.

— Внимание экипажу! — строго сказал начальник поезда. — То, что происходило после успешного боевого пуска, —

забыть! На борту «изделие», мы находимся на боевом дежурстве! Никаких расслаблений, никаких отклонений от устава и приказов, никаких нарушений дисциплины! За любое нарушение виновные понесут строжайшую ответственность!

БЖРК тронулся с места и принялся набирать скорость. Он еще не вышел за пределы части, когда Оксана позвонила в Тиходонск.

— Василий, здравствуйте! — как всегда в подобных случаях, она говорила официальным тоном, чтобы на телефонном коммутаторе никто ни о чем не догадался. — Это Оксана Федоровна. Я освободилась. Завтра можете присылать за мной машину. Я хочу проведать маму...

Барби гордилась своей хитростью.

— Конечно, Оксана Федоровна, все будет исполнено! — так же официально сказал Мачо и отключился.

С шестнадцатого этажа гостиницы «Сапфир» были видны крыши старых, доживающих свой век домишек. Чем-то они напомнили крыши старого Парижа. Дальше широкая река, живописное левобережье... Там они с Оксаной действительно прекрасно провели время. У нее замечательная фигура, очаровательные ножки, подвижные и сильные интимные мышцы, что встречается крайне редко... И вид главного женского органа необычен: аккуратная щелка, как у маленькой девочки, только вытарчивающий красный бугорок показывает, что она уже взрослая. А разогревшись, щелка распускается в прекрасный бутон, как элитная роза... От этих воспоминаний холодный профессионал затрепетал. Оксана действительно замечательная девушка, и он действительно ее любил. Но завтра она напрасно будет ждать его и готовиться к новым любовным приключениям. Потому что любовь — это одно, а работа — совсем другое. Очень хорошо, когда они пересекаются, и ничего не поделаешь, когда они расходятся...

Он набрал номер Мусы Хархоева.

— Передай дяде, что племянник выехал, — сказал он и выключил аппарат. Теперь его можно выбросить. Потому что задание выполнено. Достав из шкафа бутылку 12-летнего шотландского «Glen Spey», он повалился в удобное кресло и сделал первый глоток. Мягкая ароматная жидкость обожгла горло и пищевод. Надо было добавить льда, но ему не хотелось двигаться. Он выложился полностью. И сделал все, что от него зависело. Впрочем, как и всегда. От того, что являлось конечным результатом задания, он всегда абстрагировался, как и технический гений, профессор Лоуренс Кольбан.

Теперь нужно уезжать. Из «Сапфира», из Тиходонска, из

России. Маршрут эксфильтрации отработан и не должен вызвать осложнений. Разве что дождаться подтверждения? Нет, к черту... Но шевелиться не хотелось. Он слишком устал. В конце концов, все сработано чисто, он ни в чем не засветился. Так что можно задержаться до завтрашнего утра, выспаться, отдохнуть. А заодно и получить подтверждение, чтобы совесть была спокойной...

Глава 2

ОБРАТНОЙ ДОРОГИ НЕТ

— Нет, товарищ капитан, такое редко бывает, — часовой на КПП почему-то чувствовал себя виноватым.

Атлетические светловолосые парни, прибывшие с особыми полномочиями из Москвы, всерьез взялись за режим охраны дивизиона. Каждую ночь БТР патрулировал вокруг внешнего периметра, а днем несколько патрулей прочесывали прилегающие окрестности. В результате местные перестали приближаться к забору ближе чем на триста метров. Даже коровы и козы близко не подходили. Как москвичам удалось этого добиться, оставалось только догадываться.

К тому же Малков и Ломов взяли моду беседовать со всеми обитателями городка — от старших офицеров до рядовых. Задавали самые разные вопросы, расспрашивали о ничего не значащих мелочах. Но все понимали, что без крайней необходимости лучше им не врать. Да и при крайней необходимости — тоже. Себе дороже обойдется.

— Солдаты в самоволку не ходят, с этим у нас строго, а офицеры — они ведь люди вольные, иногда отлучаются. Обычно на два часа, может, на три. Вот, правда, был случай, когда старший лейтенант Кудасов с женой аж утром пришли...

Круглолицый сержант улыбнулся.

— Утром? — насторожился Владислав.

— Ну да, часов в семь. Я как раз дежурил. А потом еще раз, как нарочно, в мое дежурство его жена уезжала. С чемоданом в шикарную тачку села. А водитель — такой здоровый мужик, видный, вроде вас, только чернявый. Я уж, грешным делом, подумал, что она того... Насовсем! Но нет...

Часовой шмыгнул носом.

— Потом Кудасов в город уехал, а вернулись они вместе...

— Когда все это было? — Малков достал из внутреннего кармана крохотный компьютер и приготовился записывать.

— Что было? — не понял сержант.

— Когда они пришли утром. Когда она приехала, — хладнокровно пояснил Владислав, но, несмотря на спокойствие в его голосе, часовой понял, что надо быть попонятливей.

— Сейчас, загляну в журнал дежурств и точно скажу...

— А ты этого чернявого узнаешь? На шикарной тачке который?

Круглолицый паренек пожал плечами.

— Узнаю. Думаю, что узнаю.

— Ну и молодец! — кивнул капитан. — Говори даты!

* * *

БЖРК несся по заданному маршруту. Кудасов отслеживал на мониторе прохождение спутников-шпионов и запуски ракет в разных частях света, Шульгин занимался ориентированием комплекса на местности и «привязкой» его к системе координат на крупномасштабной карте, Петров отрабатывал модельные запуски. Словом, дежурство проходило как обычно.

Во всем, кроме одного: начальник смены не покинул свое рабочее место и не пошел отдыхать! Несмотря на ночное время, он увлеченно работал на компьютере. Это было очень странно. Если бы полковник ушел спать, можно было снизить уровень усердия. Вполне достаточно бодрствовать и одному дежурному, а остальные могут по очереди подремать, чуть откинув назад удобную спинку кресла. Поэтому дежурная смена с нетерпением ожидала, когда начальника сморит усталость. Но этого не происходило. Не обращая ни на кого внимания, он целеустремленно щелкал клавиатурой. Обычно тусклые глаза лихорадочно блестели, он то и дело кусал губы, морщил лоб, прищуривал глаза... Поведение полковника было настолько необычным, что дежурные офицеры напрягали все свои умственные способности, пытаясь понять: в чем дело? Но никто не мог догадаться, что происходит.

А дело было в том, что Беловым овладело маниакальное желание отомстить всему окружающему миру за неудавшуюся жизнь. Такая потребность периодически возникает у многих маньяков, но, как правило, они могут отыграться на незначительной части человечества, хотя кровавую статистику из десятков жертв криминалисты «незначительной» не считают.

У Белова была уникальная возможность реализовать эту потребность в полной мере. Потому что на этот раз, вопреки особому режиму части, вопреки психологическим тестам и постоянному медицинскому контролю, вопреки бдительности особистов, в одном лице соединились кровожадный маньяк и командир пуска БЖРК, в руках которого действительно находилась власть над миром, материализованная в гиперзвуковой межконтинентальной баллистической ракете «Молния» и ключе для ее запуска!

Полковник самозабвенно нажимал клавиши. Он чувствовал, как наливается силой и уверенностью, даже воспоминание о лежащем под кроватью окровавленном теле жены отошло на второй план.

Когда ракета с шестнадцатью ядерными боеголовками находится в твоем подчинении, весь окружающий мир уменьшается до размеров яблока, а все остальные люди становятся сродни муравьям. Ничтожным, мелким и беззащитным. Настолько крохотным, что лежащее под кроватью тело невозможно разглядеть, оно просто исчезает, как и связанные с ним проблемы!

Чувство неограниченной власти возникало у Евгения Романовича еще в курсантские годы, иногда в тренировочных классах, иногда на полигонах, когда очередное «изделие», опираясь на огненный хвост, уходило в зенит и ложилось на боевой курс. Он и сейчас помнил свой трепет при первом общении с ракетой. Помнил и апофеоз своей жизни: назначение на БЖРК. Первый день в качестве командира пуска. Вот она, власть! Ни с чем не сравнимая власть, предвкушение новых вершин, достижения космических высот, каких легко достигает правильно запущенная ракета!

Но все ожидания оказались обманутыми, мечты не сбылись, и в этом была колоссальная несправедливость... Кто в ней виноват? Судьба, командование, Ирина, весь мир? Но Ирина получила свое и лежит холодно и тихо под кроватью на пыльном полу, а командование и весь мир тоже подлежат наказанию, в этом и будет состоять восстановление поруганной справедливости!

Утерянное острое чувство власти и всемогущества начинало возвращаться. Белов чувствовал в себе новую темную силу, которую в него будто вдохнул кто-то невидимый. Возможно, бесы... Но это не имеет никакого значения!

Ему не пришлось нажать на кнопку, не пришлось произвести ни один запуск. Даже этому сопляку Кудасову доверили боевой пуск, а его обошли, и это еще одна несправедливость в длинной череде жизненных несправедливостей. Но теперь он сделает это! Он полностью использует свою власть и произведет такой запуск, которого еще не производил никто и никогда!

Он навсегда войдет в историю, переплюнув Герострата, Гитлера и Сталина! Потому что полковник Белов принял твердое решение произвести несанкционированный запуск «Молнии» и уничтожить половину Американского континента.

Только одна закавыка была на этом прямом и ясном пути — у него на шее висел лишь один ключ от боевого пульта... А вставлять надо сразу два! И вообще, в одиночку «Молнию» не запустишь: надо остановить поезд, вывести домкраты, сбросить крышу, тут нужна помощь всей смены. Значит... Значит, надо получить боевой приказ! Или имитировать его получение! В этом и состоял гениальный план полковника Белова.

Командир пуска с новыми силами склонился над компьютерной клавиатурой. Взяв за основу прошлый приказ на учебно-боевой запуск, он обновлял текст, вводил в него необходимые коррективы, добавлял нужные атрибуты. Почти все уже было готово. Только номер он оставил старый, но вряд ли кто-то в спешке и суете обратит на это внимание.

* * *

— Решили так: два человека спрыгнут с моста на крышу. Один — на первый вагон, второй — на последний. И пустят газ в вентиляцию. Две газовые шашки специально на четвертом складе купили. Си-Эс называется!

Военный совет проходил в сторожке путевого обходчика станции Елисеевская. Хозяин сторожки со стрелочником дядей Мишей были заперты в дворовом погребе, а за столом сидели двое — имам Али Арханов и незнакомый худощавый человек в мешковато сидящей куртке, с обмотанным бинтами лицом. То ли он обгорел, то ли перенес пластическую операцию, то ли не хотел показывать свое лицо. Скорей всего — последнее. Для большинства бойцов самым важным начальником являлся имам Арханов, про которого они слышали много, но видели впервые в жизни. Однако грозный Арханов сам разговаривал с незнакомцем как с большим командиром. Кроме того, у забинтованного была своя охрана — три высоких крепыша с лицами отъявленных головорезов. Они держались особняком, между собой говорили по-арабски, а сейчас стояли за спинами старших с автоматами наперевес. Причем охрана имама осталась снаружи. Это показывало, что незнакомец старше по рангу. А также то, что он никому не доверяет, раз поставил вооруженных охранников там, где идет важный и доверительный разговор между своими. Это нарушение кавказского этикета. Позволить себе такое может только тот, кто обладает большой силой и властью.

Чуть в стороне, на табуретке, сидел Лечи Исмаилов, за его правым плечом стоял Исрапил Галинбаев. Правда, без оружия, только с пистолетом под одеждой.

Амир Исмаилов был очень самолюбив и считал себя самым важным человеком на земле, поэтому он не делал доклад высокому руководству, а просто рассказывал, как собирается выполнить порученную ему важную и высокооплачиваемую работу.

— Впереди взорвем путь, сзади взорвем, — продолжал своим глубоким голосом полевой командир. — По локомотиву ударим из гранатомета, чтобы наверняка. От газа они или окочурятся, или вылезут наружу. Я всем приказал стрелять аккуратно, по вагонам стараться не бить.

— А дальше что? — спросил Арханов, покосившись на забинтованного. Тот сидел неподвижно и из узкой щели в бинтах смотрел на Лечи. От этого взгляда железный амир чувствовал себя очень неуверенно.

— Уничтожаем всех, осматриваем вагоны, забираем бомбу, взрываем поезд и уходим.

— Хорошо, — кивнул Арханов. — Когда пойдет этот поезд?

— Пока неизвестно, — Исмаилов несколько смутился. — Ребята сидят на телефоне. За час-два все узнаем.

Али Арханов неодобрительно покачал головой:

— За час-два подготовиться не успеете. Раз так, надо уже сейчас ставить засаду. Пусть сидят, сколько понадобится!

Полевой командир скривил губы. Такая идея ему не понравилась.

Наступила тишина. Арханов еще раз посмотрел на своего спутника.

— Почему такой слабый газ взяли? — спросил тот. — Это для насморка, чтобы нос прочистить. Надо фосген, зарин, вэ икс брать! Нету у вас, скажите мне, я привезу!

Забинтованный обращался не к Лечи, а к Арханову.

— С зарином тут никто обращаться не умеет, — терпеливо пояснил имам. — Сами отравятся, вот и все!

— Слабый газ, говоришь? — вмешался Исмаилов. — Я таким слабым однажды десять пленных задушил. В пещере. За двадцать минут.

— Кто пойдет на крышу? — теперь забинтованный обращался напрямую к Лечи, очевидно, признав в нем уважаемого человека.

— Вот он, Исрапил. С ним еще один, из хархоевских.

— Бомба знаешь сколько весит? Как брать будешь?

Этот вопрос полевого командира и подавно не смутил.

— Кран подгоню, «КамАЗ», — и все дела!

— Ну, ладно! — забинтованный встал. — Посмотрим обстановку на месте. Кого где поставить, откуда стрелять, где пути разбирать.

Они вышли из сторожки, следом потянулись остальные. Арханов и забинтованный сели в микроавтобус с зашторенными окнами. Галинбаев устроился за рулем, Исмаилов сел с ним рядом.

— Бинты лучше снять, Салим, — деликатным тоном посоветовал Али. — Они больше внимания привлекают.

— Это верно, — кивнул тот. — Да и дышать трудно.

Он размотал бинт. Исрапил в зеркальце жадно рассматривал лицо таинственного и властного незнакомца. Но ничего необычного или героического в нем не находил. Обычный кавказский мужчина, на любом российском рынке таких десятки. И чего он старается, рожу прячет? Из-под воротника незнакомца вдруг выскочил упругий проводок, тот быстро заправил его на место.

— Ты поосторожней, — Арханов инстинктивно отодвинулся.

— Все в руках Аллаха...

Салим глубоко, до самых глаз, натянул трикотажную лыжную шапочку. Кроме того, надел большие зеркальные очки.

— Поехали! — коротко скомандовал он.

В район станции Елисеевская стянулись уже около пятидесяти боевиков. Они рассредоточились по три-пять человек в окрестных селах и на полевых станах в радиусе одного-двух километров: по сигналу все могли собраться в нужной точке в течение получаса.

Стояла безветренная ясная погода, стоящее в зените солнце ласково согревало своими длинными лучами иссушенную почву. Галинбаев тронул микроавтобус с места. Следом двинулась «Нива» с охраной. Салим специально приказал, чтобы использовались только неприметные машины. Арханов передал приказ Лечи. И тот его скрупулезно выполнил.

Проехав с километр вдоль железнодорожных путей, Галинбаев притормозил.

— Вот здесь рванем рельсы, — показал рукой амир Исмаилов. — А засаду вон там поставим...

Арханов и Салим выскочили из машины, пешком перебрались через насыпь и подошли к песчаному оврагу. Исмаилов и Галинбаев шли следом. Здесь можно спокойно разместить несколько десятков бойцов. По другую сторону пути располагалась лесополоса. Место для удара с двух сторон было выбрано удачно, Исмаилов чуть заметно улыбался. Что понимают эти люди в боевых делах!

— Ты разметь сектора обстрела, — сказал Салим. — И сдвинь в сторону, метров на пятьдесят, тех, кто будет в зарослях. Чтоб не ставить группу напротив группы. Иначе они друг друга постреляют!

Улыбка исчезла с сурового лица полевого командира. Замечание правильное. Об этом он и не подумал.

— И еще одно, — жестко продолжил Салим. — Надо помнить, зачем мы сюда пришли. Мне нужна бомба, а не взорванный поезд. Ты понял? Бомба, целая и неповрежденная. Поэтому гранатометы у всех забрать. И ручные, и подствольники. Оставь только один, для выстрела по тепловозу. И пусть он будет у надежного человека.

— Сделаю, — кивнул Исмаилов, хотя лицо его выражало сильные сомнения.

Позади раздался шум двигателей. Арханов и Салим обернулись. От дороги, раскачиваясь на кочках, медленно пробиралась «Газель».

— Кто это?

— Пополнение, — пояснил Лечи. — Это мои лучшие бойцы! Второй батальон шахидов!

В голосе его слышалась гордость.

— Завтра подтянется еще боевая десятка!

— Так, когда пойдет поезд, хоть примерно скажи? — спросил Салим.

— Сказал же — пока не знаем, — Лечи пожал плечами. — Дня через три. Успеем подготовиться. А сажать бойцов в засаду прямо сейчас нельзя. Столько они не высидят. Расслабятся, начнут в нарды играть, кто-то заснет, кто-то отойдет в сторону... Я своих людей знаю.

У Арханова прозвенел мобильник.

— Я здесь, — отозвался имам. И после короткой паузы добавил: — Я все понял.

Он спрятал телефон и, обращаясь к Лечи, сказал:

— Поезд уже идет. Здесь ориентировочно будет завтра. Уточните время. И с утра ставьте засаду!

* * *

— А теперь смотри, какая картина получается! — Влад Малков заглянул в экран «наладонника», и Ломов с интересом проследил за его взглядом. Они сидели в своем бронетранспортере, который охранялся круглосуточно и потому на сто процентов был свободен от жучков. Четверо автоматчиков стояли кольцом вокруг бронированной машины, поэтому и сейчас разговор никто не мог подслушать.

— Оксана Кудасова поссорилась с мужем, он ушел в рейс, она тут же звонит некоему Бабияну — крупному коммерсанту с криминальным прошлым и соответствующими связями. Просит прислать машину. А приезжает почему-то некий Василий Столяров и везет ее в Тиходонск, где он живет в гостинице «Сапфир».

— И что? Это интересно только ее мужу!

— Не торопись, — Влад умел быть сдержанным. Правда, редко, да и только со своими. — Они прекрасно провели время: любовь-морковь и все такое, даже трахались под оркестр...

— Как так? — вскинулся Анатолий. Но напарник только отмахнулся.

— Потом как-нибудь расскажу. Старлей Кудасов вернулся из рейса, съездил в Тиходонск и привез ее обратно!

— И такое бывает, — поморщился Ломов. — Поссорились, потом помирились... Ничего необычного.

— Да ты слушай! Будет тебе необычное — выше крыши! Они прожили в мире и согласии неделю, муж — в очередной рейс, а она тут же звонит Столярову и назначает свидание, хочет опять с ним уехать! Нет, ты понял? Спрашивается, а зачем приезжала? С какой такой целью?

— Почему обязательно «с целью»? Вернулась в семью, мужа проводила, и опять захотелось! Дело обычное...

— Да нет, — Малков покачал головой. — Ничего обычного в этом деле нет!

Проверили телефон этого Столярова. А куплен он на паспорт Мусы Хархоева! Хархоевская банда в Тиходонске нефтяной бизнес держала. Из Чечни бензин получали и продавали, кто артачился — громили заправки.

— Что ж этот Хархоев, совсем дурак? — спросил Ломов. — Зачем ему на себя телефон оформлять?

— Они об этом не задумываются. Дал паспорт — и все! Он не знал, что с этого телефона в Америку звонить будут!

— Подумаешь, — хмыкнул Анатолий. — Если б лет двадцать назад — это криминал! А кому звонили, зачем?

— Звонили по делам Бабияна. Насчет банка, денег и прочей канители. Только когда наша посольская резидентура в Нью-Йорке этот номер проверила, то он о-о-очень странным оказался. Ничего толком по нему не отвечают. Только записывают. Похоже на «связной» телефон!

— Ничего себе! ЦРУ? — Анатолий ударил кулаком в стенку. Сталь глухо загудела.

— Не знаю. Сейчас разошлю запросы, пусть проверят этого Столярова со всех сторон! Но если так, то Кудасова приезжала сюда неспроста. С мужем она помирилась, чтобы выполнить какое-то поручение. Какое-то задание. И если Столяров работает на Фирму, то все концы сходятся! Сейчас надо отработать Хархоевых и Бабияна. Я дал задание милиции, пусть потрясут их вначале своими силами. А мы подключимся...

— А какое же задание она должна выполнять? — Ломов погладил ушибленный кулак.

— Боюсь, что скоро узнаем, — мрачно сказал Малков.

* * *

БЖРК-дубль отличался от настоящего не только неказистым внешним видом, но и ходовыми качествами. Старые товарные вагоны опирались на колесные пары давно устаревшей конструкции, рессоры износились и потеряли упругость. Цельнометаллический вагон был современней, но он не мог обогнать своих дряхлых собратьев, плотно сжимающих его спереди и сзади. Несмотря на мощь дизелей тепловоза, крейсерская скорость короткого состава не превышала сорока пяти километров в час.

Утратившие геометрическую округлость колеса с грохотом били о рельсы, скрипели разболтанные рессоры, вагоны раскачивались и дребезжали. Телефон Nokia лежал на щелястых досках на полу второго вагона и подпрыгивал в такт стуку колес. Через пять часов непрерывной вибрации включился механизм радиомаяка. Внешне это никак не проявилось: где бы ни находился аппарат, он не должен был выдать переход в режим готовности. А пятичасовая задержка гарантировала, что он достаточно далеко отъедет от базы, чтобы отвести подозрения от агента-исполнителя. Или, во всяком случае, обозначить такую попытку, ибо идущие по следу контрразведчики обязаны подозревать всех.

Подобно настоящему БЖРК, дубль шел как литерный поезд: его пропускали в первую очередь, перед ним зажигали зеленый свет, на каждом этапе движения его прохождение обеспечивали лично железнодорожные начальники. Его так же окутывала пелена значимости и тайны.

Но в отличие от настоящего комплекса данный состав был абсолютно пустым. Пустыми были направляющие боевого — цельнометаллического вагона, пустыми были и все остальные. Доски, на которых подпрыгивала Nokia, еще помнили сапоги дежурной смены, остатки кабелей и штепсельные разъемы не забыли нагрузку питающего напряжения, царапины на аппаратных стойках сохранили тяжесть рабочих блоков. Но все это осталось в прошлом. В пустых вагонах гулял ветер и гулким эхом отдавался стук неровных колес.

Весь личный состав составляли два машиниста и два помощника в локомотиве, а всю аппаратуру — радиомаяк, замаскированный под обычный мобильный телефон. Если бы дубль останавливался на станциях, ценную игрушку непременно бы похитили — или кто-то из путейцев, или рыскающие по товарнякам бродяги-бомжи.

Литерный поезд-дублер шел по одному из обычных маршрутов БЖРК, все дальше забираясь на северо-восток. Здесь весна еще не вступила в свои права: зелень только-только пробивалась из земли и веток деревьев. На голых сучьях сидели отощавшие за зиму вороны. Они не боялись стука колес и грохота сцепок, провожая карканьем пробегающие мимо вагоны.

Шум состава и карканье ворон поднимались вверх, как будто стремились к желтому солнечному диску, но не успевали сколь-либо заметно приблизиться к нему и растворялись в чистом, не успевшем прогреться воздухе. Выше воздух становился все холоднее и разряженнее, а потом постепенно и вовсе заканчивался.

В ста километрах от земли начинался мир звезд, здесь царил космический холод, яркие точки светились в угольно-черной пустоте, одна из них двигалась. Солнечные лучи ослепительно высвечивали блестящий бок стального конуса, другой бок с пучком антенн терялся в глубокой космической тьме. Это был спутник «Y-18» — модельный элемент программы «Зевс-громовержец». Модель имела уменьшенные размеры и только один заряд, в случае одобрения программы конгрессом на орбите повиснут пять многократно увеличенных и многозарядных «игреков».

Хотя мощный блок антенн «Y-18» терялся во тьме, работал он бесперебойно и каждые пять минут посылал к Земле активирующий сигнал. Очередной сложный набор шифрованных импульсов ушел, когда «Y-18» приближался к каркающим воронам. Ему понадобилось четыре минуты и пятьдесят четыре секунды, чтобы пробежать по черной и безжизненной пустоте, пробить атмосферу, пронизать крыши вагонов дубля и найти трясущийся на не очень чистом полу радиомаяк. Хитроумный прибор тут же переключился на режим передачи и выдал серию импульсов в ответ. Через пять минут голос радиомаяка достиг алчно ждущих приемников «игрека», переключая его на боевую работу.

Расчет примерной траектории потребовал от бортового компьютера десяти секунд, затем мгновенно открылся боевой люк, и стартовый заряд выбросил из промерзшего чрева «Y-18» полутораметровый заостренный цилиндр в черной ноздреватой оболочке. По пологой траектории он полетел к земле, нацеленный в ту точку, из которой был получен ориентирующий сигнал. Но следующий импульс радиомаяка внес в первоначальный курс коррективы, и дальнейший полет продолжался уже с учетом движения поезда. Система наведения настроилась на волну маяка, и теперь встреча цилиндра с дублером БЖРК стала неизбежной.

В плотных слоях атмосферы черная ноздреватая оболочка постепенно обгорела, собственно, она и была на это рассчитана. Зато с двух сторон выдвинулись короткие, но достаточно широкие крылья. Заостренный цилиндр продолжал нестись на встречу с радиомаяком, очередные импульсы заставляли шевелиться вертикальные и горизонтальные рули, устраняя постоянно возникающие отклонения курса. Расстояние между снарядом и целью стремительно сокращалось. Последнее движение рулей, и заостренный цилиндр легко пробил незащищенные доски вагонной крыши, а затем на огромной скорости проломил пол, совсем близко от излучающей пеленгационную волну Nokia. Он разминулся с радиомаяком всего на двадцать сантиметров, с учетом дистанции точность выстрела следовало признать фантастической.

Взрыв произошел уже внизу, когда снаряд врезался в шпалы: упругий, пышущий жаром огненный шар мгновенно расширился в сотни раз, взметнул вверх деревянные обломки и вагонные пары, искорежил и подбросил в воздух цельнометаллический вагон, выбил огромную воронку в насыпи и циркулем развел рельсы, отчего вставшие на дыбы последние вагоны полетели под откос. Первый вагон подбросило, и он завалился набок, аварийная система локомотива вовремя разомкнула сцепку. Благодаря этому тяжелый тепловоз удержался на рельсах и, получив в зад мощный удар взрывной волны, включил экстренное торможение.

Ужасный грохот прокатился по окрестностям. В огне взрыва испарились магниевые крылья и целлюлозная оболочка бомбы, а также хрупкая начинка радиомаяка. Катились по обожженной земле оторванные колеса и исковерканные вагоны, сыпались с неба обломки досок, щебенка насыпи, куски помятого металла, щепки от шпал. Ударная волна поломала деревья, беспомощными комочками швырнула наземь ворон, испуганное карканье которых поглотил гром катастрофы.

От дубля БЖРК остался только чудом уцелевший локомотив, остановившийся в двухстах метрах от места катаклизма.

— Что это было? — спрашивали друг у друга оглохшие и шокированные машинисты. И не слышали своих голосов.

Уцелевшие вороны потрепанной стаей взмыли в воздух. Они кривобоко помахивали крыльями, но не издавали ни звука. А возможно, в оглохшем мире их просто никто не слышал.

* * *

Резкий стук в дверь поднял Оксану с постели. Часы показывали пять утра. В недоумении она накинула халат и подошла к двери.

— Кто там?

— Это Кравинский, Оксана Федоровна, — раздался голос начальника контрразведки. — Откройте, пожалуйста.

«Что-то случилось! — поняла Оксана. — Наверное, что-то с поездом. И Саша погиб...»

Она распахнула дверь. Кроме Кравинского на площадке стоял особист из второго экипажа Кравцов и два московских чекиста — здоровенные светловолосые парни, которых в гарнизоне называли Близнецами.

— Что с поездом? — упавшим голосом сказала она, прижав руки к груди.

Отодвинув хозяйку, Близнецы первыми вошли в квартиру.

— Поезд взорвался! — грубо сказал Малков.

— Как?! — глаза Оксаны наполнились слезами.

— Что ты передала старшему лейтенанту Кудасову? — так же грубо продолжил Близнец.

— Ничего... Что я могла передать?

— Что ты дала мужу перед рейсом?! Говори, и не вздумай врать!

Кравинский и Кравцов смотрели сурово.

— Скажите правду, Оксана Федоровна, — посоветовал Кравинский. — Так будет лучше.

— Но я правда... Хотя... Я подарила ему сотовый телефон...

Все четверо многозначительно переглянулись.

— Что за телефон? — быстро спросил Ломов.

— Самый обычный. Я по нему звонила...

— Кто тебе его дал?! — напирал Малков. — Говори, живо!

— Никто. То есть Вася...

Оксана поняла, что оказалась замешанной в чем-то ужасном. Она навзрыд заплакала.

— Какой Вася?

— Столяров, — с трудом вымолвила она сквозь рыдания.

Контрразведчики переглянулись еще раз.

— Все ясно, — кивнул Малков и повернулся к Кравинскому: — Берите ее под стражу, а мы поедем за этим гадом...

Оксана зарыдала еще громче.

* * *

Громкая трель черного допотопного телефона с примитивным дисковым набором прозвучала в тишине прокуренного помещения, ударив по напряженным нервам. Османов дернулся, как будто его шарахнуло током, да и для стерегущих его бандитов давно ожидаемый сигнал не показался райской музыкой — все вздрогнули и напряглись.

Только Галинбаев даже бровью не повел. С непроницаемым лицом он продолжал накручивать на указательный палец серебряную цепочку с пулей на конце — сначала в одну сторону, затем в другую.

Магомед Тепкоев быстро переглянулся с Мусой Хархоевым и взведенным пистолетом ткнул начальника станции в спину.

— Отвечай! И без глупостей!

Начальника станции била нервная дрожь. Его желтые узловатые пальцы, подрагивая, потянулись к трубке и, сдернув ее, с трудом удержали на весу.

— Елисеевская, Османов! — сказал он, и голос прозвучал почти естественно.

— Да, понял. Обеспечу. Хорошо.

Теперь он с трудом положил трубку на место.

Исрапил шумно выдохнул воздух и перестал крутить цепочку.

— Ну, что там? — требовательно спросил он.

— Литерный будет здесь через час, — надтреснутым голосом сказал Османов. Он понимал, что жизнь его приближается к концу. Никто не оставит в живых свидетеля, видевшего лица бандитов.

— Еще что сказали? — Галинбаев надел цепочку с пулей на шею. Это был талисман. Цепочка — с первой операции, когда они грабили поезд Москва—Баку. Он отобрал ее у проводницы, которую они увели с собой в горы и насиловали целый месяц, пока она не вскрыла себе вены. А пулей он был ранен два года назад, но, как оказалось, неопасно.

— Больше ничего, — обреченно сказал начальник станции. — Мне приказано обеспечить его прохождение и доложить.

Галинбаев рассмеялся.

— Ты уже все обеспечил, друг. Сейчас я с тобой расплачусь, подожди немного.

Он вышел на перрон, извлекая из нагрудного кармана камуфляжки радиостанцию «Кенвуд», нажал сигнал вызова.

— Готовьтесь, остался час, — коротко сказал он и отключился. Больше болтать не о чем. Все обсуждено много раз, каждый командир и боец знает свою задачу.

Следом за ним вышли Муса и Магомед.

— Что с этим делать? — кивнул в сторону двери Муса.

— Он же свой. И помог нам. А мне и раньше помогал...

— Какой он свой, — Исрапил сплюнул. — Предатель своим не бывает. Мы воюем за святое дело, а он тут с русской бабой живет да водку пьет! И вообще, он не наш!

По лицу Хархоева было видно, что он не согласен с этими словами.

— Ладно, идите, я сам разберусь, — сказал Галинбаев и осмотрелся. Перрон, как и обычно, когда не было поездов, пустовал. В дальнем конце его сидели на скамейке два бойца, с другой стороны прохаживался боевик в милицейской форме. Станция находилась под полным контролем, и делать здесь можно было все, что захочется.

Обутая в черный кованый ботинок нога Исрапила Галинбаева медленно переступила через стертый порог кабинета начальника станции. Рука привычно вытащила из ножен тот самый нож. А голова была занята совсем другим, потому что зарезать беззащитного человека гораздо легче, чем атаковать охраняемый поезд.

Но Османов родился аварцем, поэтому он не был беззащитным и не ожидал смерти с обреченной покорностью ягненка. Он стал за дверь, сжимая в потном кулаке кустарную самоделку — крепкий складной нож со стопором клинка. Раньше, когда обзавестись автоматом или пистолетом было невозможно, такие ножи носили все уважающие себя кавказские мужчины.

То, что начальник станции не сидит, съежившись, в своем кресле, не ждет терпеливо решения своей жалкой судьбы и не молит о пощаде, насторожило бандита и показало, что все идет не так, как надо. Звериным чутьем Галинбаев почувствовал опасность за спиной и резко обернулся. Тусклый широкий клинок метнулся к его животу, единственное, что он успел сделать, — поднять ногу и подставить под острую сталь бедро. Тупой удар, болевая вспышка, поток крови — все смешалось воедино. Он попытался отпрыгнуть, чтобы нанести ответный удар, но не удержался и упал.

Османов всей тяжестью тела прыгнул на вооруженную руку, кости кисти хрустнули, и еще одна вспышка боли парализовала сознание. Проверенный в боях нож отлетел в сторону, потом град ударов обрушился на живот, грудь, лицо.

— Ты кто такой, чтобы меня бить?! — тяжело дыша, приговаривал Османов. — Ты кто такой, чтобы мне приказывать?! Чем ты лучше меня?!

Оскорбленное самолюбие горца удесятеряло силу ударов. Сознание помутилось, и Исрапил приготовился встретить смерть. Но Османов слишком долго жил в России и успел забыть, что поверженного врага следует обязательно добить. Утолив жажду мести, он оставил лежащего без сознания боевика, неторопливо вышел из помещения и, не привлекая к себе внимания, зашел в крохотное здание вокзала.

— Быстро беги отсюда, — нагнувшись к окошку кассы, сказал он жене. — На нас напали бандиты. Поймают — убьют!

А сам, обойдя вокзал с тыльной стороны, чтобы не встретиться с боевиками, побежал вдоль путей навстречу литерному.

* * *

Бойцы из батальона шахидов — крепкие, рослые и сильные, как на подбор, — заняли места в овраге и изготовились к бою. Все они были в новеньких камуфляжных костюмах, используемых в армиях НАТО, в новых натовских ботинках и с зелеными банданами на головах. В качестве оружия использовали автоматы Калашникова с двойными, перехваченными изолентой магазинами. Имелись у них два пулемета Калашникова и один гранатомет «РПГ-9». Имелась и команда: по поезду без необходимости не стрелять, только запустить гранату в кабину локомотива и расстреливать выбегающих бойцов.

Командовал шахидами сорокалетний Аеб с густыми широкими усами и огромным косым шрамом поперек лица. Черная повязка закрывала пустую глазницу и делала его похожим на матерого пирата из лихого голливудского фильма. Хотя даже киностудия с мировой известностью не смогла бы подобрать актера со столь устрашающей внешностью.

На позиции все было готово. Аеб сунул в желтые, разрушенные кариесом зубы очередную сигарету. Запалил кончик от зажигалки «Зиппо» и глубоко затянулся. Теперь оставалось только ждать.

Внезапно напряженную тишину засады нарушила рация. На связь вышел Галинбаев.

— Быстро ко мне, я ранен! — скомандовал заместитель Исмаилова. — В комнату этого гада Османова! Живо!

Через несколько минут потерявшему много крови Исрапилу делали перевязку.

— Жаль, не смогу пойти гяуров травить, — тихо сказал раненый и посмотрел на Мусу Хархоева. — Тогда вы с Магомедом прыгайте на крышу! С газовыми шашками обращаться умеете?

— Разберемся, — кивнул Муса, но не очень уверенно.

— Тогда пусть лучше кто-то из наших пойдет. Иди ты, Птица! — приказал Галинбаев. — Ты же с газом работал?

Маленький сухощавый человек согласно кивнул.

— Да. Мне амир Лечи давал. Тогда, в пещере...

* * *

БЖРК приближался к Елисеевской, когда ему навстречу выбежал какой-то человек, отчаянно размахивающий руками и что-то кричащий.

— Гля, еще один псих! — испуганно сказал машинист помощнику. — Только б под колеса не кинулся!

Но незнакомец не сделал такой попытки. В зеркало заднего вида машинист рассмотрел, что он обессиленно повалился на насыпь.

Литерный, почти не снижая скорости, проходил через станцию. На переходном мостике стояли два человека. Когда внизу гремел первый вагон, Птица перелез через перила и с ловкостью кошки прыгнул на крышу. Магомед Тепкоев сбросил вниз веревку и, дождавшись конца состава, скользнул вниз по ней.

Птица распластался на крыше возле вентиляционной трубы. Точнее, возле грибка, который на обычном поезде является вентиляционной трубой. Натянув маску противогаза, он достал газовую шашку и дернул за шнур поджига. Через несколько секунд из картонной банки повалил густой желто-зеленый дым. Ветер относил его к хвосту поезда, и очень скоро состав был окутан желто-зеленым облаком. Птица понял, что старшие допустили ошибку: не надо было Магомеду идти на последний вагон, это бесполезно — его газ снесет назад. Впрочем, и того, что есть, хватит, чтобы выкурить русаков наружу...

Он всматривался в грибок вентиляции: засасывает ли дым внутрь? Но ничего такого не происходило, потому что внутри БЖРК создавалось избыточное давление, а воздух засасывался в нескольких местах с боков вагонов, причем проходил через фильтры, а в случае его загрязнения включался сигнал химической тревоги и экипаж надевал противогазы. Но ничего этого нападающие не знали.

Птица смотрел, как ведет себя ядовитый дым, но вдруг заметил в «грибке» круглое стеклышко, похожее на дверной глазок. Чуть пониже торчала какая-то трубка, которая очень напоминала нечто такое, чего здесь заведомо не могло быть. Что же это? Птица напряженно соображал, пока не понял — это ствол незнакомого огнестрельного оружия! Будто подтверждая этот вывод, трубка пыхнула огнем, и сильнейший удар в голову сбросил бездыханное тело с крыши спецвагона.

Прапорщик Свиридов был дежурным наблюдателем смены охраны и сидел перед экраном кругового перископа. Но внимательно смотреть восемь часов подряд у него не хватало терпения. К тому же сильно чесалась нога, не как от укуса комара, а как от какой-то инфекции. Уж не грибок ли он подхватил в гарнизонной бане? Он задрал штанину и посмотрел, в чем там дело. Легкое покраснение, и больше ничего! Почему же так чешется? Ладно, пройдет...

Он машинально взглянул на экран и обомлел: в окуляре крутилась какая-то желтая муть, сквозь нее, совсем рядом, проглядывала какая-то рожа с огромными выпученными глазами. Да это противогаз! Его как током ударило...

Раз! Палец нажал гашетку. Короткая очередь разорвала резиновую маску пополам, забрызгав объектив красными пятнами. Рожа исчезла.

Два! Палец нажал кнопку «Нападение». Во всех отсеках взвыли сирены и замигали красные лампочки. Одновременно раздались звонки и замигали желтые лампочки химической тревоги.

А машинист увидел, как впереди вспучилась дыбом земля, вскинулись вверх стальные полосы рельсов, взлетели обломки шпал. Он включил экстренное торможение и нажал кнопку общей тревоги. Высекая снопы искр заклиненными колесами, состав с душераздирающим скрежетом тормозил, неуклонно приближаясь к взорванному участку дороги. В отсеках с руганью и проклятиями летели на пол непристегнутые люди. Скорее интуитивно, чем осознанно, машинист нажал кнопку выброса защиты, и стальная сетка выскочила перед бронированным стеклом специального локомотива.

— Боевая тревога! — гремел в отсеках голос Ефимова. — Смена охраны, к бою! «Черные автоматчики», к бою! Личному составу получить оружие и занять оборону.

Как раз в этот момент Аеб, тщательно прицелившись, выстрелил из гранатомета. Хвостатая граната, подталкиваемая огненной силой реактивной струи, летела точно в цель и, конечно, разорвалась бы в кабине, если бы не стальная преграда. Пойманная в сеть, граната взорвалась на расстоянии, всепрожигающая кумулятивная струя лизнула воздух и лишь опалила бронированное стекло, не причинив ему вреда. Поезд остановился в десяти метрах от взорванного участка.

Магомед Тепкоев, удачно спрыгнувший на вагон прикрытия, зажечь газовую шашку не успел: в спешке он забыл надеть противогаз, и, когда приготовил картонную банку с красной полосой по диагонали, выпущенный Птицей Си-Эс достиг последнего вагона. У него тут же начало жечь глаза и нос, спазмы перехватили гортань. Закашлявшись, он уронил газовую шашку и, опрокинувшись на спину, стал спешно натягивать резиновую маску. Откуда-то раздались выстрелы, и рядом просвистели пули. Он понял, что стреляют в него, но не мог определить — откуда? Создавалось впечатление, что выстрелы гремят из-под «грибка» вентиляции. В это время поезд резко затормозил и сила инерции сбросила Магомеда с крыши. Тормозящий состав уходил вперед, желто-зеленое облако от единственной шашки быстро бледнело, легкий степной ветерок разносил газ по всей степи. Магомед понял, что провалил задание.

— Противогазы надеть! — продолжал кричать Ефимов.

Но тем временем слезоточиво-удушающий газ уже рассеялся, желтая лампочка химической опасности сменилась зеленой, и он тут же отдал противоположную команду:

— Отставить противогазы! Приготовиться к отражению повторной химической атаки! Машинисту — задний ход!

Но сзади уже прогремели взрывы и блестящие полосы рельсов взметнулись вверх, как руки сдающегося в плен человека. Путь к отступлению был отрезан.

— Подавай сигнал в Центр! — приказал начальник поезда помощнику. Волобуев включил систему внешней тревоги. Специальный радиопередатчик стал автоматически рассылать сообщение о нападении на БЖРК — в Министерство обороны, его Уполномоченному в Тиходонске Кандалину и в штаб отдельного дивизиона в Кротове.

В средних вагонах состава царила сумятица: штабисты и операторы смены запуска суетливо получали пистолеты и неслушающимися пальцами снаряжали обоймы, перебрасывали через плечо ремни зеленых сумок с допотопными противогазами... Что делать дальше, они не знали. Аналитики и специалисты-ракетчики подготавливались для совсем других ситуаций. Бои, которые они умели выигрывать, были не столь скоротечны и бесшабашны, в них противники не сходились лицом к лицу, не стреляли из автоматов и гранатометов, не пользовались взрывчаткой, словом, не делали ничего того, что происходило сейчас. По боевому расписанию они должны были отражать нападение на штаб, вагон группы запуска и боевой вагон. Но как они должны это делать, в приказе не предусматривалось. Между тем ни в одном из перечисленных вагонов не было даже бойниц, а отдраивать двери в любой ситуации было запрещено. Как же отражать нападение противника?

Александр быстро зарядил оружие и, выбежав в тамбур, навел пистолет на дверь.

«Как там Наташа?» — мелькнула тревожная мысль.

Саше хотелось быть рядом с ней, чтобы защитить от опасности, но это было невозможно. Угнетало и отсутствие каких-либо действий: он не вносил никакого вклада в отражение атаки! Если бы он стрелял в нападавших, ему было бы легче! Кудасов подошел к двери, надеясь обнаружить забытую всеми амбразуру, но, как и следовало ожидать, монолитная сталь не позволяла высунуть наружу ствол пистолета.

Зато в вагонах охраны и прикрытия бойницы имелись в достаточном количестве. И личный состав готовился именно для таких боев. Автоматчики и пулеметчики занимали боевые позиции, щелкали затворы, досылая в стволы хищно вытянутые патроны. Командир «черных автоматчиков» капитан Зосимов впервые в жизни отдал своим подчиненным боевой приказ...

С криками «Аллах Акбар!» боевики с четырех сторон бросились к составу. Обездвиженный, он казался легкой добычей, но это впечатление оказалось обманчивым, когда БЖРК нанес ответный удар. В обшивке первого и последнего вагонов открылись замаскированные прежде бойницы. Автоматы и крупнокалиберные пулеметы в упор ударили по атакующим, фигурки в камуфляже и в гражданской одежде падали, как сбитые кегли. Атака захлебнулась, уцелевшие боевики залегли и открыли ураганный огонь. Из засад тоже раздались длинные очереди.

Внутри поезда создавалось впечатление, что по обшивке колотят тысячи сильных дятлов со стальными клювами либо могучий великан швыряет камни — россыпями или по одиночке. Наталья Игоревна в страхе упала на полку и закрыла голову руками. «Это наказание мне за мои грехи, — билась в голове одна-единственная мысль. — Надо было остаться дома!» Очередная россыпь камней хлестнула по второму вагону, одна пуля проскользнула мимо наклонных решеток пулеулавливателей и прошла внутрь. Кто-то вскрикнул.

— Врача! Где военврач? — закричали в коридоре.

Булатова вскочила, с силой провела ладонями по лицу и пошла исполнять свои профессиональные обязанности.

Но шквальный огонь боевиков не приводил к обычным в таких случаях результатам. Два слоя брони, с кевларовой прокладкой и толстыми, наклонно расположенными стальными пластинами между ними, надежно защищали БЖРК. Большинство автоматных пуль не пробивало бронированную обшивку и, сплющившись, рикошетили с пугающим свистом. Это поставило в тупик даже видавшего виды Исмаилова, да и опытный боец Аеб не на шутку удивился: пуля, выпущенная из «АКМ», насквозь пробивает рельс!

Но они еще ничего не поняли. Гяурский поезд был пойман в ловушку, а в таком случае его ждет только одна судьба...

— Аеб, давай гранатой по первому вагону! — скомандовал в рацию амир Исмаилов, лежащий в полусотне метров от заколдованного состава. Он был уверен в победе. Гранаты, мины, взрывчатка — есть много средств расправиться даже с бронированными вагонами! И плевать на дурацкие запреты!

Но тут вступили в бой «черные автоматчики», и это было самое ужасное, что видели в своей жизни опытные бойцы Лечи Исмаилова. По звуку выстрелы черных автоматов ничем не отличались от обычных, но каждая пуля, выпущенная из их «стволов», производила действие артиллерийского снаряда: в воздух летели клочья земли и куски разорванных тел. Как будто начался артобстрел!

— О Аллах всемогущий! — глухо вымолвил Исмаилов. — Что это?!

Короткая очередь, и чудовищные взрывы гафниевых пуль вырыли канаву, в которой оказались похоронены шесть шахидов в новеньких натовских камуфляжках. Еще одна очередь, и вскинувший гранатомет Аеб превратился в пар, а остатки «батальона шахидов» разлетелись по стенкам оврага кровавыми брызгами. Длинная очередь — и невидимый топор под корень вырубил лесополосу, в зловещем рве нашли последнее пристанище бойцы второй посаженной в засаду группы. Выстрел — в облаках пыли взлетела на воздух оставленная в стороне «Нива», а с ней разорванный напополам снайпер. Короткая очередь — и смешана с землей еще одна группа его соратников. Несколько человек в панике бросились бежать — и были уничтожены одной пулей.

Лечи Исмаилов утратил свою обычную невозмутимость и оцепенел: прежде он никогда не видел ничего подобного. В сердце холодной змеей стал проникать страх. И он сам уподобился змее: прижимаясь к земле, пополз назад, извиваясь всем телом, что, конечно, недостойно мужчины-воина. Но ему хотелось жить, что тоже недостойно и постыдно... Ибо когда человек хочет жить, он не может храбро воевать...

Звуки боя оставались за спиной, полевой командир дополз до сложенных штабелями старых шпал и укрылся за ними.

— Почему вы не атакуете? — послышался из рации рассерженный голос Али Арханова. — Немедленно захватите поезд!

— Сам захватывай, если такой умный! — Лечи загнул трехэтажным матом. Это единственное, что не стыдно заимствовать у русаков. — У них новое оружие! К ним не подойдешь!

— Не будь бабой! — прокричал Арханов. — Собирай людей, сейчас я подъеду, со мной десяток отборных бойцов резерва! Мы должны сокрушить неверных!

Полевой командир осмотрелся. Поле боя выглядело как поле смерти. Оно было усеяно трупами боевиков. С десяток бойцов, отступая, ползли к спасительному укрытию, но страшные пули настигали их, превращая в кровавые ошметки.

— Сюда! — крикнул Лечи. — Все сюда!

По бездорожью запрыгала серая «Газель», она приближалась.

— Ты где, Лечи? — раздался из динамика хриплый голос Арханова. — Собирай людей! Я еду, видишь меня?

Исмаилов не успел ответить. Фонтаны земли скрыли «Газель» из глаз. А когда пыль рассеялась, и комья земли осыпались, оказалось, что автобус с руководителем операции и отборными бойцами, на которых возлагались большие надежды, просто-напросто исчезли. На его месте теперь зияла глубокая, с пологими склонами воронка, метров трех в диаметре. Наверное, Арханов вез взрывчатку.

Командир группы «черных автоматчиков» капитан Зосимов через круговой перископ внимательно осматривал окрестности. Было ясно, что нападение отбито и противник понес тяжелейшие потери. Это первый в мире опыт применения гафниевых пуль. Он оказался очень поучительным. Перелопаченная взрывами земля, трупы бандитов, брошенное оружие... Несколько боевиков пытались укрыться за сложенными шпалами, оттуда кто-то кричал им и размахивал руками.

— Иван, справа шпалы, там цели, — скомандовал Зосимов. — Дай короткую...

Очередная серия разрывов оглушила Исрапила. Шпалы разлетелись в стороны, как спички, на которые подул великан. Левую сторону тела — от плеча и до самого основания стопы — ошпарило, как кипятком. Сознание затуманилось. Полевой командир не знал, сколько времени он пролежал без чувств. Придя в себя, он с трудом приподнял голову и огляделся. Сфокусировать взор удалось с третьей попытки. Перед глазами все плыло, будто в тумане. Сложенных штабелем шпал не было. Исчезли и уцелевшие соратники. Он лежал на усыпанном трупами поле проигранного сражения.

Стрельба прекратилась. Атомный поезд стоял на рельсах, по-прежнему грозно и несокрушимо, как непобедимая крепость.

Волоча руку и ногу, Исмаилов пополз прочь от страшного места. Через некоторое время его подобрал Муса Хархоев, запихал в исцарапанную «Ниву», где уже сидел со сломанной ногой и воспаленными глазами Магомед Тепкоев. «Нива» отвезла их за семьдесят километров в степь, на кошару, где земляки пасли овец и оказывали разные деликатные услуги соплеменникам.

Глава 3

СТАРТОВЫЙ СТУПОР

БЖРК хотя и вышел из боя победителем, но пострадал изрядно. Броня отразила и удержала немало пуль, но некоторые все же пробили обшивку. Особенно досталось первому и последнему вагону, здесь было особенно много вмятин и сквозных пробоин. Восемь бойцов охраны получили легкие ранения. Но пятый и шестой вагоны практически не пострадали. Из них не стреляли, поэтому и в них не направлялись ответные выстрелы. Десятки поверхностных вмятин, следы рикошетов — и только. Это было очень важно. Атомный поезд, которому не могла противостоять никакая сила, хоть поклеванный пулями и побитый осколками, был способен выполнить свою боевую задачу и дать сокрушительный отпор противнику в случае угрозы ядерного нападения. Или нанести упреждающий удар в тех же целях.

— Технической группе приступить к восстановлению пути! — скомандовал Ефимов. — Командирам подразделений обеспечить порядок и дисциплину в отсеках!

Белов осмотрелся вокруг еще раз. Взорванные рельсы спереди и сзади показались ему руками, воздетыми к небу с мольбой о помощи. Что ж, этому гнусному и несовершенному миру действительно следовало молиться и раскаиваться в своих грехах. Но прощения, а тем более помощи он не получит. Больше того, нападение сократило последние часы жизни земного шара!

Он вернулся на свое место, сел за боевой пульт. Полковник был так же хмур и неразговорчив, как обычно, только причина этой хмурости и неразговорчивости существенно отличалась от прежней. Раньше плохое настроение и замкнутость являлись следствием подавленности и депрессии. Теперь же наоборот, Евгений Романович намеренно скрывал от окружающих распиравшие его чувства решимости и силы. Ему казалось, что стоит только оторвать взгляд от монитора, как подчиненные офицеры по блеску глаз непременно догадаются, что на уме у командира пуска.

Разнообразных вариантов поведения у него не было. Возвращаться в комнату, где под кроватью лежит мертвая жена, он просто не мог. И в Кротово не мог возвращаться, а ведь БЖРК приходит только на одну станцию... Он вообще не мог возвращаться в прежнюю жизнь. Труп Ирины отрезал обратный ход, он мог двигаться только вперед, бесконечно продлевая ложащиеся под колеса железнодорожные рельсы. Но в мире нет ничего бесконечного, любые рельсы когда-то заканчиваются.

Террористы неожиданно укоротили и обрезали даже тот ограниченный боевым заданием путь, который лежал перед БЖРК. Бег в никуда закончился. Поезд стоял, и впереди был тупик. Значит, у него не только нет выхода, но и нет времени. Через пару часов сюда съедется разнокалиберное начальство, возможно, прилетят даже из Министерства, а это может разрушить его планы...

В Средние века рыцари перед битвой молились на меч, не только потому, что он формой напоминал крест. Боевая, напоенная кровью врагов сталь давала им мужество, укрепляла дух и внушала веру в победу. Минувшей ночью Белов сходил в боевой вагон, поговорил с ракетой, прикоснулся к ней, подпитываясь силой, исходящей от самого мощного оружия в истории человечества.

Он был уверен в себе и знал, что не сдрейфит в последний момент. Не тот человек полковник Белов, чтобы позволить страху парализовать свою волю! Да, не тот! Он встал.

— Я у себя в каюте! — сухо бросил он. — Усилить бдительность! Мы подверглись враждебному нападению, и скорей всего, это происки Главного противника. Так что можно ждать любого приказа!

Кудасов распластался в кресле, как будто находился в стартующей ракете и испытывал чудовищные перегрузки. Напряжение просто витало в воздухе и давило на всех присутствующих с силой механического пресса. Хотя фильтрация и наддув были отключены, спрессованный плотный воздух не позволял глубоко дышать и не насыщал организм кислородом. Назревало что-то ужасное.

«Неужели Белов решил произвести несанкционированный запуск?! — озарила его невероятная догадка. — Но это невозможно!»

Белов заперся в своей каюте и вновь прильнул к компьютеру. В боевую программу оставалось ввести координаты БЖРК и поправочные коэффициенты в расчетную траекторию. Первая часть задачи упрощалась, потому что комплекс стоял на месте. Вторая усложнялась — ибо на этот раз у него не было данных спутниковой разведки и точного метеопрогноза. Приходится обойтись типовыми данными: поправка на вращение земли сильно не меняется, значительного ветра нет, коэффициент поправок по трассе поставим ноль... Впрочем, сейчас точность выстрела не имела большого значения. Пятьсот километров туда, пятьсот — сюда... Залп шестнадцати боеголовок все равно сметет половину континента. Что будет дальше, он себе не представлял. В воспаленном мозгу пуск был самоцелью, конечной вершиной, к которой он всю жизнь стремился. Дальше все будет хорошо...

Расчеты были окончены. Евгений Романович посмотрел на часы, отмечая начало новой эры. И передал сфальсифицированный приказ на компьютеры локальной сети БЖРК. Сообщения в один и тот же миг должны поступить на компьютер боевого пульта, мониторы начальника поезда и особиста. Теперь надо быстро вернуться на рабочее место!

Первое, что он увидел, войдя в операторскую, — вытаращенные глаза и бледное лицо Шульгина.

— Боевой приказ... Товарищ полковник, боевой приказ, — дрожащим пальцем он показывал на монитор. — Это не учеба, это по-настоящему...

— Что за ерунда! — мужественным голосом сказал Евгений Романович. — Ты что-то путаешь!

Обойдя пульт и вскочившего столбом Шульгина, он опустился в свое кресло. На экране в мигающей красной рамке светился боевой приказ. Он выглядел совсем как настоящий.

Тут же загремел сигнал тревоги — знак того, что Ефимов тоже получил сообщение и отреагировал на него надлежащим образом.

— Внимание, поступил боевой приказ! — сказал в микрофон Белов, хотя, строго говоря, делать это должен был начальник поезда. Но в минуты крайнего напряжения и стресса никто не обращает внимания на такие мелочи. — Я, командир пуска полковник Белов, принимаю командование на себя. Объявляется боевая тревога! Экипажу занять места соответственно штатному расписанию! Отменяется запрет на радиообмен!

Кудасов оцепенел. Его ужасная догадка подтверждалась!

В операторскую ворвался запыхавшийся Ефимов. Следом спешил вытирающий платком потный лоб Сомов.

— Ну и денек, — выругался начальник поезда. — Только отбились, а тут опять... Может, ошибка?

— Нет, товарищ подполковник, никакой ошибки нет, — веско, авторитетно, даже с некоторыми нотками торжества сказал Белов. — Думаю, это ответ на вражеское нападение. Адекватный ответ! Приготовьте стартовый ключ!

— Вот он, — несколько растерянно произнес Ефимов. — Смотри, и вправду... Я как-то не подумал...

— Выставить оцепление! — продолжал отдавать команды командир пуска. — Установить домкраты!

Вокруг стоящего на приколе БЖРК закрутилась напряженная карусель предстартовой работы. Взвод охраны привычно разбежался вокруг состава. Только на этот раз, расширяя круг, приходилось обегать воронки и перепрыгивать через трупы. Свободные от дежурства Половников и Козин выбежали наружу проверять опоры домкратов. Ефимов приготовил стартовый ключ и держит его в подрагивающей руке, ожидая команды...

«Черт, черт, черт!» — билось в сознании Кудасова. Подчиняясь извращенной воле сошедшего с ума полковника, вполне вменяемые и добросовестные офицеры помогали ему приблизить конец света! Что делать? Что делать?! Что делать?!! Встать и напасть на него? Отобрать стартовый ключ? А если действительно получен боевой приказ? И это у него, а не у полковника съехала крыша? Что тогда? Срыв боевого пуска — это государственная измена! В условиях боевого дежурства за это расстреливают!

Полковник Белов, выпрямившись, сидел за пультом и чуть заметно улыбался своим мыслям.

«Вот оно, торжество власти и силы! И никто не возражает, все стараются, лезут из кожи... Вот только этот щенок смотрит ненавидящим и понимающим взглядом... Неужели он догадался? Ну и хрен с ним! Поздно что-нибудь менять, до старта меньше пятнадцати минут! К тому же, если он попробует помешать, я его попросту пристрелю!»

Однако на поясе у Кудасова тоже висел полученный в момент нападения пистолет. И это изменило намерения полковника.

«Черт с ним! Еще не хватало дуэлей устраивать!»

— Оцепление выставлено, товарищ полковник! — поступил по рации первый доклад.

— Опоры домкратов установлены!

Что-то в поведении командира пуска было неестественным. И через секунду Кудасов понял, что именно. Полковник сидел спокойно, он не вводил озабоченно координаты поезда, не рассчитывал с максимальной скоростью поправки траектории. Это подтверждает, что приказ сфальсифицирован: только в этом случае есть возможность заранее ввести все коэффициенты!

— Внимание, проверить сброс крыши! — Белов нажал тумблер.

Дело шло к развязке. Как только ракета займет стартовое положение, Белов сможет ее запустить!

«Что делать?» — в который раз лихорадочно думал Кудасов. Обратиться к другим командирам? Ефимов вряд ли сможет что-то изменить: он официально передал командование командиру пуска. Конечно, второй стартовый ключ у него, но возьмет ли он на себя смелость сорвать пуск, за который не отвечает? А ведь за срыв придется отвечать!

Снаружи послышался грохот упавшей крыши.

Какая ерунда! Что за мысли на фоне мировой угрозы? Сейчас «Молния» уйдет, американцы, в лучшем случае, обнаружат ее на полпути, но перехватить не смогут. Однако отдать приказ на ответный удар успеют. Их «карандаши» взлетят и пойдут на заданные цели. Нашим останется только запустить свои... Кудасов очень отчетливо представил, как американские и российские ракеты идут по встречным траекториям, как они разминутся в апогее, как ринутся вниз... Неужели надо спокойно дожидаться этого?!

— Товарищ майор! — Кудасов отстегнулся и, встав, приблизился к Сомову.

Контрразведчик был единственным человеком, который мог переломить ситуацию. Он был наделен особыми полномочиями, вооружен, к тому же командовал «черными автоматчиками». Он имел право и возможность арестовать безумного полковника.

— Мне кажется, что приказ сфальсифицирован Беловым, — понизив голос, сказал Кудасов. — Белов сошел с ума! Он сам передал приказ со своего компьютера! Вы видите, он не рассчитывает траекторию, все уже рассчитано, еще до того, как все узнали про приказ. Это несанкционированный запуск!

Сомов попятился. Глаза его расширились, как недавно у Шульгина.

— Ты что, старлей?! Ты понимаешь, что говоришь?!

— Кудасов, сядьте на свое место! — холодно приказал Белов. И отдал следующую команду: — Половников, Козин, проследить за выходом направляющей!

— Товарищ полковник! Козина придавило крышей! — тревожно произнесла рация голосом Половникова. — Кажется, у него сломана нога! Я оказываю ему помощь...

— Не отвлекайтесь, надо работать по запуску! — грубо сказал Белов. — Кудасов, проследите за выходом направляющей!

Старший лейтенант смотрел особисту в глаза. Тот еще больше вспотел.

— Выполняйте приказ, старлей! Потом разберемся с вами!

С трудом переставляя ватные ноги, Александр направился к боевому вагону. С трудом вспомнил код замка и вошел в главный отсек БЖРК. Вместо крыши в нем было высокое небо. Огромный металлический цилиндр медленно, но верно поднимался к зениту. Осталось сбросить крышку, и можно производить пуск... Цилиндр выпрямился.

— Направляющая вышла! — чужим голосом доложил Кудасов.

Против своей воли он тоже включился в процесс убийства мира! Какой-то сумасшедший дом!

— Сброс крышки! — начальник смены не забыл и эту команду.

Наверху щелкнули запоры, выпуклая крышка скользнула со своего места, Кудасов попятился, но она упала туда, куда и должна была упасть. Раздался грохот металла о металл.

— Крышка сброшена! — дисциплинированно доложил Кудасов. Как боевой вагон физически не может покинуть движущийся атомный поезд, так и он не мог устраниться от запуска, в котором была задействована вся смена.

Подготовленная к запуску «Молния» целилась из своей направляющей в высокое голубое небо. Теперь только нажатие кнопки отделяло мир от глобальной катастрофы. Кудасов оцепенело смотрел на срез контейнера, как загипнотизированный кролик на удава. Вот сейчас раздастся гул, заклубится дым, потом гул перейдет в рев, выплеснутся первые языки пламени, и появится острый обтекатель ракеты... Он даже не думал о том, что находиться здесь при старте может быть опасно.

Он вообще ни о чем не думал. Только представлял, как палец Белова тянется к кнопке...

И действительно, на боевом пульте было все готово. Синхронно провернулись два стартовых ключа, откинулась предохранительная крышка, обнажилась гладкая поверхность пусковой кнопки, и указательный палец полковника Белова протянулся в нужном направлении. Но тут произошло то, о чем многие ракетчики только слышали, но мало кто видел своими глазами.

Палец начальника смены вдруг скрючился, его рука задрожала, будто уткнулась в невидимую преграду, да и все тело неестественно замерло, словно его внезапно разбил паралич! Белов оцепенел, превратился в камень: все мышцы свело болезненной судорогой, он не мог сделать ни одного движения, а особенно не мог нажать кнопку запуска. Стартовый ступор — вот как это называется!

Полковник старался изо всех сил, и некоторые мышцы ему подчинялись: напряглось лицо, вытаращились глаза, разошлись в хищном оскале губы, обнажая серые десны и крепко сжатые прокуренные зубы... Но над проклятым пальцем он был не властен. На мониторе бежали секунды, сменялись минуты, уже перейдя предел контрольного времени. Ефимов и Сомов переглянулись, Петров и Шульгин делали вид, что полностью поглощены своими мониторами.

Все расслышали горячечный шепот Кудасова, и потому никто не спешил прийти на помощь начальнику смены.

Александр вышел из оцепенения первым. Человеческий род делится на две категории: одни люди в моменты гнева или опасности бледнеют, другие — краснеют. Когда-то в передовые отряды римских легионов отбирали тех, кто краснеет. Не из-за цвета лица, разумеется, а из-за способности к решительным действиям. Очевидно, Кудасов относился к этой категории.

Подскочив к пожарному щиту, он сорвал красный топор и изо всех сил рубанул по блестящей оплетке электрического кабеля. Топорище было неудобным, а клиновидное лезвие — тупым, но тяжелым. Красный клин то ли разрубил, то ли раздвинул оплетку и застрял в свинцовой оболочке, призванной защитить центральный провод от статического электричества и электромагнитных наводок. Александр ударил еще раз, потом еще и еще. В замкнутом стальном пространстве гулко разносились поспешные удары, как будто могучий дровосек старался быстро свалить столетнее дерево.

Белов уже понял, что потерпел фиаско. Выражаясь его же собственными словами, он обосрался. Нервная система и никчемное тело подвели его в самую ответственную в жизни минуту. Бег в никуда был остановлен. Пора было возвращаться назад. Но назад дороги не было, потому что там лежала под кроватью Ирина! Воспоминание об убитой жене сыграло роль иголки, которой колют сведенную судорогой мышцу. Рука перестала дрожать, палец распрямился и ткнул в проклятую кнопку.

Долей секунды раньше красный пожарный топор перебил центральный провод. Кудасов бросил топор на пол и опустился рядом. Он не знал, что только сейчас совершил: подвиг или преступление.

На пульте зажглась красная лампочка неисправности. Не обращая на нее внимания, Белов нажимал на кнопку еще и еще. Наконец он обратил внимание на сигнал: разомкнута цепь зажигания! Судьба заставляла его возвращаться назад, в Кротово, к Ирине... Но нет!

Начальник смены отстегнулся от кресла и встал.

— Не работает, — глухо сказал он. — Мне надо идти.

Не глядя ни на кого, он прошел в свою каюту и заперся. Через несколько секунд сильно ударил выстрел. На этот раз ступор пуска ему не помешал.

* * *

Мачо замечательно выспался. Сон был глубоким и спокойным, он полностью расслабился. Во многом это произошло благодаря виски: накануне он выпил почти две трети бутылки. Спиртное — прекрасный транквилизатор, но увлекаться им нельзя: контрразведки всего мира это тоже знают и поэтому закладывают увлечение алкоголем в число признаков возможного шпиона. Правда, в России этот критерий вряд ли действует:

слишком многих пришлось бы отрабатывать на причастность к шпионажу.

Мачо с аппетитом позавтракал и собрал вещи. Оксана небось тоже собирается... Он вновь представил ее лицо, фигуру, ноги... И все остальное... Девочка просто великолепна!

«А что, если забрать ее с собой?» — мелькнула шальная мысль. И тут же вернулась снова, но уже осмысленной.

Забрать девочку с собой, в Моксвилл... А что? Пора устраивать семейную жизнь. А она подходит по всем статьям: красивая, страстная, неизбалованная... И к тому же любит его...

Внезапно тонкую материю нежных мыслей с грубым треском разорвал телефонный звонок. Нажимая кнопку ответа, Мачо загадал: если это она, он прямо сейчас предложит ей вместе уехать. Немедленно!

— Салам, американец! — послышался в трубке холодный, лишенный интонаций голос. Так мог говорить оживший мертвец.

— Здравствуй, — несколько растерянно ответил Мачо, опуская имя собеседника и прикидывая, чем может грозить ему этот звонок. Пришел к выводу, что ничем: через час он выбросит телефон в реку. Аппарат никак к нему не привязан: Муса Хархоев купил его у перекупщиков, контракт связи заключен на другое лицо... Но все же такая свободная манера Салима ему не понравилась, ибо свидетельствовала о крайнем пренебрежении к деловому партнеру. Однако то, что он услышал в следующую минуту, не понравилось ему еще больше.

— Дело провалилось, — тем же голосом продолжил Салим. — Все мои друзья... гм... срочно уехали. Я остался один и мне нужна твоя помощь!

Судя по тону, это был приказ.

Мачо опустился в кресло и совсем с другим ощущением смотрел на живописные крыши Тиходонска. Сейчас они уже не напоминали парижские. Все дело в настроении, именно оно определяет восприятие окружающего.

— Конечно, я помогу тебе, друг, — дипломатично ответил он. На самом деле он не собирался больше иметь никаких дел с кровавым убийцей. Провал операции — не его вина. Он выполнил свою часть работы и не может отвечать за то, что исполнители провалили свою.

— Нам надо встретиться. Я потерял все контакты, ты понимаешь, что я имею в виду?

Чего ж тут непонятного? Очевидно, всей банде террористов «Мобильный скорпион» оказался не по зубам и их, как говорят русские, «покрошили в капусту»... Он не знал, правда, что значит «покрошить в капусту». Как и до настоящего времени не понял, что такое «сбыча мечт». Надо будет посоветоваться с лингвистами русского отдела, там есть хорошие специалисты.

— Где ты находишься, друг? — как можно участливей спросил он. Но Салим не был бы Салимом, если бы прямо ответил на такой вопрос.

— Это тебе знать не надо. Я сам тебе позвоню, когда потребуется.

— Конечно, звони, — с готовностью ответил Мачо. Пусть звонит сколько угодно. Ответить ему смогут только донские рыбы.

— Но сейчас надо срочно сделать одну вещь, — в голосе мертвеца появились живые нотки заинтересованности. — Очень важную вещь. Два человека видели меня в лицо. Их зовут Исрапил и Лечи. Это против всех правил. Ты понимаешь?! Дай команду своим людям. Расскажи им, как это важно, потому что те двое не рядовые, они командиры. Но это не меняет дела! Объясни им это!

Что ж, если пауки будут ловить собратьев в паутину, змеи — жалить друг дружку, а террористы стрелять один в другого, то это пойдет только на пользу всем нормальным людям.

— Хорошо, друг. Я все понял. Прямо сейчас позвоню.

Не прощаясь, Салим отключился.

Мачо вновь набрал номер Мусы, но тот не отвечал. Тогда он позвонил его старшему брату — Исе Хархоеву. Тот отозвался сразу, как будто ждал звонка. Но, судя по тону, ждал он плохих новостей.

— Это я, Путник, — представился Мачо. — Я знаю, что получилось.

— Очень плохо, очень плохо вышло, — запричитал Иса. — Один мой друг сломал ногу, мой брат чудом остался жив, много погибло... Такая беда...

— Передай брату, что поступил приказ: «стереть» тех, кто видел лицо посланника оттуда. Ты меня понимаешь?

— Понимаю, конечно, понимаю!

— Их зовут Лечи и Исрапил. Запомнил? Передай, что их имена не имеют значения. Все должно быть сделано!

Иса ошарашенно молчал.

— Ты не перепутал имена? — понизив голос, спросил он.

— Нет. И они больше не имеют значения, — с нажимом сказал Мачо.

Закончив разговор, он взял сумку и перебросил ремень через плечо. Вещи при эксфильтрации не нужны и только мешают, но, с другой стороны, человек, путешествующий без багажа, привлекает к себе внимание. Осмотревшись, он вышел в коридор. Недопитая бутылка дорогого «Glen Spey» осталась сиротливо стоять на столе.

Спустившись на лифте в холл, Мачо поздоровался с секьюрити и привычно осмотрелся. И сразу его будто током ударило! Во-первых, он сразу уловил атмосферу опасности, а во-вторых, что-то ему не понравилось в сидящем у выхода человеке. Атлетически сложенный блондин читал газету. На шее из-под рубашки выглядывал осколочный шрам. И внимание его устремлено не в газету, а вокруг: обостренное восприятие шпиона уловило колючие зондирующие волны, исходящие от контрразведчика.

Мачо повернулся и двинулся к черному ходу, но блондин, непостижимым образом преодолев с десяток метров, выскочил перед ним из-за колонны, схватил его за руку и сделал подсечку. Мачо удалось удержаться на ногах, мощнейшим рывком он освободил руку и ударил блондина в лицо, тот отлетел в сторону и упал, но тут же обхватил его сзади, захватывая шею в тиски удушающего приема. Столь быстрого и неуязвимого противника у него еще не было. Мачо попытался разжать тиски, но тут блондин появился перед ним и нанес прямой удар в лицо, от которого он потерял сознание.

* * *

Командир «черных автоматчиков» появился через минуту после вызова. Капитан Зосимов был тридцативосьмилетним бывшим десантником, большим и сильным, всегда ходившим в полевом камуфляже без знаков различия. Квадратный подбородок, холодные серые глаза и тяжелый взгляд выдавали недюжинную волю и способность к решительным действиям.

— Вызывали, товарищ майор? — голос у Зосимова был заметно осипшим.

— Вызывал, — кивнул Сомов. Его била дрожь, к горлу подкатывала тошнота. Забрызганная мозгами и кровью каюта Белова произвела на него шокирующее впечатление.

— Произошли определенные события, о которых вы, наверное, слышали...

— Так точно, — наклонил голову Зосимов. Он входил в число самых осведомленных людей поезда.

— Выводы, конечно, делать рано, но картина такова: старший лейтенант Кудасов сорвал боевой запуск, вследствие чего полковник Белов застрелился.

Зосимов невозмутимо слушал. За дверью каюты маячили двое его подчиненных — таких же крепких и плечистых ребят, как он сам, с автоматами наперевес. Правда, автоматы имели обычный боекомплект.

— Приказываю взять под стражу Кудасова до полного выяснения всех обстоятельств дела.

— Есть, — ответил Зосимов и, повернувшись через плечо, вышел.

У Кудасова отобрали пистолет и поместили в его же каюту, только у входа остался автоматчик. Так он просидел несколько часов. За это время направляющую с ракетой опустили на место, на боевой вагон поставили крышу, убрали домкраты. Поезд приобрел обычный вид. Прибывшие из Ахтырска бригады ремонтников вместе с технической группой БЖРК восстановили рельсы. Комплекс был готов к отправлению. Вокруг него скопились десятки машин: оперативных со специальной раскраской и обычных, на которых прибыло милицейское, эфэсбэшное и гражданское начальство. Но никого из них за оцепление автоматчиков не пропускали.

Потом в поле, неподалеку от БЖРК приземлился вертолет с военным командованием. Полковник Булатов, оступаясь на мягкой земле и огибая воронки, шел впереди, на шаг от командира отставал Кравинский, Кандалин с Масловым замыкали процессию. На поле работали следователи прокуратуры и оперативники милиции: они фотографировали трупы, составляли протоколы, рисовали схемы места происшествия, собирали и описывали в протоколах оружие. Это показалось Булатову глупым. Следственная деятельность несовместима с широкомасштабными боевыми действиями. Закономерности войны не укладываются в масштаб судебных доказательств.

Булатов торопился — ему не терпелось увидеть жену. Жива ли? Не ранена? Он не знал, чем закончился бой, а про последующие события и не подозревал.

Подполковник Ефимов встретил руководство за добрых полсотни метров от поезда. За ним скромно стояли Волобуев и Сомов.

— Товарищ полковник, в ходе боевого дежурства на БЖРК совершено нападение превосходящими силами противника, — вытянувшись по струнке и отдав честь, доложил начальник поезда тем же бодрым тоном, которым привык докладывать, что происшествий нет.

— Нападение отбито, противник уничтожен, потерь среди личного состава нет! БЖРК получил малозначительные повреждения, но сохранил боеготовность!

Запас воздуха в легких подполковника подошел к концу, но доклад он закончил на оптимистической ноте. Вернее, это Булатов подумал, что доклад закончен, и готов был заключить героя-подполковника в объятия. Но это оказалось преждевременным. Ефимов просто переводил дух.

— При попытке выполнить поступивший приказ старший лейтенант Кудасов перерубил кабель зажигания и сорвал боевой запуск! — по-прежнему бодро продолжил подполковник. — Начальник смены полковник Белов в связи с этим застрелился. Кудасов взят под арест. Доклад закончил. Начальник БЖРК подполковник Ефимов!

Наступила тишина. Булатов оглянулся на Кравинского. У того тоже был ошарашенный вид, значит, это не слуховая галлюцинация...

— Какой приказ? Какой боевой запуск? Какой арест?

Опустивший было руку Ефимов вновь взял под козырек.

— Товарищ полковник, через систему спутниковой связи поступил приказ на боевой запуск по намеченной цели! Полковник Булатов готовил пуск, но Кудасов перерубил кабель...

— Да вы что, вашу мать, с ума посходили?! Никакого приказа никто не отдавал! Вы что, правда хотели по Америке шарахнуть?!

Ефимов смешался.

— Полковник Белов принял командование на себя и готовил пуск... Согласно приказу...

— Идиоты!! Спасибо этому Кудасову! Он единственный нормальный человек среди вас! За что же его под арест?

Начальник комплекса чуть отодвинулся в сторону, открывая вид на особиста.

— Арест произвел майор Сомов, товарищ полковник!

Но майор Сомов отчаянно замотал головой.

— Ошибка вышла, товарищ полковник! Не настоящий арест, просто в каюту, до разбора... Разрешите исправить?

— Дурдом какой-то! — Булатов потер виски.

— Исправляй, дубина! — рявкнул Кравинский из-за спины командира дивизиона. Развернувшись, Сомов побежал к поезду.

Во время осмотра БЖРК полковник Булатов, отлучившись от своих спутников, зашел в каюту военврача.

— Все в порядке, Наташенька? — спросил он у жены. Она выглядела бледной и измученной, глаза красные, руки заметно дрожали.

— Нет... Это было ужасно, столько раненых... Хорошо, что так обошлось...

— Это твой последний рейс! — жестко сказал командир дивизиона. — И даже не спорь со мной!

Наталья Игоревна кивнула.

— Я не буду спорить. Забери меня прямо сейчас!

На каменном лице полковника отчетливо отразилась борьба мотивов. Он стиснул челюсти.

— Извини, Наташа, это не получится. Нельзя оставлять комплекс без врача до конца рейса.

Вздохнув, майор Булатова вытерла глаза тыльной стороной ладони.

— Виновата, товарищ полковник. Я возьму себя в руки.

На лице супруга вздулись жевлаки.

— Потерпи, осталось немного...

В вагоне группы запуска командир дивизиона заглянул в каюту начальника смены. Труп был накрыт пропитавшейся кровью простыней, из-под нее торчали только ноги полковника Белова. Задравшиеся штанины открывали зеленые форменные носки и волосатые икры.

— И что же это пришло тебе в голову? — негромко спросил Булатов. Но Белов, естественно, не ответил.

Когда полковник добрался до боевого вагона, кабель уже заменили. Он долго рассматривал перерубленный кусок. В это время его нашли прилетевшие следующим вертолетом Близнецы.

— Где этот гад Кудасов?! — спросил Малков, он чуть не скрежетал зубами от ненависти. — Шпион, радиомаяк подбросил на дублера, сволочь! Немедленно под арест!

Булатов уставился на него тяжелым, давящим взглядом.

— Этот кабель видишь?

Влад несколько растерялся.

— Ну, вижу... Разрубленный...

— Если бы не Кудасов, мы бы сейчас глотали радиоактивную пыль, и с нами половина земного шара! — с нажимом произнес полковник. — Кудасов герой! Поэтому ты закрой свою гнилую тему!

* * *

— Ну что, будешь говорить, сука?

Громадный блондин, со свирепым выражением лица и большим шрамом на шее, наклонился над Исрапилом Галинбаевым, пробившись сквозь окутывающий сознание туман.

Галинбаев чувствовал себя ужасно. Его взяли через час после разгромного боя. С раненой ногой он не мог далеко уйти. Отполз на сто метров от перрона, спрятался в кустах, но они оказались ненадежным укрытием. И все это из-за негодяя Османова! Как сильно он засадил ему нож! Нога будто одеревенела, а если пошевелить — отзывалась острой болью. А раздробленная правая рука еще долго не сможет взять оружие! Его привезли в Ахтырск, где держали в одиночной камере и каждый день допрашивали. Вначале милиционеры, потом местные эфэсбэшники и вот теперь этот громила, который сразу рьяно взялся за дело.

— Кто у вас был старшим?! Кто дал команду?! За чем вы охотились?

Интересно, Лечи уцелел? А Али Арханов? Или этот, как его, Салим?

Исрапил поморщился от нового приступа боли. Он наверняка знал, что Магомед Тепкоев спасся. Отравился газом, сломал ногу, но остался в живых и сумел скрыться. А остальные? От этого многое зависело, в том числе и его поведение на допросе.

— Ты будешь говорить, скотина?! Или по-хорошему не понимаешь?! — грозно орал блондин, так что покраснел его ужасный шрам.

Да, это плохо, когда ты ранен и попал в руки врага, когда тебя допрашивают и угрожают. Гораздо лучше, когда ты допрашиваешь и угрожаешь! Когда он, Исрапил, избивал Османова и хотел отрезать ему голову, это было правильно и справедливо. А когда этот козий помет ранил его ножом в ногу, сломал руку и избил — это неправильно и несправедливо...

— Может, с тобой по-плохому поговорить?!

Да чем он пугает, этот кифар?! Ну даст по морде, ну отвезут в суд, ну посадят на десять лет... Этим разве пугают? Вот Лечи может с него заживо шкуру содрать и заставить жрать свои внутренности! И он, Исрапил, если случится справедливость и этот блондин попадется к нему в руки, он порежет его на мелкие куски!

— Замолчи, неверная собака! — собравшись с силами, твердо ответил Галинбаев. — Плевал я на твои угрозы. Даже если ты меня убьешь, я как воин попаду в рай. Только ты меня не убьешь!

— Почему это? — если раньше блондин спрашивал его казенно, без души, для дела, то сейчас явно заинтересовался.

— Потому что приказа у тебя нет. Потому, что я раненый. Потому, что нельзя меня убивать.

— Слыхал, Толик? — обратился к кому-то блондин. Галинбаев повернул голову и подумал, что у него двоится в глазах. Там стоял такой же здоровенный блондин, только без шрама. — Грамотный душман попался!

И снова спросил Исрапила:

— А ты раненых убивал?

— Конечно.

— Значит, тебе можно?

— Мне можно.

— Вон оно как! — задумчиво протянул Влад Малков. — Значит, надо учить тебя справедливости! Говоришь, в рай хочешь? Ну, поехали!

Близнецы вытащили бандита во внутренний двор, посадили в защитного цвета «РАФ» и куда-то повезли. Через сорок минут микроавтобус остановился в поле, у каких-то длинных приземистых строений. Его вытащили наружу, в нос ударила густая вонь. За невысоким заборчиком из круглых жердей паслись свиньи. Самые мерзкие существа из всех, которые есть на свете. Не только прикосновение к ним, но даже взгляд оскорбляет до глубины души любого мусульманина. В глубине души появилось подозрение, что этот блондин задумал что-то чудовищное. Вон как улыбается, рассматривая этих тварей...

— А скажи-ка мне, Исрапил, — вроде вполне по-дружески обратился к нему блондин и даже по имени в первый раз назвал. — Скажи-ка мне, если я тебя сейчас свиньям скормлю, ты в свой рай попадешь или нет?

Он быстро перевел взгляд со свиней на Исрапила, будто кинжал метнул. И этот кинжал глубоко вонзился в переносицу, даже до мозга достал, в самую глубину души уколол.

Галинбаев пошатнулся. Знает, прекрасно знает этот белый гяур, что даже если капля сала попадет на одежду, не говоря о теле, то это высшее осквернение, которое закрывает путь в райские кущи! А то, о чем он говорит, даже вообразить невозможно, настолько это кощунственно! Тогда только одна дорога — в ад! И вечный позор для всего рода, для всех потомков до седьмого колена... Так и будут говорить: «Это какой Руслан? Тот, у которого дядю свиньи съели?», «Это какая Миседу? А, вспомнил, не напоминай больше!». Клеймо ляжет на род, на фамилию, у мальчиков не будет друзей, девочек не станут брать замуж... И вся родня его проклянет! Но нет, не сделает такого этот гяур! Но почему он вынул пистолет?!

— Ты думаешь, я тебя просто пугаю, да? — глаза Влада недобро прищурились. — Сейчас посмотрим... Ты у нас по документам в какую ногу ранен? В правую?

Он прицелился, и Галинбаев вдруг понял, что, ничем не рискуя, страшный блондин прострелит ему ногу. И если разозлится, то и выполнит угрозу про свиней. Бахнет в голову, перебросит через забор — и все дела! Лично он, Исрапил, так бы и поступил, даже не задумавшись...

— Не надо, не надо, я все скажу! — истерически выкрикнул он.

— Это другое дело! — блондин опустил оружие.

— Кто старший? Откуда узнали про поезд? За чем охотились?

— Можно мне сигарету? — попросил сломавшийся Галинбаев.

— Здесь тебе не табачный ларек, — грубо вмешался второй блондин. — Ты небось нашим ребятам сигарет не давал. Колись, быстро!

И Галинбаев раскололся. Он рассказал и про то, что целью нападения являлась атомная бомба и что высшими руководителями были Али Арханов и прибывший с Ближнего Востока то ли араб, то ли чеченец, который скрывал свое лицо и которого Арханов называл Салимом... Он рассказал, что военным командиром был Лечи Исмаилов, что из Тиходонска прибыли несколько чеченцев, из которых один, Муса, являлся посредником между Салимом и каким-то шпионом, который и разведал все про поезд.

Близнецы переглянулись.

— Это какой Салим? Неужели тот самый? — спросил Ломов.

— Похоже, да, — озабоченно кивнул Малков. — Если мы возьмем такую рыбину...

Логическая цепочка выстраивалась очень четко, теперь оставалось перебрать все ее звенья. В этот же день они вылетели в Тиходонск, распорядившись этапировать туда Галинбаева как можно скорее.

* * *

Три дня полевой командир Лечи Исмаилов провел в забытьи. В тяжелом сне, причудливо перемешавшемся с реальностью. Во сне он перегружал на «КамАЗ» огромную пузатую бомбу и резал у вагонов молящих о пощаде русаков, в реальности какая-то женщина поила его крепким бараньим бульоном, какой-то мужчина два раза в день натирал ожоги бараньим жиром.

На четвертый день ему стало получше, и он осознал, что находится в маленькой комнатке с небольшим мутным окошком. Голые беленые стены, старый деревянный стол, две грубые табуретки составляли все ее убранство. Он лежал на каком-то топчане, на не слишком чистых простынях, но было мягко и тепло. Судя по специфическому запаху, матрац и наволочка были набиты овечьей шерстью, накрывало его старое солдатское одеяло. Все это Исмаилова не смутило: полевой командир привык к походному быту и не гнался за комфортом. Хотя в родном горном селе построил из итальянского кирпича огромный дом, в котором имелись не только непривычные для здешних краев «удобства», но даже сплиты и джакузи, привезенные из Москвы. Зачем они нужны, было не слишком понятно, но в новое время это считалось хорошим тоном.

Ближе к вечеру появился Муса Хархоев с какими-то двумя ребятами. Похоже, что прибыли члены его бригады.

— Как здоровье, амир? — вежливо спросил Муса, как полагается по этикету. Но сел на табуретку сам, не дожидаясь приглашения. Это показывало, что он не считает, что пришел к старшему, — так, к равному себе.

— Слава Аллаху, гораздо лучше, — выдержал этикет и Лечи, но сразу же перешел к делу. — Сообщи нашим, пусть пришлют пять-шесть ребят! — приказал он. — И дай мне гранату и пистолет!

— Зачем, амир? — удивился Муса. — Здесь моих бойцов достаточно, ты в полной безопасности!

— Делай, как я сказал, — Исмаилов откинулся на набитую шерстью подушку. Без собственной охраны и без оружия он чувствовал себя совершенно беззащитным. Потому что приходилось полагаться на Мусу. А он хоть и земляк, но чужой. Чужая кровь, чужие интересы, чужой род. На чужих надежды нет. Сегодня все хорошо, а завтра что-то изменится, и он прикажет своим бойцам тебя задушить. И они это сделают не моргнув глазом. Потому что таков приказ своего старшего.

— Хорошо, — Муса чуть наклонил голову. Забрав у одного из сопровождающих парней «ТТ», он передал его Исмаилову.

— Гранаты с собой нет, потом принесем.

— Хорошо.

Лечи, сунув оружие под подушку, сразу почувствовал себя увереннее и повеселел. Хотя последнее обстоятельство он постарался скрыть: оснований для веселья никаких не было.

— Сколько наших уцелело? — спросил он.

Муса понурился.

— Аеб погиб со всеми своими, Али Арханов убит, и его охрана тоже...

— Знаю, я это видел!

— Много погибло. А спаслось мало. Можно по пальцам посчитать. Магомед жив, только ногу сломал, еще человек пять... Этот, как его, Салим уцелел, только к нашим не приближался, сам по себе ушел...

— Откуда знаешь? — приподнялся на локте Лечи.

— Ребята видели, — равнодушно пожал плечами Муса. — Вскочил в «Ниву» и уехал, даже ждать никого не стал.

Лечи тяжело вздохнул. За проваленную операцию спрос особо никто не учинит: ведь не нарушен ничей личный интерес, никому не нанесена обида. К тому же у него за спиной целая армия, кто спросит? Даже Али Арханов ничего бы сделать не смог... А вот за этого араба, или кто он там, за него спросить могут! У «Аль Каиды» длинные руки, они протянутся в самую охраняемую спальню и вцепятся в горло, задушат прямо на шелковых подушках и под атласными одеялами...

— Его беречь надо! Постарайтесь найти и выполняйте все его распоряжения!

— Все? — остро глянул Муса.

— Я же сказал — все!

Муса незаметно перевел дух. Это же распоряжение Салима — ликвидировать тех, кто видел его лицо. А кроме имама Арханова видели двое: Лечи и Исрапил. Сейчас Исмаилов снял камень с его души: сам попросил слушаться чужака!

— А что с Галинбаевым? — вспомнил полевой командир о
своем заместителе.

— Живой. Только его арестовали.

— Да ну?! — вскинулся Исмаилов. — Это плохо. Но он не
сболтнет ничего лишнего. Я в нем уверен.

— Увы, амир... Только Аллах не ошибается, — Муса печально наклонил голову.

— Что ты знаешь, говори! — нечеловеческие глаза сурово
сверлили младшего Хархоева.

— Немного. Пока его держат в Ахтырской тюрьме, но привозили на станцию, и он все показывал и все рассказывал! А
его фотографировали и на пленку записывали! Завтра его машиной отвезут на вокзал и вечерним поездом отправят в Тиходонск.

Исмаилов закрыл глаза. Его каменное лицо окаменело еще
больше. В комнатке наступила тишина.

— Откуда ты все это знаешь? — наконец глухо спросил он.

— От ахтырских ментов. Гяуры за деньги мать родную про-
дадут!

— Будете его встречать? — после длительной паузы снова
спросил Лечи.

— Да, — Муса встал.

— Что ж... Ты прав, не ошибается только Всевышний. Да
поможет вам Аллах!

— Спасибо, амир, поправляйся.

Муса вышел, за ним один из сопровождающих. Второй остался в полутемной комнатке и молча смотрел на амира. Это
был тот, кто отдал свой пистолет. Разобрать выражение его лица
Лечи в полумраке не мог. Парень шагнул вперед, и вдруг, как
вспышка молнии, Исмаилова озарило прозрение. Он все понял.

— Ты кто? Как тебя зовут? Из какого ты рода? — повели-
тельно спросил он, а сам сунул руку под овечью подушку и
влажной рукой обхватил согревшуюся рукоятку пистолета.
Ноздри жадно вдыхали спертый, неприятно пахнущий воздух.
Хотелось дышать им и дышать — дни, месяцы, годы...

— Это неважно, амир!

— Щенок! — он выдернул руку с оружием. — Ты забыл, кто я!

Но прежде, чем курок щелкнул вхолостую, он уже понял:
нет, не забыли, все предусмотрели, заранее разрядили оружие!

Демонические глаза Исраилова метали молнии, ноздри раз-
дулись, казалось, что сейчас из них повалит густой черный дым.
Но на подручного Мусы это не произвело никакого впечатления. Он сделал еще один шаг и извлек из-под куртки удлинен-
ный глушителем «ТТ», в котором наверняка были патроны.

В полутемной грязноватой комнате глухо раздались три
выстрела.

* * *

Исрапила Галинбаева на вокзал конвоировали четверо сотрудников Ахтырского ГОВД. Два молодых сержанта — в форме, бронежилетах и с короткоствольными автоматами на коленях — сидели на заднем сиденье желтого «УАЗа». Оперативник Синицын — мужчина перезрелого для капитанского звания возраста, с густой свалявшейся шевелюрой русых волос и в дешевом, а потому всегда мятом костюме — сидел рядом с водителем, младшим сержантом, в форме, но без бронежилета. Сзади, в тесной клетке, со скованными наручниками руками скорчился арестованный.

Перевозка была самой заурядной, конвой считался усиленным, и капитану Синицыну, составлявшему это самое «усиление», и в голову не могло прийти, что возможны какие-то осложнения. Прокатились по городу пару километров — и все дела. Он даже не стал возиться с бронежилетом и получать автомат — лишняя морока, тем более что прямо с вокзала он собирался отправиться на день рождения к Сереге Волгину из ОБЭП, который всегда накрывал шикарные «поляны».

Молчаливый водитель вел машину ровно и уверенно.

Синицын прикурил сигарету и обернулся назад. В салоне все было спокойно. Пленник вел себя тихо, да и куда ему дергаться со сломанной клешней и раненой ногой! Сержанты сидели ровно, не отвлекались на анекдоты и даже не лузгали семечки. Капитан покосился на наручные часы. Восемнадцать сорок. Через двадцать минут надо садиться за стол! Хотя обычно все задерживаются: в милиции никто не уходит с работы по звонку.

— Куда ж ты прешь, кретин! — неожиданно гаркнул водитель и резко затормозил.

Синицына бросило на лобовое стекло, сзади упал автомат и выругался сержант.

Дорогу перегородила замызганная «шестерка» с затемненными до черноты стеклами. Еще чуть-чуть, и «УАЗ» ударил бы ее в борт.

— Сейчас выйду и права отберу у мудака, — возмущался младший сержант, но Синицын вдруг понял, что это не обычный дорожный инцидент, а ЧП, связанное с тихо сидящим в клетке чеченцем.

— Назад давай! Живо назад! — закричал он и, сунув руку под пиджак, выхватил из поясной кобуры пистолет. Водитель со скрежетом включил заднюю передачу. Но больше они сделать ничего не успели.

Затемненные стекла «шестерки» поползли вниз, обнажая,

к ужасу капитана и младшего сержанта, нетерпеливо подрагивающие дула автоматов.

— Огонь! — крикнул Синицын, передергивая затвор, и в тот же миг, будто выполняя его команду, автоматы изрыгнули в «УАЗ» содержимое своих магазинов.

На таком расстоянии промахнуться невозможно: десятки пуль раскрошили в мелкие осколки лобовое стекло, прошивая все на своем пути, прошли сквозь водителя и капитана. Синицын почувствовал, как грудь загорелась огнем, краем глаза заметил, что водителя отшвырнуло назад с простреленным черепом, он вскинул руку и наугад выстрелил, чему потом очень удивился судебно-медицинский эксперт: капитан Синицын стрелял фактически мертвым. Изрешеченные тела на передних сиденьях откинулись в стороны.

Сзади дело обстояло по-иному: ослабленные пули натолкнулись на бронежилеты и с визгом рикошетировали. Но пуль было слишком много: одна рикошетом задела голову того сержанта, что помоложе, вторая пробила плечо тому, который постарше.

Обливаясь кровью, контуженые милиционеры вывалились из «УАЗа» и открыли ответный огонь.

Несколько секунд четыре автомата с трех метров выпускали друг в друга свой боезапас. «Шестерке» тоже не поздоровилось: черными брызгами разлетелись тонированные стекла, тонкий металл покрылся десятками отверстий, превращаясь в подобие дуршлага, из которого брызгала липкая красная жидкость. Автоматы нападающих замолкли и с лязгом вывалились на мостовую, один за другим.

Самый молодой сержант лежал на асфальте без сознания, второй еще держался на ногах, намертво вжимая спуск опустевшего автомата. Но бой еще не кончился. Потому что выскочившие из «шестерки» минутой раньше два человека открыли огонь с флангов. Сержант уронил автомат, упал и, скрючившись, привалился к заднему колесу «УАЗа». Короткая «контрольная» очередь прошла его тело и пробила резину: с протяжным, похожим на стон звуком колесо спустило.

Сзади, из отделения для задержанных, доносились крики на чеченском языке: Исрапил Галинбаев звал соплеменников на помощь. Но когда нападающие заглянули в тесный задний отсек, по их глазам он понял, что был прав: свои не простят ему предательства. В следующую секунду два автомата обрушили на него смертоносные свинцовые струи.

Глава 4

ПЕРЕВЕРБОВКА

— Я не буду отвечать на ваши вопросы, — сказал Мачо, глядя в сторону. — Требую связаться с посольством Соединенных Штатов.

— Это можно, — кивнул Влад Малков. — Только тогда дело перейдет в официальную плоскость. И, несмотря на протесты посла и юридическую помощь, вы получите лет восемь за шпионаж. Вы же не думаете, что удастся отделаться только незаконным пересечением границы? У нас есть записи ваших телефонных переговоров, есть показания вашей сообщницы Кудасовой, есть даже радиомаяк, который вы поручили ей внедрить в секретный поезд через ее мужа!

Здесь капитан блефовал. От маяка ничего не осталось. И доказать факт его существования в суде вряд ли удастся.

— И маяк попал в поезд, только другой, но тоже секретный! А его взорвали! Эксперты не пришли к единому мнению — фугасом или ракетой, да для вас это и неважно. Это соучастие в терроризме! Представляете, какой резонанс это может вызвать в мире?

Мачо смотрел в пол. Дела его были плохи. Только слово «может» внушало надежду. Не «вызовет в мире», а «может вызвать в мире». Значит, может вызвать, а может и не вызвать. Если бы его собирались выводить на показательный процесс, такой альтернативы бы не существовало. Значит, речь пойдет о сделке...

— Что с девушкой? — угрюмо спросил он.

Капитан Малков усмехнулся.

— Она, естественно, арестована.

— Бедняжка... Она вообще ничего не знала.

Мачо перехватил удивленный взгляд огромного блондина. Да, действительно, он повел себя не так, как подобает холодному профессионалу. Он тяжело вздохнул.

— Оставьте личные переживания, Джефферсон. Вернемся к делу. Я предлагаю вам договориться.

— Сделка? — оживился шпион. — Чего вы от меня хотите?

— Салима. Вы по сравнению с ним нашкодивший школьник.

Мачо задумался.

— Это очень трудная задача. Гораздо более трудная, чем вам кажется.

Малков развел руками.

— Но более легкая, чем когда он прячется в разных частях

мира. Сейчас он здесь, в Южном округе. Вы знаете его в лицо, и он вам доверяет...

— Он никому не доверяет! И всегда обвешан взрывчаткой! А взрыватели у него и для рук, и для ног, и для зубов!

— Не надо набивать цену! Итак, наше условие — Салим!

Мачо задумался, но ненадолго. Если выбирать между русской тюрьмой и привычным риском, то ясно, что окажется предпочтительней...

— Хорошо. А вот мои условия...

Когда он закончил говорить, Малков посмотрел с еще большим удивлением.

— Такую просьбу я встречаю впервые. Я должен доложить ее руководству. Но думаю, вам пойдут навстречу.

Мачо кивнул:

— Тогда я согласен.

* * *

Салим позвонил через два дня. Звонок раздался в одиночной камере внутренней тюрьмы ФСБ. Ответили на него не донские рыбы, как обещал Мачо, а он сам.

— Надо встретиться, — прежним безжизненным голосом сказал Салим.

— Давай. Где?

Номер звонящего, как и следовало ожидать, не определялся. Параллельно подключенный телефон держал в руках капитан Малков. Они с напарником специально перебрались в Тиходонск и круглосуточно находились в состоянии боевой готовности.

— Потом скажу. Садись в поезд, езжай в Ахтырск, — Салим отключился.

Через несколько минут состоялось оперативное совещание по подготовке к операции. Это обыденное мероприятие, рутина любых оперативных служб. Такие сотнями проводятся и в ЦРУ и в ФСБ. Уникальность ему придавало то, что на этот раз в нем участвовали российские контрразведчики и сотрудник ЦРУ одновременно.

— Этот трюк известен, — Влад Малков потер шею — перебитые нервы иногда напоминали о себе тупой тянущей болью. — Потом он позвонит и скажет, где выйти. Или даже выпрыгнуть на ходу. При таком способе невозможно поставить засаду или осуществить сопровождение.

— С таким дьяволом, как Салим, вы еще не встречались, — сказал Мачо. — Он всегда переигрывает тех, кто его ловит. И расставляет им массу ловушек. Я знаю три случая, когда он отправлял на тот свет охотников за собой и потом преследовал их семьи! Мне кажется, что захватить его невозможно!

— Так что будем делать? — поинтересовался Ломов.

— Захватить его невозможно, — задумчиво повторил Мачо. — Но его можно убить!

Близнецы переглянулись.

— Видишь ли, не знаю, как у вас, а у нас так грубо и прямолинейно задачи не ставятся, — сказал Малков. — Мы не можем ориентировать тебя именно на такой конечный результат. Хотя если ситуация обусловит ликвидацию особо опасного террориста, то это всех устроит.

— Мне нужно оружие, — сказал Мачо. — Первый и второй пистолет.

Малков снова потер шею.

— Почему именно первый и второй? Почему не два сразу?

— Первый — основной. Мне нужна машина крупного калибра, с большой останавливающей силой. «Кольт М-1911» или «Дезерт Игл»... Второй — вроде как запасной. Маленький, но резкий. Девятимиллиметровый «Фроммер-беби» подойдет, или «Бэк ап», или какой-нибудь из «Детониксов»...

— И отравленные пули? — серьезно спросил Малков.

— Если есть, то это будет отлично! — Мачо даже улыбнулся.

Влад снисходительно похлопал его по плечу.

— Ты не в своем отделе убийств!

— У нас нет такого отдела, — возмутился Мачо. — Но подбор оружия в подобных операциях на девяносто процентов определяет их успех!

— Мы вообще не имеем права давать тебе оружия, — в один голос сказали оперативники. А Малков пояснил:

— Ведь если ты попытаешься скрыться и кого-нибудь убьешь, то мы окажемся пособниками! Или если ты объединишься с Салимом!

— Как же я выполню задание? — обескураженно спросил Мачо. С такими поворотами темы ему еще не приходилось сталкиваться.

— Применяя приемы самбо, — подмигнул Влад. — Или что там у вас вместо него...

— Или отберешь оружие у врага, — присоединился к товарищу Анатолий. — В Отечественную войну оружия не хватало, поэтому за каждым красноармейцем с винтовкой бежали в атаку трое с палками. Замполиты ставили им задачу: когда первого убьют, винтовку берет второй, потом третий... Ну а если не убьют, то надо палками глушить фашистов и отбирать у них автоматы...

— Не может такого быть! — не поверил Мачо.

— Ну почему же, у нас богатая история... — сказал Влад

Малков. И уже вполне серьезно добавил: — Когда поедем на вокзал, я забуду пистолет в машине. А ты его заберешь. Разумеется, без моего ведома.

— Но ты же будешь об этом знать?

— Нет. Я ничего знать не буду.

Мачо развел руками. Какой-то русский сюрреализм, всем понятный абсурд, когда за неправильностями прячутся правильности, а за одними словами стоит совсем другой смысл. Что-то похожее на «сбычу мечт». Он вспомнил Оксану и тяжело вздохнул.

— Не бойся, мы постараемся держаться неподалеку, — Малков неправильно истолковал его вздох. — И знаешь, что я придумал?

* * *

Группировка Исы Хархоева давно состояла на учете в РУБОПе, как и десятки ей подобных, и это была одна из отличительных черт новейшей криминальной истории. В старые времена установленная банда немедленно уничтожалась отрядами ЧОНа[1], специальными группами НКВД или летучими бригадами ОББ[2], а оставшиеся в живых бандиты в течение суток приговаривались к высшей мере социальной защиты Коллегиями ВЧК, Особыми совещаниями, «тройками» либо другими органами внесудебной репрессии. Что интересно: когда наступил разгул демократии и поголовной заботы о правах граждан, все решения внесудебных органов признали незаконными, за исключением тех, которые выносились убийцам и бандитам. Законность последних сомнению и пересмотру не подвергалась, то есть быстрые и решительные действия по отношению к особо опасным преступникам как бы получили косвенное одобрение.

Но колесо истории со скрипом провернулось в очередной раз, и быстрота с решительностью оказались невостребованными: теперь на учетах состоят десятки и сотни оргпреступных групп, которым от этого состояния и не холодно, и не жарко. Потому что борьба с ними в основном свелась к контролю за преступной деятельностью и документированию преступных действий. На этом воздействие «органов» на группировщиков заканчивается под благовидными предлогами несовершенства законодательства, недостаточности доказательственной базы и

---

[1]ЧОН — части особого назначения, осуществлявшие борьбу с бандитизмом в 20-е годы.

[2]ОББ — отделы борьбы с бандитизмом, созданные после Великой Отечественной войны и выполнившие свою задачу в начале пятидесятых годов.

отсутствия института защиты свидетелей. Если отбросить благовидные предлоги, которыми хорошо морочить голову журналистам и ничего не понимающим в этом деле гражданам, то причиной подобного благодушия является отсутствие государственной воли и соответствующего приказа.

В отношении Хархоевых такой приказ поступил, и участь группировки была предрешена.

Ранним утром бронированную дверь в квартиру Исы Хархоева вышибло направленным взрывом, в клубах дыма и пыли ворвались внутрь молчаливые люди в масках, пятнистых комбинезонах и с автоматами в руках. Через минуту и сам Иса, и два его телохранителя с отбитыми печенью и почками лежали на паркетном полу в наручниках, думали о вечном и мечтали уже не о «Лексусах» или «Мерседесах», а о медицинской помощи. И спешно одевающиеся красавицы их совершенно не интересовали. Невесть откуда взявшийся оператор фиксировал на пленку автоматы «Скорпион», «Узи» и с десяток гранат «Ф-1».

Вторая бригада СОБРа ворвалась в офис фирмы, вытащила из шикарной гостевой комнаты Магомеда Тепкоева с загипсованной ногой, а из-под его подушки пистолет Стечкина. Абу Хамзатов выпрыгнул в окно и попытался отстреливаться, но СОБР в таких случаях действует очень последовательно и точно: короткая очередь прошла боевику грудную клетку.

Мусы Хархоева дома не оказалось, он ночевал у одной из своих многочисленных знакомых, поэтому в квартире оставили засаду и взяли его, когда он в разомлевшем состоянии заехал переодеться.

Всех задержанных арестовали, и даже самый гуманный в мире суд этому не противился. Молчали правозащитники, не проявляли активности журналисты. Уже через полтора месяца начались суды: сначала по очевидным эпизодам — незаконное хранение оружия, вымогательство, уклонение от уплаты налогов... Затем начался спрос за более тайные дела: организованную преступную деятельность, терроризм, убийства. Назначенные ранее сроки наказания увеличивались и постепенно добрались до восемнадцати — двадцати пяти лет. Группировка Хархоевых перестала существовать.

Карающий меч закона, прозрев, пытался добраться и до Сурена Бабияна. Но он, то ли почуяв недоброе, то ли по случайному стечению обстоятельств, выехал в Америку. Прослышав про интерес к своей персоне, Змей предпочел не возвращаться, тем более что кое-какие деньжата у него там имелись. Во многом благодаря малознакомому Василию Столярову.

То, что произошло с Хархоевыми и Бабияном, очень поучительно для других. Ибо мораль проста: в России можно делать практически все, что угодно, — воровать, грабить, рэкетировать, и даже убивать. Но боже вас упаси связаться со шпионом и диверсантом! Тогда ничто не спасет вас от справедливой кары. Правда, возможно, через несколько лет и это перестанет считаться смертным грехом.

* * *

Второй звонок последовал, когда Мачо ехал в переполненном и душном вагоне пассажирского поезда «Тиходонск—Ахтырск».

— Ну, что? — послышался в трубке голос ожившего мертвеца. — Где ты находишься?

Мачо пришлось рассказать все подробно: название и номер поезда, вагон и даже номер места. Он ждал, что Салим скажет, что ему делать, но опять никаких инструкций не получил. С телефоном управляться было трудно: приходилось действовать одной левой рукой, потому что правая была в гипсе. Увечный человек вызывает сочувствие и не представляет опасности.

Положив трубку на столик, он набрал несколько цифр. Близнецы ехали в том же поезде — Владислав в следующем вагоне, а Анатолий — в предыдущем. Еще несколько человек рассредоточились по всему составу.

— Отзвонился, расспросил о местонахождении, но ничего не сказал, — коротко доложил он.

— Хорошо, будем ждать, — ответил Влад.

Дело клонилось к вечеру, сквозь пыльные стекла красное заходящее солнце последними яркими лучами просвечивало вагон насквозь. Поезд местного сообщения состоял только из плацкартных вагонов. В отличие от фешенебельного снобизма «спальных» или респектабельной чопорности купейных здесь текла истинно народная дорожная жизнь: похожие друг на друга голые по пояс мужчины, в растянутых трениках, играли в карты, потягивали пиво, кто-то пил и более крепкие напитки, причем практически не закусывая. Женщины тоже были похожи: линялыми халатами и простецкими прическами. Они азартно «чесали языки» и воспитывали детишек, которые норовили влезть куда не надо, тем более что поезд предоставлял много подобных возможностей. Люди расхаживали по вагону, быстро знакомились, просили закурить и угощали куревом, одалживали друг у друга то нож, то открывалку для консервов, заводили доверительные разговоры и открывали друг другу душу.

Соседи Мачо — супруги средних лет, накрыв столик газетой, принялись выкладывать картошку в мундире, вареные яйца, хлеб и сало, соленые огурцы, зеленый лук... Он сглотнул слюну: даже в самой лучшей тюрьме кухня не отличается разнообразием.

— Покушайте с нами, молодой человек, — грузная тетка с добродушным лицом сделала радушный жест рукой, а ее супруг с висячими седыми усами заговорщически подмигнул и достал бутылку с мутноватой жидкостью. Мачо понял, что это самогон, про который он много слышал, но который никогда не пробовал.

Тетка улыбалась, показывая железные зубы.

— Я же вижу, что проголодался!

— Спасибо, я действительно хочу есть, — кивнул Мачо и левой рукой взял картофелину. Чистить одной рукой было неудобно, и он откусил вместе с кожурой.

Все происходящее вокруг напоминало ему Африку. Первобытная откровенность отношений была лишена условностей, которые и составляют оболочку цивилизованности. Здесь были разрушены перегородки между людьми, они все делали на виду друг у друга. Народ открывался с неизвестной стороны: причуды характеров, неожиданные жесты, странные, не слышанные ранее слова... Он чувствовал себя этнографом, погружающимся в экзотическую среду, как исследовательский батискаф опускается в царство вечной ночи.

И еда была какая-то первобытная: искусство кулинаров, приправы и майонезы не играли в ней никакой роли. Но ему нравилось и сало, и яйца, и нечищеная картошка, и острые огурцы. Он любил изучать народы через их кухню, даже самую диковинную. Когда-то в Мексике он даже попробовал вяленую гремучую змею.

— Ой, да зачем вы с кожурой едите, давайте я помогу!

Женщина очистила картофелину, освободила от скорлупы яйцо, причем сделала это быстро и споро.

— Давай, сынок, за все хорошее, — мужчина с седыми усами придвинул ему стакан, на четверть наполненный мутноватой, резко пахнущей жидкостью.

Пить на серьезной, связанной с риском для жизни операции — дело совершенно немыслимое и недопустимое, но Мачо выпил. Самогон показался немного похожим на текилу или граппу плохого приготовления. По телу стало разливаться блаженное тепло. Опытный шпион почувствовал полное расслабление, ему захотелось плюнуть на свое задание, заснуть и просто ехать, ехать, ехать — куда угодно, только чтобы без остановки. Среди беспорядочного шума, невнятных обрывков разговоров, непривычных запахов...

Но его умиротворенный настрой перебил очередной телефонный звонок.

— Едешь? — спросил Салим.

— Еду! — ответил Мачо, чувствуя, как исчезает расслабление и внутри все сжимается в тугую пружину.

— Через два часа я позвоню, и ты спрыгнешь. Там и встретимся, — сказал Салим и тут же отключился. Возможно, он боялся, что его запеленгуют.

С трудом устроив телефон на смятой простыне, Мачо набрал номер Малкова.

— Снова позвонил. Сказал — через два часа прыгать.

— Хорошо. Постараемся подтянуть людей в этот район.

— Куда прыгать, сынок? Ты парашютист, что ли? — спросил седоусый. К большому удивлению Мачо, выяснилось, что «папаше» всего сорок лет, а зовут его Василием. «Тезки, значит», — обрадованно сказал он после знакомства.

— Ну его к бесу, этот парашют. Вон, руку сломал, допрыгался! Давай лучше еще выпьем!

— Давай! — засмеялся Мачо. Он уже знал, что в России надо произносить тосты и чокаться.

— За сбычу мечт!

Стаканы сошлись с глухим звоном.

— Точно, это по-нашему! Давай еще!

— Нет, я больше не буду...

Мачо привалился к стенке вагона и закрыл глаза. Приятно кружилась голова, он был абсолютно спокоен и совершенно не нервничал перед встречей с опаснейшим террористом планеты. Два часа. Всего два часа. Нет, целых два часа у него есть. А там как бог даст...

— Спишь, американец?

Знакомый жуткий голос ворвался в сознание, и он понял, что действительно спит и видит сон.

— Просыпайся, пора отправляться в ад!

Голос был слишком реальный. Мачо открыл глаза и содрогнулся: напротив, на месте седоусого тезки сидел Салим. Невероятно, но никакой ошибки не было. Хищное лицо, изможденное больше, чем обычно, просторная куртка, торчащий из-под воротника проводок, который он то и дело, будто играя, ловил зубами.

— Здравствуй, Салим, — не выражая никаких чувств, сказал Мачо и сел поудобней, уложив на столик загипсованную руку. Но она не привлекла внимания араба.

— Как оказалось, что ты связался с ФСБ? — спросил тот.

— О чем разговор, Салим? Я тебя не понимаю!

— Я проверял тебя. Перезванивал через полминуты после каждого звонка. И у тебя было занято! Ты докладывал своим хозяевам!

— Ерунда!

— Возможно. Только я уже не хочу пользоваться твоей помощью. Я уйду сам, прямо на небо. А тебя отправлю в ад. Вместе с этим гнусным поездом и этими никчемными людишками!

Салим всегда был немногословным. Сегодня он просто разболтался. Наверное, железные нервы расслабились перед смертью. Нагнув голову, он поймал проводок зубами.

Если бы Мачо не пил русской самогонки, он бы стал анализировать возможные варианты развития событий. Или просто закрыл глаза, примирившись с неизбежным. Или...

Но он просто шевельнул пальцем. Быстро, интуитивно, не задумываясь о последствиях.

Влад Малков не мог раздобыть ему ни «кольт», ни «Дезерт Игл». Но он догадался замаскировать обгипсованным бинтом обычный «макар», подобранный на месте нападения на БЖРК. Сейчас ствол пистолета смотрел прямо в лицо террористу.

Грохнул выстрел, огонек пламени прожег бинт, пуля вонзилась в переносицу Салима, наискосок прошла через мозг, вышла через затылок, на излете ударила в верхнюю полку и обессиленно упала вниз. И окровавленное лицо террориста уткнулось в крышку столика, еще пахнущего салом и солеными огурцами. Мачо быстро вскочил и осторожно высвободил проводок из крепко сжатых зубов.

— А-а-а, человека застрелили! — заголосила какая-то женщина.

— Милиция! Убивают!

Пассажиры бросились в разные стороны. В вагоне начиналась паника. Мачо растерялся. Надо было успокоить людей, но он не знал, как это сделать. Влад Малков привычно бы выкрикнул: «Спокойно, ФСБ!» А что мог крикнуть он? «Спокойно, ЦРУ»? Пожалуй, это только усилило бы панику. А скорей всего, его бы приняли за сумасшедшего. Поэтому Мачо опустился на полку и стал освобождать правую руку от маскировочной повязки.

* * *

Огромное кубической формы здание аэропорта Шереметьево-2 напоминало растревоженный пчелиный улей. Потоки разношерстной публики текли в различных направлениях, сталкивались, закручивались водоворотами, сплетались и расплетались. Челноки с огромными клетчатыми сумками, представительные мужчины в дорогих костюмах с кожаными чемоданчиками от Дюпона, разодетые российские дамы, пахнущие дорогими духами, по-дорожному просто одетые европейцы, непомерно отягощенные сумками и чемоданами, мамаши с детьми, празднично настроенные туристские группы, прибывшие очередным рейсом негры, с некоторой опаской присматривающиеся к русским, примерно так когда-то белые колонизаторы, высаживаясь на африканский берег, взирали на их предков. Бизнесмены, командировочные, просочившиеся сквозь милицейские кордоны бомжи, затянутые в строгую форму летчики, стюардессы, таможенники — все смешались в единую пеструю массу, наполняя гомоном высокие помещения.

Был здесь даже один разоблаченный шпион. Мачо стоял в очереди на пограничный контроль. В черных джинсах, черной кожаной куртке, со спортивной сумкой через плечо он был похож на спортсмена, перешедшего на тренерскую работу. В руке он держал «засвеченный» паспорт на имя Василия Столярова с вложенным билетом до Нью-Йорка. Как и положено прожженному профессионалу, он в глубине души сомневался, что русские выполнят условия сделки. В конце концов, верить нельзя никому. Где гарантия, что с ним не ведут какую-то хитрую двойную игру, все правила которой известны только одной стороне? Конечно, ожидать подобного не было никаких оснований, но все же он испытывал некоторое напряжение.

— Знаешь, мне кажется, что это сон, — сказала Оксана. Она стояла рядом в элегантном брючном костюме, одетом прямо на голое тело, и в дорожных туфлях без каблука. В руках девушка держала точно такой билет. — Не могу представить, что это я уезжаю отсюда, что буду жить в Америке, что тебя зовут Билл! Это твое настоящее имя?

— Да, настоящее. Тебе придется ко многому привыкнуть...

Интонации в голосе были сухие и жесткие, как известь. В толпе провожающих он увидел Близнецов и напрягся еще больше. Но ничего не произошло. Молодой пограничник поставил штамп в паспорт, турникет открылся, и он вышел на нейтральную территорию. Из соседней кабинки вышла Оксана. Мачо оглянулся. Близнецы улыбались, Влад помахал ему рукой.

Мачо расслабился и, обняв Оксану за плечи, привлек к себе.

— Через двенадцать часов мы будем на месте, — сказал он совсем другим тоном.

И все же полного успокоения не наступило, просто одна озабоченность сменила другую. Предстояли сложности со своим начальством. Внутреннее расследование, проверки на полиграфе... Скорей всего, его уволят. Что ж, можно открыть оружейный магазин и торговать не серийной продукцией, а раритетами. Это приносит хорошую прибыль.

Оксана тоже была озабочена.

— И все это время мы не сможем заниматься любовью? Все двенадцать часов?

Билл Джефферсон рассмеялся и сильнее прижал к себе стройное девичье тело.

— Ну почему же, малышка. Не все так плохо. Что-нибудь

придумаем... Кстати, — подчиняясь какой-то подсознательной ассоциации, вдруг спросил он, — а ты умеешь солить огурцы?

— Нет, — удивленно ответила Оксана. — Но если надо — научусь.

Близнецы неторопливо шли к выходу из аэровокзала.

— Ты когда-нибудь слышал, чтобы агент так влюбился в сообщницу, что вытащил ее из тюрьмы и увез с собой? — повернулся майор Малков к напарнику.

— Никогда.

— И я никогда. Значит, наши девушки и правда самые лучшие в мире!

— А я в этом никогда и не сомневался, — ответил майор Ломов.

Эпилог

Литерный поезд несется по стране, соблюдая свое секретное расписание и никому не известный график. Мощный лоб локомотива спрессовывает воздух и гонит тугую волну перед собой. Если долго смотреть сквозь голубоватое бронированное стекло, то создается впечатление, что скорость становится запредельной и сейчас особый состав, словно острый нос новейшего истребителя, проткнет упругую воздушную пробку и с оглушительным хлопком преодолеет звуковой барьер. Но такого, конечно, произойти не может, и машинист Андреев встряхивает головой, прогоняя наваждение.

Привычно зажигаются впереди зеленые огни светофоров, срочно освобождаются пути, падают шлагбаумы на переездах. Литерный идет, идет литерный! Тревожатся в своих кабинетах железнодорожные руководители — в наше безответственное время только БЖРК грозит реальным наказанием: на сотнях станций рассказывают истории, как одного начальника из-за него сняли с работы, а другого и вовсе убили!

Насчет последнего — чистое вранье: Ибрагима Османова убить не удалось. Он по-прежнему работает начальником маленькой станции, но уже в тысяче километров от Елисеевской. Ибрагим пошил себе новый мундир и новую фуражку, в кармане он теперь всегда носит кустарный складной нож с крепким клинком и старательно избегает «земляков». В кабинете, в стенном шкафу, у него стоит на всякий случай замаскированный рулоном ватмана пятизарядный охотничий полуавтомат «МЦ 21-12» — заряженный и с досланным в ствол патроном. Когда проходит литерный, Османов выходит на перрон и долго смотрит вслед короткому, стремительно промелькнувшему составу.

Вагоны комплекса выглядят как новые: первый и последний заменили, а в остальных пробоины заделали, вмятины зашпатлевали, в несколько слоев выкрасили блестящей зеленой краской. Не той, которой обычно красят составы, а другой —

для ракет. В поезде переделали систему вентиляции, и теперь внутри вполне хватает воздуха, а иногда — по утрам и вечерам — он даже сохраняет естественный аромат свежести лесов, полей и рек.

Привычно стучат колеса, раскачиваются на жестких сцепках вагоны, слепые окна без интереса смотрят на проносящиеся мимо деревеньки, станции и полустанки. Внутри, за бронированной двухслойной обшивкой, идет своя жизнь, подчиненная уставу вооруженных сил и правилам боевого дежурства. Бдительно несут вахту бойцы взвода охраны: еще свежи события, которые стимулируют служебное рвение лучше многих приказов. Во втором вагоне тестирует свободный от службы личный состав военврач поезда старший лейтенант Тарасов. Экипаж сильно обновился, «старички» рассказывают «салагам», что раньше военврачом была раскрасавица майорша, столь же прекрасная, сколь и недоступная. Кто-то в это верит, кто-то нет, считая, что в мужской коллектив задраенного на несколько недель поезда никто бабу не допустит. Надо сказать, что соображение это вполне здравое.

Полковник Булатов не дождался генеральского звания. Всезнайки из штаба рассказывали, что за успешный учебно-боевой пуск его было представили к генерал-майору, но нападение боевиков, а особенно попытка несанкционированного пуска и самоубийство второго человека на БЖРК, испортили все дело. Пришлось уйти в отставку, и супруги Булатовы обосновались в Тиходонске: Наталья Игоревна работает в районной поликлинике, а супруг преподает в ракетном училище. На пенсию отправили и Кравинского, и Кандалина, их места заняли молодые и амбициозные офицеры, полагающие, что они никогда не допустят таких ляпов, как проштрафившиеся старики.

В штабном вагоне по-прежнему восседает начальник поезда Ефимов, только он уже не подполковник, а полковник. Вместо отправленного на пенсию Сомова контрразведывательную работу ведет недавний выпускник военного института старлей Быков.

Меньше всего изменений в отсеке запуска, здесь поменялся только начальник: место за боевым пультом занимает капитан Кудасов. Он пережил шок, когда узнал, что Оксана попала в сети ЦРУ, он так и не понял, что произошло с ней потом. Майор Маслов принес ему свидетельство о разводе и короткое письмо от бывшей супруги: «У меня все хорошо, не поминай лихом...» Доходили глухие слухи, что ее выпустили из тюрьмы и она вместе с использовавшим ее шпионом выехала за грани-

цу, но Александр им не верил: глупости, так быть не может...
Постепенно Кудасов оправился от шока и стал проявлять интерес к перспективе поехать на учебу в Академию ракетных войск. Сидя за пультом, он постоянно тренировался в расчете баллистических траекторий и каждый раз попадал в цель.

В боевом вагоне спит, до поры до времени, гиперзвуковая ракета «Молния». Ее скрытая мощь выше мелкой суеты непрочных и недолговечных людишек, поэтому она не обращает на них никакого внимания. Только одного человека она выделяет из общей массы: капитана Кудасова, которого признает своим повелителем. Капитан частенько заходит к ней в вагон, проверяет аппаратуру, трогает красный топор на пожарном стенде, гладит сферическую крышку контейнера и почему-то вздыхает.

В техническом вагоне не произошло никаких изменений: израсходованный запас шпал и рельсов обновили, доведя до штатной положенности, провели профилактические работы с краном и другими устройствами. Теперь БЖРК вновь готов к неожиданностям. В новом вагоне прикрытия и личный состав практически новый — произошло почти полное его обновление.

Атомный поезд несется с крейсерской скоростью, пересекая страну вначале в одну, а потом в другую сторону. Теперь он уходит в рейс не из Кротова и возвращается не в Тиходонский край: для него создана новая база, местонахождение которой хранится в секрете. Несмотря на произошедшие пертурбации, главное одно: БЖРК находится на боевом дежурстве и способен выполнить поставленную перед ним задачу. Ведь капитан Кудасов готов осуществить старт и уверен, что всегда попадет в цель. А все остальное по сравнению с этим совсем не важно.

Ростов-на-Дону
Июнь—сентябрь 2004 года

This book belongs to
Phoenix Medical Center
4147 Labyrinth Rd
Baltimore, MD 21215

Содержание

Литературно-художественное издание

Корецкий Данил Аркадьевич

АТОМНЫЙ ПОЕЗД

Издано в авторской редакции

Ответственный редактор *С. Рубис*
Художественный редактор *А. Сауков*
Художник *В. Федоров*
Технический редактор *Н. Носова*
Компьютерная верстка *Т. Жарикова*
Корректоры *М. Смирнова, Е. Чеплакова*

ООО «Издательство «Эксмо»
127299, Москва, ул. Клары Цеткин, д. 18, корп. 5. Тел.: 411-68-86, 956-39-21.
Home page: www.eksmo.ru   E-mail: info@eksmo.ru

По вопросам размещения рекламы в книгах издательства «Эксмо»
обращаться в рекламный отдел. Тел. 411-68-74.

Оптовая торговля книгами «Эксмо» и товарами «Эксмо-канц»:
109472, Москва, ул. Академика Скрябина, д. 21, этаж 2.
Тел./факс: (095) 378-84-74, 378-82-61, 745-89-16, многоканальный тел. 411-50-74.
E-mail: reception@eksmo-sale.ru

Мелкооптовая торговля книгами «Эксмо» и товарами «Эксмо-канц»:
117192, Москва, Мичуринский пр-т, д. 12/1. Тел./факс: (095) 411-50-76.
127254, Москва, ул. Добролюбова, д. 2. Тел.: (095) 745-89-15, 780-58-34.
www.eksmo-kanc.ru   e-mail: kanc@eksmo-sale.ru

Полный ассортимент продукции издательства «Эксмо» в Москве
в сети магазинов «Новый книжный»:
Центральный магазин — Москва, Сухаревская пл., 12
(м. «Сухаревская», ТЦ «Садовая галерея»). Тел. 937-85-81.
Москва, ул. Ярцевская, 25 (м. «Молодежная», ТЦ «Трамплин»). Тел. 710-72-32.
Москва, ул. Декабристов, 12 (м. «Отрадное», ТЦ «Золотой Вавилон»). Тел. 745-85-94.
Москва, ул. Профсоюзная, 61 (м. «Калужская», ТЦ «Калужский»). Тел. 727-43-16.
Информация о других магазинах «Новый книжный» по тел. 780-58-81.

ООО Дистрибьюторский центр «ЭКСМО-УКРАИНА». Киев, ул. Луговая, д. 9.
Тел. (044) 531-42-54, факс 419-97-49; e-mail: sale@eksmo.com.ua

Полный ассортимент книг издательства «Эксмо» в Санкт-Петербурге:
РДЦ СЗКО, Санкт-Петербург, пр-т Обуховской Обороны, д. 84Е.
Тел. отдела реализации (812) 265-44-80/81/82/83.

Сеть книжных магазинов «Буквоед»:
«Книжный супермаркет» на Загородном, д. 35. Тел. (812) 312-67-34
и «Магазин на Невском», д. 13. Тел. (812) 310-22-44.

Сеть магазинов «Книжный клуб «СНАРК» представляет самый широкий ассортимент книг
издательства «Эксмо». Информация о магазинах и книгах в Санкт-Петербурге по тел. 050.

Полный ассортимент книг издательства «Эксмо» в Нижнем Новгороде:
РДЦ «Эксмо НН», г. Н. Новгород, ул. Маршала Воронова, д. 3. Тел. (8312) 72-36-70.

Полный ассортимент книг издательства «Эксмо» в Челябинске:
ООО «ИнтерСервис ЛТД», г. Челябинск, Свердловский тракт, д. 14. Тел. (3512) 21-35-16.

Подписано в печать с оригинал-макета 25.10.2004.
Формат 84х108^1/$_{32}$. Гарнитура «Таймс». Печать офсетная.
Бумага газетная. Усл. печ. л. 25,20. Уч.-изд. л. 27,9.
Тираж 100 000 экз. Заказ № 0414300.

Отпечатано на MBS в полном соответствии
с качеством предоставленного оригинал-макета
в ОАО «Ярославский полиграфкомбинат»
150049, Ярославль, ул. Свободы, 97.